Openba─

Wi

Tele

D0343703

AFGESCHREVEN

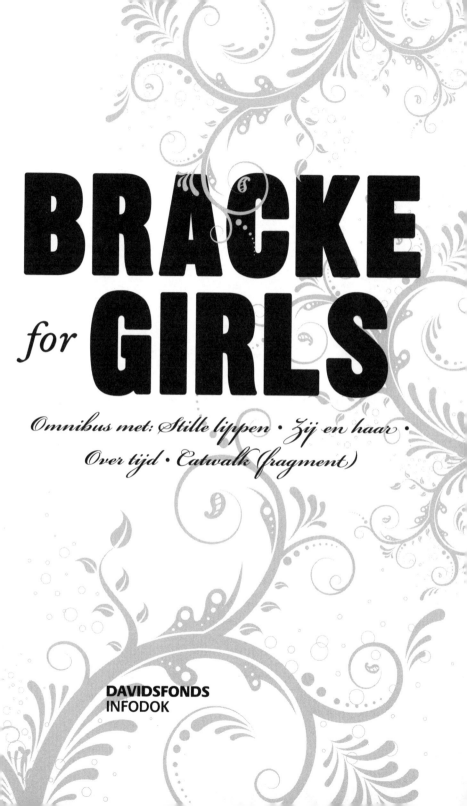

BRACKE for GIRLS

Omnibus met: Stille lippen · Zij en haar · Over tijd · Catwalk (fragment)

DAVIDSFONDS
INFODOK

Van Dirk Bracke verschenen bij Davidsfonds/Infodok:
Steen (12+)
Een vlieg op de muur (12+)
Blauw is bitter (12+)
Vuurmeisje (13+)
Een lege brug (14+)
Het uur nul (14+)
Stille lippen (14+)
Straks doet het geen pijn meer (14+)
Als de olifanten vechten (14+)
Het engelenhuis (14+)
Zij en haar (14+)
Henna op je huid (14+)
Black (14+)
Over tijd (14+)
Back (14+)
Papier (14+)

Bracke, Dirk
Bracke for girls

In Bracke for girls zijn opgenomen:
Stille lippen (1999), Zij en haar (2004), Over tijd (2007) en Catwalk (fragment, 2010).

© 2010, Dirk Bracke en Davidsfonds Uitgeverij nv
Blijde Inkomststraat 79, 3000 Leuven
www.davidsfonds.be
Vormgeving cover: Bart Luijten
Vormgeving binnenwerk: Peer De Maeyer
D/2010/2952/48
ISBN 978 90 5908 388 2
NUR: 284
Trefwoorden:
Stille lippen: handicap, gehoorgestoord
Zij en haar: verliefd, lesbisch
Over tijd: tienerzwangerschap, tienermoeder
Catwalk: fotomodel

STILLE
LIPPEN

Ik wil Kirsten Grieten, An Zegers,
Mady Hermans en Patrick van Lysebetten danken.
Zij leidden me even door een stille wereld.

1.

De metselaarsknecht liet de kuip van de betonmolen kantelen. Met felle gulpen klotste de mortel in de kruiwagen. Toen de knecht uit een ooghoek het meisje zag, richtte hij zich op. 'Hei, schatje! Zin in een snelle wip?' Terwijl hij dat riep, probeerde hij grijnzend haar ogen te vangen.

Ze glimlachte vriendelijk en liep rustig door. Met open mond staarde hij haar na. Het was zowat de enige reactie die hij van zo'n schoolmeisje niet verwacht had. De knecht kickte op geschrokken meisjesgezichten, geërgerde ogen of soms een opgestoken middelvinger. Maar dit had hij nog nooit meegemaakt. Verbluft keek hij het meisje na tot ze om de hoek verdwenen was.

'Fuck!'

Snel draaide hij de kuip weer overeind. De mortel was over de rand van de kruiwagen gelopen en op zijn schoenen gepletst.

Elien rilde in haar blauwe parka en sakkerde omdat ze haar wollen muts niet had meegenomen. Het vroor net niet, maar als ze het weerbericht mocht geloven, werd het de volgende dagen nog kouder. Ze had een hekel aan de kou, aan de scherpe wind die haar wangen ruw maakte, aan de kloven in haar lippen, aan een rood gesnoten druipneus, aan de donkere straten als ze 's ochtends naar school liep. En ze haatte het om 's avonds alleen in dat donkere huis thuis te moeten komen.

Elien schoof de mouw van haar jas omhoog en wierp een blik op haar horloge. Nog zeven minuten en ze moest in de klas zijn. Met nog grotere passen haastte ze zich door de Jozefstraat.

Ze zag het gezicht van de metselaarsknecht weer voor zich. Jammer dat zijn lippen zo snel hadden bewogen, waardoor ze niet had kunnen lezen wat hij gezegd had. Maar het was vast iets vriendelijks geweest, want hij had zo'n vrolijke grijns op zijn gezicht gehad.

Die is ook te laat, dacht Elien toen de lichtbundels van een auto haar inhaalden. Honderd meter verderop bleef de auto voor de poort van de kleuterafdeling staan. Een jonge vrouw sprong uit de wagen, trok het achterportier open en leidde een jongetje bij de hand naar het voetpad. Met vlugge, bezorgde bewegingen trok ze zijn mutsje over zijn oren, schikte zijn sjaaltje en duwde het kind een pakje Vitabiskoeken in de wantjes. Bij de schoolpoort kreeg het kleintje nog een kusje op de wang en toen verdwenen ze uit het zicht. Enkele seconden later kwam de vrouw terug. Ze sprong in de wagen en ging ervandoor.

Toen Elien aan de overkant van de straat de schoolpoort zag, blikte ze routineus even rond. Tussen twee geparkeerde auto's door liep het meisje snel het zebrapad op.

Halverwege de straat hoorde Elien vaag het geluid van een auto. Geschrokken keek ze naar links. Niks. Rechts had een groene Land Rover op een meter van haar vandaan geremd. Als gehypnotiseerd staarde Elien naar de jeep. Waar kwam die opeens vandaan?

De chauffeur draaide zijn raampje omlaag en stak zijn hoofd naar buiten. Zijn ogen vonkten.

'Hé! Kun je niet uitkijken?! Ben je doof of zo?!' schreeuwde hij woedend.

Met een ruk trok hij zijn hoofd weer naar binnen en gebaarde woest dat ze moest ophoepelen.

Elien haastte zich naar de stoep. De Land Rover trok fors op. Terwijl hij haar voorbijreed, keek de chauffeur haar vernietigend aan terwijl zijn wijsvinger tegen zijn slaap tikte.

Op een drafje liep Elien naar de schoolpoort. Te laat dacht ze eraan dat ze op het zebrapad altijd voorrang had. Ach, wat had ze kunnen doen? Die chauffeur had haar vast uitgelachen als ze hem met haar moeizame zinnetjes op zijn nummer had willen zetten.

Boos op zichzelf liep ze over de lege speelplaats naar de klas.

'Je bent te laat', zei mevrouw Aerts terwijl ze op haar horloge wees. Elien knikte schuldbewust en schoof vlug naar haar stoel. Op de tweede rij, naast Muriel. Elien zat altijd op de tweede rij. Dat was de ideale afstand om de lippen van de leraar te kunnen lezen. Nu ja, ideaal... Ze kon nog niet alles verstaan wat de leraar haar vertelde, zelfs niet met haar Phonic Ear. Trouwens, ook met dat hoorapparaat miste ze niet alleen de vragen en de opmerkingen van de anderen, maar vooral de grapjes, de ruzies, de roddels...

'Hoi, Elien', zei Muriel. 'Ik dacht al dat je ziek was.'

'Ziek? Ik?' grinnikte Elien. 'Je weet toch dat ik je niet kan missen.'

Plagerig porde Muriel met haar elleboog in Eliens zij en in een reflex ging Elien met haar hand door Muriels haar.

Aerts heeft vast iets gezegd, dacht Elien toen haar vriendin naar de lerares keek en met een rood hoofd iets in haar pennenzak zocht.

Beni, die schuin voor haar zat, draaide zich om en wachtte tot Elien zijn richting uit keek.

'Is er iets gebeurd?' vroegen zijn lippen.

Met een lauw lachje trok Elien haar schouders op. Ze had het niet zo op Beni begrepen. Vroeger had hij haar een beetje te veel geplaagd. Aan haar vlechten getrokken of haar rugzakje verstopt als het tijd was om naar huis te gaan. Kinderstreken, dat wel, maar Elien had het hem nooit vergeven. En ze was evenmin vergeten dat hij soms met een ernstig gezicht betekenisloze klanken wauwelde terwijl zij haar best deed om hem te begrijpen.

Het laatste halve jaar was Beni veranderd. Hij was veel vriendelijker geworden, slijmerig zelfs. Beni sloofde zich voor haar uit. Hij zorgde ervoor dat hij in de eetzaal naast haar zat of stopte haar een briefje met *Ik hou van je* en dat soort nonsens toe. Elien had hem liever toen hij haar nog pestte.

Ze boog zich vlug over haar handboek. Met een gewoontegebaar streek ze telkens met beide handen haar lichtbruine haar naar achteren. Ze liet het nooit korter dan tot net boven haar schouders knippen. Gelukkig had ze wilde, losse krullen die de afgrijselijke hoorapparaten camoufleerden. Zowat een maand geleden had Sarah in het kransje van de dovenclub voor opschudding gezorgd toen ze met blitse paarse apparaten was opgedoken. Elien was meteen weg van die frivole dingetjes, maar de volgende dag had pa meteen zijn veto uitgesproken. Zolang Eliens hoorapparaten het deden, hoefde ze niet op nieuwe te rekenen. Elien had de weigering met een schouderophalen geïncasseerd. Misschien was het ook wel beter zo. Die schreeuwerige toestelletjes trokken maar de aandacht en Elien liep liever niet te koop met haar oren. Zeker niet als er jongens of meisjes in de buurt waren die haar niet kenden.

Het gezicht van Beni betrok toen hij Lise bij de schoolpoort zag. Gelukkig, dacht Elien terwijl ze Beni te kennen gaf dat hij niet met haar mee hoefde te gaan.

'Tot morgen!' zei hij ontgoocheld.

Elien keek hem zelfs niet na. Ze liep uitgelaten naar Lise toe.

'Dag Elien', zei Lise.

Ze keek Elien in het gezicht. Ze sprak niet al te vlug en liet haar lippen heel duidelijk de woorden vormen.

'Moet je niet naar Robbe?' vroeg Elien.

Het kwam traag uit haar mond en met haar altijd vragende ogen keek ze naar Lises lippen.

'Hij is bij Joeri. Ik zie hem vanavond.'

Elien knikte. Robbe kende ze, Joeri niet. Ze stak haar arm door die van Lise. Samen liepen ze naar de tram. Lise babbelde honderduit. De woorden bromden dof en onduidelijk in Eliens oren. Maar dat gaf niet. Als Lise echt iets belangrijks te vertellen had, zou ze blijven staan en haar gezicht naar Elien draaien, zodat die haar lippen kon zien. Lise was Eliens buurmeisje. Een eeuwigheid geleden hadden ze elkaars legoblokken gedeeld. In het tuintje van Lise hadden ze elkaar besmeurd met modder, ze hadden gevochten om een poppenkleedje, gelachen met Bert en Ernie uit

Sesamstraat, gewedijverd om het best te scoren met Game Boy. En Elien was de bevoorrechte getuige geweest van Lises eerste veroveringen.

Toen Lise Robbe leerde kennen, voelde Elien dat het deze keer menens was. Tot haar spijt merkte ze dat Lise en zij uit elkaar groeiden. Niet dat ze het haar vriendin niet gunde, daarvoor was ze veel te nuchter. Lise was nu zeventien, twee jaar ouder dan zij. Het was niet meer dan normaal dat Robbe een belangrijkere rol in Lises leven kreeg.

Opeens draaide Lise haar hoofd om. Ze liet Eliens arm vallen.
'Robbe! Hoe kom jij hier? Dat is lief van je.'
Een jongen met gemillimeterd haar sprong van zijn fiets en liet hem tegen een gevel vallen. Hij liep naar Lise, sloeg zijn armen om haar middel en kuste haar op de mond.
Verlegen keek Elien naar het verkeer in de straat. Moest ze nu op Lise wachten of doorlopen?
Stiekem keek ze naar het koppeltje. En weer kroop dat verlangen in haar lijf om ook gekust te worden, om ook liefkozende handen op haar rug te voelen, om ook verliefd te zijn en vooral om iemand te hebben voor wie zij zoveel betekende.
Ze schrok toen Robbe op haar schouder tikte. Lise had haar hoofd op zijn zwarte leren jack gelegd. Haar ogen straalden.
'Ja?' vroeg Elien.
'Ga je zaterdag mee? We gaan naar de Moonstruck.'
Elien probeerde Robbes lippen te volgen. De woorden kwamen iets te snel. Hij sprak bovendien Antwerps dialect. Niet dat het keurig Nederlands moest zijn, maar dialect was toch moeilijker.
Zaterdag had ze verstaan, maar...
Robbe merkte het. Hij herhaalde het heel langzaam.
'De Moonstruck? Wat is de Moonstruck?'
Lise maakte zich van haar vriend los.
'Een discotheek', zei ze. 'Ik heb je toch al verteld dat we dikwijls naar de disco gaan.'

'Hoe kan ik nu weten dat de Moonstruck een disco is?'

'Ik dacht dat iedereen de Moonstruck kende', zei Robbe. 'Je hoort bijna iedere dag hun reclame op de radio.'

'Nou, ik niet. En mij heeft nog niemand verteld dat de Moonstruck een discotheek is', hield Elien koppig vol.

Lise drong zich tussen de twee.

'Zeg, hou op, wil je!' suste ze het brandje. 'Nou, Elien, ga je zaterdag mee?'

'Je wil dat ik meega?' vroeg ze ongelovig.

Robbe knikte. Er volgde weer een reeks ongrijpbare woorden, want Robbe was alweer vergeten dat hij langzaam moest praten.

Elien bleef maar knikken. Het maakte niet meer uit of ze hem verstond. Ze had geleerd om het belangrijkste te selecteren. Meestal klampte ze zich vast aan een paar woorden en raadde zo wat bedoeld werd.

'Nee', onderbrak ze hem. 'Ik ga niet mee.'

Robbe staarde haar aan. Hij keerde zich naar Lise.

'Waarom wil ze niet mee?' vroeg hij grimmig, alsof Lise wel in Eliens plaats zou antwoorden. 'Ik had verwacht dat ze opgetogen zou zijn.'

'Ga je echt niet mee, Elien?' vroeg Lise.

Elien schudde het hoofd.

'Het komt wel goed', zei Lise tegen Robbe. 'Ik spreek haar straks nog wel.'

Lise greep zijn hoofd en kuste hem weer. Na een tijdje liet Robbe haar los, sprong op zijn fiets, bedelde nog een laatste kus en peddelde weg. Lise wuifde hem na tot hij tussen de auto's was verdwenen.

'Lief van hem om me zo te verrassen', zei Lise terwijl zij deze keer haar arm in die van Elien haakte. 'Hij wist dat ik je aan school zou afhalen en wou me nog even zien voor hij naar Joeri ging.'

Elien knikte.

'Waarom ga je niet mee naar de disco?' vroeg Lise met haar gezicht naar Elien gericht.

'Ik denk dat het niet leuk zal zijn.'

Lise trok een rimpel tussen haar ogen.

'Hoe kun je dat nu weten? Je bent nog nooit in de Moonstruck geweest!'

Elien had geen antwoord klaar.

'Iedereen gaat graag naar de discotheek', hield Lise vol. 'Waarom zou jij het dan niet leuk vinden?'

Gelaten haalde Elien de schouders op.

'Ben je bang? Bang dat iemand je zal uitlachen?'

'Ik zal de muziek niet goed horen. Hoe kan ik dan dansen?'

'Nonsens, de muziek staat hard en je danst gewoon met de anderen mee. Waar jij je zorgen over maakt!'

Elien hield de tanden op elkaar geklemd.

2.

De Driekerkenstraat was een lange, bochtige straat die doodliep op een manshoog bakstenen muurtje. De meeste huizen waren oud. Sommige waren met de jaren haast onbewoonbaar geworden, andere hadden een opgeknapte gevel en een nieuw dak gekregen. Toch had de straat zelfs op een stralende zomerdag iets beklemmends, alsof je ieder ogenblik iets akeligs kon overkomen.

Gelukkig is Lise meegekomen, dacht Elien.

Door de dicht opeengepakte wolken was het om halfvijf al bijna donker in de smalle Driekerkenstraat. Elien voelde zich altijd bedreigd als ze in haar eentje naar huis moest. Ze hoorde geen voetstappen achter zich, geen auto naast zich of geen motorfiets die haar volgde. Onwillekeurig keek ze steeds weer over haar schouder en ze kon het niet laten om de laatste honderdvijftig meter op een drafje af te leggen.

Maar met Lise erbij voelde ze geen greintje angst. Lise was een horende. Zij kon de voetstappen achter hun rug horen.

'Denk je er nog eens over na?' vroeg Lise toen ze bijna bij het bakstenen muurtje waren dat de straat afsloot.

'Ja', zei Elien onzeker.

'Je moet meegaan, Elien. Je weet niet wat je mist.'

Met een onrustig gebaar streek Elien over haar voorhoofd.

'Misschien mag ik niet.'

Lise keek verrast op.

'Zou je dat niet mogen? Een keer uitgaan?' ratelde Lise. 'Ik ben erbij. Joeri zal ons met de auto afhalen en hij brengt ons weer thuis. Veiliger kan toch niet?'

Elien glimlachte bij zoveel enthousiasme. Lises lippen kon ze, net als die van haar ouders, door de jarenlange ervaring bijna moeiteloos lezen, zelfs al vergat haar vriendin langzaam te praten.

'Ik wil best', zei ze bedrukt, 'maar thuis...'

Lise keek Elien doordringend in de grote ogen, die altijd vragend leken te staan.

'Weet je wat? Vrijdag kom ik je thuis afhalen als je naar school vertrekt. Dan loop ik met je mee tot aan de hoek van de straat. Niet verder, want Robbe wacht daar op me. Dan hoor ik het wel. En als je niet mag, kom ik die avond bij je pa pleiten.'

'Wat is pleiten?' vroeg Elien.

Er waren nog zoveel woorden die ze niet kende. Woorden die niet vaak gebruikt werden, woorden die ze op school niet had geleerd.

'Pleiten?' herhaalde Lise verbaasd. 'Tja, wat betekent pleiten?' Heel even keek ze naar boven, alsof in de donkere lucht het antwoord te lezen stond.

'Dan overtuig ik je vader ervan dat hij jou mee moet laten gaan', zei ze, maar half tevreden over haar antwoord.

'Goed', zei Elien terwijl ze doorliep. 'Vanavond vraag ik het hem.'

Elien woonde in het laatste huis van de straat. Bij de muur die de straat liet doodlopen. Achter die muur lag een pleintje. Vanaf haar slaapkamerraam kon Elien het pleintje zien. Het was omzoomd met populieren. Tussen de takken kon ze de betonnen tegels zien waarmee het pleintje was geplaveid. Dag en nacht stonden er auto's geparkeerd. Alleen het midden was altijd leeg. Daar was met enkele lijnen in witte verf een primitief basketbalplein afgebakend. Buiten de schooluren gooiden wat jongeren met een bal door de ring, of ze bouwden er met wat houten blokken en stenen een skatecircuit.

Toen ze de gevel van hun huis voorbijliep, gluurde Elien naar binnen. Het was donker. Ze kon alleen vaag de meubels zien staan.

Nee, er is niemand, overtuigde ze zichzelf.

Ze pakte haar portemonnee en in het wazige licht van een straatlantaarn zocht ze tussen wat wisselgeld naar de yalesleutel.

Huiverig stak ze hem in het slot. Het was telkens weer eng om als eerste het huis te moeten binnengaan. Ma arriveerde pas rond zes uur. Pa, die met de trein uit Brussel kwam, nog een uurtje later. Zodra de deur openzwaaide, knipte ze het licht aan. Terwijl de sleutel nog in het slot zat, keek Elien de lege gang in, klaar om meteen de straat op te vluchten. Nee, de gang zag er nog precies uit als deze ochtend. De oude koperen melkkan met de twee paraplu's stond nog steeds naast de trap. Het antieke zakhorloge van haar overgrootvader hing aan de muur. Dat zouden inbrekers vast en zeker meenemen, dacht Elien.

Ze zuchtte van opluchting. Terwijl ze met haar knie de voordeur tegen de gangmuur duwde, trok ze de sleutel uit het slot en liet hem weer tussen het wisselgeld verdwijnen. Ze haakte haar rugzak los en hing haar jas aan de kapstok.

Daarna bukte ze zich om de post op te rapen die op de tegels lag. Reclame van Neckermann, een grijze enveloppe van Colruyt en rekeninguittreksels van de bank.

'Niks', mompelde Elien.

Niet dat ze wat verwachtte. Maar iedere dag hoopte ze dat er iets voor haar zou liggen. Een kaartje, een briefje, om het even wat, als haar naam maar op de enveloppe stond. Ach... ze zou niet weten wie haar zou schrijven.

Ze duwde de deur in het slot, liep door en deed de deur van de woonkamer open.

Snel deed ze het licht aan. Alles in orde.

In een oogopslag zag ze de keukendeur, die altijd openstond. Terwijl ze in de deuropening bleef staan, doemde het spookbeeld weer op.

Elien schudde de huivering van zich af. Ze legde de post en haar rugzakje op tafel en liep argwanend naar de keuken.

'Zie je wel', mompelde ze, half opgelucht maar. 'Niemand.'

Onrustig liet ze zich op de bank vallen. Ze pakte de afstandsbediening en zette de tv aan. Toen trok ze Poenki, haar pluchen pandabeer, op haar schoot en zapte tot ze een tekenfilm vond.

Ze verwenste zichzelf omdat ze het waanbeeld van inbrekers die haar opwachtten niet van zich af kon schudden.

'Ik moet proberen het te vergeten', nam ze zich weer eens voor en tegelijk wist ze dat het niet zou lukken.

Ze dacht terug aan al die jaren dat ze nog zorgeloos de yalesleutel in het slot stak. Ze probeerde zich op de tekenfilm te concentreren.

Elien schrok toen ze een hand over haar schouder voelde gaan. Haar moeder liep om de bank heen en kuste Elien even op de wang.

'Hoe was het op school?'

'Dag ma', zei Elien terwijl ze haar ogen op het scherm gericht hield.

Haar moeder zuchtte en ging naar de keuken. De eindgeneriek van de tekenfilm rolde over het scherm. Elien zette de tv af en liep haar moeder achterna. Terwijl die naar haar dochter keek, haalde ze een doosje spinazie uit de diepvriezer.

'Hoe was het op school?' vroeg ze weer.

'Gewoon.'

Het meisje liep meteen naar de bergplaats achter de keuken, pakte het plastic teiltje en telde uit een houten krat zes halfgrote aardappelen. Even later zat ze met een aardappelmesje en het teiltje, dat intussen met water gevuld was, aan de keukentafel.

Terwijl ze de aardappelen schilde, dacht Elien aan zaterdag. Misschien kon ze maar beter zoals altijd gewoon thuisblijven en tv kijken.

Kon zij dansen? Kon zij losjes met iemand kletsen? Nee toch. Zo'n disco was vast niks voor haar.

En toch... Op tv had ze weleens gezien hoe het eraan toe ging in zo'n technotempel. Wellicht was het toch de moeite waard om het eens mee te maken. Alleen al om het langs haar neus weg te zeggen op school. Wat zouden de anderen opkijken! Elien is dan toch niet alleen dat aardige meisje met wie je medelijden moet hebben, zouden ze denken. Het meisje dat stilletjes bij hun groepje ging staan als ze over vriendjes, vriendinnetjes, Aerts of boysbands babbelden en hun telkens weer vroeg wat ze gezegd hadden. Of hen geërgerd onderbrak als ze niet wist waar ze om lachten.

Een hand zwaaide voor haar ogen.

'Wat is er?' vroeg ma.

'Niks.'

'Je doet zo vreemd.'

Elien liet een geschilde aardappel in het teiltje vallen, zodat het water hoog opspatte.

'Ma?'

Haar moeder keek op.

'Ja?'

'Moet je nog lang blijven werken?'

Verwonderd leunde haar moeder tegen het aanrecht.

'Nog een jaar of dertien, denk ik. Tot ik vijfenvijftig ben. Hoewel, je weet maar nooit. Waarom?'

Aarzelend legde Elien de half geschilde aardappel op tafel.

'Kun je niet vroeger stoppen met werken? Volgende week of zo?'

Ma fronste haar voorhoofd, trok een stoel bij en legde haar hand op Eliens arm.

'Wat scheelt er, Elien? Is er iets gebeurd?'

'Ik ben bang om 's avonds alleen in dit donkere huis te komen', zei ze zacht.

'Nonsens', zei ma hoofdschuddend. 'Waarvoor ben je dan bang?'

'Voor inbrekers.'

'Doe niet zo mal, Elien. Wat zouden die bij ons komen zoeken? In de vooravond nog wel.'

'Ik denk steeds dat twee inbrekers me opwachten als ik thuiskom...'

Ma gaf een kneepje in Eliens arm.

'Ik kan toch geen ontslag nemen omdat jij niet graag alleen thuiskomt? Trouwens, je hoeft amper een halfuurtje alleen te zijn. Zeg nu zelf, zo erg is dat toch niet? Zet dat waanbeeld uit je hoofd. Je bent vijftien, Elien. We kunnen toch geen babysit voor je vragen, of wel soms?'

'Nee', gaf Elien haar gelijk.

'Zie je wel', zei haar moeder terwijl ze opstond en weer naar het aanrecht liep.

Eliens vader schepte spinazie en aardappelen op haar bord.

'Genoeg?'

Ze knikte zonder nadenken.

Messen en vorken tikten in de borden. Elien wist dat ze geluid maakten, maar hoe het klonk? Ze had er het raden naar. Soms vroeg ze zich af hoe de stemmen van pa en ma klonken. Ze had een vaag vermoeden, want als pa of ma schreeuwde, hoorde ze hen wel. Maar dan klonken hun stemmen vast heel anders.

Nu vroeg ze zich niet meer af hoe de woonkamer klonk. De stilte was een deel van haar. Een loden, ontilbare sluier over haar oren.

Met flarden volgde ze het gebabbel van haar ouders. Het interesseerde haar niet. Meer dan 'Hoe was het vandaag?', 'In de loop van de week wordt het nog kouder' of 'Wat eten we morgen'? was het toch niet.

Maar als ze merkte dat het over haar ging of als pa en ma lachten, kon ze zich woedend maken als ze geen rekening met haar hielden.

Ze wachtte tot ze de lippen niet meer zag bewegen.

'Zaterdag ga ik naar de Moonstruck', zei Elien terwijl ze over haar bord gebogen een stuk worst sneed.

Langzaam richtte ze haar hoofd op en keek haar vader aan. Die staarde terug, met zijn mes en vork onbeweeglijk in zijn handen.

'Naar wat?'

'Naar de Moonstruck, een discotheek', zei Elien, fel omdat ze al weerstand op zijn gezicht bespeurde.

Onthutst keek hij naar haar moeder. Zij keek naar hem.

'Waarom?'

'Om te dansen, natuurlijk', zei Elien vinnig. 'Andere meisjes gaan toch ook dansen!'

Terwijl hij zachtjes zijn hoofd schudde, zochten zijn ogen hulp bij haar moeder.

'Ik ga met Lise en Robbe.'

'Je hoort de muziek amper, hoe kun je dan dansen?'

Elien gooide haar mes brutaal in haar bord.

'De muziek staat hard! En ik kan kijken hoe de anderen dansen. Trouwens, op de feestjes van de dovenclub dans ik toch ook?'

'Tja, de dovenclub...' zei hij meewarig. 'Daar valt het niet op als je verkeerd danst. Daar is iedereen...'

Hij slikte zijn woorden in.

'Ik wil me niet begraven in die club!' riep Elien opstandig. 'Ik wil leven zoals iedereen!'

Zelfs Elien voelde dat de stilte die op haar woorden volgde pijnlijk was. Ze pakte haar mes weer op en kauwde op het stukje worst. Het smaakte nergens meer naar.

'Vind je niet dat je nog wat jong bent om naar een disco te gaan?' probeerde haar moeder haar om te praten.

'Lise gaat toch ook!' riep Elien geprikkeld.

'Lise is anderhalf jaar ouder dan jij.'

'En Muriel? En Karen? En Stephanie? Die gaan ook elke week uit. Waarom zij wel en ik niet?'

'Stephanie is zestien. Muriel mag maar af en toe uitgaan en Karen ken ik niet.'

'Maar ik ben nog nooit gaan dansen!'

'In de club zijn er toch soms feestjes waar je kunt dansen', probeerde haar vader weer.

'Pfff', deed Elien minachtend. 'Altijd met diezelfde mensen, ja.'

Haar moeder beet op haar onderlip.

'Maar de meisjes die je noemde, zijn horenden. Zij kunnen op eigen benen staan.'

'En waarom zou ik dat niet kunnen?'

Het klonk vijandig.

'Omdat...'

Ze zocht moeizaam naar de juiste woorden om haar dochter te overtuigen en haar toch niet te kwetsen.

'... omdat je niks weet over dat soort leventje. Jongens die het niet goed met je menen. Jongeren die bier drinken, roken en...'

Het woord lag op haar tong.

'En?' vroeg Elien hard.

'Drugs. Je leest er iedere dag over. Speed, xtc, amfetamines en weet ik veel wat voor rommel er tegenwoordig nog meer bestaat.'

Elien haalde haar neus op. Ze had niet alles verstaan, maar ze wist wel dat haar moeder het over drugs had.

'Drugs', bitste ze. 'Denk je nu echt dat ik...'

Opeens was ze het beu. Dat onbegrip. Die overbescherming, telkens weer. Ze had er genoeg van. Fietsen mocht ze vroeger ook niet. Te gevaarlijk. Een skateboard? Vergeet het! Alleen om in dit donkere huis te komen was ze geen baby meer, maar om naar een discotheek te gaan was ze opeens weer te jong. Pa en ma gebruikten haar leeftijd gewoon zoals het hun uitkwam.

'Waarom moet ik altijd het slachtoffer zijn? Is het voor mij al niet erg genoeg dat ik bijna niks hoor? Het is toch mijn schuld niet dat ik bijna doof ben? Nee, jullie hebben me zo gemaakt!'

Elien keek haar ouders een voor een verwijtend aan. Onthutst bleven ze zitten.

Ze besefte dat ze zich door haar teleurstelling had laten meeslepen, maar vertikte het om terug te krabbelen.

'Dat meen je toch niet, Elien?' zei haar moeder. 'Dat het onze schuld is dat je niet goed hoort...'

Ontdaan pakte ze in een zak van haar rok een zakdoek en wreef haar ogen droog.

Elien schokte kort met haar schouders. Ze wist niet of ze het meende. Het was iets wat haar soms dwarszat. Waarom scheelde er uitgerekend wat met háár oren? Waarom niet met die van Beni? Waarom niet Lise of Stephanie? Misschien had het toch wel iets met haar ouders te maken.

'Zouden we haar toch niet laten gaan, Luc?' stelde haar moeder voor. 'Misschien heeft Elien wel gelijk. Ze kan toch niet eeuwig op zaterdagavond met ons voor de tv zitten?'

'Hoe kom je in die Moonstruck?' vroeg hij, weinig overtuigd.

De weegschaal helde weer wat naar haar kant over, voelde Elien.

'Een vriend van Robbe rijdt met de auto. Hij komt ons halen en brengt ons weer terug.'

Pa snoof nadenkend.

'Rijdt die vriend al met de auto? Ik vind het maar niks dat je met oudere jongens omgaat.'

'Met welke jongens moet ik dan wel omgaan? Met Beni, zeker? Zo'n engerd. Trouwens, ik ga niet met Joeri om. Hij komt ons halen, dat is alles. En Lise is er toch ook bij?'

'Lise is er ook bij', herhaalde haar moeder voorzichtig. 'Zij zal wel op Elien letten.'

'Ach... vooruit dan maar', zwichtte hij. 'Er moet eens een eerste keer zijn.'

Yes! juichte het in Elien. Eindelijk hoorde ze erbij. Bij de horenden die uitgingen, plezier maakten, dansten...

Maar zou ze zich niet belachelijk maken? Stel dat een jongen iets zei en dat ze zijn lippen niet kon lezen? Of dat ze het ritme van de muziek niet voelde? Hoe moest ze dan meedansen?

'Maar ik kom je wel om één uur halen', zei hij beslist.

Eén uur! Haar euforie smolt weg.

'Maar Joeri komt ons pas rond halfelf ophalen. Dan kan ik hooguit twee uurtjes wegblijven.'

'Eén uur!' herhaalde hij met klem.

Elien schudde heftig met haar hoofd, zodat haar krullen wild in het rond zwaaiden.

'Nee!'

Eliens moeder legde haar hand op zijn pols.

'Toe nou, Luc... Eén uur. Dat is toch niet meer van deze tijd?'

Zijn vlakke hand kwam hard op het tafelblad neer.

'Maar ze is zo goed als doof!' riep hij uit. 'Die knapen kunnen om het even wat bedisselen, zonder dat ze iets merkt. Nee, geen sprake van. Ik laat haar niet door die Joeri thuisbrengen. Hoe jij zoiets niet inziet, begrijp ik niet.'

Hij keek zijn vrouw vernietigend aan.

'Ach, jij bent ouderwets. Jij denkt nog altijd dat Elien tien jaar oud is', deed ze smalend.

Elien kromp in elkaar. Ze haatte het als haar ouders ruzie maakten. Ze zette de hoorapparaten af om zeker niks van het gekibbel op te vangen. Ze boog weer over haar bord. Niks zien, niks horen.

De spinazie was koud. Elien legde haar bestek in haar bord en liep naar de tv.

Pas veel later kwam haar moeder naast haar zitten.

'Elien, je moet begrijpen dat we bezorgd zijn', zei ze. 'Luister, pa komt je pas om twee uur halen. Is dat niet mooi?'

Maar Elien sloot zich op in een cocon van stilte.

Met een diepe zucht legde Elien haar rugzakje op het bureau, schoof het gordijn opzij en keek nog even door het raam in het duister. Nee, nu hoefde ze niet bang te zijn. Pa en ma waren beneden en keken tv. Nu zouden de inbrekers niet komen. Toch boog ze over het bureau en spiedde naar het pleintje. Zie je wel. Alleen een stevig ingeduffelde man die zijn hond uitliet.

Het is koud, dacht Elien toen de man krachtig met zijn armen om zijn lichaam sloeg om het warm te krijgen.

Alleen de hond leek het niet koud te vinden. Geduldig bleef hij aan een vuilnisbak snuffelen. Toen de hond werd teruggefloten en ze allebei verdwenen, trok Elien de gordijnen weer dicht en liet zich op haar stoel zakken. Ze knipte de bureaulamp aan en draaide de rugzak naar zich toe.

Eerst wiskunde studeren, daarna die tekening afwerken. Wiskunde dus. Mooi, dan hoefde pa of ma niet te helpen. Maar met Nederlands... Zonder hun hulp was het bijna onmogelijk om

woorden behoorlijk in zinnen te gieten. Ze schoof het woordenboek binnen handbereik. Dat kon ze niet missen. Ieder boek
stond vol woorden die ze nog niet kende.

Elien knoopte de koordjes van haar rugzak los en wou de wis-
kundemap pakken, toen ze de hoek van een witte enveloppe tussen de bladen van haar handboek Nederlands zag zitten. Verrast
trok ze de enveloppe uit het boek.

ELIEN, stond in drukletters op de voorkant geschreven. Met ge-
fronst voorhoofd draaide ze de enveloppe om, maar de rugzijde
was blank. Nieuwsgierig stak ze haar pen onder de sluitrand en
scheurde de enveloppe open.

Dag Elien,

*Misschien is het laf om je te schrijven terwijl ik je iedere dag in de klas zie,
maar dat komt omdat ik je niet durf te vertellen dat ik de hele dag aan je
moet denken. Ja, ik ben verliefd op jou.*

*Ik weet niet hoe jij over me denkt. Soms heb ik de indruk dat je me mijdt, een
andere keer denk ik dat je me wel mag. Het doet er helemaal niet toe dat je doof
bent. Tenslotte ken ik je lang genoeg om te weten hoe ik met je moet praten.*

*Ik besef dat ik vroeger weleens vervelend was, maar dat was vroeger. Toen
zag ik je nog niet zoals ik je nu zie.*

*Als het voor jou oké is, wil ik zaterdag graag met je afspreken. Om wat te
doen? Dat zien we dan wel.*

*Ik weet al dat ik vannacht niet zal kunnen slapen omdat ik steeds maar
aan jou zal moeten denken.*

xxx
Beni
*ps Wil je over deze brief niks aan de anderen vertellen? Het is tenslotte iets
tussen jou en mij.*

Onderaan had Beni een hartje getekend en hun hoofden, die hij
uit een oude klasfoto had geknipt, in het hartje geplakt.

Geërgerd roffelde Elien met haar vingers op het woordenboek. Ze verfrommelde de brief en keilde hem hard in de papiermand die naast haar voeten stond.

De idioot! Begreep hij nu niet dat ze een hekel had aan hem, aan zijn verliefde hondenogen, aan zijn trutterige attenties? En dat hij het niet erg vond dat ze doof was! Alsof hij zoveel beter was! Bovendien, ze was niet doof, maar slechthorend. Daar lag een wereld van verschil tussen. Maar dat begreep die oen natuurlijk niet.

Met een grimas op haar gezicht viste Elien de brief uit de papiermand, streek hem met beide handen weer glad en stopte hem in haar rugzak.

Het licht floepte met een klik weg. Elien rolde zich op, drukte haar knuffel tegen zich aan en trok de donsdeken tot over haar oren.

Ze voelde zich verward. Het was leuk dat ze naar de Moonstruck mocht, maar ze was bang dat het uitstapje op een flop zou uitdraaien. Enkel en alleen door de trilhaartjes in haar oren die hun werk niet deden. Ze voelde weer een oneindig medelijden met zichzelf. Het was niet eerlijk.

En dan die ruzie tussen haar ouders. Nu was zij de reden geweest. Ze hadden wel vaker ruzie. Het ging natuurlijk lang niet altijd over haar, maar toch dacht ze dat haar oren er misschien de oorzaak van waren dat het tussen pa en ma niet echt meer klikte. Dat ze stilaan uit elkaar dreven. Daarom was het studeren vanavond ook niet gelukt. Het zou morgen een ramp worden met die wiskundetoets. Misschien kon ze vroeger opstaan? Maar ze had geen zin. En die brief van Beni? Ach.

Het zou nog even duren voor ze in slaap viel, voelde ze. Haar hoofd was nog te vol. Ze opende haar ogen. Achter het dunne gordijn dreven donkere wolken met lichte randen snel voorbij. Geluidloos. Zoals altijd was het donker en stil in de kamer. Ze haatte die eenzaamheid. Ze haatte iedere avond dat ze alleen thuiskwam. De beklemmende angst als ze het licht in de gang aanknipte of als ze de keuken inspecteerde, waar ze de twee inbrekers verwachtte.

'Nee, Poenki', fluisterde ze terwijl ze de pluchen panda tegen haar wang drukte. 'We willen nu niet aan de inbrekers denken.' De kamer bleef eng. Onstuitbaar verschenen de inbrekers weer op haar netvlies.

Gefascineerd zag ze met open ogen hoe Nummer Eén en Nummer Twee het aanpakten om binnen te komen. Ze parkeerden hun auto op het pleintje. Wie ook maar een beetje lenig was, raakte zo op het muurtje. Vandaar zouden ze op het platte dak van de keuken klimmen en in een wip waren ze dan op het balkon van Eliens slaapkamer. Met een glasmes sneden ze een gat in de ruit. Dan stak Nummer Eén zijn hand naar binnen, draaide de klink om en zette zijn voet op het blad van haar bureau. Ze waren zo binnen. Een fluitje van een cent.

Ze doorzochten eerst haar slaapkamer, maar algauw merkten ze dat daar niks te vinden was. Daarna kwam de slaapkamer van pa en ma aan de beurt. Nummer Twee jatte uit de bovenste lade van het nachtkastje ma's gouden halssnoer en haar broche met het diamantje. Nu liepen ze naar beneden, pikten het horloge in de gang mee, doorzochten de woonkamer. Opeens hoorden ze hoe Elien de sleutel in het slot stak. De inbrekers verborgen zich vlug in de keuken.

Elien liet de film voor haar ogen voorbijrollen. Met een rand van de donsdeken streek ze de zweetdruppeltjes op haar voorhoofd weg.

'Nee', mompelde ze. 'Niet aan denken. Aan iets anders denken.'

Toch wist ze dat de film nog een paar keer in haar hoofd geprojecteerd zou worden voor ze insliep. Ze hoopte dat ze niet weer wakker zou schrikken en dan urenlang in de immense stilte naar het gordijn moest kijken omdat ze de nachtmerrie maar niet van zich af kon zetten.

3.

'Ik hoop dat de winkel al open is', mompelde Elien toen de deuren van de tram achter haar dichtklapten.

Er hingen al wat jongeren rond in de buurt van de school, maar over een kwartiertje zou de straat volgestouwd zijn met auto's, bromfietsen, fietsen en groepjes schoolkinderen die de laatste seconde afwachtten om door de schoolpoort te lopen.

Omdat ze een vroegere tram had genomen, leek het alsof ze nog een zee van tijd had. Toch moest ze opschieten.

Voor een etalage met boeken, rekenmachientjes en mappen bleef ze staan. Er waren al een paar mensen in de winkel. Ze liep naar de deur, aarzelde even, maar haalde toen diep adem en liep de winkel binnen.

Elien dreef met de stroom leerlingen mee naar de speelplaats. In de drukte zocht ze Muriel, Karen en Caroline, die ongetwijfeld met hun drietjes tegen het raam van de biologieklas stonden. Dat was hun vaste stek.

Vlak bij de poort stond Beni. Hij wuifde en slalomde tussen andere leerlingen door naar haar. Maar Elien wachtte niet. Ze liep hem straal voorbij.

'Hoi, Elien', zei Karen. 'Koud, niet?'

Muriel en Caroline maakten wat plaats in hun kringetje om haar erbij te laten.

'Ik heb wat voor jullie', zei Elien met een gemene grijns terwijl ze omkeek en Beni zag, die haar bleef nastaren.

Ze maakte haar rugzak open en haalde er een bundeltje papieren uit.

'Eentje voor jou, voor jou en voor jou.'

Stomverbaasd namen de meisjes het blad aan.

Zonder hun reactie af te wachten dweilde Elien de speelplaats af. Als ze iemand uit haar klas zag, duwde ze die een blad in de handen.

'Zo, ik denk dat iedereen er eentje heeft', zei Elien toen ze weer bij het raam van de biologieklas kwam.

'Heb jij echt iedereen zo'n kopie gegeven?' vroeg Muriel ongelovig.

'Iedereen', zei Elien effen.

Rumoerig schoven ze tussen de tafeltjes naar hun plaatsen. Caroline stootte Beni aan en schoof het blad onder zijn neus.

'Ga weg!' riep Beni terwijl hij het meisje woest van zich af duwde.

Toen zakte hij neer op zijn stoel. Nerveus ging hij met zijn handen door zijn haar en probeerde niemand te zien door strak naar een punt op zijn tafeltje te staren.

Karen liep naar het bureau van de leraar en legde er gauw een fotokopie neer. Toen ging ze naar haar plaats.

Het werd pas stil in de klas toen Aerts de deur achter zich sloot. De lerares voelde meteen dat er spanning in de lucht hing. Misschien gniffelden haar leerlingen om haar? Maar toen ze haar boekentas op het bureau wilde zetten, zag ze het blad papier liggen.

Verwonderd pakte ze het op, las en keek beurtelings naar Beni en Elien. Omdat ze niet meteen wist hoe ze moest reageren, stopte ze het blad in haar boekentas. Toen pas zag ze dat op bijna ieder tafeltje eenzelfde blad lag.

'De grap heeft lang genoeg geduurd', zei ze streng. 'Stop die kopieën nu maar weg.'

Onder protest verdwenen de bladen, maar Aerts wist dat de hele school straks zou weten wat er gebeurd was.

Het leek alsof Beni kleiner geworden was.

4.

'Goeienavond', zei de man in de oranje stofjas en hij hield de deur open.

'Goeienavond', zei Elien.

Na schooltijd moest ze nog even bij het buurtwinkeltje langslopen voor rijst, een blik abrikozen en currypoeder. Dat stond straks op het menu. Er zaten nog loempia's in de diepvriezer.

'Het is bar koud', mompelde de winkelier, die er te laat aan dacht dat ze hem niet hoorde.

'Is er iets?' vroeg Elien, die een glimp van zijn grijns had opgevangen.

'Het is bar koud', zei hij weer.

'Dat weet ik', zei ze. 'Ik ben te voet hierheen gekomen.'

Hij glimlachte, hoewel hij zich op zijn plaats gezet voelde.

'Heb je geen handschoenen?' vroeg hij, om iets te zeggen.

Elien haalde ze uit haar jaszak.

'Bedankt, en tot een volgende keer', zei hij.

Maar ze keek al niet meer naar zijn mond.

Rillerig dook Elien dieper in haar gewatteerde parka en haastte zich over het voetpad. Haar oren, haar mond en haar neus waren warm weggestopt onder haar wollen sjaal.

De straat lag er stil en koud bij. De messcherpe noordoostenwind waaide iedereen naar binnen. Elien hield niet van lege straten. Het maakte haar bang. Ieder meisje kon de geluiden om haar heen horen, maar zij...

Beni dook op in haar hoofd. Terwijl de anderen in de klas lachten, hem aanstootten en hem de fotokopie van de brief onder zijn neus duwden, zat Beni geslagen en vernederd over zijn tafeltje gebogen, met zijn vingers om de zitting van zijn stoel geklemd. Wat ze hem toeriepen, kon ze niet verstaan, maar ze merkte dat sommigen hem kwetsten.

Gisterenavond had ze besloten hem al die pesterijen van vroeger betaald te zetten. En toen de bladen vanochtend uit het kopieerapparaat gleden, voelde ze de triomf en popelde ze om de fotokopieën uit te delen. Maar nu... De zielige ogen van Beni deden haar overwinning grotendeels teniet.

Toen ze op het pleintje kwam, floot ze een wolkje adem tussen haar lippen door. Hoewel haar huis aan de scheidingsmuur van het plein grensde, moest ze helemaal om het huizenblok lopen om er te komen. Tenzij ze over het muurtje klauterde, zoals... Het afschuwelijke beeld verscheen even op haar netvlies, maar ze kon het meteen van zich af schudden.

Met opzet had ze de tram gemist en had ze zich niet gehaast in de warme winkel. Ma zou vast al thuis zijn, er kon niks gebeuren.

Die gaat hard, dacht Elien onwillekeurig toen een jongen op een Booster uit de Verrieststraat kwam aangereden. Hij sneed de bocht af om langs het plein te rijden. Op hetzelfde ogenblik draaide een zware vrachtwagen met oplegger de Verrieststraat in.

De voorste wielen namen een stuk van het voetpad en de oplegger zwaaide ver uit, te ver. In een wanhopige reflex stuurde de jongen zijn Booster naar rechts, maar hij kon niet vermijden dat de achterbumper van de oplegger hem aantikte. Hij gilde, probeerde in paniek de Booster recht te houden, viel, gleed over het plaveisel en sloeg zwaar met zijn been tegen een populier. Een fractie reed de bromfiets nog door tot het voorwiel een kwartslag draaide en de Booster crashte.

Wellicht had de vrachtwagenchauffeur niet eens wat gemerkt, want zodra hij de bocht had genomen, trok hij met veel lawaai op.

Secondenlang keek Elien het gevaarte na. Toen dacht ze aan de jongen. Aarzelend ging ze naar hem toe. Bang om een verschrikkelijk toegetakeld lichaam te vinden, bang omdat ze iets moest doen en niet wist wat.

Ze hurkte bij hem en legde het plastic boodschappenzakje op de grond. De jongen bewoog toen ze voorzichtig zijn schouder aanraakte.

'Doet het pijn?' vroeg ze.

Ze hoopte maar dat hij wat zou zeggen, zou opstaan, zijn bromfiets zou rechtzetten en weer zou wegrijden.

Maar de jongen bleef liggen. Er vloeide een streepje bloed uit zijn neus. Behoedzaam maakte ze het riempje van zijn valhelm los en streek enkele haarslierten uit zijn gesloten ogen.

Verstijfd van het gehurkt zitten, richtte ze zich moeizaam op en keek om zich heen. Het pleintje en de straten waren nog even verlaten als daarstraks. Alsof er niets gebeurd was.

Hadden de horenden dan niks gehoord? De bromfiets die crashte. Het moet toch heel wat lawaai gemaakt hebben, dacht Elien.

Vooraan in de Verrieststraat zag ze licht achter een raam. Halsoverkop haastte ze zich ernaartoe. Drie, vier keer drukte ze op de belknop.

Een man van een jaar of dertig in een wit joggingpak trok met een wantrouwig gezicht de deur open.

'Wat moet je?' zag ze hem vragen.

Er kwam nog een hele woordenstroom, maar ze kon zijn lippen niet volgen.

'Er is een ongeluk gebeurd!' onderbrak ze hem ontredderd en ze wees naar de jongen op het pleintje.

De man zweeg abrupt. Hij volgde even haar uitgestoken wijsvinger en keek haar toen verwijtend aan.

'Daar wil ik niks mee te maken hebben', zei hij. 'Hij zal vast veel te hard gereden hebben. Eigen schuld.'

De deur smakte dicht.

Elien stond verbouwereerd naar het glas in de aluminium deur te staren. Even laaide woede in haar op, maar toen dacht ze aan de jongen. Ze moest iets doen! Ze rilde. Het leek plotseling nog een stuk kouder. Even overwoog Elien om net als die man te reageren, om door te lopen, om te doen alsof er niks gebeurd was. Maar haar boodschappen lagen nog naast de jongen. Ze kluisterden haar aan de jongen.

Radeloos rende ze terug. En toen zag ze het telefoonhokje op de hoek van de Verrieststraat. Ze had het al zien staan, maar het als onbruikbaar achter in haar hoofd geklasseerd. Nu leek het witverlichte hokje haar dichterbij te wenken. Tegen beter weten in keek ze nog even naar het donkere hoopje mens dat nog steeds op de stenen lag. Ze haalde diep adem, blies een wolk damp in de koude lucht en trok het stroeve deurtje van de telefooncel open.

Aarzelend nam ze de hoorn van de haak, niet wetend hoe ze moest beginnen. Ze had zelfs thuis nog nooit getelefoneerd. Waarom zou ze ook? Ze hing weer op.

Haar ogen gleden over de pictogramplaatjes aan de wand. Ze gleed met haar vinger zoekend over de pictogrammen en las de instructies. De hoorn pakken, een halve euro in de gleuf laten vallen, het nummer intoetsen. Toen zag ze het plaatje 100 voor medische hulp. Gratis!

Haar vinger toetste 100 in.

'Er ligt een jongen op de grond!' riep ze zonder op de aansluiting te wachten.

'Hallo?'

'Er ligt een jongen op de stenen!'

'Waar bent u? Wat is er gebeurd?'

'Er ligt een jongen op de stenen! Een vrachtwagen heeft hem aangetikt en de jongen is met zijn bromfiets gevallen!'

'Blijf nu even rustig. Is de jongen ernstig gewond?'

Elien keek onzeker naar het telefoontoestel, alsof ze eraan zou zien dat men haar begrepen had. Ze had er geen idee van of haar telefoontje iemand bereikt had.

'Er is een jongen gevallen', probeerde ze nog eens.

'Blijf waar u bent. We komen er zo aan.'

Er volgde een klik.

'Er ligt een jongen bewusteloos op de grond en ik weet niet wat ik moet doen!' riep ze in de hoorn. 'Kunt u me helpen? Er is niemand anders in de buurt.'

Opeens bedacht ze dat de hulpdienst niet kon weten waar de jongen lag.

'Hij ligt op het pleintje aan de Verrieststraat!'

Ze keek naar de gaatjes in de hoorn en probeerde heel geconcentreerd iets te horen, maar hing dan op.

'Wat nu?' vroeg ze zich af toen ze het deurtje achter zich liet dichtklappen en terug naar de jongen liep.

Een auto reed snel het pleintje langs, maar de bestuurder scheen de bromfiets of de jongen niet op te merken. Elien boog zich weer over de jongen, niet wetend wat ze moest doen. Naar huis rennen? Misschien was dat de beste oplossing. Haar moeder was vast al thuis.

Toen zag ze de jongen kreunen en hij tastte langzaam naar zijn been. Nu pas zag ze dat het been in een wel heel onnatuurlijke houding lag.

Gebroken, dacht ze.

Ze liet zich op haar knieën naast hem zakken en streek tegen beter weten in met de rug van haar hand over zijn bleke wang.

'Het komt wel goed', zei ze troostend. 'Maar ik weet niet wat ik moet doen. De man in dat huis waar licht brandt, wil ons niet helpen. Zal ik mijn moeder halen? Maar dan moet ik je wel een tijdje alleen laten. Doet je been veel pijn?'

Hij verschoof een beetje. Een pijnlijke grimas lag op zijn gezicht.

'Je bent niet meer bewusteloos', zei ze, bijna lachend van opluchting. 'Maar je ligt al zo lang op die ijskoude stenen. Je moet bevriezen.'

Vlug ritste ze haar jas los, trok hem uit en legde hem over de jongen.

Omdat haar benen stijf werden, hees ze zich overeind en probeerde wat warmte in haar voeten te trappelen.

De uitloper van een lichtschijnsel verscheen naast haar op de stenen. Elien richtte haar hoofd op. Iemand parkeerde een auto aan de rand van het pleintje. Het portier ging open en een vrouw met een wijnrode ski-anorak stapte uit.

Elien zag dat ze wat vroeg, maar de vrouw was te veraf om haar lippen te kunnen lezen.

'Die jongen moet naar het ziekenhuis!' riep ze terwijl ze naar de auto rende.

'Wat is er gebeurd?' zag ze de vrouw vragen.

'Hij is aangereden door een vrachtwagen!'

De vrouw haastte zich met Elien het pleintje op.

'Heb je de hulpdiensten gebeld?' vroeg ze.

'Ik weet het niet', zei Elien, die alleen nog oog had voor de lippen van de vrouw.

Ze hoopte dat zij nu het initiatief van haar zou overnemen.

'Wat bedoel je? Heb je gebeld of niet?' vroeg de vrouw.

Elien trok haar haar uit de sjaal, maakte haar oren vrij en liet de hoorapparaten zien.

'Ik weet het echt niet. Ik heb gebeld, maar ik weet niet of ze me gehoord hebben', zei ze met tranen in de ogen. 'Ik kon niet...'

'We zullen het toch nog eens proberen', onderbrak de vrouw haar.

Ze haalde een gsm uit haar handtas en tikte vliegensvlug het nummer in.

'Ze zijn al op komst', zei ze even later terwijl ze het toestel in haar tas liet glijden.

Bezorgd boog ze zich over de jongen, raakte even zijn wang aan, keek naar zijn been, zijn enkel. Toen draaide ze haar hoofd naar Elien.

'Ik weet niet of het erg is', zei ze. 'Ik ben geen dokter.'

Voorzichtig legde ze haar hand op zijn voorhoofd en schudde haar hoofd.

'Eigenlijk zouden we hem in de auto moeten leggen. Het is zo koud. Maar misschien is het beter om hem niet te verplaatsen. Je weet maar nooit.'

Elien knikte onwillekeurig, maar ze wist niet wat de vrouw

had gezegd. Ze dook nog wat dieper in haar sjaal en wreef huiverig haar handschoenen tegen elkaar. Haar voeten voelde ze niet meer.

De vrouw merkte het. Ze kwam overeind.

'Hemeltje, nu ben ik zo met die jongen bezig dat ik helemaal niet aan jou dacht. Je hebt zelfs je jas uitgetrokken, je moet zowat bevroren zijn. Stap gauw in de auto.'

'Ja', zei Elien en ze liet zich gewillig naar de auto leiden.

Even later kwam de ambulance aangereden. Twee verplegers haastten zich uit de wagen, klapten de achterdeuren open en trokken een brancard naar buiten. Een derde was intussen naar de jongen gelopen en onderzocht hem snel.

'Is het erg?' vroeg de vrouw.

'Tja... erg... het is maar hoe je het bekijkt', zei hij terwijl hij Eliens jas aan de vrouw gaf en een deken over de jongen legde. 'Een gebroken been. En zijn enkel...'

Hij klakte met zijn tong.

'Die enkel... dat zullen de röntgenopnamen moeten uitwijzen, maar ik vrees voor een fractuur. Misschien ook een lichte hersenschudding.'

Met zijn drieën schoven ze hem handig op de brancard.

'Ken je hem?' vroeg een verpleger.

'Nee', zei de vrouw. 'Ik reed toevallig voorbij en toen zag ik dat er iets gebeurd was. Misschien kent dat meisje hem. Ze zit in de auto.'

Ze liet de jas zien.

'Deze jas is van haar. Ze had hem over die jongen gelegd en bevroor zelf.'

'Geef de jas maar aan mij', zei hij terwijl hij de parka uit haar handen nam. 'Dan vraag ik haar meteen wie de jongen is.'

De twee andere verplegers liepen intussen met de brancard naar de ambulance.

De vrouw greep hem bij de mouw.

'O ja, ze hoort niet best', waarschuwde ze.

'Nee?' vroeg hij met een knikje, alsof hij het nu allemaal begreep. 'Daarom zeiden de mensen van de centrale dat het een vreemde oproep was.'

'Dan heeft het meisje jullie toch bereikt', zei de vrouw. 'Ze dacht dat haar telefoontje mislukt was.'

'Alle oproepen worden geregistreerd', zei hij met een flauw glimlachje. 'Ze weten meteen van waar er gebeld wordt.'

Toen Elien zag dat de verpleger naar de auto kwam, stapte ze uit. Ze vond het jammer dat ze de gure wind weer in moest.

'Ken je hem?' vroeg de verpleger terwijl hij met zijn duim naar de brancard wees die in de ambulance werd geschoven.

Elien schudde met een verontschuldigend lachje het hoofd.

'Maakt niet uit, hij zal wel een identiteitskaart op zak hebben.'

Uit de Verrieststraat naderde een politiecombi met een blauw zwaailicht. Het gillen van de sirene drong zelfs tot Eliens oren door.

'Hoe is het gebeurd?' vroeg een agent terwijl een tweede naar de bromfiets liep.

De vrouw en de verpleger haalden de schouders op.

'Dat meisje daar heeft het zien gebeuren, maar het zal niet eenvoudig zijn om van haar een getuigenverklaring te krijgen. Ze is doof.'

Intussen keek Elien naar de overkant van de straat. Plotseling leken de lege huizen bewoners te hebben. Hier en daar stonden voor geopende deuren groepjes mensen die druk smoesden en naar het pleintje wezen.

'Wil jij me vertellen wat er precies gebeurd is?' vroeg de agent.

Hij sprak nu wat harder.

Van het huis waar ze had aangebeld, waren de gordijnen opengetrokken. De man in het joggingpak en een vrouw met een kind aan haar hand keken naar het pleintje.

De agent legde zijn hand op haar schouder. Elien schrok.

'Kun jij me vertellen wat er gebeurd is?' vroeg hij hard.

Beduusd staarde Elien naar zijn lippen. Hij sprak te snel.

'Een beetje langzamer, alstublieft', zei ze.

De agent zuchtte.

'Laat maar. Ik zal je verklaring later wel opnemen.'

'Mag ik jouw identiteitskaart zien?' articuleerde hij langzaam terwijl hij met zijn handen een vierkantje tekende en met zijn vinger naar Elien wees.

In de stilte van de avond drongen heel, heel vaag flarden van zijn stem tot haar door. Toch keek ze naar zijn lippen om hem te verstaan.

'Identiteitskaart?' vroeg Elien.

Hij knikte opgelucht.

'Ik kom vanavond naar je thuis om je verklaring af te nemen', zei hij.

'Om mijn verklaring af te nemen?' vroeg ze. Ze begreep niet wat het betekende.

'Vanavond', zei de agent nog eens terwijl hij vlug haar adres in een notitieboekje krabbelde.

'Goed', zei Elien onzeker.

De ambulance raasde weg met het zwaailicht en een loeiharde sirene aan.

'Jij blijft bij de bromfiets en je maakt een schetsje', zei de agent tegen een jongere collega die een beetje onbeholpen bij de Booster stond. 'Je weet waar je het schetsboek kunt vinden.'

'En jij?' vroeg de jonge agent. Een hele tijd in de ijzige kou staan leek hem weinig aanlokkelijk.

'Ik ga naar het ziekenhuis. Eens horen of die jongen me wat kan vertellen!' riep hij terwijl hij zich naar de warme combi haastte.

De jonge agent draafde achter hem aan en kreeg een plankje in de handen geduwd waarop enkele vellen papieren geklemd waren. Nukkig zocht hij in zijn borstzakje een pen en liep naar de rand van het pleintje.

Toen duidelijk werd dat het schouwspel voorbij was, verdwenen de buurtbewoners weer in hun warme huizen. Even later zag het kruispunt er weer even verlaten uit als een halfuur geleden.

Een beetje verweesd bleven de vrouw en Elien achter.

'Zal ik je naar huis brengen?' stelde ze voor terwijl ze beurtelings naar de auto en naar het meisje wees.

Elien twijfelde even, maar schudde dan het hoofd.

'Nee, dank je.'

Ze wist dat het moeilijk zou zijn om met de vrouw te praten als ze aan het stuur zat.

'Maar ik vind het helemaal geen probleem', drong de vrouw voor de vorm aan.

'Ik woon vlakbij', zei Elien. 'Echt, het hoeft niet.'

Ze haastte zich weg. Ma was vast al thuis. En ze moest...

'Shit!'

Toen ze aan het avondeten dacht, besefte ze dat ze haar boodschappentasje had laten liggen. Ze keerde zich om en liep op een drafje terug.

5.

'Zit nu eindelijk eens stil', zei haar vader nors.

Gedwee bleef Elien op de bank zitten en staarde naar het tv-scherm. Stiekem keek ze voor de zoveelste keer op haar horloge.

21.39.

De wijzers sliepen gewoon.

'Ik moet nog even naar het toilet', zei ze en ze verdween weer uit de woonkamer.

'Alweer?'

Hij perste zijn lippen op elkaar.

Elien zwaaide met haar hoofd heen en weer voor de spiegel van de badkamer. Nauwlettend keek ze toe hoe haar lichtbruine lokken in het rond zwiepten. Haar haar, dat ze altijd lang en los droeg om die vervloekte apparaten te verbergen. Alleen thuis stak ze het soms op.

'Zie je wel', mompelde ze. 'Iedereen zal mijn hoorapparaten zien.'

Langzaam probeerde ze haar hoofd te bewegen zonder dat de apparaten zichtbaar werden. Het lukte gewoon niet. Ontmoedigd bleef ze in de spiegel kijken. Ze wist dat ze een leuk snoetje had. Dat was geen punt. Haar ogen hadden een wat aparte amandelvorm. Een neus zoals duizenden andere neuzen in een ovaal gezicht.

Nee, haar uiterlijk was geen probleem. Ze had al wel gemerkt dat jongens opkeken als ze voorbijliep. Maar ondanks de zachte glimlach in haar mondhoeken liep ze hen straal voorbij. Niet omdat ze zich te knap voelde. Nee, gewoon uit schaamte omdat ze anders was. En uit angst om daarom opzij gezet of uitgelachen te worden.

'Je maakt je zorgen om niks', had Lise haar gisteren nog gezegd. 'Je hebt een goed figuur, wild krullend haar... Nee, je mag er best wezen.'

Nou, Elien wist wel beter. Neem nu Harald. Ze kende hem omdat hij 's ochtends ook altijd op de tram zat. Steeds op dezelfde plaats, vooraan rechts bij het raam. Telkens als ze opstapte, keek hij van het raam weg en lachte naar haar. De eerste schooldagen had ze hem genegeerd, maar na een week of wat had ze teruggelachen. Voorzichtig en vrijblijvend. Meteen had ze weer strak voor zich uit gekeken.

Op een woensdagmiddag wachtte Harald haar bij de schoolpoort op. Stralend was hij naar haar toe gekomen.

Elien grijnsde toen ze zich het teleurgestelde gezicht van Beni herinnerde.

Alsof ze het al jaren zo deden, liep Harald naast haar mee naar de tramhalte en hij babbelde meteen honderduit.

Ze kon hem gewoon niet volgen. Toen zijn spraakwaterval even stopte omdat ze wellicht iets had moeten antwoorden, had ze de verwonderde blik in zijn ogen gezien.

'Ik versta je niet', had ze gezegd. 'Ik hoor niet zo goed.'

'Heb je niet geluisterd?' vroeg de idioot.

'Ik hoor je niet', had ze herhaald en ze had even haar lokken achter haar oren gestreken om haar hoorapparaten te laten zien.

'Dat wist ik niet', had hij gestameld. 'Doet het pijn?'

Een stuk zwijgzamer had hij met haar bij de tramhalte gewacht. Het waren pijnlijke minuten geweest. Gelukkig was de tram overvol en werden ze tot hun opluchting uit elkaar geduwd.

Toen ze de volgende ochtend een plaatsje zocht in de tram, had ze hem gezien. Ze wist dat hij haar ook had gezien, maar toch keek hij met een rode kop door het raampje.

Voor Elien hoefde het niet meer. Een krasje op haar hart meer of minder...

Ongedurig schoof ze weer op de bank.

'Het is tijd om te gaan', zei ze terwijl ze schijnbaar rustig opstond.

'Nu al?' zei ma terwijl ze naar de wandklok keek. 'Het is niet eens tien uur. Je moest toch pas om halfelf bij Lise zijn?'

'Er is toch niks op tv', schokschouderde Elien. 'En misschien komen de jongens wat vroeger.'

Toen ze merkte dat haar vader zich naar haar keerde om iets te zeggen, liep ze vlug naar de gang om haar jas aan te trekken. Voor de spiegel drapeerde ze nog gauw haar haren over de kraag.

'Zo, dan ga ik maar', zei ze terwijl ze haar hoofd nog even in de woonkamer stak, met de deurklink in haar hand.

Haar vader stond op.

'Om twee uur sta je op de stoep voor de Moonstruck. Vergeet het niet.'

'Ja, pa. Ik zal er zijn. Maak je maar geen zorgen.'

Ze was bereid om alles te beloven, als ze maar weg kon.

'En wees voorzichtig', zei haar moeder nog.

'Waarvoor?'

'Je weet wel wat ik bedoel.'

'Zeg, wat denk je wel!'

Elien draaide zich beledigd om.

Een halve maan verlichtte bijna griezelig de lege Driekerken-straat. Elien huiverde toen ze de vrieskou tot in haar botten voelde.

Niemand, registreerden haar hersenen automatisch. Ze keek even naar het muurtje, absurd bang om boven de stenen rand het gezicht van Nummer Eén te zien verschijnen.

'Stomme trut!' schold ze zichzelf uit, woedend omdat ze die belachelijke fantasie niet van zich af kon zetten.

O, ze wou zo graag dat het al lente was. Dan was het nog licht als ze thuiskwam. Dan kon ze dat waanidee tot de volgende winter ergens in een verloren la van haar hoofd wegstoppen.

Hoewel ze het gezicht van Nummer Eén niet zag, holde ze toch naar Lises huis.

Haar wijsvinger duwde op de belknop. Terwijl ze wachtte, dacht ze aan haar wuivende haren in de spiegel. Als die lelijke, bespottelijke hoorapparaten er nou niet waren... Straks zou iedereen haar vast aangapen en zij zou door de grond zinken van schaamte. Nee, als het zo moest, kon ze beter naast haar pa op de bank blijven zitten en verveeld naar de hoogtepunten van het voetbal kijken.

Een fractie van een seconde aarzelde ze nog. Toen maakte ze haar hoorapparaten los en stopte ze vliegensvlug in haar tasje. De restjes geluid die haar met de wereld verbonden, lagen nu op de bodem van haar kunstleren tasje.

'Ha, je bent er al', zei Lise, die de deur op een kier had geopend.

'Er viel thuis niks te beleven.'

Lise trok de deur verder open.

'Brrr... is het nog altijd zo koud? Kom gauw naar binnen.'

Verrast gaapte Elien haar vriendin aan. Ze droeg een vale pull met oude, gele verfvlekken en een slobberbroek. Haar blote voeten zaten in slippers.

'Je bent nog niet klaar?' vroeg ze ongelovig.

'Nee', zei Lise gehaast. 'Ik was naar Titanic aan het kijken en het was zo...'

'Titanic? De film? Heb je die in huis? En, is hij echt zo goed?'

'Amai...' zei Lise met een zucht, waarbij ze de 'ai' lang aanhield.

'Als je wilt mag je die dvd lenen. Je komt hem maar eens halen.'

Ze pakte Eliens arm om op haar horloge te kijken.

'O, fuck, is het al zo laat! En ik moet nog douchen, mijn haar föhnen, mijn gezicht, mijn vingernagels en...'

Nerveus greep ze Eliens tas.

'Kom, geef die tas maar hier en doe vlug je jas uit. Dan kun je tv kijken terwijl ik me een beetje toonbaar maak. Ik mag er niet aan denken dat Robbe me zo...'

Ze slikte haar woorden in terwijl ze het tasje op een kastje zette.

Intussen ritste Elien haar parka open.

'Ga je...?'

Elien had het niet gehoord, maar ze voelde dat Lise haar aanstaarde.

'Wat is er?' vroeg Elien geschrokken. 'Is er iets met mijn trui?'

Gejaagd zocht ze naar een vlek of een loshangende draad. Wat
was er mis met haar trui?

Lise tikte tegen haar arm.

'Het is niks, hoor', lachte ze.

Ze liegt, dacht Elien.

Om zich een houding te geven keek Lise op haar blote pols.

'Shit. Hoe laat is nu al, Elien?'

'Zeven over tien.'

'Geen tijd te verliezen', zei Lise gejaagd. 'Er is verder niemand
thuis, maar je kent de weg, Elien. Zet gerust de tv aan. Ik kom zo
terug.'

Elien keek rond. Het was lang geleden dat ze in de woonkamer
geweest was. Maar er was niet zoveel veranderd. Het afgrijselijke
streepjesbehang was gelukkig vervangen door een witte struc-
tuurverf. Een hele verbetering.

Er hing een muffe sigarettenwalm. Op het salontafeltje lagen
een rood-blauw pakje L&M en een wegwerpaansteker.

'Zeven', telde Elien de peukjes in de asbak en ze klakte afkeurend met haar tong.

Wat verlegen drentelde ze rond, bladerde in een nummer van
Cosmopolitan dat op een stoel lag en krabde met haar vingernagel over het katoenen tafellaken. In een flits doken oude beelden
op: Lise en zij die aan de tafel speelden. In die hoek stond toen
een poppenkast die Lises vader getimmerd had en die zij beschil-
derd hadden. Soms speelden ze ook bij Elien in het tuintje en
klommen ze stiekem over de muur om bij de andere kinderen op
het pleintje te zijn. Elien keek dan bewonderend naar de jongens
met hun rollerskates, die soepel en snel tussen de auto's slalomden of moeiteloos over houten springplanken gingen.

Hoofdschuddend liet ze zich op de bank vallen en zette de tv aan. Voetbal, natuurlijk. Lusteloos zapte ze naar enkele andere kanalen en keek ongeïnteresseerd naar een reclamespotje voor Biotex.

Bezorgd streek ze over haar knalrode, gebreide trui. Onder die trui had ze een blouse met een kleurig blokjesmotief aangetrokken.

'Was het mijn jeansbroek?' vroeg ze zich onzeker af terwijl ze zich haar spiegelbeeld voor de geest haalde. Een strakke, zwarte Levi's 501? Die stond toch goed bij haar trui? Nee, die kleren waren de beste die ze in haar kast liggen had. En toch, die ongelovige, haast afkeurende blik van Lise...

Op het tv-scherm liep een ongelooflijk vriendelijke hond kwispelstaartend naar een bakje. Terwijl hij zijn kop vooroverboog, voelde Elien aan een frisse tocht dat de deur werd opengeduwd. Een jongen die ze nooit eerder had gezien, kwam nonchalant de woonkamer in. Alsof hij kind aan huis was.

Hij was wat ouder. Een jaar of negentien, schatte Elien. Hij droeg een zwarte trainingsbroek met drie brede, witte Adidasstrepen, en daaronder een paar donkerblauwe baskets. Het haar om zijn hoofd was weggeschoren, maar dat boven op zijn kruin was lang en hing in een paardenstaart tot op zijn rug.

'Hallo', zei hij luchtig terwijl hij zich naast haar op de bank liet vallen.

'Hallo', zei Elien en ze keek reikhalzend uit naar Lise.

Hij ritste zijn jas open en Elien zag dat hij een rood-wit voetbaltruitje droeg.

'Man United', wees hij trots met zijn duim naar het truitje.

Elien verstond het niet, maar ze knikte.

'In Engeland gekocht', zei hij, alsof dat een echtheidscertificaat was.

Elien verstond het nog altijd niet, maar ze bleef naar zijn lippen kijken. Misschien zei hij nog iets waar ze enig houvast aan had en kon ze iets terugzeggen.

Ongelovig merkte hij dat ze hem niet verstond.

'Man United', spelde hij nadrukkelijk.

Ze lachte vriendelijk en schudde haar hoofd. Ze kende het woord niet, ze kon er geen enkele betekenis aan vastknopen.

Hij monsterde haar alsof ze een merkwaardig exemplaar uit een museum was.

'Jij bent dus dat doofstomme meisje?'

'Niet doofstom. Ik ben slechthorend en ik kan best wel spreken, hoor', verbeterde Elien hem meteen.

Hij draaide zijn hoofd om.

'Ga je altijd in een zak gekleed?!' riep hij hard.

Meteen daarna keek hij haar weer aan.

'Wat heb ik geroepen?'

Machteloos keek ze naar zijn lippen.

'Zie je wel dat je doof bent.'

Alsof hij spijt had van zijn gedrag, schoof hij wat dichter tegen haar aan.

'Voor een doof meisje zie je er best aardig uit', zei hij, alsof dat hem verbaasde.

'Het is niet omdat er iets met mijn gehoor is dat ik misvormd ben!' zei Elien pissig.

'Ga je ook naar school? Naar een speciale school?' vroeg hij belangstellend. Het leek erop dat hij met die vraag zijn lompheid wilde goedmaken.

'Nee. Vroeger ging ik naar een speciale school. Nu doe ik sociaal technische. Opvoedster.'

'Hoe kan dat nu? Kun je echt zo goed liplezen?'

'Mm... ja', zei ze aarzelend. 'Als de leraar voor me staat en als hij goed articuleert, lukt het wel. We gebruiken ook een Phonic Ear, een apparaatje waarmee ik toch iets hoor. Maar toch mis ik nog heel wat van de les. Het is niet makkelijk.'

'Een Phonic Ear?'

Nu was het zijn beurt om verwonderd te kijken.

'Een zendertje en een ontvanger die aangesloten is op mijn

hoorapparaten. De leraar moet in een microfoontje spreken en dan kan ik hem een beetje horen.'

'Maar zonder dat ding hoor je haast niks?' wou hij weten.

'Nee', gaf Elien onwillig toe.

'Je woont hier in de buurt?'

'Een paar huizen verderop', zei Elien. 'Het laatste huis van de straat.'

'Tegen de muur?'

'Ja, vlak bij het pleintje.'

Terwijl Joeri zich comfortabel onderuit liet zakken en zijn benen kruiste, duwde Robbe een tegenspartelende Lise naar binnen. Verbouwereerd keek Elien naar haar vriendin. Lises haar piekte alle richtingen uit en hing in natte strengen tegen haar voorhoofd en haar slapen. Ze had blijkbaar vliegensvlug een badhanddoek om zich heen geslagen. Terwijl hij haar in de nek kuste, zochten zijn handen plagerig een weg onder de handdoek.

'Niet doen, Robbe', kirde Lise terwijl ze zich wanhopig uit zijn greep probeerde te kronkelen zonder de badhanddoek los te laten.

'Laat me los! Ik moet me nog aankleden!'

'Ik vind je mooier zonder die badhanddoek', lachte hij.

Hij kneep nog even in haar heupen, zodat ze een gilletje slaakte, en liet haar dan gaan.

Lise liet de handdoek met een hand los, zodat die van haar schouders gleed en de schouderbandjes van een rode beha zichtbaar werden.

'Grrr...' acteerde Robbe en hij stak zijn handen als klauwen omhoog alsof hij haar wou grijpen.

Maar Lise weerde hem af en duwde hem met haar vrije hand naast Joeri op de bank. Die had intussen een voetbaluitzending gevonden.

'Aha, Club Brugge', zei Robbe. Hij vergat meteen zijn liefje.

'Ik hoorde de bel', zei Lise toen Elien haar vragend aankeek. 'Ik had net de douchekraan dichtgedraaid en dit was het enige dat binnen handbereik lag.'

Elien durfde er wat om te verwedden dat ze met opzet alleen de badhanddoek had gepakt.

'Ik ben zo terug', riep Lise vrolijk en ze verdween in de gang.

Elien keek schuin naar de twee jongens naast haar op de bank. Robbe kende ze. Hij was tof. Als hij haar zag, stak hij altijd zijn hand op of hij riep iets.

Maar die Joeri... nee. Zo grof als die daarstraks deed... Hij had iets wat haar ongemakkelijk maakte. Hoewel, misschien wantrouwde ze alle horenden die niet in haar kringetje leefden. Misschien viel die Joeri wel mee als je hem wat beter kende.

En toch... Ze zat niet rustig naast hem. Soms betrapte ze hem erop dat hij naar haar keek. Of liever, gluurde. Alsof ze een lekker brokje was. En soms lachten Joeri en Robbe terwijl ze met hun ogen aan de tv gekluisterd waren. Voetbal was toch niet grappig.

Elien kreeg het nare gevoel dat de jongens om haar lachten. Af en toe probeerde ze iets van hun lippen te lezen, maar het lukte niet. Ze zat slecht.

Waar bleef Lise nou!

Goh, ik ben een miskleun, dacht Elien wanhopig.

Lise was in de kamer verschenen en fladderde naar Robbe, die niet eens opkeek. Een geur van Calvin Klein vocht met de verschaalde walm van zeven L&M's. Flirterig legde ze haar armen over zijn borst en ging met haar neus over zijn bijna kale schedel.

'Wat vind je ervan, liefje?' viste ze naar een complimentje.

'Heel mooi', zei Robbe terwijl hij op het puntje van zijn kussen ging zitten om de herhaling van een doelpunt beter te zien.

'Bah, engerd, je kijkt niet eens', pruilde Lise.

Ze liep om de bank en poseerde treiterig voor de tv. Joeri boog opzij om toch niks van het voetbal te missen.

'Ik heb je toch al gezegd dat ik het mooi vind', zei Robbe korzelig. 'En wil je nu even opzij gaan? Nog tien minuutjes en we kunnen vertrekken.'

Terwijl ze haar tong uitstak, liep ze naar Elien.

'We wachten tot het voetbal voorbij is', herhaalde ze.

Ze stak al haar vingers op.

'Nog tien minuutjes.'

Elien lette niet op haar lippen, maar staarde met grote ogen naar Lises kleren.

'Mooi, niet?' vroeg Lise zelfzeker.

'Ja', mompelde Elien helemaal in de war.

Ze vond zichzelf een ouderwetse trut. Nu begreep ze waarom Lise haar in de gang had aangegaapt. Haar jeans, haar blouse en haar trui waren een blunder. Vergeleken met het smalle, kanariegele minirokje, het gebreide topje en de glanzende, antracietkleurige nylons van Lise leek ze Assepoester wel.

Elien frunnikte aan de zoom van haar trui. O, wat haatte ze die rotkleren. Ze was goed voor een klasfuifje of een feestje van de dovenclub, niet voor een discotheek.

Robbe zette de tv met de afstandsbediening uit. Meteen vlinderde Lise naar hem toe en trok hem speels van de bank.

'Oké, oké, we gaan al', zei hij en gaf een vrolijke tik tegen haar kontje.

Het pakje L&M en de aansteker verdwenen in haar tas. Joeri wenkte Elien met zijn hoofd. Alsof ze alleen op gebaren reageerde. Ze forceerde een glimlach.

6.

De oude BMW sneed door de straten van Antwerpen. Voortdurend hing de auto tegen de bumper van zijn voorligger en als er een gaatje was, zwiepte hij voorbij. Op de hoedenplank waren zware luidsprekers gemonteerd. Wild schokte Joeri met zijn hoofd mee op de dreunende beats. Zelfs zonder haar hoorapparaten kon Elien het bonken voelen.

Dat haalt hij niet, dacht ze doodsbang toen de verkeerslichten op oranje sprongen.

De BMW knalde door het rode licht. Haar vingers klauwden in de passagiersstoel.

Joeri keek even opzij. Hij lachte.

'Ben je bang?' vroeg hij, vergetend dat ze hem niet hoorde.

Hij riep iets naar de achterbank, waar Robbe en Lise in elkaar verstrengeld lagen. Elien draaide zich om. Robbe lachte, Lise niet.

Ze hebben het vast over mij, schoot het door haar hoofd. Ze voelde zich helemaal niet op haar gemak. Er werd op haar schouder getikt. Lises hoofd verscheen naast het hare.

'Let maar niet op hen', vormden haar lippen. 'Ze denken dat ze lollig zijn.'

Nu wist Elien zeker dat zij het onderwerp van hun grapjes was.

Zouden ze plezier hebben omdat ze slecht hoorde of omdat ze die kleren droeg? Wanhopig probeerde ze te lezen wat de jongens tegen elkaar riepen, maar het lukte niet. Toen Joeri in de gaten kreeg dat ze wist dat ze om haar lachten, zweeg hij. Alleen de muziek daverde nu.

Het was niet eenvoudig om een plaatsje te vinden op de parking die in een L naast en achter de Moonstruck lag. Uiteindelijk kon Joeri zijn auto kwijt in een afgelegen hoek, waar nog één enkel plaatsje vrij was.

Elien zuchtte opgelucht toen de wagen stilstond. Ze duwde het portier open om zo snel mogelijk uit die verstikkende sfeer te ontsnappen.

Gelukkig komt pa me halen, dacht ze. Voor geen geld wou ze nog met Joeri mee.

'Heb je het koud?' vroeg ze toen ze merkte dat Lise rilde in haar korte jasje.

'Niet echt', loog Lise, maar ze drukte haar kraag tegen haar kin en zocht warmte bij Robbe.

Toen de jongens onder hun tweetjes opnieuw lol hadden, werd Elien weer wantrouwig. In het halfduister kon ze hun lipbewegingen niet ontcijferen, maar Lise lachte niet mee. Dat was een veeg teken. Met een korte hoofdknik schudde ze het hinderlijke gevoel van zich af.

De Moonstruck leek een eenzame, witte bunker. Aan de straatkant en aan de zijgevels flikkerden oranje, blauwe, gele en paarse neonslogans en reclames aan en uit.

'Even mijn jas wegleggen', zei Joeri terwijl hij de kofferbak opende. 'Dan hoef ik niet bij de vestiaire te wachten.'

Hij gooide nonchalant zijn jas in de kofferruimte, bukte en pakte een fles Spa.

'Moeten jullie je jassen niet kwijt?' vroeg hij terwijl hij de dop losschroefde.

'Het is me te koud', zei Lise.

'Moet je jas in de kofferbak, Elien?' herhaalde ze voor haar vriendin.

Elien schudde snel het hoofd. Dan zou ze straks met die Joeri naar de parking moeten om haar jas op te halen en dat deed ze liever niet.

'Pa komt me straks halen.'

Joeri nam een paar fikse teugen.

'Wil nog iemand drinken?'

Hij bood de fles aan, maar niemand hoefde wat.

Toen hij de fles terug in de kofferruimte legde, zag Elien twee kratten vol flessen staan. Zoveel water? Ze begreep het niet.

Over de grove keien van de parking liepen ze naar het gebouw. Opeens zag Elien beweging op de achterbank van een Mini Austin. Een koppeltje kuste heftig. Verlegen draaide Elien haar hoofd weg en keek strak voor zich uit. In de schaduw van de dansbunker leunde een jongen tegen de kofferbak van een fonkelnieuwe Peugeot 306 en hield alle nieuwkomers scherp in de gaten.

Toen Elien voorbijliep, wipte de jongen van de auto. Benieuwd bleef ze staan. Hij had kort, gitzwart haar dat rechtop piekte. Zijn gezicht was scherp als van een afgetrainde atleet en tussen zijn onderlip en zijn kin groeide een plukje haar. Door zijn rechterneusvleugel was een klein, zilverkleurig ringetje gepiercet. Hij zag er verkleumd uit.

'Een pilletje?' vroeg hij effen.

Een pilletje? Ze begreep het niet, schudde het hoofd en keek toen gauw een andere richting uit.

Hij bleef haar even nakijken en haalde toen zijn schouders op.

'Laat maar', zei hij en hij draaide zich naar Joeri.

'Hei, Joeri!'

Uitgelaten kletsten ze met hun handpalmen tegen elkaar.

'Wat heb je in de kofferbak liggen, Manu?' vroeg Joeri terwijl hij zijn ogen rusteloos over de parking liet gaan.

'Vierhonderd xtc-pillen en tweehonderd paxons speed.'

'Zoveel?'

'We raken het kwijt', zei Manu zelfverzekerd.

'En de prijs?'

'Negen euro voor een pilletje, tien euro voor een lijntje speed.'

'Oké', zei Joeri. 'Zal ik wat meenemen naar de Moonstruck?'

Alsof ze gewoon een wandelingetje maakten, slenterden ze naar de auto.

'Hoeveel wil je?' vroeg Manu.

'Drie tabletjes en twee paxons. Als er iets verkeerd loopt, kan ik de flikken wijsmaken dat het voor eigen gebruik is.'

Met de hak van zijn schoen trapte Manu nonchalant een steentje weg, maar meteen keek hij Joeri bedenkelijk aan.

'Het is niet veel, die zijn zo verpatst. Misschien moeten we nog iemand zoeken die wat stuff bewaart, anders moeten we steeds weer in en uit de disco om ons te bevoorraden.'

Alsof het een uitzichtloos probleem was, wreef hij met beide handen over zijn gezicht.

'Dat meisje daar...?'

Hij knikte naar Elien, die bij de ingang ongeduldig naar de anderen uitkeek.

'Ze is doof', zei Joeri.

'Doof?'

Terwijl hij nadenkend over zijn kin wreef, kneep Manu zijn ogen tot spleetjes.

'Misschien is zo'n meisje ideaal. De flikken zullen haar vast niet zo vlug verdenken. Probeer jij haar te overtuigen? Gewoon wat pilletjes in haar zakken bewaren, meer hoeft ze niet te doen. En ze kan er nog wat aan verdienen ook.'

Gelaten haalde Joeri de schouders op.

'Ze hoeft me niet zo, denk ik. Als ik geweten had dat ze nuttig kon zijn, had ik haar vriendelijker behandeld, maar nu...'

'Dan doe ik het wel', zei Manu. 'Eerst wil ik haar wat beter leren kennen, en als ik het dan eens lief vraag... Het hoeft ook niet meteen vanavond.'

Vliegensvlug lichtte Manu het kofferdeksel op en trok de zwarte vloermat opzij. In het zwakke licht van de neonreclames zag Joeri doorschijnende plastic zakjes met pillen en een doosje liggen. Aan het zicht onttrokken door het kofferdeksel, pakte Manu snel een zakje en telde drie witte pilletjes in Joeri's hand. Daarna lichtte hij het deksel van het doosje even op en toen hij zijn hand terugtrok, klemde hij twee paxons tussen duim en wijsvinger.

'Succes', zei hij terwijl Joeri de drugs in zijn broekzak liet verdwijnen.

Een pilletje bleef in de muis van zijn hand zitten. Met zijn gezicht naar de grond stopte Joeri het pilletje in zijn mond en slikte.

'Kom je me straks aflossen?' vroeg Manu. 'Dan kan ik me wat opwarmen. Het is verdomd koud.'

Zonder te antwoorden salueerde Joeri hoekig, grijnsde en liep naar Robbe, die hem met een verkleumde Lise onder de arm opwachtte.

'XTC?' vroeg Robbe.

'Yep', zei Joeri. 'Hoeven jullie niks? Voor jullie kan ik een zacht prijsje ritselen.'

'Hoeveel?' vroeg Robbe geïnteresseerd.

'XTC negen euro. Speed tien euro voor een lijntje.'

Twijfelend streek Robbe met zijn middelvinger over zijn wang.

'Hei, Robbe!' riep Lise geschrokken. 'Begin daar toch niet aan!'

Zijn vinger bleef echter over zijn wang glijden.

'Wat voel je, Joeri? Wat voel je van zo'n pilletje?'

'Eerst niks. Het komt pas na een halfuurtje. Maar dan is het ook...'

Joeri's vuist schoot de lucht in en hij sperde zijn mond ver open, zodat het leek alsof een waanzinnige kreet in zijn keel stokte. Daarna sloot hij zijn ogen en wiegde met zijn hoofd zachtjes heen en weer, alsof hij in een heerlijke trance geraakt was.

Robbe werd nu pas echt nieuwsgierig.

'Maar wat voel je dan?'

'Great. Je voelt je... je voelt je...'

Hoe moest hij dat gevoel omschrijven? Moeizaam zocht hij naar de juiste woorden.

'Geweldig, verliefd, onstuitbaar. Het lijkt wel alsof alles wat je doet, alles wat je ziet, alles wat je voelt fantastisch is.'

'Maar het zijn drugs!' protesteerde Lise heftig terwijl ze zich van Robbes arm losmaakte. 'Het is gevaarlijk!'

'Dat zeggen ze gewoon om ons bang te maken', wuifde Joeri haar woorden weg. 'Ik heb nog nooit iets naars gevoeld. Alleen dorst, enorm veel dorst. Maar dat is geen probleem, ik heb genoeg flessen water in mijn kofferbak. Anders betaal ik me blauw aan de watertjes in de Moonstruck. Nee, het enige vervelende aan zo'n pilletje is gewoon een droge mond, maar dat is dan ook alles.'

Hij keek Robbe afwachtend in de ogen.

'Als je niks koopt, dan lopen we gewoon door. Het is me te koud om hier te blijven rondlummelen.'

'Alleen dorst, zeg je. Dan wil ik het ook weleens proberen.'

Vragend keek hij naar Lise.

'En jij?'

Terwijl ze met haar vinger tegen haar slaap tikte, schudde ze heftig het hoofd.

'Het is me geen tien euro waard. Ik kan me ook zonder pillen amuseren.'

Opvallend onopvallend slenterde Robbe naar de jongen met de piercing.

'Joeri zei dat ik ook wel iets kon krijgen', acteerde Robbe losjes.

'Speed of xtc?'

Er krulde een fijn glimlachje in de mondhoeken van Manu omdat hij een nieuwe klant in zicht had. Zoals een stroper die merkt dat een konijn aarzelend naar zijn lichtbak kruipt.

'Wat is het verschil?'

'Met speed kun je de hele nacht dansen zonder moe te worden. Je danst, je laat je meeslepen door de muziek, je vloekt omdat de nacht veel te snel voorbij is. Met xtc trap je de dansvloer stuk, enne...'

Hij knikte kort naar Lise.

'... zij zal het zich niet beklagen.'

Hij grijnsde samenzweerderig. Robbe grijnsde mee.

'xtc', zei hij, omdat dat letterwoord hem het meest bekend in de oren klonk.

Met een paar vingertoppen duwde een potige uitsmijter de zware deur open en liet Elien binnen.

Alsof hij zich opeens bedacht, greep hij haar bij de arm.

'Hoe oud ben jij eigenlijk?'

Elien was te laat om zijn lippen te zien. Vragend bleef ze hem aankijken.

'Ze is zestien', zei Lise vlug terwijl ze tussen de uitsmijter en Elien in ging staan.

'Waarom kan ze dat zelf niet zeggen?' vroeg hij terwijl hij wantrouwig zijn wenkbrauwen fronste.

'Ze is doof', zei Lise. 'Ze hoort je gewoon niet.'

'Jaja, dat zal wel', gromde hij tussen zijn tanden.

Weifelend monsterde hij Elien, maar ten slotte draaide hij zich om naar de ongeduldige nieuwkomers die naar binnen wilden.

Ik voel de muziek! dacht Elien opgetogen.

Opgewonden spitste ze haar oren. Vaag hoorde ze iets van de snelle, metronome beats. Even liet ze haar hoofd meedeinen, maar toen volgde ze Lise naar de vestiaire.

Mooi dat ik vijfentwintig euro uit mijn bakje meegenomen heb, prees Elien zich gelukkig toen ze nog eens één euro moest betalen om haar parka en haar trui te laten wegleggen. Bij de ingang had ze al vijf euro moeten betalen.

Als een kuikentje volgde ze Lise naar een enorme ruimte, waar de technomuziek door de zaal golfde. De helse ritmes waaiden in haar oren. Onduidelijk, maar toch... ze hoorde het. Opgewonden liet ze zich onderdompelen in het uitbundige sfeertje dat de zaal en de jongeren uitstraalden. Spots en lichten in alle denkbare kleuren zwaaiden, flikkerden en stoeiden over de dansende mensenzee. Aan de overkant van de zaal was de muur bezaaid met tv-schermen, waarop dansers in close-up verschenen.

Meer dan dat ze de muziek hoorde, voelde Elien de zware beats in haar onderbuik trillen. Het wond haar op. Ze wou verdrinken in deze prikkelende wereld. En ze voelde zich nog meer op haar gemak toen ze zag dat Joeri uit het gezicht verdwenen was. Van zijn opdringerige en pesterige gedoe zou ze waarschijnlijk gespaard blijven.

Het was broeierig warm en er hing een ondefinieerbare geur van drank, rook, zweet, parfum...

'Ga je mee dansen?' vroeg Lise, maar haar ogen verraadden dat ze het maar voor de vorm vroeg.

'Nee, ga maar. Ik kijk liever nog even rond.'

Opgelucht pakte Lise Robbes hand beet en ze doken in de massa.

Intussen zocht Elien een plaatsje tegen de muur. Uit de drukte en met een goed uitzicht op alles wat er in de zaal gebeurde. Ze wou eerst wat wennen, eerst wat rondkijken om te weten wat ze hoorde te doen om niet op te vallen. En weer verwenste ze haar kleren, verwenste ze Lise, die haar niet had verteld dat een jeansbroek en een blouse in de Moonstruck even populair waren als je pa bij een boswandeling met je eerste vriendje.

Een jongen in een opvallend, rood-wit gestreept T-shirt kwam voor haar staan.

'Drink je iets?' schreeuwde hij.

In de flitsende lichten kon ze onmogelijk zijn lippen lezen, maar aan het dienblad onder zijn arm zag ze wat hij gevraagd had.

'Cola', zei ze overrompeld.

Hij keek naar haar lippen, herhaalde 'cola', en knikte.

Verbouwereerd staarde ze hem na tot hij door de massa was opgeslokt.

'Zou hij ook niet goed horen?' mompelde ze. 'Dat zou wel heel toevallig zijn.'

Toen vielen haar ogen op een paar meisjes die elkaar toeschreeuwden. Ze bogen hun hoofden naar elkaar en hadden blijkbaar alle moeite van de wereld om elkaar te verstaan. Met allerlei gebaren probeerden ze hun woorden te verduidelijken.

Het kan toch niet dat die ook slechthorend zijn? dacht Elien, nu volledig in de war. Trouwens, hun gebarentaal lijkt nergens naar.

Opeens snapte ze het. Maar natuurlijk! De muziek stond zo hard dat de anderen elkaar ook niet konden verstaan. Hier was iedereen slechthorend! Hier was ze bijna als de anderen. Gelukzalig leunde ze met haar rug tegen de muur. Deze discotheek was haar veilige bunker.

Heel even vreesde ze dat haar idee niet klopte toen ze aan Lise dacht. Die had niet geschreeuwd. Maar meteen besefte ze dat Lise wist dat ze tegen Elien niet hoefde te roepen. Dat Elien alleen naar haar lippen keek om haar te verstaan.

Met een brede glimlach sloeg ze het hele gedoe gade en liet ze zich inwijden in de ritmes en de dansen.

Elien zette haar cola tussen een paar blikjes energydrinks op een van de ronde tafeltjes die met losse hand in de zaal rondgestrooid leken. Behoedzaam schoof ze in de kolkende danszee. Terwijl ze haar buren nauwlettend in de gaten hield, gaf ze aarzelend haar armen, haar benen, haar hoofd en ten slotte haar hele lichaam over aan het ritme van de beats.

Te gek! Die twee woorden herhaalden zich als een metronoom in haar hoofd. Zij had geen pilletjes nodig om zich te laten opzwepen door de kronkels die als vanzelf uit haar lijf vloeiden. Met wijd open ogen liet ze zich gaan op de trillingen die ze voelde.

Mijn hoofd is vast al zo rood als een tomaat, dacht ze toen ze met haar mouw wat zweetdruppeltjes van haar voorhoofd en haar slapen veegde.

Ze grinnikte tevreden. Wat kon het haar schelen! Ze had zich nog nooit zo lekker gevoeld!

Als in trance zag ze een groepje jongeren op een verhoogd podium bezig. Boven het podium hingen vaste spots die de dansers in een witte gloed plaatsten. In een flits begreep Elien dat ze daar zelfs zou kunnen liplezen als iemand haar aansprak. Zonder nadenken ging ze erbij staan en wervelde haar hoofd leeg.

Iemand dook opeens tussen een trosje dansers op.

De jongen van de parking, wist ze meteen.

Ritmisch bewoog hij zijn bekken van links naar rechts, van voren naar achteren, zoals een dansende jongen naar een meisje toe beweegt. Zijn ogen zochten haar ogen.

Hij komt naar me toe, besefte ze met een schokje en helemaal ondersteboven raakte ze uit haar ritme. Snel keek ze naar haar buren en probeerde de juiste cadans weer te pakken te krijgen.

Met een verontschuldigende grijns durfde ze weer naar hem te kijken.

'Heb ik je aan het schrikken gemaakt?' schreeuwde hij lacherig terwijl hij soepel op de technomuziek bleef bewegen.

'Een beetje!' riep Elien terug.

Er verscheen een verraste uitdrukking op zijn gezicht.

Zou hij iets gemerkt hebben? vroeg ze zich af.

Maar meteen kregen zijn ogen weer een vrolijke glans.

'Ik heb je nog nooit in de Moonstruck gezien!' riep hij toen hij zich tot vlak voor haar had gedanst.

'Het is ook de eerste keer!' riep Elien terug.

'Het is hier cool, niet?!'

'Ja. Ik wil nog komen.'

Hoofdschuddend wees hij met beide wijsvingers naar zijn oren.

'Ik hoor je bijna niet!' probeerde hij boven het lawaai uit te komen.

Hij hoort me niet, dacht Elien een tikkeltje ongelovig, maar ook opgelucht.

Ze prees zich gelukkig dat ze hem in het vaste, witte licht van het verhoogde podium was tegengekomen. En voor het eerst in haar leven had ze het gevoel dat zij in het voordeel was. Zij was het gewend om niks te horen, hij niet. Zij kon liplezen, hij niet.

Opeens dacht ze aan haar alledaagse blouse, aan haar banale Levi's 501. En meteen voelde ze zich belachelijk. Die jongen leek zo cool, hij moest haar wel een trut vinden. En weer verwenste ze Lise, die haar niet had ingelicht.

'Ik merk aan je kleren dat het de eerste keer is!' riep hij met een brede grijns, alsof hij haar gedachten kon lezen.

'Ja!' riep ze met een verontschuldigend glimlachje. 'Ik ben met een vriendin gekomen! En... nou ja, ik wist gewoon niet wat ik moest aantrekken!'

Hij knikte alsof hij het allemaal begreep.

'Och', wuifde hij haar woorden weg. 'Zolang je het hier maar gezellig vindt!'

Een tijdlang dansten ze zwijgend tegenover elkaar. Ze lachten, ze stalen elkaars blikken en imiteerden dollend elkaars bewegingen. Soms raakte hij Elien toevallig met zijn hand of met zijn been aan en dan tintelde het in haar.

Hij droeg een wijde, bruine katoenen skatebroek met grote zakken op de dijen en een grijze sweater met een kap. Fruit of the Loom, stond in een cirkeltje op borsthoogte.

Ik koop ook zo'n sweater, nam Elien zich voor. Maar geen grijze, natuurlijk. Dat zou te veel opvallen. Fruit of the Loom, herhaalde ze een paar keer om het merk in haar hoofd te prenten.

'De muziek is oké, vind je niet?'

'Ja, de muziek is oké!' herhaalde Elien enthousiast, hoewel ze niet meer dan een dof, ritmisch gebonk hoorde.

Opeens hield de jongen op met dansen. Elien bleef geschrokken staan en wachtte af.

'Hé, ze draaien The Prodigy! Die hoor je hier niet dikwijls!' riep hij met opgetrokken wenkbrauwen. 'Ken je The Prodigy?'

'Wat moet ik kennen?' vroeg Elien, terwijl ze zich inspande om het vreemde woord te ontcijferen.

'The Pro-di-gy!' herhaalde hij.

Ze verstond het nog altijd niet.

'Nee.'

Lullig, zo voelde ze zich. Lullig omdat ze niks van muziek wist.

'Ik leen je eens een cd van hen. En eentje van Yves de Ruyter. Die vind ik ook goed.'

Elien knikte. Hij schoof nog wat dichter naar haar toe.

De jongen ging helemaal op in de muziek. Hij grijnsde toen hij merkte dat Elien zijn bewegingen probeerde na te bootsen.

'Dans niet zo bekrompen!' zweepte hij haar op. 'Laat je gaan! Laat je gaan! Laat je gaan!'

Hij slingerde zijn handen in de lucht alsof hij een gevangen vogel wilde laten wegvliegen. En alsof hij een voorbeeld wilde zijn, begon hij uitgelaten te dansen. Zijn hoofd, zijn schouders, zijn heupen, zijn hele lijf schokte op de beats.

Als in een roes liet Elien zich in die werveling meeslepen, haar ogen onafgebroken op de jongen gericht om geen woord van zijn lippen te missen. De discotheek zag ze niet meer, er was alleen die roes in haar oren. Alleen zij en de jongen met zijn grijze sweater dansten met elkaar en voor elkaar, alsof het nooit anders was geweest. De avond was eindeloos.

De dj liet het verschroeiende houseritme nu naadloos overvloeien in rustigere hiphop.

'Hé, je zit mis!' zei de jongen toen hij haar gebaren zag.

Abrupt bleef ze staan, merkte dat de anderen trager dansten en paste zich aan.

'Had je niet gemerkt dat de muziek veranderd was?'

'Nee!' riep ze terwijl ze met een grinnik haar foutje probeerde te camoufleren.

Hij keek haar niet-begrijpend aan. Waarom vond ze het zo erg dat ze uit het ritme geraakt was? Even verkeerd dansen was toch geen ramp?

'Zullen we even rusten?!' stelde hij voor.

'Ja', zei ze opgelucht. Ze wilde niet weer in de fout gaan.

Alsof ze elkaar al jaren kenden, legde hij zijn arm om haar middel en leidde haar zo naar de andere kant van de zaal. Verrukt liet Elien zich meetronen. Zalig. Dit gevoel wilde ze bewaren en ze moest er maandag met Muriel over praten. Gewoon om te vertellen hoe gelukkig het haar maakte.

'Weet je dat je merkwaardig praat?!' zei hij opeens.

Het stormde in Eliens hoofd.

Sprak ze vreemd? Kon iemand zo duidelijk aan haar stem merken dat ze slechthorend was?

Geschokt staarde ze hem aan.

'Je bent toch niet boos omdat ik dat zeg?!'

'Nee. Alleen... jij bent de eerste die mij dat zegt!'

'Echt?!'

Hij leek oprecht verbaasd.

Toen ze bij een glazen deur kwamen, legde hij zijn vingertoppen op het glas om de deur open te duwen. Elien zag hier en daar jongeren onderuitgezakt in rode stoelen zitten. Zuinig rood licht hing schemerig in het zaaltje.

'Wat is dat?' vroeg Elien terwijl ze bleef staan.

'Dat zaaltje? Dat is de chill-out room', zei hij.

Zonder de vaste spots waren zijn lippen weer onleesbaar. En in dat zaaltje zou het niet beter zijn, begreep ze meteen.

Snel keek ze om zich heen. Aan de bar brandde volop licht.

'Ik wil daar staan!' riep ze terwijl ze zijn hand pakte en hem meetrok naar een rond tafeltje in de buurt van de bar, waar genoeg licht was.

Heupwiegend liep Lise voorbij. In de ene hand hield ze een blikje Red Bull, met de andere hand trok ze Robbe achter zich aan.

'Je vindt het niet erg dat ik je alleen laat?' vroeg ze terwijl ze samenzweerderig met haar ogen naar de jongen wees.

'Nee', lachte Elien schuchter.

In stilte bad ze dat Lise niks over haar oren zou loslaten.

'Wij hoeven zeker niet op jou te wachten? Kom je thuis?'

'Ja', zei Elien terwijl ze op haar horloge keek.

Shit! Was het al halftwee?! Ja, natuurlijk, ze hadden veel tijd verspild bij Lise thuis en net nu het leuk werd, moest ze bijna naar huis. In stilte vervloekte ze de jongens, die nog naar dat stomme voetbal hadden willen kijken.

Een meisje dat alleen bij het tafeltje stond, ging ervandoor toen de jongen losjes met zijn ellebogen op het tafelblad leunde en haar even aankeek.

Onopvallend liep Elien naar de overkant van het tafeltje. Ze móést zijn lippen zien.

'Hoe heet je eigenlijk?' vroeg hij terwijl hij een pakje sigaretten uit de zak van zijn sweater haalde.

'Elien.'

'Manu', zei hij en hij schudde overdreven haar hand.

Hij keek even de zaal in, maar Elien hield zijn mond in de gaten. Hij stak een sigaret op.

'Waarvoor dient dat zaaltje?' vroeg ze nu ze veilig in het licht stond.

'De chill-out room?'

Ze kon het woord niet lezen, maar toch knikte ze.

'Daar kun je even uitrusten als je moe bent van het dansen. De muziek is er een stuk rustiger, zodat je gewoon wat kunt praten, drinken of een sigaretje roken.'

Met twee vingers roffelde hij even tegen zijn achterzak.

'Zeker als je een pilletje hebt geslikt, kun je wel een break gebruiken om af te koelen', grinnikte hij.

Wat betekent 'break'? wilde ze vragen, maar ze durfde het niet.

'Die pilletjes...' aarzelde Elien. 'Waarvoor dienen die?'

Manu keek haar een tijdlang onderzoekend in de ogen.

'Mocht ik dat niet vragen?' vroeg Elien. Ze was helemaal van streek. 'Ik wou gewoon maar...'

'Welke pilletjes?' vroeg hij op zijn hoede.

'Buiten... op de parking... je verkocht toch pilletjes aan Robbe en Joeri?'

Opeens boog hij over het tafeltje en pakte haar pols.

'Jij hebt niks gezien!' zei hij dreigend.

'Neenee, ik heb niks gezien', fluisterde ze geschrokken. 'Ik zal echt niks verklappen.'

Hij liet haar pols los.

'Zijn het drugs?' vroeg Elien gefascineerd.

'Welnee... Gewoon pilletjes. Een soort aspirientjes. Als je zo'n pilletje neemt, word je niet moe, dan blijf je dansen tot je erbij neervalt.'

'Maar waarom is het dan verboden?'

Hij wuifde luchtig met zijn hand.

'Tja, waarom? Er is niemand die het weet. Gewoon om jonge mensen die graag dansen het leven zuur te maken, zeker?'

'Ik begrijp het niet. Als je...'

'Laten we liever over iets anders praten', zei hij nadrukkelijk terwijl hij zijn hand weer op haar pols legde.

Elien knikte. Ze wierp ongerust een blik op haar horloge.

'Nee toch!'

Gejaagd klemde ze haar tasje onder haar arm.

'Ik moet gaan! Mijn pa kan ieder ogenblik hier zijn.'

'Nu al? Het is nog geen twee uur.'

'Ik moet echt weg.'

'Elien! Wacht nog even.'

Maar ze zag zijn lippen niet meer. Op een drafje liep ze de zaal uit, naar de vestiaire. Ze gaf haar kaartje en wachtte. Opeens zag ze Manu naast haar. Zijn ogen stonden zorgelijk.

'Waarom wil je opeens niet meer met me praten?' vroeg hij.

Hij was haar gevolgd, begreep Elien. Ze glimlachte.

'Ik heb je niet gehoord', zei ze.

'Nee?' vroeg hij verbaasd.

Maar opgetogen omdat ze niet boos was, nam hij haar trui en haar jas over.

'Trek je trui maar aan. Ik hou zolang je jas wel vast.'

Vlug trok Elien de trui over haar hoofd, bang dat ze intussen zou missen wat hij zei.

'Ik ga met je mee naar buiten', stelde hij voor terwijl hij haar haar jas aanreikte.

Heel even bleef ze staan. Zijn aandacht voor haar bracht haar op een prettige manier in de war, maar buiten was het donker, buiten kon ze misschien zijn lippen niet lezen. Zoals hij haar van het verhoogde danspodium had weggeleid, zo gidste hij haar naar buiten. Hij drukte de uitsmijter knipogend een briefje van vijf euro in de hand en liep met zijn arm om haar heup naar de straat.

Zelfs buiten de bunker leek het alsof Elien het bonken van de muziek nog voelde.

Toen ze een stukje parking moesten oversteken, draaide Elien zich naar hem toe. Hier, in het geelblauwe schijnsel van een neonreclame, kon ze nog heel even met hem praten. Ze moest. Ze konden toch niet zomaar uit elkaar gaan? Ze wou hem weerzien, ze moest hem weerzien.

'Kom je hier elke week?' vroeg ze.

'Je praat vreemd. Traag. Weet je dat?'

Ze schrok weer. Zou hij het dan toch ontdekt hebben? Zou haar stem haar verraden hebben? Zou hij haar nu vriendelijk maar beslist laten staan?

'Nu, niet dat het me zoveel uitmaakt', ging hij achteloos verder. 'Maar je klinkt wel raar. Maar je vroeg of ik elke week naar de Moonstruck kom. Ik kom hier dikwijls. Soms ga ik ook naar de Wizzard. Ken je de Wizzard?'

Glimlachend schudde ze haar hoofd, blij dat hij niet over haar stem doordramde.

'Een leuke keet. Maar het gaat er soms een stuk ruiger toe dan in de Moonstruck. Er wordt veel hardcore gedraaid en dus heb je wat gabbers die daar op afkomen. Maar voor de rest is de Wizzard wel oké.'

'Hardcore? Gabbers?' vroeg Elien. Ze had meteen spijt dat ze het gevraagd had.

Maar Manu leek het helemaal niet dom te vinden.

'Hardcore is de hardste vorm van housemuziek. Thunderdome, Rotterdam Terror Corps en zo. De beats gaan ontzettend snel.'

Om het nog duidelijker te maken hakte hij als een razende met de zijkant van zijn hand op zijn handpalm terwijl zijn mond snel bambambam zei.

'En die gasten die op hardcore uit de bol gaan, noemen zich gabbers. Soms zuigen ze op snoepjes of op lolly's.'

'Snoepjes? Lolly's?'

Elien dacht dat ze het slecht verstaan had.

'Snoepjes en lolly's, ja', herhaalde hij.

Dat leek haar wel erg kinderachtig. Wantrouwig keek ze in Manu's ogen om te zien of hij haar voor de gek hield.

'Daar zitten veel suikers in. Die geven energie om het dansen
een hele nacht vol te houden, snap je?'

Niks begreep ze ervan, maar ze knikte. Een andere soort muziek dan het doffe rommelen in haar hoofd en het beuken in haar
buik zou ze toch nooit kennen.

Verlegen legde ze haar hand op zijn arm.

'Het is nu echt tijd', zei ze en ze keek vlug naar de straat.

Ze zag de auto niet, maar ergens moest pa al wachten.

'Kom je volgende week terug?' bedelde Manu.

'Nee', zei Elien zacht. 'Dat kan niet. Maar over twee weken misschien...'

'Als je komt, ben ik er ook', verzekerde hij haar.

Elien voelde dat haar gezicht weer kleurde, maar nu was het
niet van het dansen, niet van de kou.

'Ik denk dat ik over twee weken wel weer kom', zei ze voorzichtig.

De stoepen waren aan beide kanten volgeparkeerd. Hier en daar
stond een auto met de knipperlichten op dubbel geparkeerd.

'Ik moet nu echt gaan', zei Elien.

'Denk je?' vroeg Manu. 'Zou je pa niet toeteren als hij er was?'

'Nee, hij is er gewoon om twee uur.'

'Nou, tot ziens dan.'

Manu greep haar bij de schouders en kuste haar even op de
wang. Verrast liet Elien hem begaan. Ze wist niet wat haar overkwam. Moest ze nu boos zijn? Maar zo voelde ze zich helemaal

niet. Eigenlijk had ze nog een hele tijd bij hem in de kou willen staan, maar pa...

Toen Manu haar losliet en glimlachte, glimlachte ze terug. Op de een of andere gekke manier leek het alsof het plekje op haar wang waar hij haar gekust had, bleef nazinderen. Alsof zijn lippen dat plekje nog steeds raakten.

Opgetogen raakte ze zijn hand even aan, liet hem los en liep haastig naar de straat. Halverwege draaide ze zich om. Hij stond er nog steeds, kouwelijk ineengedoken in zijn sweater, de kap over zijn hoofd getrokken.

Morgen is hij vast verkouden, dacht Elien vertederd.

Ze wuifde en hij stak zijn hand op. Er trilde een prettig gevoel door haar dat ze niet kende, maar ze wilde dat het bleef duren. God, waarom kon ze niet gewoon bij hem blijven staan?

Een paar autolichten knipperden. Toen Elien de groene Toyota herkende, liep ze ernaartoe.

Haar vader knipte meteen het binnenlichtje aan.

'Wie was die jongen?' vroeg hij toen ze amper op de passagiersstoel zat.

'Gewoon een jongen', zei ze, terwijl ze er ongerust aan dacht dat ze nog niet de kans had gehad om haar hoorapparaten weer in te doen.

'Wie was hij? Wat wilde hij?' drong haar vader aan. Hij draaide de contactsleutel om.

'Manu. Hij is echt gewoon een jongen met wie ik gedanst heb.'

'Een horende?'

'Ja.'

'Als je maar uitkijkt met zo'n jongen', zei hij nors.

Hij gromde wat, knipte het lichtje uit en stuurde de auto de weg op. De drukte rond de discotheek eiste nu al zijn aandacht op.

Elien droomde zalig weg. Beelden wisselden elkaar af. Het dansen, Manu kouwelijk in zijn sweater, zijn gedoe met die pillen.

Even schrok ze op. Die pillen, dat zat niet goed.

Ach wat. Wat maakte het uit?

Ze draaide de knop in haar hoofd om. Ze dacht liever aan dat onverwachte kusje. Voorzichtig legde ze haar vingertoppen op haar wang.

Andere kleren! Ze kon de Moonstruck geen tweede keer als een verloren gelopen sukkeltje binnengaan. De volgende keer moest Manu een andere Elien leren kennen.

Angst kneep haar maag opeens samen. Wat als hij ontdekte dat er iets met haar oren aan de hand was? Haar stem had haar bijna verraden. Vanavond had ze haar slechthorendheid nog kunnen verbergen, maar eens moest hij het opmerken. Misschien was het beter als ze het hem gewoon opbiechtte. Ze wrong zich de handen.

Nee. Ze herinnerde zich de jongen op de tram. Die had ook afgehaakt toen hij merkte dat ze hoorapparaten droeg. Ze zou het stilhouden. Tot hij haar beter kende, tot hij merkte dat haar oren geen reden waren om met haar te kappen. Tot zolang mocht hij het niet weten.

Zoals altijd parkeerde haar vader de auto met enige moeite voor de huisdeur.

'Zo, we zijn er', zei hij nu. Ze hoefde er niet eens voor naar zijn lippen te kijken. Hij zei het altijd.

'Ik moet dringend naar het toilet', zei Elien toen ze in de gang stonden en haar vader de sleutel van de deur omdraaide.

In een oogwenk had ze zich in het toilet opgesloten en haar hoorapparaten ingedaan. Opgelucht liep ze naar de woonkamer.

'Hoe was het?' vroeg hij terwijl hij zich op de bank liet ploffen.

'Tof.'

Aarzelend ging ze voor hem staan.

'Zou ik volgende week nog een keer mogen gaan?'

'Vergeet het maar!'

Dat antwoord had ze verwacht.

'En de week erop?'

'Nee', zei hij, maar dat klonk al wat minder beslist.

Elien hield haar glimlach in.

'Ik ga slapen', zei ze.

Hij knikte en liep naar de koelkast om een biertje te nemen.

Met een korte ruk aan het koordje doofde Elien het licht. Tegen de kou trok ze haar benen op en maakte ze zich zo klein mogelijk. Ze sloot haar ogen. Ze drukte Poenki tegen zich aan en liet de twee inbrekers over het muurtje naar binnen klimmen. Maar deze keer leek haar fantasie niet angstaanjagend. Moeiteloos schoof ze voor de nachtmerrie een bewegend beeld van Manu. Ze zag hem weer in zijn grijze sweater. Wat was dat merk ook weer? Fruit of... Fruit of the Loom! Ja, dat was het.

Opeens kromp ze weer in elkaar.

'Je spreekt vreemd...' Die woorden van Manu raakten haar als een zweepslag. Kon je dan echt aan haar stem horen dat er iets met haar oren aan de hand was? Waarom had niemand haar dat ooit verteld? Lise, pa, ma, de anderen in de klas, de jongeren op het pleintje?

Toen begreep ze het. Allemaal kenden ze haar handicap. Dus ze vonden het normaal of ze waren het gewend dat ze vreemd klonk. Daarom hadden ze er haar nooit iets over gezegd of willen zeggen. Of hadden ze het ooit langs hun neus weg laten vallen en had ze er geen acht op geslagen? Maar Manu was niet zomaar iemand. Misschien was ze geschokt omdat uitgerekend hij die zin uitgesproken had.

Voor het eerst in haar leven besefte Elien dat ze echt anders was dan de anderen. Tot nu toe had ze haar gehoor als een handicap aanvaard, maar nu... nu begreep ze pas echt dat horenden haar nooit als een van hen zouden bekijken. Aanvaarden wel, maar altijd zou ze dat meisje blijven dat hen niet hoorde en dat raar sprak. Ze was geen gewoon meisje, maar een meisje met een foutje. Zoals een auto met een schram, best een heel mooie auto, maar toch een die met een fikse korting werd verkocht. Opeens liepen tranen uit haar gesloten ogen.

'Er is niks zieliger dan huilen in de stilte van het donker', mompelde Elien.

Ze drukte Poenki tegen haar ogen en snikte het uit.

Dan denk ik nog liever aan de inbrekers, probeerde Elien haar treurige gedachten te verdrijven. Ze haalde de twee inbrekers voor haar ogen.

Nietsvermoedend had ze de post en het rugzakje op tafel gelegd en Poenki uit de fauteuil geplukt. Ze liet zich op de bank vallen en zette met de afstandsbediening de tv aan. Natuurlijk hoorde ze niet dat de twee mannen uit de keuken slopen. Gelukkig kwam Manu ineens uit het niets. Hij slaagde erin de twee naar buiten te werken...

7.

'Ga je mee?' vroeg Muriel aan Elien toen ze samen met een stroom leerlingen de schoolpoort uit liepen.

'Waar ga je naartoe?'

'Nog een cola drinken in het Kofschip', zei Muriel. 'Karen, Caroline, Davy en Tim komen ook.'

Elien kende het Kofschip. Het was een jongerencafé om de hoek. Na schooltijd zat het Kofschip telkens afgeladen vol met leerlingen die er iets dronken. Heel even maar, zodat ze thuis niet op hun donder kregen omdat ze te laat waren.

Meestal gingen er ook meisjes en jongens uit haar klas naartoe. Een maand of zo geleden was ze er ook eens geweest. Ook met Muriel. Met haar kon ze babbelen. Op een of andere manier dacht ze dat het altijd om haar was dat mensen lachten. Of dat haar hoorapparaten de reden waren dat iemand in haar richting keek. Nee, ze vond het niet gezellig in een grote groep horenden.

'Ga jij maar', zei ze, hoewel ze het zich makkelijk kon veroorloven op woensdagnamiddag wat later thuis te komen. Er wachtte toch niemand op haar.

'Toe nou, heel even maar', drong Muriel aan.

'Nee!' zei Elien stug.

'Waarom niet? Je bent vanmiddag toch maar alleen thuis.'

'Ik moet Jeroen in het ziekenhuis bezoeken en daarna wil ik nog wat shoppen', gaf ze als uitvlucht.

'Jeroen bezoeken?' vroeg Muriel schalks. 'En wie is die Jeroen, als ik vragen mag?'

Elien lachte.

'Och, je hoeft er heus niks achter te zoeken. Jeroen is de jongen die met zijn bromfiets viel. Ik heb je toch over hem verteld. In het weekend heeft zijn moeder met mijn pa gebeld om te vragen of ik hem niet wou opzoeken.'

Met haar elleboog porde Muriel in Eliens zij.

'Je krijgt vast een cadeautje. Die mensen zijn natuurlijk enorm dankbaar omdat je hun Jeroen hebt geholpen.'

'Denk je?' vroeg Elien.

Daar had ze niet aan gedacht. Eigenlijk had ze behoorlijk de pest aan dat bezoek. Wat moest ze in 's hemelsnaam vertellen aan iemand die ze helemaal niet kende? Maar ze moest van haar ouders. Volgens hen kon ze gewoon niet wegblijven.

Voor de gevel van het Kofschip stonden zoveel fietsen tegen elkaar dat ze op straat moesten lopen.

'Echt niet?' vroeg Muriel nog een laatste keer.

'Nee, Muriel.'

'Tot morgen dan', zei Muriel en ze wuifde nog even voor ze met haar schouder de deur openduwde.

Op woensdagnamiddag liep Elien veel rustiger door de doodlopende straat. Het was licht en er waren mensen. Nee, op zo'n middag hoefde ze niet bang te zijn voor inbrekers. Op klaarlichte dag zouden die niet over het muurtje klimmen. Dat zou te veel opvallen.

Alleen vanavond, rond vijf uur. Dan was het al donker. Misschien kon ze een emmer water tegen haar bureau zetten. Als een van hen in de emmer trapte, zouden ze beseffen dat ze verwacht werden en zouden ze er misschien vandoor gaan. Ze beeldde zich in dat Nummer Eén in de emmer trapte en moest grijnzen.

Toch flitsten haar ogen telkens weer argwanend naar de keuken, terwijl ze zoals altijd de post en haar rugzakje op tafel legde. Weer niks voor haar, natuurlijk.

Opgelucht gespte Elien haar rugzakje open en pakte het papieren zakje en het blikje Fanta dat op haar schoolboeken lag. Op woensdagmiddag hoorde een bezoekje aan de bakkerswinkel vlak bij de tramhalte als gekreun bij een onaangekondigde wiskundetoets.

Ongeïnteresseerd nam ze de post door die op tafel lag.

Hé, wat was dat?

Verrast pakte ze de witte enveloppe met haar naam erop. Haastig scheurde ze die open. Eerst liet ze haar ogen diagonaal over de regels gaan. Een uitnodiging voor een feestje van de dovenclub. Wanneer? Nee toch, op 14 november. Onmogelijk, zaterdagavond was uitgesloten. Dan moest ze naar de Moonstruck.

Pa en ma zouden natuurlijk willen dat ze naar de club ging. Daar was ze veilig, daar kon Eric een oogje in het zeil houden. Wat kon er tenslotte in de club verkeerd lopen? Het was al een belevenis als iemand er zijn glas cola liet vallen.

Nee, ik overdrijf, dacht Elien. Het was meestal best gezellig in de club. En je wist tenminste wat over jou verteld werd. Iedereen verstond de gebarentaal. Maar in de club miste ze de bruisende sfeer, het stuwende ritme, het avontuur, Manu.

Nee, op 14 november moest ze naar de Moonstruck.

Nadenkend liet Elien de uitnodiging op haar vingertoppen balanceren.

'Als ze niks weten, kunnen ze er ook niet over zeuren', mompelde ze.

De brief verdween weer in de enveloppe en Elien verborg hem in haar scheikundemap. Morgen zou ze de uitnodiging in duizend snippers scheuren en de snippers in de vuilnisbak op de speelplaats gooien. Niemand zou weten dat de brief bestond. De uitnodiging op haar kamer verscheuren was te gevaarlijk. Een stukje van het briefhoofd kon haar verraden als ma het papiermandje leegmaakte.

'Voor een keertje is het een voordeel om alleen thuis te komen', grinnikte ze.

Terwijl ze het papieren zakje tussen haar tanden klemde, stak ze een dvd met een aflevering van The Simpsons in de dvd-speler. Die had ze gisteravond niet kunnen zien omdat ze moest studeren voor de toetsen Nederlands en geschiedenis.

Ze liet zich op de bank vallen, zette de tv aan en scheurde op het salontafeltje het papieren zakje open. Een broodje gezond en twee repen Mars.

Ma zou weer zeuren, dacht Elien terwijl haar tanden een stuk van het broodje scheurden. Een vers broodje vond ze nu eenmaal lekkerder dan een doordeweekse boterham met kaas of ham. Ze hield een papieren servetje onder haar kin om de mayonaise op te vangen.

8.

De doordringende geur van het ziekenhuis deed Elien denken aan het watje met ether waarmee de huid van haar arm werd ontsmet toen ze op school een inspuiting kreeg. De gedachte maakte haar misselijk.

'Kamer tweehonderd en acht', mompelde ze voor zich uit terwijl ze logica in de kamernummering probeerde te ontdekken.

Liever dan het aan een van de druk heen en weer lopende verpleegsters te vragen, zocht ze zelf de weg in het labyrint. Zo was er weer één iemand aan wie ze niet hoefde uit te leggen dat ze niet goed hoorde.

O, ze haatte het om daarmee bij onbekenden voor de dag te moeten komen. Ze kon telkens weer hun reacties voorspellen. Eerst bleven ze je even stom aankijken, dan zag je hun verbazing, die plaats maakte voor een bestudering van het curiosum. Daarna een verontschuldigende giechel of een droevig gezicht. En als ze eenmaal van hun verrassing waren bekomen, legden ze met theatrale gebaren en overdreven mimiek op hun gezicht uit wat ze wilden vertellen. Telkens riepen ze dan wat harder, alsof dat hielp.

Nee, dan zwierf Elien liever met haar papiertje door de gangen tot ze op de tweede verdieping het zwarte nummer 208 op een deur zag. Het lampje naast de deur brandde niet. Elien vroeg zich af of ze naar binnen kon of juist niet. Ze wachtte even en toen er niks gebeurde, klopte ze uit beleefdheid aan. Omdat ze toch niet kon horen of er iets werd geroepen, duwde ze de deur open.

Twee jongensgezichten op twee hoofdkussens keken haar benieuwd aan.

'Jeroen?' vroeg ze terwijl ze beurtelings naar hun lippen keek.

De jongen die het dichtst bij het raam lag, wapperde kort met zijn vingers. Elien glimlachte en knikte even naar de andere jongen.

'Jij bent Elien?' vroeg Jeroen.

'Ja, ik kom je even opzoeken.'

Terwijl ze tussen het bed en het raam schoof, merkte ze dat hij haar van top tot teen bekeek.

'Ga je niet zitten?' vroeg Jeroen en hij strekte zijn arm om een stoel dichterbij te trekken.

'Even maar... Het is hier ongelooflijk warm. Zeker als je uit de vrieskou komt. Mijn gezicht tintelt gewoon.'

Voor ze ging zitten, ritste ze haar parka een eindje open.

Jeroen lag boven op de lakens. Hij droeg een zwart EELS-t-shirt. De pijpjes van zijn blauw-wit gestreepte boxershort waren hoog opgekropen, zodat ze niet naar zijn onderlichaam durfde te kijken. Een beetje gegeneerd bleef ze onafgebroken naar zijn lippen staren en merkte dat hij rood kleurde. Het streelde haar ijdelheid dat hij zich bij haar niet echt op zijn gemak voelde.

'Doet het nog veel pijn?' vroeg ze, om iets te zeggen.

'Gaat wel', zei hij met een hoofdknikje, alsof dat onbelangrijk was.

Zijn wijsvinger tikte tegen het witte gipsverband dat zijn been vanaf zijn voet tot onder de knie bedekte. Haar ogen gingen over wat op het gips geschreven en getekend stond. Gele bloempjes, beestjes, hartjes en talloze namen die in bizarre letters waren geschreven en soms onderlijnd waren met kruisjes.

Terwijl ze probeerde namen te lezen, voelde ze een hand op haar arm. Ze schrok op.

'Sorry, ik was even vergeten dat je me niet hoort', zei hij. 'Ik zei dat er wat vrienden uit mijn klas op bezoek gekomen zijn. Ze hebben van het gipsverband een graffitimuur gemaakt.'

Elien kende het woord 'graffiti' niet, maar ze wou niet vragen wat het betekende. Wellicht kende iedere horende het, want hij zei er verder niks over.

'Wil jij ook je naam op het gips schrijven?'

'Natuurlijk.'

Jeroen trok een lade open en pakte een rode viltstift.

'Het staat al aardig vol', zei hij. 'Wacht even, hier is nog plaats.'

Moeizaam draaide hij zich op zijn zij. Zijn boxershort was nu nog hoger opgeschort, zodat zijn halve bips te zien was.

Verlegen boog Elien voorover en schreef in drukletters haar naam.

'Zo, het staat erop.'

Hij draaide terug en lachte zijn tanden bloot.

'Zal ik de stift terugleggen?' vroeg Elien.

'Als je wilt. Dat gedraai is nogal moeilijk met dat gips.'

De stift verdween in een rommeltje van stiften, snoepjes en spulletjes.

'Jonathan zegt dat je een knap meisje bent', zei Jeroen en hij wees naar zijn buurjongen.

'Bah, Jeroen! Moest je dat nu zeggen!' riep Jonathan.

Omdat ze niet wist hoe ze moest reageren, zocht ze op haar broekspijp een denkbeeldig pluisje en knipte het weg.

'Hij vraagt waar je naar school gaat', zei Jeroen toen ze weer opkeek.

Onzeker keek ze Jonathan aan. Het was niet leuk dat Jeroen telkens moest herhalen wat zijn buurjongen haar vroeg. Maar ze kon toch ook niet weten wanneer zijn lippen bewogen.

'Waarvoor dienen die hoorapparaten als je ons toch niet hoort?' vroeg Jeroen.

Waren die apparaten te zien? Snel streek ze haar lokken weer over haar oren.

'De apparaten versterken het geluid een beetje, zodat ik toch wat kan horen. Maar zonder spraakafzien kan ik je niet volgen.'

'Moeten we dan roepen?' gaf Jeroen de vraag van Jonathan door.

'Nee', zei Elien. 'Dat maakt niet uit. Gewoon naar me kijken en duidelijk spreken. Dan lukt het wel.'

Ze zag dat Jonathan iets zei. Vragend trok ze rimpels in haar voorhoofd.

'Hij vraagt waarom je hem niet verstaat. Je kunt toch zijn lippen zien?' verduidelijkte Jeroen.

'Hij zit te veraf', zei Elien. 'Ik zie zijn lippen bewegen, maar ik kan ze niet lezen.'

Jeroen draaide zijn gezicht naar Jonathan en zei iets.

Nee, niet doen, dacht Elien, blijf naar mij kijken, ook als je iets tegen Jonathan zegt.

En weer bekroop haar dat wantrouwen als horenden onder elkaar spraken, zeker als ze dacht dat zij het onderwerp was. Ze vergiste zich misschien, maar altijd dacht ze dat de horenden dan met haar spotten of vervelende dingen over haar zeiden.

Opgelucht zag ze dat Jeroen bijna meteen weer naar haar keek.

'Je gaat toch naar school?' vroeg hij onzeker.

'Natuurlijk ga ik naar school!' zei ze scherp. 'Het is niet omdat ik niet goed hoor dat ik een idioot ben. Ik wil opvoedster worden.'

'Ik wilde je niet beledigen', zei Jeroen snel. 'Alleen begrijp ik niet goed hoe je...'

'Ik gebruik een Phonic Ear en ik kan liplezen', onderbrak ze hem.

'Een Phonic Ear?'

Ze grinnikte omdat het eens iemand anders was die een woord niet kende.

'Mijn leraar speldt een microfoontje op en dat is verbonden met een zendertje dat hij draagt. Ik draag een ontvanger. Een snoertje verbindt mijn hoorapparaten met die ontvanger.'

'En dat geeft nooit problemen?'

'Soms.'

Voor de schijn keek Elien op haar horloge.

'Ach, is het al zo laat? Ik moet weg.'

'Nu al?' vroeg Jeroen teleurgesteld. 'Kun je niet even wachten? Straks komt mijn moeder en ze wil je vast zien.'

Maar Elien stond op, blij dat het verplichte nummertje voorbij was.

'Sorry. Maar ik moet echt weg.'

'Ik heb nog iets voor jou.'

Jeroen trok een tweede lade open en haalde een pakje tevoorschijn. Een bloedrood lint om goudkleurig papier.

'Mijn moeder heeft een cadeautje gekocht', zei hij, 'omdat je me geholpen hebt. Wie weet hoe lang ik anders op de stenen gelegen zou hebben. Ik hoop dat je het leuk vindt.'

Benieuwd nam ze het pakje aan.

'Doe het maar open', zei hij terwijl ze naar het pakje keek.

'Mag ik het nu openmaken?' vroeg ze nieuwsgierig.

'Dat zei ik toch', zei hij terwijl hij er te laat aan dacht dat ze het de eerste keer niet gehoord kon hebben.

Elien scheurde het papier los. Een flesje Vanderbilt. Nieuwsgierig verstoof ze wat op de rug van haar hand.

'Mmm... dat ruikt echt lekker', zei ze.

'Mag ik ook eens ruiken?'

Ze duwde haar hand onder zijn neus.

'Lekker', zei hij, maar ze zag dat hij het niet meende.

'Dank je', zei ze en ze stopte het doosje in haar rugzak.

'Kom je nog eens?' vroeg Jeroen terwijl ze naar de deur liep.

Hij begreep dat ze hem niet hoorde en zwaaide met zijn armen om haar aandacht te trekken.

Gelukkig hield Jonathan haar tegen. Hij wees naar Jeroen.

'Kom je nog eens?' vroeg die gretig.

'Misschien', zei ze, maar ze was het niet van plan.

De winkels, de boompjes, de mensen op de De Keyserlei doken snel op toen Elien met de roltrap uit de buik van Antwerpen opsteeg. Met beide handen trok ze haar muts wat verder over haar hoofd, want het was nog altijd bijtend koud.

Toen ze eenmaal op de De Keyserlei stond, keek ze zoekend om zich heen. Winkels, winkels, winkels. Waar moest ze beginnen?

Haar rugzak hing op haar borst. Het leek haar de veiligste plaats voor haar portemonnee met tweehonderd euro erin. Het was een flinke hap uit haar kapitaaltje. Vijfenzeventig euro had ze in het oude sigarenkistje laten zitten. Die had ze nodig om de eerstkomende maanden naar de Moonstruck te kunnen. Tweehonderd euro is bijna dertig weken zakgeld, schatte ze, en ze bleef aarzelend staan. Maar ze dacht aan Lise, aan de meisjes uit de Moonstruck. Nee, ze zou geen tweede keer Assepoester zijn.

Pas toen ze halverwege het stapeltje topjes was, voelde Elien dat er iemand naast haar stond.

'Kan ik je soms helpen?' vroeg een jonge verkoopster.

Aan de uitdrukking op haar gezicht zag Elien dat ze de vraag al een paar keer had gesteld.

'Nee', zei Elien vlug. 'Ik kijk zomaar wat rond.'

De verkoopster knikte, een beetje uit het lood geslagen door de vreemd klinkende stem. Elien liet het stapeltje topjes voor wat het was en wou naar een grabbelbak lopen waarin allerlei sweaters nonchalant op een hoopje lagen, toen ze door het uit- stalraam een bekend gezicht zag. Een jongen. Onder een grijs baseballpetje vandaan piekte zwart haar. Er zat een ringetje door de rechterneusvleugel en hij had een plukje haar tussen kin en onderlip.

'Manu!' riep Elien verrast uit.

Terwijl hij voorbijliep, keek Manu vluchtig in het uitstalraam zonder haar op te merken. Elien snelde naar buiten. Daar! Een meter of tien verderop stond hij geboeid voor het raam van een videotheek. Hij nipte nonchalant van een blikje cola.

'Manu!'

Hij hoorde haar niet.

Manu! wou ze weer roepen, maar ze zweeg. Hier kon ze haar handicap niet verdoezelen. Hier was ze niet in haar veilige bun- ker. De tranen sprongen haar in de ogen toen hij doorliep. Manu was zo dichtbij, en toch zo ver weg. Ze moest hem vertellen over haar oren, maar nu nog niet. Pas als ze wist dat hij het onbelang- rijk zou vinden.

Elien zag hem tussen de mensen verdwijnen. Triest beet ze op haar onderlip tot het pijn deed.

Ze verwenste haar oren. Ze verwenste haar ouders. Waarom hadden zij geen doodgewone Elien kunnen maken? Iemand die gewoon kon horen, gewoon kon praten zoals alle andere mensen. Helemaal in de war liep ze terug naar de winkel.

In een oogopslag had ze gezien dat de keuken leeg was. Naast de post en haar rugzakje lagen een pakje en de plastic winkelzakken. Gehaast schudde ze een zak leeg op tafel. Haar vingertoppen streelden de gladde stof van het topje. Ze stak haar handen in het topje en spreidde het open, zodat haar vingers zichtbaar werden door de dunne stof. Een tinteling ging door haar toen ze zich voorstelde dat ze in deze kleren in de Moonstruck zou rondlopen. Ze legde het topje op het tafelblad met het knalrode rokje eronder. Een strak, kort rokje met een split. Het paste prima bij het beige topje. Ze nam het kartonnen doosje met de nylons en legde het onder het rokje. Door het plastic raampje zag ze de glimmende, zwarte nylons en ze probeerde zich in te beelden hoe ze er in die kleren zou uitzien. Toen griste ze alles mee en liep naar de badkamer.

Poserend voor de spiegel trok Elien haar nieuwe kleren aan. De nylons, het rokje, het topje. Geboeid keek ze na ieder kledingstuk naar haar spiegelbeeld. Ze trok de zoom van het bikinitopje strak naar beneden, maar zelfs dan kwam het niet tot aan haar navel. Het gleufje tussen haar borsten was te zien in de halsuitsnijding. Ze duwde haar buste vooruit en knikte tevreden. Haar oren mochten dan ondermaats zijn, op haar figuur viel weinig aan te merken. In het spiegelbeeld stak haar beha scherp af. Zou ze zonder durven? Ze schudde aarzelend het hoofd. Nee, toch maar niet.

Ze maakte een paar danspasjes voor de spiegel, om te zien hoe het topje daarop reageerde. Opeens zag ze dat haar hoorapparaten zichtbaar werden als ze met haar haar zwiepte. Ze deed de apparaten uit en keek weer. Zo mocht Manu haar zien.

De blauwe kapsweater van Fruit of the Loom hing over de rand van de badkuip. Ze hield hem voor zich en glimlachte. Zou Manu het begrijpen? Vast wel.

Alleen jammer dat ze die roze, leren boots had laten staan. Bijna honderdvijfenzeventig euro, dat kon niet. Maar de okergele Dr. Martens met plateauzolen zouden het ook wel doen.

Haar hoofd stond niet meer naar Nederlands. De pot op met Nederlands!

Over een uurtje kwam haar moeder thuis. Even voelde Elien zich niet goed. Wat zou haar moeder van haar koopjes zeggen? Nou, het was toch haar zakgeld! Daar kon ze toch mee doen wat zij wou, of niet soms?

Elien wou het topje over haar hoofd trekken, maar toen bedacht ze zich. Ze wilde nog even wennen aan die uitdagende spullen. Lettend op iedere vouw waarin het topje en het rokje vielen, liep ze de trap af. Ze duwde een dvd in de speler en ging voorzichtig op de leren kussens van de bank zitten. Haar ogen dwaalden weg van de tv, naar de streep huid tussen het rokje en het topje.

Opeens verstijfde ze. Stel dat die inbrekers uitgerekend nu achter haar zouden opdagen... Met die kleren...

Hoewel ze de inbrekers uit haar hoofd wou verjagen, kon ze niet beletten dat Nummer Eén en Nummer Twee uit de keuken slopen.

Nummer Twee hoestte en wachtte geschrokken op haar reactie.

'Dat meisje is potdoof', grijnsde hij.

Haar hart bonkte toen ze plotseling een arm om haar keel voelde. Huiverig draaide ze haar hoofd om. Niemand.

Natuurlijk was er niemand. Onzeker stond ze op en liep naar de keuken. Zie je wel, er is niemand. Toch durfde ze niet meer in die kleren voor de tv zitten.

Ze snelde weer naar de badkamer en werd pas rustig toen ze in haar jeansbroek en haar pull op de bank zat.

'Wat heb je nu gekocht?! Je bent toch niet van plan om zo naar school te gaan?'

Eliens moeder schudde met samengeknepen lippen het hoofd. Het bikinitopje bengelde tussen haar duim en haar wijsvinger. Het rokje en de nylons lagen op tafel. Die had ze daar met een woeste zwaai neergegooid.

'Als je vader dat ziet, ga je wat beleven!'

Ongemakkelijk stond Elien aan de overkant van de tafel. Het misprijzen van haar moeder maakte haar opstandig.

'Ik koop met mijn zakgeld toch wat ik wil!' protesteerde ze. 'Al koop ik er honderd kilogram chips mee. Dat geld heb ik gespaard door elke zaterdagavond braafjes op de bank te zitten, om halfelf naar het voetbal te kijken omdat pa dat wil en dan te gaan slapen. En als ik eindelijk begin te leven, maak je je kwaad.'

'Wil jij je brutale bek weleens houden!'

Haar hand schoot uit en pletste tegen Eliens wang. Heel even bleven ze onbeweeglijk in elkaars ogen kijken.

Toen draaide haar moeder haar gezicht weg, liet het topje op de vloer vallen en verdween in de keuken.

Elien ging op de bank op haar zij liggen. Ze wilde aan Manu denken, maar het lukte niet. Telkens weer moest ze dat pijnlijke gevoel in haar keel wegslikken. Ze wou huilen. Niet omdat die klap pijn deed, maar omdat haar moeder en zij mijlenver uit elkaar gedreven leken. Het was niet fair. Altijd was ze thuis gebleven, had ze keurig gedaan wat ma en pa wilden. Maar nu ze wilde uitgaan, haar eigen kleren wilde kopen, wilde leven zoals ieder meisje van haar leeftijd, kon dat niet. Om 's avonds alleen in een beangstigend, donker huis te komen was ze oud genoeg, maar om uit te gaan... ho maar!

Er liepen twee tranen over haar wangen. Elien probeerde ze weg te likken. Het lukte niet. Met een venijnige veeg wreef ze met de muis van haar hand de tranen weg. Snikken deed ze niet. Dat plezier zou ze haar moeder niet gunnen. Ze draaide zich op haar rug en staarde naar het plafond met de donkerbruine namaakbalken. Geen mens die zag dat ze eigenlijk van piepschuim waren. Net zoals haar moeder niet zag wie ze echt was: geen kind meer, maar een meisje dat weleens wat anders wilde dan die dikke, wollen trui en die ruitjesrok die ze in een nabij en toch ver verleden samen hadden gekocht. De ruzie bleef een hele tijd in haar hoofd malen.

Hij prikte een paar frietjes op zijn vork en bracht ze naar zijn mond, maar halverwege bleef de vork hangen. Zijn hand wuifde even voor Eliens ogen, zodat ze merkte dat hij iets wou zeggen.

'Die kleren, Elien...'

Met een zucht legde haar vader zijn vork in zijn bord.

Nu de preek, dacht Elien en ze maakte zich al op voor de aanval.

Hij knikte begrijpend en trok toen een bezorgd gezicht.

Ma heeft hem overgehaald om zich niet boos te maken, begreep Elien en ze kon met moeite een grijns bedwingen.

'Die kleren...' herhaalde hij. 'Waarom heb je die gekocht?'

'Om uit te gaan', zei Elien.

'Maar is het dan echt nodig om zulke...'

Hij pauzeerde even, trok een gezicht alsof hij de woorden niet over zijn lippen kon krijgen, blikte naar ma en daarna terug naar Elien.

'... om zulke hoerige kleren te dragen?'

'Het zijn geen hoerige kleren!' beet Elien van zich af. 'Alle meisjes in de Moonstruck dragen zulke kleren.'

Ze wist dat ze overdreef. Niet alle meisjes droegen zo'n uitdagend bikinitopje of zo'n strak splitrokje, maar toch... Ze had die avond haar ogen goed de kost gegeven en ze had gemerkt dat jongensogen vooral de uitdagende meisjes volgden. Hoewel ze wist dat ze niet onknap was, hadden haar jeansbroek en haar blouse alleen wat meewarig gegrijns opgeleverd. Alleen Manu had zich daar blijkbaar niet aan gestoord.

'Je koopt zulke dingen enkel en alleen om te gaan dansen?' riep hij ongelovig.

'Nu ja, volgende zomer kan ik ze ook dragen.'

'Dat ontbrak er nog aan!' riep hij opgewonden. 'Op straat zo goed als naakt lopen pronken!'

'Ik ben toch niet anders omdat ik andere kleren draag!'

Zijn vlakke hand kwam hard neer op het tafelblad.

'Je kleedt je als een hapklare brok voor de jongens die in discotheken rondhangen! Ik wil niet dat je die vodden aantrekt, begrijp je me!'

'Zou je niet beter gewoon naar de club gaan, zoals de anderen?' probeerde haar moeder. 'Daar is het toch leuk? Je kent elkaar en je weet precies wat je aan elkaar hebt. Dan hoef je op zaterdagavond ook niet thuis te blijven. Pa brengt je erheen en rond middernacht komt hij je halen. Denk je niet dat dat het beste is?'

Elien zakte een beetje onderuit. Ze was al een paar keer naar de club van doven en slechthorenden gegaan. Het was er wel leuk, maar toch niet te vergelijken met de wereld daarbuiten. In groep eens naar de film, een spaghettiavond of in gebarentaal babbelen, het viel best mee, maar... Ze zuchtte. Misschien had pa toch gelijk en hoorde ze niet bij de horende mensen. Maar in gedachten zag ze zich al als een oud besje tussen die anderen zitten en een spelletje scrabble spelen.

'Nee!' zei ze hard. 'Laat de anderen maar eens naar de dovenclub gaan. Ik wil weleens wat anders.'

'Maar Elien, de jongens die jij opzoekt, lachen gewoon met jou. Die willen maar één ding van jou en zeker als je die spullen showt', zei haar vader hard.

Haar moeder legde haar hand op zijn arm.

'Begrijp je ons dan niet, Elien? We willen je alleen beschermen. Je bent zo al wat weerlozer dan andere meisjes omdat je... nou ja, omdat je nu eenmaal niet zo goed kunt volgen wat er om jou heen gebeurt.'

Haar vork kletterde hard op tafel.

'Ik hoef jullie bescherming niet! Ik red me best. Jullie hadden er beter voor gezorgd dat ik kon horen zoals iedereen! Dan had ik

tenminste kunnen omgaan met wie ik wou. Het is jullie schuld!'
Dreigend richtte pa zich op. De slagader in zijn hals klopte.
'Als jij denkt dat...'
'Luc!'
Omdat ze zelfs het gegons van hun woorden niet wou horen, knipte ze haar hoorapparaten uit en vluchtte naar haar slaapkamer.

Een smalle streep maanlicht scheen door de spleet in de gordijnen. Met open ogen lag Elien op haar rug. Warm onder de donsdeken drukte ze Poenki met gekruiste armen tegen haar pyjama. Poenki rustte met zijn hoofd onder haar kin.
'Ben je ook bang dat ze vanavond komen, Poenki?' vroeg ze zonder haar ogen van het raam weg te halen. 'Je hoeft niet bang te zijn. Pa en ma zijn thuis. Dan komen ze vast niet.'
Toch verschenen uit het niets twee schimmige figuren op het gordijn. Elien kneep haar ogen tot spleetjes. Een van de twee raakte een losse steen, die op de betonnen tegels viel.
'Dat maakt vast lawaai, Poenki. Hoor je het niet?' fluisterde Elien. Ze wist niet welk geluid ze zich daarbij moest voorstellen.
'Ze komen eraan, Poenki!' fluisterde Elien nu hees.
Het leek alsof haar maag in elkaar kromp en ze kneep haar pandabeertje zo hard tegen zich aan dat het pijn deed. Haar mond, haar lippen waren kurkdroog.
Nummer Eén was nu bijna bij het balkonnetje en legde zijn hand op de ijzeren afsluiting.
Moest ze nu roepen? Moest ze wegrennen?
Ieder ogenblik kon een schaduw voor de streep maanlicht opduiken.
'Nee, vanavond komen ze niet, Poenki', sprak Elien zichzelf moed in.
Langzaam verdwenen de beelden op het gordijn. Ze dacht weer terug aan de heisa met pa en ma. Waarom wilden ze niet begrijpen dat ze net als iedereen wilde uitgaan? Dat ze de klassieke tv-

avonden beu was? Dat ze zich met haar gewone kleren belachelijk maakte in de disco?

Dat ze Manu wilde terugzien, kon ze moeilijk verklappen. Dan zou de hel pas losbarsten.

Ze werd helemaal warm toen ze Manu op het gordijn zag dansen. Ze drukte Poenki tegen zich aan, maar ditmaal deed het geen pijn.

9.

Lises ogen vielen bijna uit hun kassen toen Elien haar parka uit-
deed en hem aan de kapstok hing.

'Goh, Elien! Cool!'

'Dat is nog niet alles', deed Elien geheimzinnig terwijl ze de
sweater over haar hoofd trok.

Met de flair van een mannequin draaide ze zich om, met de
sweater losjes over haar schouder.

'Mooi, niet?' viste ze naar een complimentje.

Lise deed een stap achteruit en terwijl ze verrast tussen haar
tanden floot, liet ze keurend haar ogen over Eliens nieuwe outfit
gaan.

'Waar heb je dat allemaal gekocht?'

'In de Zara', zei Elien terwijl ze vooroverboog om haar nylons
strak te trekken.

'Duur?'

'Net geen tweehonderd euro.'

'Mooi. Heel mooi.'

Opgewekt gooide Elien haar sweater over de parka.

'Vorige keer heb je je hoorapparaten uitgedaan', merkte Lise op.

'Kun je ze zien?' riep Elien in paniek terwijl ze haar haar tegen
haar oren drukte.

'Toen je gebukt stond', zei Lise. 'En ik zag nog meer.'

Met een grijns knikte ze naar de halsuitsnijding van Eliens topje.

Elien glimlachte en maakte de apparaten los.

'Doe je dat voor die jongen? Manu?' vroeg Lise plagerig.

Elien antwoordde niet, maar ze voelde dat ze kleurde.

'Ik denk dat Manu het wel ziet zitten met jou', zei Lise met een
samenzweerderig glimlachje.

'O ja?!' riep Elien uit.

''s Nachts, toen je al weg was, liep hij me tegen het lijf. Maar
dat wil je vast niet weten', deed Lise pesterig.

Met beide handen klampte Elien zich vast aan Lises schouders.

'Toe nou. Vertel! Wat zei hij?' riep ze, barstend van nieuwsgierigheid.

'Je doet me pijn', bromde Lise.

'Vertel, Lise!'

'Nou, hij wilde letterlijk alles van je weten. Hoe oud je bent, waar je naar school gaat, of je met de tram gaat, wanneer je thuiskomt, hoe lang ik je al ken, je hobby's, letterlijk alles wilde hij weten.'

'Je hebt toch niet verklapt dat ik hoorapparaten draag?' vroeg Elien.

'Nee...' zei Lise verbaasd. 'Weet hij dat dan niet?'

'Nee.'

Lise knipperde ongelovig met haar ogen.

'Goed. Als je dat echt wilt... Van mij krijgt hij het niet te horen.'

'Ik vertel het hem wel op het juiste ogenblik. Misschien vanavond al, misschien volgende week. Ik zie wel.'

'Oké. Je doet maar.'

Lise deed een stap achteruit en bekeek haar vriendin nog eens.

'Het is wel gewaagd', zei ze terwijl ze haar lippen tuitte. 'Mocht je dat van je pa aantrekken?'

Elien maakte met haar hand een wegwerpgebaar.

'Eerst niet, dan wel. Trouwens, hij denkt dat ik met de sweater uitga. Maar zelfs dat rokje zag hij niet zitten. Ach, hij is gewoon te oud.'

De laatste dagen en uren wou ze het liefst uit haar herinnering wissen. Haar huilbuien, het geschreeuw, haar bokkige zwijgen.

'Alleen je vingernagels', schudde Lise het hoofd. 'Dat kan toch niet.'

'Nee?' vroeg Elien twijfelend terwijl ze de nagels voor zich uit stak en ze inspecteerde.

'Kom maar mee naar boven', stelde Lise voor. 'Ik ga je omtoveren.'

In de gleuf van de asbak walmde een sigaret met een lang eind as. Lise nam ze tussen duim en wijsvinger, tikte de as eraf en trok er vlug en heftig aan. Terwijl ze de rook door haar neusgaten joeg, duwde ze de sigaret dubbel in de asbak. Toen pakte ze Eliens hand.

'Mooi, niet?' zei ze terwijl ze over de inktzwarte nagels blies.

Elien knikte bedeesd. Ze wist het niet echt. Ze had nog nooit haar nagels gelakt. En thuis... Ach wat, ze zeurden maar weer.

'Nog een halfuurtje voor de jongens komen', zei Lise.

Met haar voet duwde ze het zitbankje tot voor de tv en liet zich op het kussen zakken.

Opeens stak ze haar handen in de lucht.

'Fuck! Nee!' mopperde ze. 'Ze zullen weer niet willen wegrijden voor ze dat idiote voetbal hebben gezien.'

Met een nijdige ruk keerde ze zich naar de tv, reikte met haar hand naar het pakje L&M en stak nog een sigaret op.

Gedwee ging Elien op de bank zitten en liet de beelden voor haar ogen voorbijrollen. Ze zag alleen het danspodium in de Moonstruck en Manu.

De houten armsteun van de bank drukte hard in haar heup. En toch leunde Elien er met haar bovenlichaam nog meer over. Naast haar zat Joeri onderuitgezakt. Zijn benen lagen gespreid op het salontafeltje en zijn armen had hij breeduit op de bovenrand van de kussens gelegd. Elien voelde bijna zijn arm in haar hals en schoof nog wat meer op.

Lise had Robbe op het voetenbankje geduwd. Na wat stoeien had ze zich op zijn schoot genesteld en zijn arm om haar middel gelegd. Zo keek ze mee naar het voetbal.

Het leek alsof Joeri voortdurend wat in Eliens richting opschoof.

Ze had zijn verraste blik gezien toen hij de woonkamer in kwam. Instinctief was Elien in elkaar gedoken om zo weinig mogelijk te laten zien.

'Hoi, Elien, ik herken je bijna niet meer. Je ziet er ongelooflijk cool uit', had hij meteen gezegd.

Ze had schuw geknikt. Er schoot iets door haar heen toen hij nonchalant tegen haar aan kwam zitten, zodat hun heupen en hun armen elkaar raakten.

Omdat ze hem op geen enkele manier wou aanmoedigen, keek ze onafgebroken naar het tv-scherm. Zo kon ze zijn lippen niet lezen, maar als ze naar zijn gezicht keek, zou hij misschien denken... Ze voelde een huivering over haar rug lopen.

'Ik vind het leuk om naar te kijken, maar je mag Robbe niet verleiden. Dat zou Lise niet leuk vinden, denk ik', zei Joeri toen hij merkte dat haar rok bij de split omgeslagen lag.

Toen Elien niet reageerde, pakte hij de tip om die terug te slaan.

'Laat me met rust!' gilde Elien geschrokken.

'Rustig maar', suste hij terwijl hij zijn hand wegtrok. 'Ik wou het gewoon deftig houden.'

Het liefst was Elien opgesprongen en op een stoel aan tafel gaan zitten, maar ze had Joeri nodig om haar naar Manu te brengen. Dus bleef ze zitten, zo ver mogelijk van hem vandaan.

Ze keek weer naar de voetballers. De wijzers op haar horloge kwamen maar niet vooruit.

10.

De oude BMW schoot de parking op. Meteen schoten Eliens ogen naar de achtergevel van de Moonstruck. De muur was leeg.

Het leek een stuk kouder toen ze uit de wagen stapte.

'Laat jij je jas niet in de auto?' vroeg Lise. 'Het is maar een eindje lopen en je hoeft dan niet te wachten aan de vestiaire.'

'Nee.'

Ongeduldig liep ze een eindje vooruit. Misschien was Manu al binnen en wachtte hij daar op haar.

En als hij er niet was? Dat kon niet. Hij moest er zijn! Anders had ze thuis de hele week voor niks gesmeekt en gedreigd. Anders had ze vanavond voor niks het rokje en het topje aangetrokken. Want ze wilde dat hij naar haar keek en zag dat ze niet dat saaie meisje was voor wie hij haar eerst gehouden had. Ze kon best sexy zijn.

Maar nu hij er niet was...

'Shit. Manu is er niet. Hoe kom ik nu aan een pilletje?' vloekte Joeri terwijl hij de parking afzocht.

'Misschien kun je binnen wel iets kopen', zei Robbe.

'Welnee, binnen verkopen ze niks. Te gevaarlijk', mompelde Joeri korzelig en met een gezicht als een donderwolk liep hij Elien achterna.

Vaag bereikten de drumbeats en de stuwende baslijnen Eliens oren. Haastig doorkruiste ze de zaal, wrong zich kriskras tussen de groepjes jongeren, zocht hem door de glazen deur van de chill-out room, speurde over de kolkende dansvloer en wipte uiteindelijk op het verhoogde danspodium. Ze rekte haar hals en hoopte zijn piekhaar ergens bovenuit te zien steken.

Ze had zin om terug naar huis te gaan. Maar pa kwam pas om twee uur. En buiten wachten... het was zo koud.

Lusteloos begon ze met de anderen mee te bewegen. Tot het ritme in haar oren haar vooruitstuwde, ze plezier kreeg in het dansen, Manu bij momenten vergat en zich liet opnemen in de kleurrijke, wervelende massa.

Een kerel van een jaar of dertig bewoog zich heupwiegend in haar richting. Hij droeg een wit hemd dat tot de navel was losgeknoopt, en een rode glimmende broek. Zijn haarlijn week al wat achteruit. Een tijdlang bleef hij voor haar neus dansen, terwijl hij steeds weer oogcontact zocht.

'Ben je alleen?' vroeg hij toen hij merkte dat niemand met haar danste.

Hij boog voorover om het nog eens in haar oor te schreeuwen. Elien zette een stap achteruit.

'Nee. Met vrienden.'

'Zo', zei hij met een flauwe glimlach. Hij bleef nog even voor haar dansen en verdween toen.

Elien verliet de dansvloer en liep zoekend langs de bar. Bij de ingang bleef ze wat rondhangen. Als hij toch nog kwam, mocht ze hem niet missen.

Ergens in de zaal ontdekte ze opeens Lise en Robbe. Ze zwaaide. Lise greep Robbe bij de arm en trok hem met zich mee.

'Ha, hier ben je. We zochten je. We gaan ergens anders heen. Zin om mee te gaan?'

'Pa komt me hier halen!' riep Elien. 'Ik kan niet weg.'

Lise knikte. 'Maar je vindt het toch niet erg?'

'Je gaat niet mee?' vroeg Joeri totaal overbodig terwijl hij zich bij Lise en Robbe voegde.

Een sigaretje bengelde achteloos tussen zijn lippen zodat ze niet kon zien wat hij zei, maar ze kon het raden.

Elien schudde weer het hoofd.

'Nu, tot een volgende keer dan.'

Terwijl hij haar voorbijliep, ging hij even met een paar vingers over haar buik.

Geschrokken week ze achteruit. Joeri zei iets tegen Robbe en ze lachten. Alleen Lise schudde het hoofd en duwde Robbe met beide handen door het klapdeurtje.

Nog een kwartiertje, dacht Elien. Ze leunde met haar elleboog op het hoge tafeltje bij de bar en volgde gelaten de bundels van de laserlichten die door de zaal zwaaiden.

Opeens voelde ze lippen tegen haar wang strijken, maar voor ze kon reageren, keek ze in het lachende gezicht van Manu.

'Had je me niet gehoord?!' riep hij.

'Nee', zei ze, ongerust dat hij misschien iets vermoedde. 'Ben je hier al lang?!'

'Ik had je bijna niet herkend!' zei hij terwijl hij haar met een ongelovige grijns aanstaarde. 'Je ziet er zo helemaal anders uit!'

Hij legde zijn hand op haar schouder en trok haar voorzichtig van het tafeltje vandaan. Gewillig liet ze zich onder de zachte druk van zijn vingertoppen op haar huid omdraaien.

Ze wou langzaam showen, als een fotomodel, maar omdat ze zijn lippen en zijn ogen wilde zien, draaide ze sneller, sneller dan ze wilde, zodat haar rokje rondzwaaide.

'Mooi!' riep hij bewonderend terwijl hij zijn duim opstak. 'Heel mooi!'

Zijn vingers brachten haar terug naar het tafeltje. Hij schuurde met zijn kin over haar wang.

'Ik ben blij dat je er bent!' glimlachte Elien terwijl ze hem onopvallend van zich af duwde om zijn lippen te zien.

Er zat een verwonderde frons tussen zijn ogen.

Wat zou hij gezegd hebben? Ze keek hem bang afwachtend aan.

'Waar zijn je vrienden?!'

'Weg!' zei ze. 'Ik kon niet mee. Nog tien minuten en ik moet naar huis.'

'Zo vlug al?!'

'Pa haalt me weer om twee uur op!'

Hij schudde ongelovig het hoofd.

'Ik kan je ook naar huis brengen', stelde hij voor.

Om tijd te winnen keek ze naar een jongen in een vormeloze, rode trui die zich nadrukkelijk uit de naad danste. Een lift zou leuk zijn. Maar hoe kon ze zijn lippen zien als hij aan het stuur zat? Dan viel ze meteen door de mand. En pa? Dan zou het pas stormen, als ze hem voor joker liet staan.

'Waarom niet? Je wacht hem op, vertelt hem dat ik je over een halfuurtje naar huis breng en dan kunnen we nog wat onder ons tweetjes zijn.'

Om haar te overtuigen nam hij haar gezicht tussen zijn handen en hield haar ogen gevangen.

'Het is heel lief van je!' zei ze. 'Maar dat kan echt niet. Als ik volgende week wil terugkomen...'

Ze slikte haar teleurstelling weg.

Toen vielen haar ogen op de smartphone aan zijn riem.

'Je hebt een smartphone?!' riep ze, opgelucht dat ze over iets anders kon praten.

Zijn handen lieten haar los. Hij pakte de smartphone en demonstreerde hem door een paar toetsen in te drukken. Omdat hij met zijn gezicht over het toestelletje gebogen stond, verstond ze het niet.

'Snap je het niet?! Zo moeilijk is het toch ook weer niet?'

Nu had hij vast door dat ze bijna doof was. Nu zou hij schrikken en haar met een verontschuldigend knikje laten staan.

'Tja, met dat lawaai! Ik zal het je nog eens...'

Ze hield zijn hand tegen.

'Laat maar', zei ze. 'Ik moet meteen weg. Waarom heb je eigenlijk een smartphone bij je als je uitgaat?!'

Het lachje op zijn lippen verdween. Onrustig keek hij in het rond. Toen boog hij zich naar haar oor.

'Als ik buiten pillen verkoop, houdt een vriend de straat in de gaten. Als hij flikken ziet, geeft hij me een seintje.'

Voorzichtig duwde ze hem weg. Zijn lippen! Ze hoopte maar dat hij niks gezegd had dat met hen te maken had.

'Je zwijgt?' vroeg hij met nadruk.

Ze knikte en vroeg zich intussen af wat dan zo belangrijk was.

Het was intussen twee uur geworden.

'Shit! Zo laat al!' schrok Elien. 'Ik moet er echt vandoor!'

Manu hield haar tegen.

'Tot volgende week?!'

Haar schouders rolden twijfelend heen en weer.

'Hoe weet ik dan...'

'Maar wacht eens even... Geef me je telefoonnummer en dan bel ik je in de loop van de week eens op! Dan kan ik mijn handeltje zo regelen dat we wat meer samen zijn!'

'We hebben geen telefoon!' loog Elien.

'Geen telefoon? Hoezo?!' riep Manu ongelovig.

'Maar wel een faxtoestel. Ik kan je faxen.'

'Wat moet ik nu met een faxtoestel?'

'Dan niet', zei Elien teleurgesteld. 'Maar ik zal ervoor zorgen dat ik er zaterdag ben! Rond halftwaalf.'

'Het wordt een lange week!' zei Manu nadrukkelijk.

Hij verstrengelde zijn vingers achter haar rug en drukte haar tegen zich aan. Ze voelde een zalige huivering toen ze zijn warme handen op haar blote rug voelde.

Als hij nu maar niet denkt dat ik uit zijn armen wil, ging het door haar hoofd toen ze achteroverboog om zijn lippen te zien.

Manu glimlachte.

Haar hoofd tolde toen zijn lippen haar mond raakten. De disco, de dansers, de lichten, de kleuren... het viel allemaal weg. Alleen de geur en de lippen van Manu bestonden nog.

Niet stoppen, ging het door haar heen toen hij zijn hoofd terugtrok.

Zijn ogen speurden haar gezicht af om een reactie te zien. Ze glimlachte haar tanden bloot, hij glimlachte mee.

'Weet je', zei hij met een knipoogje, 'je ziet eruit om in te bijten!'

'Bijten?' vroeg ze ondeugend.

'Of opeten!' grapte hij en deed alsof hij haar wou bijten.

'Ik ga nog even mee naar buiten!' stelde hij voor.

Zijn armen lieten haar los en hij legde een hand op haar rug terwijl ze naar de uitgang liepen.

'Nee', zei ze. 'Ik ga wel alleen.'

Beduusd bleef hij staan.

'Echt niet?'

'Nee.'

Ze hield hem liever in de lawaaierige veiligheid van de bunker.

'Je bent te laat!' zei haar vader toen ze zich op de passagiersstoel liet vallen.

Ditmaal was ze niet vergeten om onderweg haar hoorapparaten weer in te doen.

'Ach, tien minuutjes maar', zei Elien luchtig.

Ze had nu geen zin om te bekvechten.

'Twee uur is twee uur', mopperde hij. 'En wat heb je met je vingernagels gedaan?'

'Lise heeft ze gelakt. Mooi?'

'Nee, en dan dat rokje. Je...'

Ze keek al niet meer opzij. Hoe kon hij zeuren over gelakte nagels na de tien meest onvergetelijke minuten van haar leven! De lippen van Manu... En toen had ze haar ogen gesloten.

Een tikje tegen haar arm haalde Elien bruusk uit haar dromen.

'Er is toch niks gebeurd?' vroeg haar vader achterdochtig.

'Nee, ik heb gewoon wat gedanst', antwoordde ze.

Toen ze thuiskwamen, haastte ze zich naar haar slaapkamer. Ze wilde geen ondervraging, ze wilde alleen zijn met Manu.

11.

'Au!'

Het harde rubberen balletje deed pijn toen het tegen haar rug kaatste. Geschrokken draaide Elien zich om. Ze zag het balletje tegen de muur rollen en bukte om het op te rapen. Met het balletje in de hand keek ze rond, niet wetend op wie ze boos moest zijn. Op haar rug voelde ze nog pijnlijk precies waar het terecht was gekomen.

Haar woede ebde een beetje weg. Misschien was het balletje per ongeluk tegen haar rug geschopt. Misschien hadden ze zelfs nog *Kijk uit!* geroepen en had ze het niet gehoord.

Ze schrok op toen een jongen uit de vijfde klas voor haar opdook.

'Sorry', zei hij zonder dat hij het meende.

Vliegensvlug pakte de jongen het balletje uit haar hand, liet het voor zijn voet vallen en trapte het meteen in een kluwen van jongens.

Met een zucht keek Elien het balletje na. Aan de overkant van de speelplaats, onder het afdak, stonden Carolien, Muriel, Lieve en Karen in een kringetje. Toen Muriel Elien zag, wenkte ze met haar arm.

Nee, schudde Elien het hoofd.

Kom nou toch, mimeerde Muriels gezicht.

Elien schudde nog eens met haar hoofd en bleef staan. Muriel was oké, maar niet als de anderen erbij waren. Elien kon het niet hebben dat ze soms onder elkaar konkelfoesden. Daarom bleef ze liever alleen tegen de pilaar van de overkapping leunen tot ze de scherpe klank van de bel hoorde.

Met het klassieke rumoer drongen de leerlingen de klas binnen en liepen ze naar hun plaats.

Aerts, die Nederlands gaf, bleef nog wat in de gang staan praten met Van Damme, de wiskundeleraar. Van Damme was oké. Hij praatte altijd duidelijk in zijn microfoontje en zorgde ervoor dat Elien zijn lippen goed kon zien.

'Waarom kwam je niet bij ons staan?' vroeg Muriel terwijl ze haar stoel onder het tafeltje vandaan trok. 'Je stond daar maar te kijken.'

'Ach', deed Elien onverschillig, 'het was toch bijna tijd.'

Muriel zocht even naar Karen. Die zat net met haar neus in haar schoudertas om een boek te vinden.

'Karen en Tim hebben het zaterdagnamiddag gedaan', zei Muriel alleen met haar lippen.

'Wat hebben ze gedaan?' vroeg Elien zacht.

Ze begreep er niks van.

'Nu ja... je weet wel', lipte Muriel verlegen en ze wierp vlug een blik op Karen, die nog steeds in haar tas zocht.

Ze keek recht voor zich uit toen ze merkte dat Aerts de klas binnenkwam. Overijverig zocht ze in haar handboek het hoofdstuk over voorzetsels.

Weggedoken achter haar boek keek Muriel Elien aan.

'Had jij dat verwacht van Karen?'

Wat verwacht? wou Elien vragen, maar ze durfde het niet.

Muriel zou haar vast hopeloos achterlijk vinden. Maar zij had gemakkelijk praten, zij stond in het kringetje. Horenden konden alles van elkaar te weten komen. Alleen Elien wist nooit wat die andere meisjes elkaar vertelden. En ze voelde dat het dikwijls over belangrijke dingen ging, over vragen die ze thuis niet durfden te stellen. Over verliefd zijn, over jongens, over hoe andere meisjes met hen omgingen... al die dingen die zo belangrijk waren en die ook Elien wilde weten.

Muriel ging met Stephen, nog niet zo lang, een week of twee, drie. Maar Elien kon toch niet vragen hoe Muriel met Stephen omging? Hoe dikwijls en waar ze elkaar zagen, welke kleren ze dan aantrok, waarover ze het hadden als ze met zijn tweeën waren of als er anderen bij waren... Muriel praatte er vast losjes met de andere meisjes over. Maar Elien hoorde het niet.

Ze schrok op toen ze de hand van Aerts op haar arm voelde.

'Zou je je Phonic Ear niet aanzetten, Elien?'

'Ja... Ik was het gewoon vergeten', zei Elien, verlegen omdat ze blijkbaar een stukje les had gemist.

Snel zette ze de verbindingsveertjes op haar hoorapparaten en knipte het ontvangertje aan.

O, shit, schoot het door haar hoofd toen ze merkte dat ze de stem van haar lerares niet hoorde.

'Ik geloof dat het niet werkt', zei Elien met een rood hoofd, alsof het haar schuld was dat het niet lukte.

Wat verveeld keek Aerts naar het microfoontje, dat onder haar kin op haar trui gespeld was. Haar vingernagel tikte even op het microfoontje.

'Nog niks?'

'Nee.'

Aerts draaide aan de knopjes van het zendertje.

'Hoor je me nu?'

'Nee', moest Elien herhalen. 'Het zal weer eens defect zijn, vrees ik. Net zoals vorige maand. Zou u de les weer op het bord willen schrijven?'

Aerts knikte. Elien zag dat ze het niet prettig vond.

Thuis zullen ze het ook niet leuk vinden, dacht Elien geërgerd.

De vorige herstelling had bijna honderdvijfentwintig euro gekost. En nu weer... Ze kon zich thuis geen heibel meer veroorloven.

'Kun je mijn lippen niet lezen?' probeerde Aerts het omslachtige gedoe op het bord te vermijden.

'U staat te ver van me af.'

'En als ik hier vlak voor jouw ogen blijf staan?'

Korzelig tikte Elien met haar pen op bladzijde eenenvijftig.

'Eerst praat u langzaam, maar daarna vergeet u het en dan gaat het zo vlug dat ik u niet kan volgen. Zo is het altijd.'

'Rustig, Elien. Beleefd blijven. Ik wil je maar helpen.'

'Is het soms mijn schuld dat dat ding niet werkt!' snauwde Elien terwijl ze het ontvangertje een duw gaf zodat het bijna van het tafelblad schoof. 'Is het mijn schuld dat ik slecht hoor?'

Aerts sloeg hard op Eliens tafeltje.

'En nu is het genoeg!'

Meteen had ze spijt dat ze zich had laten gaan. Ze haalde diep adem alsof ze even tijd nodig had om alles te laten bezinken. Eigenlijk wist ze ook niet hoe ze Elien moest aanpakken.

'Goed. Ik schrijf alles op het bord en jij volgt rustig de les. In orde?'

'Oké.'

Toen Aerts voor het bord stond, kwam er een vrolijke onrust onder de leerlingen. Aerts die met haar rug naar hen toe stond. Dat werd een relaxed uurtje. Muriel stak haar duim op naar Elien. Die glimlachte flauwtjes terug.

12.

Het lichtje van het faxtoestel flikkerde op het verkeerde ogenblik. Eliens moeder, die het stof van het dressoir opnam, pakte het bericht, las het en fronste de wenkbrauwen. Een seconde later liep ze de trap op.

Elien keek op. Haar moeder stond in de deuropening en zwaaide met een blad.

'Er is een fax voor je. Van Sarah. Of je ook naar het clubfeestje komt.'

Shit! vloekte Elien binnensmonds.

'Een feestje?' vroeg ze onschuldig. 'Ik weet niks van een feestje.'

Elien ontweek de blik van haar moeder door op het faxpapier te blijven turen.

'Je wordt toch altijd uitgenodigd als de club iets organiseert?'

'Ze zijn me vast vergeten', jokte Elien en ze gluurde door haar wimpers. 'Ik heb geen zin in dat feestje', mompelde Elien er bijna onhoorbaar achteraan.

Haar moeder keek door het raam naar het pleintje, alsof ze de leugens in Eliens ogen niet wou zien.

'Het belangrijkste is dat we het nu weten. Straks fax je Sarah maar.'

Met een ruk draaide ze haar hoofd naar Elien.

'Je gaat toch?'

Elien duwde haar tong tegen de binnenkant van haar wang.

'Ik denk het niet. Ik zou liever naar de Moonstruck gaan.'

'Elien! De Moonstruck is niks voor jou. Daar komt alleen maar ellende van.'

Zwijgend keek Elien secondenlang in de ogen van haar moeder, tot die uiteindelijk knipperde.

Gewonnen, dacht Elien triomfantelijk.

Zonder nog iets te zeggen pakte haar moeder het faxbericht op en liep ermee de kamer uit.

Eliens vader liet zijn jas, zijn sjaal en zijn tas in de hal achter en duwde de deur van de woonkamer open.

'Dag, pa', zei Elien routineus toen hij in het voorbijlopen een vriendelijk tikje tegen haar achterhoofd gaf. Onder tafel frunnikten haar vingers aan de zoom van het tafellaken.

Even later kwam hij terug en ging recht tegenover haar zitten.

'Je gaat niet naar de club?' vroeg hij.

Zijn gezicht stond nog vriendelijk, maar Elien zag de dreiging in zijn ogen.

'Pa, ik zou liever naar de Moonstruck gaan', zei ze voorzichtig.

Langzaam schudde hij zijn hoofd. Er verscheen een droevige trek om zijn lippen, alsof het hem speet dat hij 'nee' moest zeggen.

'Ma en ik zouden willen dat je naar de club gaat. Daar ben je zoals iedereen. Eric en Lieve houden een oogje in het zeil. Als je in de club bent, hoeven we niet bang te zijn dat er iets vervelends gebeurt.'

'Maar ik wil die avond naar de Moonstruck!'

'Nee! Je mocht al twee zaterdagen na elkaar en als je niet naar de club wilt, dan blijf je maar thuis.'

Er knakte iets in Eliens hoofd. De disco, Manu, heel die spetterende wereld werd zomaar met een hoofdknikje van tafel geveegd. Wie dachten pa en ma wel dat ze waren? Dat ze haar zo betuttelden? Had zij dan geen rechten? Mocht zij dan niet zelf kiezen?

'Waar bemoeien jullie je eigenlijk mee?!' Haar stem sloeg over. 'Ik vertel jullie toch ook niet waar jullie naartoe mogen?'

'Genoeg!'

'Ik hoef jullie beschermende handje niet boven mijn hoofd!'

Toen ze merkte dat hij zich boos wou maken, zette ze haar hoorapparaten uit.

'Zet die dingen aan!' zag ze hem zeggen, maar ze schoof haar stoel achteruit en liep naar de keuken, waar haar moeder haar hoofdschuddend aankeek.

Elien liet zich op een stoel vallen. Ze verborg haar hoofd in haar handen.

Het viel haar nu pas op hoe armzalig het lokaaltje was. Alleen wie nog nooit in de Moonstruck was geweest, kon dit een blits dansfeestje noemen. Een vloer met grote zwarte en witte dambordtegels, witgepleisterde muren met affiches van Unicef, Magritte en een vergeten zomerkamp.

Om de half gevulde dansvloer heen stond een tiental tafeltjes in de vorm van een hoefijzer. Een paar gekleurde spots flikkerden. Het hoefijzer werd afgesloten door een tafel met twee cd-spelers, een mengpaneel en een plastic boodschappenkrat met cd's.

Met de flair van een beroepsdeejay bediende Eric het mengpaneel en deinde overdreven enthousiast met de muziek mee. Toen hij Elien ontdekte, zwaaide hij uitgelaten.

Heel vaag drong een oud U2-nummer in haar hoofd door. Ditmaal had ze de hoorapparaten niet in haar tas weggemoffeld. Waarom zou ze ook? Iedereen wist het van iedereen.

Het nieuwe topje en het rokje had ze in de kast gelaten. Dat had ze gekocht omdat ze dacht dat die kleren in de Moonstruck hoorden, maar ook en vooral om indruk te maken op Manu.

Terwijl ze haar ogen langs de tafeltjes liet dwalen, bewoog ze onwillekeurig haar bovenlichaam op het ritme dat ze in haar oren voelde. Een meisje met een zwart pagekopje drong tussen een paar dansers door en kwam naar Elien. Een lange zigeunerrok zwiepte om haar benen en ze verdronk in haar wollen slobbertrui.

'Leuk dat je toch gekomen bent', gebaarden haar handen.

Elien grijnsde terug. Sarah was tof. Met haar kon ze lekker kletsen. Alleen... ze was een miljoen keer liever naar de Moonstruck geweest.

'Kom je bij ons zitten?' vroeg Sarah met handen die rusteloos vlinderden.

Elien knikte.

In haar omgang met sommige andere slechthorende jongeren gebruikte ze weleens gebaren of het vingeralfabet. Maar op school kende niemand die tekens. Daar moest ze de anderen verstaan aan de hand van spraakafzien.

Horenden zijn handenstom, dacht Elien soms.

Die gedachte was een schrale troost als weer eens iemand het geduld niet had om iets een paar keer te herhalen. Iedereen wist wel dat Elien hun lippen kon lezen, maar toch besefte lang niet iedereen dat afstand, articulatie, zinslengte en tempo daarbij een grote rol speelden. Soms maakten ze zich zelfs boos als Elien de boodschap na de tweede keer nog niet verstond. Alsof die hoorapparaten haar normaal konden laten horen! Elien wenste dat het waar was.

Ze volgde Sarah, die naar de overkant van de dansvloer slalomde.

'Ik heb voor jou een stoel vrijgehouden', gebaarde Sarah.

Ze trok twee lege stoelen achteruit. Een meisje en twee jongens zaten al aan het tafeltje.

'Dag, Bert', groette Elien.

Hij stak zijn hand op.

'Wat drink je?' vroeg Lieve, die met een dienblad lege glazen de tafeltjes afschuimde.

'Cola', zei Elien en ze zocht in haar portemonnee een stuk van twee euro.

Lieve verdween weer tussen de tafeltjes, pikte hier en daar nog een leeg glas mee en liep met het dienblad naar een primitieve bar.

Aan de tafeltjes werd druk met de handen gebabbeld.

Wat doe ik hier? dacht Elien terwijl ze keek wie er allemaal gekomen was.

Ze dacht mistroostig aan die twee avonden in de Moonstruck, aan Manu.

God, wat haatte ze haar vader, die haar had verplicht te kiezen tussen de club en thuis tv kijken. Als ze niet naar de club ging, kon ze de komende maand ook niet naar de Moonstruck. Dus had ze maar eieren voor haar geld gekozen. Dan kon ze tenminste volgende week naar de disco. Dat had ze kunnen afdwingen.

Een tik op haar hand liet haar opschrikken.

'Je bent hier toch niet om te dromen?' gebaarde Bert lachend. 'Heb je zin om te dansen?'

God, niet met Bert, dacht Elien. Waarom wist ze niet, maar ze mocht hem niet zo.

Trouwens, ze had zich voorgenomen om deze verspilde avond gewoon op haar stoel te blijven zitten, wat met Sarah te kletsen en te wachten tot het twaalf uur was, tot pa haar kwam halen.

Ze schudde het hoofd.

Verbouwereerd staarde Bert haar aan, alsof hij niet kon geloven dat ze weigerde. Zoiets deed je toch gewoon niet?

'Echt niet?'

'Nee', seinde Elien resoluut en ze keerde zich naar Sarah.

Met een nijdige grimas op zijn gezicht stond hij op en sprong tussen het groepje dat op de dansvloer bewoog.

'Waarom niet?' vroeg Sarah.

Verlegen keek Elien rond. Iedereen kon nu aan hun handen zien wat ze vertelden. Op die manier kon je niks geheim houden. Wat had ze een hekel aan dit gedoe!

'Ik hoef toch niet met iedereen te dansen die het vraagt. Ik ben vrij om dat zelf te beslissen. Of niet soms?'

Sarah knikte beduusd.

'Wanneer kom je nog eens langs?' vroeg ze om het pijnlijke onderwerp te omzeilen. 'Het is al een hele tijd geleden.'

'Ja', knikte Elien.

'Op een woensdagnamiddag misschien?'

'Prima', zei Elien. 'Wat gaan we doen?'

'Winkelen', stelde Sarah voorzichtig voor. 'Een ijsje eten...'

Het klonk prima, vond Elien. Toch maakte het voorstel haar niet wild enthousiast. Ze waren wel vaker met de trein naar Sint-Niklaas gegaan. Telkens waren het heel prettige uitstapjes geweest. En nu, nu leek het haar opeens niet meer zo geweldig.

'Scheelt er iets?' vroeg Sarah.

'Nee.'

Weer verscheen Manu voor haar ogen. Zou hij op haar wachten? Zou hij zich afvragen waar ze bleef?

'Ga je mee dansen, Sarah?' gebaarde ze.

Sarah knikte overdonderd. Eerst niet, nu wel? Ze begreep Elien niet meer.

Ze liepen naar het groepje op de dansvloer en bewogen wild mee op de trillingen die ze in hun oren voelden.

De muziek stopte. Twee meisjes hadden het niet gehoord en dansten uitgelaten verder in de stilte tot ze merkten dat iedereen stilstond. Verlegen giechelend haastten ze zich naar hun plaatsen.

'Wachten we op het volgende nummer of gaan we terug?' vroeg Sarah.

'Ik ga terug', zei Elien en zonder op Sarah te wachten liep ze naar het tafeltje.

Het pilsje van Bert stond er niet meer. Elien zag dat hij naar een ander tafeltje verhuisd was. Zijn tafelgenoten hadden pret, maar zijn mond stond grimmig en af en toe keek hij naar Elien. Zijn gezicht sprak boekdelen.

'Hoe was het?' vroeg haar vader toen ze om twaalf uur in de auto stapte.

'Leuk', loog Elien.

Ze wou hem niet opjutten. Zaterdag mocht ze weer naar de Moonstruck en die belofte wilde ze niet in gevaar brengen.

'Zie je wel?' triomfeerde hij. 'Ik had je toch gezegd dat je je zou amuseren in de club?'

'Ja, pa', zei ze en ze keek door de voorruit naar de straatlichten. Dan zag ze hem niet meer en hoefde ze niks te vertellen.

13.

'Zouden we hier naar binnen gaan?' gebaarde Sarah.

Ze keken door het raam van een tearoom.

'Ik zie alleen twee oudjes... Daar, bij de deur', wees Elien. 'Verder niemand.'

Ze duwden de deur open en liepen meteen naar de verste hoek van de tearoom. Ver van de oudjes. Hier konden ze rustig met gebaren babbelen zonder dat ze werden aangegaapt als aapjes in de dierentuin.

'Twee dames blanches', zei Elien toen een vrouw de bestelling kwam noteren.

'Mooi, niet?' vroeg Sarah. Ze haalde een rode waskaars in de vorm van een peer uit de verpakking. Het resultaat van een uurtje rondslenteren in de Stationsstraat.

Elien knikte. Het was best gezellig shoppen, maar ze was met haar gedachten vooral bij Manu geweest.

Sarah schoof naar het puntje van haar stoel.

'Je deed zaterdag zo raar.'

'Omdat ik niet met Bert wou dansen?' deed Elien alsof ze niet begreep dat Sarah dat bedoelde.

'Ook dat, ja. Maar het leek alsof je je verveelde.'

'Ik wou liever naar de Moonstruck gaan, maar ik mocht niet van pa.'

'De Moonstruck?' vroeg Sarah, die het niet kon volgen.

'Moonstruck', lipte Elien. 'Een echte discotheek. Geen namaakfuifje zoals in de club.'

'Ga jij echt naar de disco?' vroeg Sarah ongelovig.

'Ja, natuurlijk', zei Elien, alsof dat heel normaal was.

'Een disco', droomde Sarah weg. 'Hoe is het daar? Vertel eens wat.'

'Ga je nu al weg?' vroeg Sarah teleurgesteld toen Elien op haar horloge keek en opstond.

'Ik wil zeker de trein van vijfentwintig voor vier halen', zei Elien nerveus.

Dan ben ik nog voor het donker thuis, dacht ze er voor zichzelf bij.

'Ik loop nog een eindje met je mee', zei Sarah. 'Tot aan het station.'

In de stationshal kuste Sarah Elien op de wang.

'Tot nog eens', gebaarde ze.

'Tot nog eens.'

Het was druk in de hal. Het lawaai van onzichtbare treinen, het klappen van deuren, haastige voetstappen, mensen die praatten... het rumoer vormde een vage ruis in haar oren.

'Een kaartje voor Antwerpen-Berchem, alsjeblieft', zei Elien door het glazen paneel met gaatjes.

De loketbediende was nog jong. Hij boog voorover naar het glas. 'Wat wou u hebben?'

'Antwerpen-Berchem!' zei Elien, terwijl ze haar lippen duidelijk bewoog. Alsof die man ze kon lezen.

Hij was blijkbaar nog niet goed vertrouwd met zijn baan, want hij vroeg wat aan zijn buurman, tikte iets in op zijn toetsenbord, vroeg weer wat en tikte weer wat in. Het leek een eeuwigheid te duren.

Ongeduldig keek Elien naar het horloge dat in de lokettenzaal aan de muur hing.

15.28.

Opeens weerklonk een metalige stem: Bericht aan de reizigers. De P-trein naar Antwerpen van 15 uur 35 vertrekt uitzonderlijk op spoor twee in plaats van op spoor vier. De P-trein naar Antwerpen van 15 uur 35 vertrekt op spoor twee!

Stom om in Berchem geen retourkaartje te nemen, dacht Elien gejaagd. Maar wie verwacht nu dat zo'n kluns...

'Eindelijk', mompelde ze toen de prijs van het treinkaartje op de display verscheen.

Ze klemde een briefje van twintig euro vast op de draaischijf.

15.30.

De schijf draaide weer. Het treinkaartje en het wisselgeld lagen nu onder het klemmetje.

'Dank je', zei Elien.

Ze schoof opzij om plaats te maken voor de man achter haar. Toen liet ze de muntjes in een zijvak van haar portefeuille vallen en toen ze de bankiljetten wou wegstoppen...

Twee briefjes van vijf? dacht ze verbouwereerd. Vlug rekende ze het nog even na. Nee, ze moest nog een briefje van vijf terugkrijgen.

Ze keek nerveus naar de wijzers. 15.31.

Brutaal drong ze voor de reiziger aan het loket.

'Ik heb vijf euro te weinig teruggekregen!'

De loketbediende keek ongelovig naar de twee briefjes van vijf die ze als bewijs voor zijn neus zwaaide.

'Zeker?' vroeg hij wantrouwig.

'Natuurlijk. Kijk maar. Het was drie en een halve euro en ik kreeg wat wisselgeld en deze twee briefjes terug. Ik heb je twintig euro gegeven!'

Twijfelend keek hij nog eens in haar onrustige ogen en liet toen nog een briefje van vijf ronddraaien.

'Bedankt!' zei Elien terwijl ze het briefje weggriste.

15u32.

Elien keerde zich om en liep naar de gele uurroosters tegen de muur.

15.35. Spoor vier.

Gejaagd liep Elien naar de roltrap. Toen ze boven was, keek ze vlug op de stationsklok. 15.34, gaven de wijzers aan. Mooi, net op tijd.

Aan de overkant van de sporen stond een koppeltje te vrijen.

Terwijl hij haar kuste, ging hij met zijn hand onder haar jas. Geïnteresseerd keek Elien toe. Misschien deed Manu dat ook weleens. Hoe zou het meisje reageren? Ongegeneerd bleef ze de jongen en het meisje aanstaren.

Dat is vreemd, dacht ze opeens toen ze merkte dat ze helemaal alleen op het perron stond. Niemand die naar Antwerpen rijdt.

Er stond ook niks op het bord dat de trein moest aankondigen. Heel vreemd.

Om zich gerust te stellen bekeek ze nog eens de gele tabellen op het perron. Zie je wel, het klopte.

Op het perron bij spoor twee zag ze een heleboel mensen wachten. Sommigen keken even naar haar en blikten toen de andere kant op.

15.35. Op spoor twee stopte een trein. Elien kreeg een onbehaaglijk gevoel. Op dit uur op spoor twee een trein die bovendien met zijn neus in de richting van Antwerpen wees? Zou ze dan toch...? Maar stel dat ze die trein net haalde en dat die naar Brussel of zo reed. Wat dan?

Om helemaal zeker te zijn keek ze nog even naar het gele uurrooster. Spoor vier. Hier moest haar trein komen. Maar waar bleef die dan?

De trein op spoor twee vertrok.

Een beetje vertraging is altijd mogelijk, probeerde Elien zichzelf te overtuigen.

Boven aan de roltrap verscheen nu een man in spoorweguniform. Hij keek raar op toen hij haar zag staan en liep toen rustig door. Toen hij haar voorbij wilde lopen, zette ze een stap opzij zodat ze voor hem stond.

'Heeft de trein die naar Antwerpen rijdt vertraging?' vroeg ze zacht.

De man keek haar aan.

'Maar die is zopas toch vertrokken op spoor twee?'

'Op het uurrooster staat toch spoor vier?'

'Jaja, maar men heeft toch enkele keren afgeroepen dat de trein uitzonderlijk op spoor twee vertrok?'

'Ik heb het niet gehoord', zei Elien teleurgesteld.

'Nee?' vroeg hij ongelovig.

Toen viel het hem op dat ze wat vreemd sprak. Hij bekeek haar wat beter en ontdekte een hoorapparaat dat half onder haar lokken zat.

Verontschuldigend haalde hij de schouders op.

'Wanneer komt de volgende trein?'

'Over een halfuur.'

'Zo lang nog!' riep ze wanhopig uit.

'Ja, elk halfuur.'

'Op spoor vier?'

'Op spoor vier.'

'Zeker?'

'Zeker.'

Berustend haalde ze de tas van haar schouder en liet zich op een bank onder het uurrooster vallen. Het was te koud om een halfuur op het perron te wachten. Toch durfde ze niet naar beneden te gaan om in de wachtzaal de tijd zoek te maken. Misschien liep er dan weer wat mis. Ze vervloekte de loketbediende.

'Het zal donker zijn als ik thuiskom', murmelde ze somber.

Heel even speelde ze met het idee om een paar treinen te laten voorbijrijden, zodat haar ma er al was als ze thuiskwam. Maar nee, het was woensdag. Dan moest ze voor het avondeten zorgen. Frieten en biefstuk. Het witlof moest nog schoongemaakt worden, de aardappelen geschild, gesneden en voorgebakken. Haar moeder zou er niet kunnen om lachen als ze alles zelf moest doen.

Met een zucht keek ze weer eens naar de stationsklok. Nog twintig minuten.

Hier is het nog veilig, dacht Elien toen ze door de drukke, fel verlichte straten in de buurt van het station liep, maar straks...

De Driekerkenstraat was donker en leeg. De zwarte asfaltlaag blonk onder een druilerige regen. Nerveus haastte Elien zich langs de huizen. Opeens doemden de lichten van een auto naast haar op. De wagen vertraagde.

Wat wil die van me? schoot het door haar hoofd.

Ze versnelde haar tempo, klaar om het eventueel op een lopen te zetten. Een eindje verderop parkeerde de bestuurder de auto tegen de stoep. Toen hij uitstapte, keek hij haar verwonderd aan. Hij haalde een sleutel uit zijn zak en deed een van de voordeuren open.

Ik heb me weer als een idioot gedragen, dacht ze. Gewoon iemand die daar woont.

Toch bleef ze op haar hoede. Twee huizen vroeger dan anders zette Elien het op een drafje.

Hijgend bleef ze voor het raam staan. Ze hield haar hand boven haar ogen en tuurde door het glas. Toen ze door de openstaande keukendeur probeerde te kijken, kneep ze haar ogen tot spleetjes en wachtte. Niks bewoog.

Half gerustgesteld duwde ze de voordeur open en stak ze het licht in de gang aan. Het zakhorloge hing er nog, merkte ze meteen.

De woonkamer was leeg. Ze liep naar de andere kant van de tafel en keek vandaar de keuken in. Niks. Om helemaal zeker te zijn liep ze langzaam naar de keuken, stak haar hand achter de hoek om het licht aan te steken en zuchtte opgelucht toen de keuken er nog net zo uitzag als die middag.

'Nog een kwartiertje en dan begin ik aan de aardappelen', zei Elien hardop, alsof ze zo eventuele inbrekers kon verjagen.

Het tv-toestel en het bankstel lonkten.

Ze plukte Poenki van de poef, liet zich op de bank vallen en zette de tv aan. Er zat nog een dvd in de speler. Homer Simpson raasde als een dolleman over het scherm.

14.

Drie jongens troepten rond de jonge kerel in de schaduw van de Peugeot 306.

'Manu is er', zei Joeri terwijl hij zijn hand op Eliens hoofd legde en het ruw naar Manu draaide.

'Ga je mee?' vroeg hij nadat hij haar hoofd met een kwartslag weer naar zich toe had gekeerd.

Boos schudde ze hem van zich af.

'Nee!' zei ze omdat het uitgerekend die nare Joeri was die het voorstelde. En ook omdat ze niet in haar veilige bunker was. Joeri zou haar vast verraden met zijn rotgeintjes.

'Jezus, ik dacht dat je graag zou meegaan', zei hij cynisch. 'Of heb je al iemand anders op het oog? Mij soms?'

Hij legde pesterig zijn arm op haar heup en wou haar kussen. Geërgerd deed Elien een paar stappen opzij en keek stuurs voor zich uit.

'Laat haar toch met rust, Joeri', zei Lise. 'Je bent niet grappig.'

Joeri grinnikte en haalde zijn schouders op.

De drie jongens stopten stiekem iets in hun mond en liepen naar de ingang van de Moonstruck.

Kalmpjes slenterde Joeri naar de auto.

'Moet ik voor jou iets meebrengen, Robbe?' vroeg hij.

'Nee', zei Robbe. 'Het spul is me te duur.'

'Zoals je wilt, maar je mist wat', zei Joeri en hij liep door.

Argwanend hield Elien Joeri in de gaten. Die gluiperd kende Manu een beetje te goed. Misschien zou hij langs zijn neus weg een grapje maken over haar oren. Zomaar, om het tussen haar en Manu kapot te maken. Daar was hij best toe in staat.

Joeri en Manu lachten wat en opeens keek Manu in haar richting en riep iets. Elien versteende.

'Wat roept hij, Lise?'

'Hij komt over een halfuurtje. Wij gaan al naar binnen. Het is me hier te koud. Ga je mee?'

Elien twijfelde. Straks zou Manu weer alleen bij de auto staan en dan wou ze bij hem zijn. Gewoon bij hem staan en zijn armen als een warme deken om haar heen voelen. Het zou zalig zijn. Maar dan moest het wel buiten haar veilige bunker. Dan zou Manu ontdekken dat ze hem niet hoorde, en...

'Ja', zei ze gelaten. 'Ik zie hem straks wel.'

Al na een kwartiertje sprong Manu voor haar neus op de dansvloer.

'Je bent er al!' riep ze blij verrast.

Zonder iets te zeggen nam hij haar arm en leidde hij haar naar het vertrouwde tafeltje bij de bar.

'Het is druk!' zei hij terwijl hij haar strak aankeek.

'Ja', zei ze automatisch.

Het was toch altijd druk in de Moonstruck?

Peilend keek hij haar in de ogen. Ze wist niet wat ze ervan moest denken.

'Zullen we ergens anders heen gaan?'

'Waarom?'

'Gewoon, om met ons tweetjes te zijn.'

'Ik kan niet. Pa komt me straks halen.'

Manu glimlachte.

'Ik bedoel ook niet dat we wegrijden. Ik wil gewoon eens met ons tweetjes zijn, zonder al die anderen om ons heen. Wil je dat ook niet?'

Elien knikte maar half overtuigd. Ze twijfelde. Natuurlijk wilde ze met hem alleen zijn. Maar zou ze zich niet verraden. Misschien werd het tijd om hem te vertellen dat ze een beetje anders was. Hoewel...

Opeens stond zijn gezicht ernstig.

'Waarom twijfel je, Elien? Het maakt niks uit dat je doof bent.'

Het kwam aan als een emmer ijskoud water. Ze kromp ineen.

'Hoe weet je dat?'

'Ik had de vorige keer al gemerkt dat je heel raar sprak. En Joeri vertelde me dat... nu ja, dat je doof bent. Toen werd alles duidelijk. Die keer dat je uit het ritme danste, dat je telkens weer mijn gezicht wilde zien... Alleen dacht ik dat alle doven hoorapparaten dragen...'

Met de rug van zijn hand streek hij de lokken om haar oor weg.

'Ik draag ze nu niet...' zei ze schuchter. 'Dus je vindt het niet erg? Dat ik slecht hoor, bedoel ik.'

Haar hart bonkte in haar keel.

'Nee. Waarom zou ik niet willen omgaan met iemand die doof is?'

'Slechthorend', verbeterde ze vlug. 'Sommige geluiden kan ik wel horen.'

'Nu, zullen we dan maar naar buiten gaan?'

Ze knikte, hoewel ze niet wist waar ze naartoe zouden gaan.

'Mijn auto staat op de parking. Daar zitten we rustig, daar worden we niet gestoord.'

'Haal jij je jas niet?' vroeg ze terwijl ze bij de vestiaire wachtte.

'Ik heb het niet koud', zei hij. 'Er staat nogal wat wind, maar het vriest niet meer.'

De arm om haar schouder drukte haar als een zachte klem tegen hem aan. Ze kon het gevoel dat door haar hoofd spookte niet omschrijven. Het leek alsof ze verdoofd was. Het was allemaal zo verwarrend. Gisteravond zou ze met de glimlach ingeslapen zijn als ze aan dit moment dacht. Maar nu... Hij had dus altijd geweten dat ze slechthorend was, maar toch niks gezegd. Was het uit tact? Wilde hij haar niet kwetsen en wachtte hij tot ze het hem zelf zou vertellen?

Soms keek ze stiekem naar hem op, maar hij bewoog zijn lippen niet.

Hij heeft gelijk, dacht ze, waarom zou hij spreken? Hij weet toch dat ik hem zo niet kan horen.

Toen ze een parkingwachter met een hond voorbijliepen, stak Manu zijn hand op. De wachter knikte en liep door.

Haar parka had Elien niet dichtgeritst, maar met de handen in haar zakken duwde ze de panden tegen zich aan om zich tegen de wind te beschermen.

'Hier', wees Manu.

'Maar dat is de auto van Joeri!' schrok Elien.

'Dat maakt toch niks uit? Ik leen hem gewoon even', zei Manu luchtig terwijl hij de autosleutels in de lucht gooide en weer opving.

Hij leidde haar naar het portier aan de passagierskant en hield de deur open.

'Waar rijden we heen?' vroeg Elien terwijl ze op de passagiersstoel ging zitten. 'Je weet toch dat pa me om twee uur ophaalt?'

Manu grijnsde.

'Elien, we blijven gewoon op de parking.'

Terwijl Manu om de auto heen liep, volgde Elien zijn silhouet door de beslagen voorruit. De deur ging open en Manu ging zitten. Heel even keken ze elkaar afwachtend aan. Toen boog hij voorover, schoof zijn hand achter haar hoofd en kuste haar. Hij drukte haar tegen de rugleuning, zodat ze wat onderuitgleed.

Toen voelde ze zijn hand op haar knie. Langzaam kroop de hand naar boven, streek over haar dij en ging onder haar rokje.

'Niet doen, Manu', vroeg ze zacht.

Ze merkte dat hij iets zei, maar ze verstond het niet. Alsof hij haar het spreken wou beletten, kuste hij haar weer. En langzaam gingen zijn vingers verder.

Elien had het gevoel dat ze niet meer kon ademen.

Niet doen, dacht ze. Ik ben bang.

Ze legde haar hand op zijn hand. Even wachtte hij af.

'Ik wil niet, Manu!'

Schuw duwde ze hem van zich af zodat hij tegen het stuurwiel botste.

'Maar ik...' zag ze hem zeggen. Toen hij weer vooroverboog, stootte ze hem met beide handen van zich af en rukte het portier open.

De panden van haar jas zwiepten achter haar aan terwijl ze over de parking vluchtte. Een hond blafte kort. De parkeerwachter keek even op en schudde zijn hoofd.

Pas bij de voorgevel van de Moonstruck bleef ze hijgend staan. Wat nu? vroeg ze zich af.

Zou Manu achter haar aan komen? Ze zag hem niet.

Ze was zo teleurgesteld in hem. Had ze een prins gekust die in een kikker was veranderd? Ze huiverde toen ze zijn vingers weer over haar dij voelde glijden.

Een auto reed de parking op. Heel even werd ze verblind door de koplampen en toen de wagen voorbijreed, zag ze dat er een meisje achter het stuur zat.

'Moest ik nu...?' mompelde ze wezenloos.

Een waas kwam voor haar ogen toen ze zich weer voor de geest riep wat in de BMW gebeurd was. Zijn hand verdween weer onder haar rokje, ze zag weer zijn verbouwereerde gezicht toen ze hem tegen het stuurwiel duwde...

Aarzelend knoopte ze haar parka dicht.

'Zou hij boos zijn?' vroeg ze zich af. 'Of zou hij haar vasthouden en zouden zijn lippen vertellen dat hij het niet erg vond? Dat ze eigenlijk wel gelijk had?'

Onzeker bleef ze voor de ingangsdeur staan.

Het meisje uit de auto kruiste haar.

'Alles oké?' vroeg ze, maar Elien hoorde het niet en liep haar voorbij.

Of moet ik weer in de auto gaan zitten, zijn hand pakken en die op mijn dij leggen?

Ze bleef staan.

Misschien komt het dan weer goed.

Langzaam liep ze naar het portier. De auto was leeg.

15.

De ambiance, de muziek, het leek opeens zo onbelangrijk. Haar ogen dwaalden over de dansvloer. Warrelende lichamen, flitsende spots, ze zag ze niet meer.

En toen zag ze hem. Soepel bewoog hij voor een meisje dat een groen lijntje in haar geblondeerde haar had gespoten. Zijn ogen hielden het meisje gevangen. Meteen herinnerde Elien zich hun eerste ontmoeting. Dezelfde blik, dezelfde lokkende bewegingen van zijn heupen, zelfs hetzelfde danspodium.

Heel even bewoog ze naar hem toe, maar toen besefte ze dat dat geen zin had. De twee dansten nu bijna buik tegen buik. Hij zou haar van zich af slaan als een mug. Het geblondeerde meisje mocht dan niet zo knap zijn als zij, ze was een horende.

Elien voelde zich rot. Manu had iets kapotgemaakt dat zo mooi had kunnen zijn. Of was het haar schuld? Had zij verkeerd gereageerd? Als Manu niet zo brutaal, zo vulgair, zo... Verdomme! Ze wist niet hoe ze het moest noemen. Maar ze voelde dat het op die manier niet kon.

Of hoorde het gewoon zo dat een jongen na een tijdje met zijn handen onder je kleren ging en je overal betastte? Was dat de prijs die ze had moeten betalen? Vertelden haar vriendinnen daarover op de speelplaats, tussen de lessen of in het Kofschip, en had ze dat gemist?

Het was iets over enen. Ze moest nog bijna een uur op haar pa wachten. Het laatste uur in de Moonstruck, dat wist ze wel zeker. Hier kwam ze nooit meer.

Korzelig besefte ze dat haar vader uiteindelijk gelijk had gekregen. Vaak zou ze die kleren niet meer dragen.

'Ik kan maar beter naar buiten gaan', zei ze stilletjes.

Het zou koud zijn. Zeker met dat topje en dat rokje.

Buiten verliezen deze kleren hun betovering, dacht ze. Ze horen bij de disco. Als die kleren weggestopt zijn onder een parka, blijft er niks over dan een zielig, slechthorend meisje zonder hoorapparaten.

Ze wou de Moonstruck in haar geheugen branden. En ze wou Manu nog één keer zien. Een laatste uurtje en het was voorbij. Dan zou hij wellicht met dat geblondeerde ding aanpappen en hij zou... Hoe zou dat meisje reageren? Misschien zou zij wel erg gewillig zijn en zijn handen over haar hele lichaam laten gaan.

Met de pols veegde ze de tranen uit haar ogen.

Ze voelde een hand op haar arm en keek verrast op.

'Wat is er?' vroeg Lise terwijl ze Elien bezorgd aankeek.

Elien schokschouderde en perste haar lippen op elkaar.

'Manu?'

Elien knikte kort.

'Waar is hij?'

Elien wierp een blik op het danspodium.

'Heeft hij je gedropt?' vroeg Lise toen ze Manu met het geblondeerde meisje zag dansen.

'Hij wil me niet meer', zei Elien, die het woord 'droppen' niet kende.

Lise legde haar arm om Eliens schouder en trok haar vriendin tegen zich aan.

'Ach', troostte ze, 'het is beter dat het nu niks wordt, want later zou het pas echt pijn doen.'

Elien knikte maar. Lise had misschien gelijk, maar toch klopte er iets niet. Verdrietig ging ze met haar hand over haar voorhoofd.

'Kop op, Elien', probeerde Lise haar op te monteren, 'dat overkomt iedereen weleens.'

Joeri en Robbe doken tussen de dansers op.

'Hé, Lise! Dansen we niet meer?' vroeg Robbe terwijl hij haar hals masseerde.

'Straks, liefje. Elien heeft me nu even nodig.'

Wrevelig keek Robbe Elien even aan. Met zo'n slechthorend kind is het altijd wat, leek hij te denken.

'Manu heeft het uitgemaakt', zei Lise met haar gezicht van Elien afgewend.

'Sneu voor haar', zei Robbe. 'Maar daarom hoeven wij onze avond toch niet te laten verpesten?'

Met een tikje tegen zijn kont duwde Lise hem terug in het gewoel.

'Ga maar even wat drinken of zo. Ik kom meteen.'

'Zeker?'

'Zeker. Geef me een minuutje. Bestel maar een Red Bull voor me.'

'Waarom heeft Manu het uitgemaakt?' vroeg Joeri schamper. 'Had hij misschien koude handjes?'

'Dat zijn jouw zaken niet!' snauwde Lise in Eliens plaats.

Met een grijns liep hij Robbe na.

'Heeft het daar iets mee te maken, Elien?' vroeg Lise.

Elien knikte onwillig.

Hoofdschuddend keek Lise naar Manu, die intussen zijn handen op de heupen van het blonde meisje had gelegd.

'Wat had ik dan moeten doen?' vroeg Elien.

Gelaten haalde Lise haar schouders op.

'Ik zou het ook niet weten, Elien. Dat moet iedereen voor zichzelf uitmaken. Het gaat gewoon zoals het gaat. Verliefd zijn is geen optelsommetje, waarbij je sowieso tot de goede oplossing komt.'

'Ik ga naar buiten', zei Elien. 'Ik ben het hier beu.'

'Blijf nog wat bij ons', stelde Lise voor terwijl ze Eliens arm greep om haar naar de bar te loodsen.

'Joeri is er ook nog. Ik hoef hem niet zo', zei Elien onwillig.

Zonder zich verder iets van Lise aan te trekken zigzagde ze naar de uitgang.

De klapdeur werd voor Eliens neus opengeduwd. Een kalende veertiger met een leren jekker keek haar strak aan, wierp een vluchtige blik in de dansruimte en duwde Elien terug in de disco.

'Hé!' riep Elien agressief. 'Blijf met je poten van me af!'

Maar de man keek haar zelfs niet meer aan en liep meteen door naar binnen, naar de bar. In zijn voetspoor liepen nu agenten van de federale politie in uniform en in burger door de klapdeur.

Onthutst trok Elien zich tegen de muur terug.

Opeens baadde de hele zaal in helgeel licht. Het werd onwezenlijk stil in de Moonstruck. Hier en daar klonk nog een kreet of een zenuwachtig lachje, maar iedereen bleef staan. Ook Manu. Elien merkte dat zijn hand in zijn achterzak gleed. Een fractie van een seconde later zat tussen twee vingers een pilletje, dat hij op de grond liet vallen en met zijn voet van zich af schoof. Nu pas merkte Elien dat er een heleboel pilletjes en gevouwen papiertjes over de vloer verspreid lagen.

Manu knipoogde naar het blonde meisje. Daarna keek hij argeloos om zich heen. Toen zijn blik die van Elien kruiste, kneep hij zijn ogen tot spleetjes.

Zou ze het gemerkt hebben? zag ze hem denken. Zou ze hem verklikken?

Heel even maakte ze een beweging naar de agente die bij het klapdeurtje stond en alles nauwlettend in het oog hield. Ze merkte het.

Nu kon Elien het hem betaald zetten, gewoon door haar te vertellen dat Manu een xtc-pilletje op de vloer had laten vallen en dat er nog een massa drugs in zijn kofferbak lagen.

Alsof hij haar gedachten had geraden, schudde hij dreigend het hoofd. Twijfelend leunde Elien weer met haar rug tegen de muur.

'Is er iets?' vroeg de agente.

Toen Elien de zaal in staarde, greep ze haar bij de arm.

Elien schrok op.

'Had je me nodig?' vroeg de agente streng.

'Nee... echt niet', mompelde Elien verward.

'Zeker?'

'Ik wou gewoon weggaan, maar toen zag ik u staan en toen dacht ik dat ik niet naar buiten mocht.'

De agente keek Elien strak aan, maar liep uiteindelijk terug naar het klapdeurtje.

Helemaal in de war streek Elien door haar haar. Alsof hij de enige was bij wie ze steun kon vinden, zochten haar ogen Manu. Met een kort knikje bedankte hij haar en keek weg.

'Ach, waarom zou ik?' mompelde Elien. 'Ik krijg hem toch niet terug door hem te verklikken. Het is vast mijn eigen schuld dat hij me niet meer wil.'

Toen ze voelde dat iemand haar aanstaarde, draaide ze haar hoofd opzij.

De agente stond weer naast haar.

'Je identiteitskaart! En doe niet alsof je me niet gehoord hebt!'

Shit, dacht Elien. Ze heeft het vast al een paar keer gevraagd.

'Ik hoor niet zo goed, mevrouw', probeerde Elien.

De agente leek wat vriendelijker toen ze vroeg: 'Mag ik je identiteitskaart zien?'

Nerveus zocht Elien in haar tasje. Het duurde even voor ze de kaart uit het plastic hoesje van haar portefeuille kreeg.

'Vijftien jaar', zei ze hoofdschuddend. 'Je moet zestien zijn om hier te komen.'

'O ja?' vroeg Elien benepen. 'Maar ik ben bijna zestien. Nog drie maanden.'

Ze zag zich al weggeleid worden.

'Gelukkig voor jou controleren we op drugs. Alleen wil ik je hier niet meer zien voor 17 maart. Ik zal je identiteit noteren en als je nog eens aangetroffen wordt in een discotheek zal er een pv opgemaakt worden. Duidelijk?'

Elien snapte het niet. Een pv was toch een persoonsvorm? Waarom zei ze dat nou? Elien snapte er niks van, maar knikte dankbaar toen het tot haar doordrong dat er geen narigheid kwam.

'Veel plaats om iets weg te stoppen is er bij jou niet', merkte de agente hoofdschuddend op met een knikje naar Eliens kleren. 'Wil je even van de muur af gaan staan?'

Met een routineuze beweging ging ze met haar vlakke hand over Eliens rokje.

'Oké', zei ze. 'Ga maar naar huis.'

Ze liep door naar een groepje bang afwachtende meisjes.

Alsof Elien naar een politiefilm keek, nam ze alles in zich op. Overal spraken agenten met jongeren, overal fouilleerden ze, doorzochten ze tasjes en noteerden ze van alles. Verdwenen was de glitter, de opwinding. In het naakte licht was de Moonstruck gewoon een grote zaal met tafeltjes, een lange bar, gekleurde wanden, flauw oplichtende tv-schermen... De droom was weg.

In de gang keken twee agenten haar achterdochtig aan toen ze de deurtjes achter zich losliet, maar ze lieten haar ongemoeid. Het was druk bij de vestiaire. Het leek wel alsof iedereen zo vlug mogelijk de Moonstruck uit wilde.

Net als in de Titanic, dacht Elien onwillekeurig.

Ondanks de koude wind troepten jongeren op de parking samen. Ze praatten en lachten overdreven. Auto's schoven bumper aan bumper naar de straat. Langs de disco en in de straat stond een rij combi's geparkeerd. De blauwe zwaailichten hadden iets spookachtigs.

Elien haastte zich naar de straat. Het was intussen al bijna kwart over twee. Haar vader zou woedend zijn.

16.

Toen ze zag dat Muriel en Karen aan Eliens lippen hingen, kwam Caroline haastig aangelopen.

'Wat is er gebeurd?' vroeg ze aan Muriel.

'Ssst!' siste Muriel met haar wijsvinger op haar lippen. 'Elien heeft een razzia in de Moonstruck meegemaakt.'

'Waw!'

'... En opeens lag de vloer vol pillen, spuiten en pakjes met drugs!' dikte Elien haar verhaal wat aan. Opgewonden gebaarde ze met haar handen, alsof woorden hiervoor tekortschoten.

Elien genoot. Voor een keer was zij het middelpunt. Die op sensatie beluste ogen haalden de woorden bijna uit haar mond.

'En moest je mee naar het politiebureau?' vroeg Caroline, die het kennelijk jammer vond dat ze het grootste deel van het verhaal gemist had.

'Bijna', zei Elien. 'Een detective fouilleerde me, maar omdat ik geen drugs bij me had, mocht ik uiteindelijk toch gaan.'

'Heeft een man je gefouilleerd? Jezus, dat moet eng geweest zijn!'

'Het was een vrouw. Er zijn altijd vrouwen bij om de meisjes te fouilleren', zei ze alsof ze wist waarover ze sprak.

'Goh, spannend', zei Karen met een tikkeltje jaloersheid in haar stem.

De drie meisjes kwebbelden nu honderduit. Elien kon het amper volgen. Somber keek ze naar de plaveien op de speelplaats. Zij hoorde het middelpunt te zijn en toch stond ze er nu maar wat bij. Die rotoren!

Heftig trok ze aan Karens arm.

'Wat vertellen jullie allemaal?'

'Dat je toch maar geluk had om op dat ogenblik in de Moonstruck te zijn', zei Karen snel en ze draaide zich weer naar de andere meisjes.

Mevrouw Aerts liep tussen de tafeltjes door en deelde de antwoordbladen uit. Voor het tafeltje van Elien bleef ze staan.

'Goed gedaan, Elien', prees ze. 'Een acht. Zie je wel dat het mogelijk is om voor Nederlands een goed cijfer te halen.'

Blij keek Elien naar de rode acht boven aan het blad. Ze had gedacht dat het goed was geweest, maar een acht... Dat maakte die drie van vorige week helemaal goed.

Het was een zalig gevoel. Volgende week geen enkel rood cijfer in haar maandelijks rapport.

Pa en ma zullen tevreden zijn, dacht ze.

Muriel porde in haar zij.

'Goed, hé', lachte ze.

'Hoeveel heb jij?' vroeg Elien.

'Een zeven.'

Terwijl Aerts doorliep, nam Elien zich voor om met extra aandacht de les te volgen. Als ze nu een acht kon halen, moest dat een volgende keer ook lukken.

De stem van mevrouw Aerts waaide in de Phonic Ear. Nu eens kon Elien haar verstaan, dan weer niet.

Verbeten concentreerde ze zich op het zinnetje in haar handboek dat Aerts ter sprake had gebracht.

'Willen jullie een beetje rustiger zijn, ja?!' klonk het opeens hard in haar oren. 'Het is nu welletjes geweest!'

Elien schrok op. Dat kon toch niet tegen haar bedoeld zijn? Ze merkte dat de lerares rood aanliep terwijl ze naar de tafeltjes bij het raam keek waar Caroline, Tim en Nele zaten. De drie hadden al een hele tijd pret, had Elien gemerkt. Nu keken ze strak naar hun boek en deden alsof ze de les heel ernstig namen. Omdat ze hoestte, bracht Nele haar hand voor haar mond. Elien merkte dat er kauwgom in haar hand achterbleef, die ze ongemerkt tegen de onderkant van haar tafeltje duwde.

Aerts keek het drietal nog even bars aan en vervolgde toen geïrriteerd haar les.

Nee, zo lukt het niet, dacht Elien toen de stem van de lerares weer onduidelijk overkwam. Gegeneerd stak ze haar hand op.

'Ja, Elien?'

'Wilt u een beetje duidelijker in de microfoon spreken, mevrouw? Ik hoor u soms niet.'

Aerts knikte gelaten. Iedere les zag ze Eliens hand een paar keer omhooggaan.

'Ik doe mijn best, Elien. Ik doe mijn best.'

Ze klakte even met haar tong, maar fronste toen haar wenkbrauwen en keek Elien aan.

'Of wíl je me soms niet horen?' vroeg ze.

'Nee, mevrouw, dat is het helemaal niet, maar u draait soms uw hoofd weg en dan lukt het niet.'

De lerares boog haar hoofd naar het microfoontje.

'Zo beter?'

Elien knikte, maar ze wist dat ze het straks weer zou moeten vragen.

'De volgende zinnetjes moeten jullie eerst noteren. Daarna zoeken we de goede voorzetsels', zei Aerts met haar mond tegen het microfoontje.

Elien zette zich schrap. Als er gedicteerd werd, kon ze meestal niet volgen. Niet alleen werd de stem in de ontvanger soms vervormd tot een onverstaanbare brij, maar ze moest ook steeds woorden opschrijven die ze niet kende, die niemand haar ooit uitgelegd had.

Ze probeerde de tekst te volgen.

'De wind loeit ... de vallei', hoorde ze opeens.

De wind... loeit... noteerde Elien vlijtig.

Ongelovig keek ze naar de zin op haar blad. De wind loeit? Wind loeit toch niet? Een koe, ja. Wind waait! Dat kon je voelen aan je wangen, dat merkte je als je haar wapperde. Maar maakte wind ook geluid? Ze had het vast verkeerd verstaan.

'... gooi je het kind ... het badwater weg...' hoorde ze nu.

Toen drongen de woorden tot haar door. Wat betekende zo'n

idiote zin nu weer? Snel keek ze rond om te zien of de anderen lachten. Maar ze bleven bloedernstig pennen.

O, shit! Nu was ze een heel eind achterop geraakt. Zou ze Aerts durven vragen het stuk vanaf dat badwater opnieuw te dicteren? God, nee, ze keek nu al zo geërgerd na dat voorval van daarstraks.

Elien duwde tegen Muriels arm. Even keek haar vriendin opzij.

'Nu niet, Elien. Ik kan amper volgen.'

Elien had haar niet verstaan en trok opnieuw aan Muriels mouw.

'Schuif gewoon je blad wat naar me toe zodat ik het kan overschrijven.'

Wrevelig keek Muriel weer op.

'Geen tijd!' articuleerden haar lippen.

Ze schudde opvallend met haar hoofd en richtte haar ogen weer op haar blad.

Als ze haar arm een beetje opschuift, kan ik meelezen zonder haar te storen, dacht Elien.

Weer trok ze aan Muriels elleboog. Met een nijdige stoot werkte Muriel haar hand weg.

Woedend gooide Elien haar pen op haar tafeltje.

Aerts schrok op.

'Waarom schrijf je niet verder, Elien?' vroeg ze streng.

'Ik kan niet volgen!' snauwde Elien.

Ongelovig liep Aerts tussen de tafeltjes door en pakte een paar schriften op.

'De anderen kunnen toch volgen?'

'Nou, ik niet!'

'Elien, ik kan toch niet steeds mijn tempo aan jou aanpassen? Ik moet een programma volgen, weet je.'

Er viel een afwachtende stilte in de klas. Iedereen voelde aan dat er geduvel in de lucht hing.

'Nu, wat is je probleem?' vroeg Aerts toegeeflijk.

Elien schoof ongemakkelijk heen en weer op haar stoel. Ze verwachtte dat ze weer voor hilariteit zou zorgen. Dat gebeurde wel vaker als ze iets vroeg dat blijkbaar iedereen wist.

'Die wind die loeit, dat kind met dat badwater weggooien... Het zijn zowat de meest idiote zinnen die ik ooit opgeschreven heb. Omdat ik dat niet verstond, raakte ik achterop en toen kon ik niet meer...'

Vergeefs zocht ze naar een woord.

'Niet meer bijbenen', maakte Aerts haar zin af.

'Wat is bijbenen?'

'Hou je me voor de gek?' vroeg de lerares bars.

'Nee! Waar zou ik dat woord geleerd hebben?'

'Het betekent zoveel als volgen, Elien', zuchtte Aerts terwijl ze op haar polshorloge keek.

Het laatste kwartier van de les tikte weg en ze was niet eens halfweg.

'Maar die loeiende wind?' vroeg Elien hardnekkig. 'Wat betekent dat? Wind loeit toch niet? Die waait!'

'De wind kan loeien, Elien!'

'Zoals een koe?'

Aerts blikte naar het plafond.

'Nee, niet zoals een koe. Het klinkt anders.'

De klas kwam tot leven. Gegiechel, gelach... Elien merkte dat ze weer eens onbedoeld voor hilariteit had gezorgd.

Aerts tikte met haar trouwring tegen het bord om weer kalmte in de klas te krijgen.

'Heb je dat echt nog nooit gehoord, Elien?'

Koppig schudde Elien het hoofd.

'Anders zou ik het toch niet vragen? Horenden zijn nu eenmaal veel slimmer dan niet-horenden.'

Aerts fronste haar voorhoofd.

'Hoe kom je daar nu bij, Elien! Slim zijn heeft niks met horen te maken. Het heeft met verstand te maken. Kunnen begrijpen, conclusies kunnen trekken, ideeën kunnen vormen.'

'Toch zijn horenden slimmer!' hield Elien stug vol.

'Het is al goed', sloot Aerts met een nieuwe blik op haar horloge af. 'Ik heb maar zeven minuten meer en ik wil minstens dit deel afwerken.'

Ze schraapte even haar keel om verder te dicteren.

'En dat kind met het badwater weggooien?' gaf Elien zich niet gewonnen.

'Zoek dat thuis maar eens op!'

'En de tekst die u gedicteerd hebt? Gaat u die niet herhalen?'

Woedend klapte Aerts haar map dicht en gooide die op haar bureau.

'Ik ben het beu, Elien! Beu dat je de les te pas en te onpas stoort. Muriel, geef jij je notities na de les aan Elien. Dan kan ze thuis alles rustig overschrijven.'

'Nou, leuk', baalde Elien. 'Weer wat extra werk. Dat hoeven de anderen nooit te doen.'

'Nu is het genoeg, Elien! Ik wil geen woord meer horen!'

Mokkend kruiste Elien haar armen. De les kon haar gestolen worden.

Aerts deed alsof ze het niet merkte. Op een drafje maakte ze het hoofdstuk af en liep het lokaal uit.

Witheet van woede maalde Elien haar kaakbeenderen op elkaar. Waarom moest zij weer gestraft worden? Omdat ze het niet allemaal gehoord had?

'Hier', zei Muriel terwijl ze de tekst naar Elien schoof. 'Of weet je wat?' zei ze terwijl ze haar aantekeningen pakte. 'Geef me gewoon je map, dan pen ik het vlug over.' Het klonk schuldbewust. En voor Elien het besefte, trok Muriel haar map naar zich toe en begon te schrijven.

'Nu wil ik toch weleens weten wat dat kind met dat badwater betekent', zei Elien.

'Heb je dat echt nog nooit gehoord?' vroeg Muriel verbaasd.

'Nee. Waarom zou ik het anders vragen?'

'Nou, ik dacht dat je het gewoon deed om Aerts te jennen.'

Ongelovig schudde Elien het hoofd.

'Waarom zou ik? Mijn cijfers voor Nederlands zijn niet zo denderend.'

Muriel luisterde al niet meer en schreef op kruissnelheid de gedicteerde tekst over.

Terwijl Elien toekeek, dacht ze aan de discussie met Aerts. Horenden waren altijd in het voordeel. Er moesten vast massa's woorden en spreekwoorden bestaan die ze niet kende.

'Dank je', zei ze toen Muriel haar map terugschoof tijdens de les van Weemaes.

De lucht was inktzwart. Auto's wriemelden door de straten. Muriel en Elien stonden te wachten tot het voetgangerslicht op groen sprong.

'Heb je al gestudeerd voor het examen Engels?' vroeg Muriel terwijl ze eindelijk de straat overstaken.

Elien zag dat Muriels lippen bewogen en greep haar arm.

'Wat zei je?'

'Of je al voor het examen Engels gestudeerd hebt', herhaalde Muriel met haar gezicht naar Elien.

'Nee. Jij?'

'Een beetje', zei Muriel, maar omdat ze meteen weer wegkeek, wist Elien dat het allemaal al in haar hoofd zat.

Natuurlijk wist Elien dat de examens volgende week begonnen. Engels beet de spits af. Dat gehate Engels. Ze wist dat ze niet zomaar kon zeggen wat ze las. Engelse woorden moesten anders uitgesproken worden. Maar hoe? Daar had ze het raden naar. Door de Phonic Ear had ze wel een flauw idee van hoe het moest klinken, maar als de klas weer eens in lachen uitbarstte als ze een stukje tekst moest voorlezen, wist ze dat haar oren en haar tong niet gemaakt waren om vreemde talen te leren. Maar met de theorie zou ze zich wel redden.

Bij de tramhalte wrongen ze zich tussen enkele scholieren. Elien merkte dat sommigen met wat schroom plaatsmaakten. Bijna allemaal kenden ze het meisje met de hoorapparaten, dat op dit uur de tram nam. Ieder schooljaar werd ze aangewezen.

'Daarna geschiedenis, wiskunde, Nederlands, biologie...' ratelde Muriel verder.

Ze kent het hele examenschema uit het hoofd, dacht Elien onthutst. God, wat een achterstand had ze. Toen begreep Elien dat de examens vast al een hele tijd het onderwerp van gesprek waren op school.

'Je kijkt zo idioot', zei Muriel toen ze Eliens beduusde gezicht zag. 'Was je soms vergeten dat de examens op komst zijn?'

Of ze de examens vergeten was? Nee, natuurlijk niet. Toch niet echt. Soms had ze wel een flard van de gesprekken opgevangen, en ze had natuurlijk het examenrooster gekregen. Alleen zaten de examens ergens in haar achterhoofd, achter Manu en de Moonstruck.

'Nog even en dan valt de regen met bakken uit de lucht', voorspelde Muriel met een bedenkelijke blik omhoog. 'Ik denk dat ik er maar eens vandoor ga. Tot morgen.'

Ze tikte Elien nog even op de schouder en haastte zich weg.

Gelukkig, dacht Elien toen ze de tram zag komen.

De eerste regendruppels spatten tegen de ramen toen Elien wat ruimte zocht in de overvolle tram.

De straat was schoongespoeld en glimde in de straatverlichting. Voorovergebogen tegen regen en wind haastte een jonge vrouw zich met een kinderwagen langs de gevels.

Opgelucht omdat ze niet alleen door de straat moest, volgde Elien haar op de voet.

Toen de vrouw voetstappen achter haar rug hoorde, keek ze heel even om. Halverwege de Driekerkenstraat verdween ze door een garagepoort.

Het horloge hangt er nog, dacht Elien meteen toen ze het licht in de gang aanknipte.

Druppels dropen van haar parka op de grond en haar schoenen maakten smerige strepen op de tegels.

'Straks even met de dweil erover', zei ze binnensmonds terwijl ze zich bukte om de post op te rapen. 'Anders zwaait er wat.'

Routineus keek ze de enveloppen door. Op een crèmekleurige omslag zag ze haar naam staan.

Elien draaide de enveloppe om. Er stond geen afzender op de achterkant. Snel scheurde ze de enveloppe open. Een kerstkaartje. *Jeroen* stond er in handschrift op de achterkant. Alleen zijn naam. Het was een grappig kaartje in felle kleuren. De Kerstman stond met een zak op zijn rug klaar om naar buiten te gaan. Maar zijn vier rendieren lagen languit in het bankstel en keken tv. Ze gierden het uit.

Het kan me niet schelen dat het net jullie favoriete programma is. We gaan! stond in een tekstballonnetje boven de Kerstman.

Elien vond het leuk. Het was in elk geval helemaal anders dan de traditionele kerstkaartjes die ze soms van klasgenoten kreeg.

Een glimlach speelde om haar lippen. Het was nog wat vroeg om een kaartje te krijgen, maar ze vond het leuk dat hij aan haar gedacht had. Morgen zou ze ook maar kaarten kopen en terugschrijven. Of misschien was het toffer om er zelf te maken. Maar nee, met die examens...

Ze trok haar natte parka uit en liep met de jas in haar hand naar de woonkamer. Die was veilig, zag ze in een oogopslag. Ze zette de thermostaat op tweeëntwintig graden. Lekker warm en knus op de bank. Alle lichten aan, de gordijnen dicht, behalve aan de straatkant. De overburen moesten haar kunnen zien.

Ze schuifelde naar de keuken. Alles in orde. Nadat ze haar jas over een keukenstoel had gehangen om te laten uitdruipen, droogde ze haar haren met een handdoek. Nu pas voelde ze dat haar kousen en haar schoenen doorweekt waren. Even wilde ze die natte spullen gewoon aanhouden, maar nee, dat was al te gek.

Met een bang hart liep ze de trap op. Voorzichtig duwde ze de deur van haar kamer open. Ze dwong zich om naar het raam te lopen. Als er niks te zien was, kon ze gerust zijn. Ze drukte haar neus tegen het glas en keek het donker in. De muur, het plein... Alles oké.

Toch haalde ze de eerste de beste rok uit de kast. Kousen waren niet nodig, beneden zou het heerlijk warm zijn. In een wip was ze omgekleed en ze haastte zich naar beneden.

Terwijl ze haar rugzak opentrok, besefte ze dat ze nog geen zin had om te studeren. De tv wenkte. Heel even stond ze te twijfelen met haar handboek Engels in de hand, maar de tv haalde het.

'Een halfuurtje maar', mompelde ze.

Homer Simpson pikte een pakje donuts uit de kast toen Elien opschrok. Had ze iets gehoord?! Ja...

Als verlamd bleef ze liggen. Toen trok ze snel haar voeten van het tafeltje en ging overeind zitten. Zou ze echt wat gehoord hebben?

Elien stond op en liep langzaam naar het raam. De straat lag er nog altijd nat en verlaten bij. Bij de overburen brandde licht. Dat was een opluchting. Ze speurde de straat en het muurtje af. Niks te zien.

Maar de gang! Even keek ze naar de overkant van de straat. Zouden die mensen haar helpen als er inbrekers waren?

Op haar tenen schoof ze naar de deur.

Misschien kan ik er voor alle zekerheid maar beter vandoor gaan, overwoog ze.

De deur was binnen handbereik. Wat moest ze doen? De deurkruk pakken en de deur met een ruk opentrekken? *Pa!* roepen, alsof haar vader thuis was? Of voorzichtig de deur op een kiertje openen, klaar om te vluchten?

Elien hoopte maar dat de deur niet piepte. Gek toch dat ze daar nu aan dacht. Van een film wist ze dat een deur kon piepen.

Waanzinnig traag duwde ze de deurkruk naar beneden en keek

door het kiertje. De paraplu stond nog gewoon in de koperen melkkan, het zakhorloge hing aan de muur. Opgelucht wou ze de gang in lopen, maar ze bedwong zich. Misschien hadden de inbrekers zich aan de andere kant van de gang verstopt en wachtten ze haar daar op!

Elien kon bijna huilen van opluchting toen ze zag dat de gang leeg was. Toch stak ze alle lichten aan en liep weer naar boven. De kamers waren leeg en koud, zoals altijd.

Uiteindelijk liet ze zich weer op de bank vallen. The Simpsons waren al een eind verder, maar dat gaf niet. Ze kende de aflevering. Ze drukte Poenki tegen zich aan en probeerde zich op het verhaal te concentreren, maar dat wilde niet lukken.

Nummer Eén dook op uit de keuken.

Dat kan niet! dacht Elien in paniek terwijl ze zich met een ruk omdraaide.

Zie je wel, hij is er niet.

Ze dwong zich weer naar het scherm te kijken.

Toch kon ze niet beletten dat Nummer Eén uit de keuken sloop en op de tippen van zijn baskets naar haar toe sloop. Nummer Twee volgde hem.

'Je hoeft niet zo voorzichtig te zijn', zei Nummer Twee hardop. 'Ze hoort toch geen donder.'

'Weet ik', zei Nummer Eén geërgerd.

Toen hij achter haar stond, sloeg hij zijn arm om haar nek.

'Het raam!' snauwde hij. 'Straks zien de overburen ons nog.'

Intussen trok hij haar van de bank.

Nummer Twee trok snel de gordijnen dicht.

'Zo. Nu zijn we gezellig met ons drietjes', grijnsde Nummer Eén.

Elien gilde, maar een hand sloot meteen haar mond af.

'Vlug! Dat kreng verraadt ons nog!'

Nummer Twee haalde een rol bruine plakband uit de zak van zijn jas, beet er een stuk af en drukte de pleister ruw op Eliens mond.

Wanhopig schopte Elien tegen zijn dij.

De greep om haar hals werd strakker.

'Zal je stil zijn?' klonk het dreigend.

Elien stikte bijna. Bijna onmerkbaar knikte ze.

Nummer Twee rukte aan haar kleren.

'Nee!'

Elien liet haar hoofd achterovervallen, keek naar de kroon-luchter en toen...

Nee, dat kon niet. Daar wilde ze niet aan denken.

Elien schudde de waanvoorstelling van zich af.

17.

Wat verloren stond Elien bij de ingang van het Century Center. In stilte liepen drommen mensen langs haar naar de deugddoende warmte van het overdekte winkelcentrum. Of ze zetten hun kraag op als ze de koude straat weer opzochten.

Engelenhaar, moderne en ouderwetse kerststalletjes in de etalages, lichtjes, flikkerende kerstbomen tegen de gevels. Eeuwenoude, weemoedige kerstliedjes klonken in de drukke winkelstraten. De stad ademde Kerstmis.

Voor de zoveelste keer keek Elien naar de ringen en halssnoeren die in de etalage van de juwelier lagen, stroopte weer eens haar mouw op om op haar horloge te kijken en keek opnieuw naar de ingang. Hoewel ze niet twijfelde aan het uur van de afspraak, haalde ze het faxbericht uit haar zak.

Hoi Elien,

Ik kan intussen (letterlijk) op eigen benen staan. Wat denk je ervan om samen eens wat te doen? Misschien een beetje rondslenteren op de Meir en naar de mensen gluren die met kerstcadeautjes rondzeulen?

Heb je zin? Ja? Prachtig! Is woensdag rond twee uur oké? Bij de ingang van het Century Center (kant van het Centraal Station).

Als je andere plannen hebt, wil je me dan iets laten weten? (Maar ik hoop dat ik niks van je hoor en dat je er gewoon bent.)

Bye!
Jeroen

Zie je wel, twee uur, dacht Elien. Nu ja, dat is nog drie minuten.

Ze vond het attent dat hij niet gebeld had, zodat haar ouders erbuiten bleven. Niet dat het een probleem was. Ze had hun trouwens verteld dat ze die middag een afspraak met hem had. Maar bij een telefoontje was ze van hen afhankelijk en dat vond ze vervelend. Ze wou haar eigen boontjes doppen.

Toen ze voor de zoveelste keer de voetpaden afspeurde, zag ze hem bij de verkeerslichten wachten. Ze liet de etalage meteen in de steek.

Het voetgangerslicht floepte op groen en hij liep met de menigte over het zebrapad. Hij hinkte, was het eerste dat Elien opmerkte toen hij onhandig de straat overstak. Alsof er een steentje in zijn schoen zat. Hoewel hij zich duidelijk haastte, bereikte hij als voorlaatste de stoep. Alleen een oud mannetje met een hondje aan de lijn dat duidelijk een eeuwigheid tijd had, kwam achter hem aan.

Elien stak haar hand op. Meteen verscheen een brede glimlach op zijn gezicht.

'Ha, je bent er al!' riep hij.

Pas toen hij haar vragende gezicht zag, begreep hij dat hij in zijn geestdrift vergeten was dat ze hem niet kon horen.

'Je bent er al', herhaalde hij toen hij vlak voor haar stond. 'Wachtte je al lang?'

'Nog maar even', loog Elien.

'Zonder dat loopgips was ik hier vroeger geweest', zei hij verontschuldigend en hij wees naar zijn linkerbeen.

Alsof hij al uitverteld was, keek Jeroen weg naar een uitstalraam. Toch voelde hij dat Elien hem bleef aankijken. Het maakte hem nerveus. Toen begreep hij dat ze hem bleef aankijken om te weten of hij iets zei.

Jezus, dacht hij terwijl hij zich weer naar haar omdraaide, het zal even duren voor ik dat gewend ben.

'Waar wil je heen?' vroeg hij.

'Mij om het even.'

'Zullen we even in de Free Record Shop rondhangen? Daarna kunnen we naar de Meir gaan.'

'Free...?'

'Free Record Shop. De cd-winkel.'

Toen schoot haar slechthorendheid hem te binnen, en hij mompelde onhandig: 'Maar jij... voelt daar waarschijnlijk niet veel voor.'

'Waarom denk je dat?'

'Luister jij dan naar muziek?'

'Waarom niet?'

'Nou ja... Shit.'

Hoe had hij zo kunnen blunderen?

In Eliens hoofd lachte het. Plagerig gaf ze hem een duwtje. Ze vond hem schattig zoals hij verlegen naar de grond staarde.

'Ik luister naar muziek in mijn walkman.'

Ze jokte een beetje. Eigenlijk had ze bijna nooit de walkman op haar hoofd. Als ze de volumeknop helemaal opendraaide, hoorde ze het beuken van de drums, voelde ze de doffe, donkere bas en hoorde ze in de verte een stem. Maar ze wist dat horenden iets heel anders hoorden dan zij. Een paar keer had ze naar platen van EELS en The Prodigy geluisterd die Muriel haar had geleend. De namen van die groepen stonden dan ook met een viltstift in grote letters op Eliens pennenzak. Net zoals bij de anderen van haar klas.

'Wil je dit nummer eens horen?' vroeg Jeroen terwijl hij zijn hoofdtelefoon afzette. 'Of lukt dat niet?'

'Natuurlijk lukt het', antwoordde ze alsof het gewoonste zaak van de wereld was.

Een beetje huiverig omdat ze niet wist of ze iets zou horen, zette ze de doppen op haar oren. Met een glimlach omdat de beats haar bereikten, headbangde ze op de computerdrum.

'Goeie muziek?' vroeg Jeroen toen ze elkaar even aankeken.

Ze hoefde de hoofdtelefoon niet af te nemen om hem te verstaan.

'Tof. Het heeft een lekker dansritme', zei Elien tevreden omdat ze over de muziek kon meepraten.

Jeroen stak zijn handen in de zakken van zijn gewatteerde blouson.

'Koud, niet?'

Pas toen hij geen reactie kreeg, dacht hij er weer aan dat met Elien babbelen niet zo eenvoudig was.

Zwijgend liepen ze naar de Wapper. Eigenlijk wilde hij over het ziekenhuis, over zijn enkel, over van alles en nog wat vertellen, maar hij wist niet hoe hij het moest aanpakken om losjes met haar te babbelen.

Elien vond het vreemd dat hij niets zei. Ze wachtte op een seintje, dat hij iets wilde vertellen. Terwijl ze doorliepen, hield ze voortdurend zijn gezicht in de gaten. Ze kon zijn lippen niet lezen als hij voor zich uit keek, maar als hij zijn mond bewoog, zou ze hem vragen het te herhalen. Ze bleven op elkaar wachten.

Ze slenterden doelloos over de Wapper.

'Zullen we ons een beetje opwarmen in een cafeetje?' stelde Jeroen voor toen hij merkte dat Elien rilde.

Zoekend liepen ze voorbij de ramen.

Het is overal vreselijk druk, dacht Jeroen. Logisch, met Nieuwjaar voor de deur.

'Ik heb geen zin om in een café tussen een massa mensen recht te moeten staan', zei Elien, die gehoopt had op een warm, knus plaatsje.

'Misschien kunnen we wat in de Zara rondsnuffelen', stelde Jeroen voor. Hij had gemerkt dat Elien daar langer voor de etalages had staan kijken. 'Daar is het tenminste warm.'

Elien knikte. Voor haar was het allemaal goed.

Lachend drukte Jeroen haar tegen zich aan, maar hij liet haar meteen weer los.

'Sorry', zei hij verlegen. 'Ik wou niet...'

Maar Elien lachte zijn bedeesdheid weg. Zelfs door die dikke laag kleren had ze de warmte van zijn arm gevoeld. Het had haar verrast, maar ook op een prettige manier in de war gebracht.

Zwijgend liepen ze weer naar de Meir. Allebei beseften ze dat zijn onhandige knuffel meer was dan zomaar een spelletje.

'Kijk eens', zei Jeroen en hij bleef staan.

Elien liep door. Jeroen haalde haar in en pakte Eliens hand om haar tegen te houden.

Hij wees naar een kraampje dat, amper zichtbaar door de drukte, op de hoek van het plein stond.

'Glühwein', las hij hardop. 'Heb jij dat al gedronken?'

'Nee.'

'Ik ook niet.'

Nadenkend bleef hij naar het kraampje staan kijken. Zonder haar hand los te laten, alsof hij dat vergeten was.

'Ik wil het weleens proeven. Jij ook?' stelde hij voor.

'Waarom niet', zei Elien opgetogen. Het leek haar best leuk.

Terwijl ze bij een bank bleef wachten, zag ze hoe Jeroen naar het kraampje hinkte.

Even later kwam hij terug. In elke hand hield hij een bekertje bij de bovenrand vast tussen duim, wijs- en middelvinger. Geconcentreerd hield hij zijn blik strak op de bekertjes.

'Pas op!' waarschuwde hij Elien. 'Het is erg heet.'

Elien trok haar handschoenen uit en voorzichtig nam ze een bekertje van hem over. Ze keek even naar de donkerrode wijn en snoof de kruidige geur op. Behoedzaam zette ze haar lippen aan het bekertje en blies de damp weg. Ze slurpte een slokje, liet het even rondgaan in haar mond en slikte toen door. Jeroen, die het gevolgd had, tikte even tegen de rug van haar hand.

'Lekker?' vroeg hij.

'Ik weet het niet', aarzelde ze.

Ze nipte nog eens.

'Ja. Lekker.'

'Schuif je een beetje op? Dan kom ik naast je zitten.'

Hij ging schuin op de bank zitten, zodat ze zijn gezicht kon zien.

'Vind jij het lekker?' vroeg ze.

'Ja. Ik word er helemaal warm van. Jij niet?'

Ze knikte.

'Hoe is het eigenlijk met je bromfiets?' vroeg ze na een tijdje.

'Opgelapt, maar ik mag er nog niet op rijden.'

Verbeten tikte hij op het loopgips.

'Nog een paar weken.'

Na een half bekertje glühwein voelde Elien zich zalig warm worden.

'Het stijgt me al een beetje naar het hoofd', bekende ze met een lachje.

'Mij ook.'

Ze zwegen en keken een tijdje naar de drukte.

'Ging het een beetje met de examens?' vroeg Jeroen.

Een rimpel verscheen boven Eliens neus.

'Het viel wel mee. Een onvoldoende voor Nederlands, maar geen ramp. Ik kan het goedmaken met de eindexamens. En jij?'

'Ik hoefde geen examens te doen', zei Jeroen. 'Ik weet nog niet wat er gaat gebeuren. Waarschijnlijk tellen alleen mijn eindexamens.'

Met zuinige slokjes verdween de glühwein uit de bekertjes. Jeroen vertelde over het ziekenhuis, over Jonathan, over zijn twee zussen. Elien deed erg haar best om het allemaal te volgen. Ze moest en zou alles weten wat hij vertelde.

'Soms belt Jonathan me nog eens', zei Jeroen. 'Eergisteren nog. Hij vroeg me hoe het met dat knappe meisje was.'

'Knappe meisje?' vroeg Elien argeloos.

'Hij bedoelde jou, natuurlijk', lachte Jeroen.

Ze voelde hoe ze kleurde. Verlegen keek ze weg naar de gevel van het Rubenshuis.

Haar hoofd tolde. Kwam het door de wijn?

'Weet je nog dat je je naam op mijn gipsverband schreef?'

'Ja. Waarom?'

Hij pulkte verlegen aan een paar haartjes op zijn kin.

'Toen de dokter het gips weghaalde, vroeg ik hem dat stukje uit te knippen. Het ligt nu op mijn bureau.'

Schijnbaar toevallig tikte zijn knie tegen haar dij.

Elien liet zijn gezicht niet los, en niet alleen om geen enkel woord te missen.

Toen hij zweeg en dromerig voor zich uit staarde, legde ze haar hoofd tegen zijn schouder. Ze hoefde nu niet meer te weten wat hij vertelde. Hem gewoon tegen haar aan voelen was genoeg.

Het laatste restje glühwein was niet warm meer, maar dat gaf niets. Ze voelde geen kou.

Jeroen maakte voorzichtig aanstalten om op te staan.

'Het wordt tijd om terug te keren', zei hij.

Ze kon de spijt van zijn gezicht aflezen.

Hoe lang hadden ze zo tegen elkaar aan gezeten? Vijf minuten? Tien? Een kwartier?

Met een diepe zucht hees ze zich overeind en dacht aan wat ze die avond thuis zou doen. Samen met ma en pa op de bank tv kijken. Wat was er op de buis vanavond? Het interesseerde haar niet. Ze wist dat ze toch aan hem zou denken.

Hoewel het donker werd, was het nog altijd druk op de Meir. Zwijgend liepen ze naar het Centraal Station. Het lukte niet om naast elkaar te blijven lopen. Steeds weer moesten ze uitwijken voor mensen die hen kruisten.

Hoewel Jeroen met zijn loopgips niet zo snel vooruitkwam, moest hij wachten toen Elien door een koppel met een kinderwagen werd opgehouden.

'Ik was je even kwijt', glimlachte ze.

Opeens voelde Elien dat Jeroen zijn pink om haar ringvinger haakte. Ze keek opzij.

'Anders raken we elkaar voortdurend kwijt.'

Ze knikte. Meteen had ze er spijt van dat ze haar handschoenen weer had aangetrokken.

Een tiental meter verder bleef ze staan.

'Ik heb het niet meer zo koud', jokte ze terwijl ze haar handschoenen uittrok. 'Het komt vast door die glühwein.'

De handschoenen verdwenen in haar rugzakje. Ze liepen door. Nu haakte zij haar wijsvinger om zijn pink.

Toen ze bij de verkeerslichten op de Van Ertbornstraat wachtten, wees hij naar een grote, grijze gevel even verderop.

'Daar is de UGC.'

Ze trok aan zijn mouw.

'Wat zei je?'

'Sorry, ik had er weer niet aan gedacht.'

'Geeft niet', glimlachte ze. 'Het went heus wel.'

Hij wees weer naar het gebouw.

'Daar is de UGC', herhaalde hij.

Ze schudde het hoofd.

'Dat woord ken ik niet. Wat betekent het?'

'Het is geen woord. Het is de naam van een bioscoopcomplex. Ben je er nog nooit geweest?'

'Nee. Jij wel?'

'Een paar keer. Gaan we eens kijken?'

'Ja', knikte ze opgetogen. Zo werd het afscheid wat uitgesteld.

Het mocht vandaag wat later worden. Pa en ma hadden in de week tussen Kerstmis en Nieuwjaar trouwens vrij. Ze zouden er zijn als ze straks thuiskwam.

Overdonderd stond Elien in het midden van de immense hal. Terwijl hun vingers verstrengeld bleven, keek Jeroen naar de filmaffiches.

Met open mond liet Elien haar ogen door de ruimte gaan. Over de inlichtingenbalie, over de tv-schermen, naar de trap die naar de zalen leidde... Achter de trap stonden tafeltjes en stoeltjes. Je kon er iets drinken.

Opeens kruisten haar ogen de verbaasde blik van Manu. Heel even bleven ze naar elkaar staren. Toen wierp hij haar spottend een kushandje toe en zei iets tegen de jongen naast hem. Die draaide zijn hoofd om. Joeri! Hij grinnikte toen hij haar verbouwereerde gezicht zag. Ze zag dat zijn lippen bewogen en hij haar wenkte.

Ik moet hier weg! dacht Elien in paniek. Wie weet welke smerige dingen ze over mij tegen Jeroen zullen vertellen.

'Het is al laat, Jeroen. Ik moet naar huis!' zei ze terwijl ze aan zijn vingers trok.

'Nu opeens?' zei hij verbaasd, maar hij liet zich meetronen.

Terwijl ze even moesten wachten tot de glazen schuifdeur openging, keek Elien bezorgd om. Ze zag de twee niet meer. Toch was ze er niet gerust op.

Eindelijk, dacht ze toen ze op straat stonden. Ze hield er stevig de pas in.

'Zeg, waarom ineens zo gehaast?' vroeg Jeroen, die moeite had om haar te volgen. Maar ze keek niet meer naar zijn lippen.

Toen ze de drukke De Keyserlei waren overgestoken, werd ze wat rustiger. Voor alle veiligheid keek ze nog eens om.

Nu ben ik veilig, dacht ze en ze vertraagde.

'Het leek wel alsof je daarstraks op de vlucht ging', zei Jeroen toen ze weer rustig naast elkaar liepen.

'Ik was bang dat ik de tram zou missen', zei ze. 'Straks eten we en ma heeft er een hekel aan als ik te laat thuiskom.'

'Het was een gezellige middag', zei hij terwijl hij met haar bij de halte wachtte.

Hun vingers haakten nog altijd in elkaar.

'Heb je het niet koud?' vroeg hij.

'Nee', zei Elien hoewel haar handen rood van de kou waren.

'De tram is er al', zei Jeroen met een hoofdknikje. 'Zullen we nog eens samen wat doen?'

'Ja', zei Elien.

'Volgende week? Dan heb je toch nog vakantie?'

Elien knikte.

'Ik zag dat ze The Mask of Zorro draaien. Heb je zin om samen naar de film te gaan?'

'Ja', zei ze, maar ze hoopte dat Joeri en Manu dan niet in de bioscoop zouden zijn.

De deuren van de tram klapten open.

'Woensdag om twee uur aan de ingang van het Century Center?' vroeg Jeroen nog gauw.

'Oké.'

Ze lieten elkaar los. Onzeker bleven ze elkaar aankijken. Even bewoog Jeroen zijn hoofd naar haar, alsof hij haar wou kussen, maar hij hield zich in. Ze lazen de spijt in elkaars ogen.

'Je bent de laatste om in te stappen', zei Jeroen en alsof hij de gemiste kus wou goedmaken, legde hij zijn hand op haar rug en hij liet haar pas los toen ze in de tram stond.

'Wil je ook koffie?' vroeg Eliens moeder toen ze samen op de bank tv zaten te kijken.

'Nee, dank je.'

Elien liep naar de keuken om een blikje Ice Tea uit de koelkast te pakken.

In de weerspiegeling van het keukenraam zag ze in haar verbeelding Manu en Joeri zitten. Zouden ze haar opgewacht hebben? Nee, dat was al te gek.

Maar hoe hadden ze geweten dat zij uitgerekend op dat uur in de hal van UGC zou zijn? Of was het louter toeval geweest?

18.

'Koekoek!'

Toen Elien naar het Koningin Astridplein bleef turen, dacht Jeroen eraan dat ze hem niet gehoord had. In zijn hand bengelde een valhelm.

'Hé, je bent er al!' riep ze opgetogen toen hij opeens voor haar stond.

'Ik kon je toch niet weer laten wachten.'

'O ja... gelukkig nieuwjaar, Jeroen.'

Hij pakte haar hand en kuste haar op de wang, dicht bij haar mond.

Ik bloos vast, dacht ze blij verlegen.

In de loop van de voorbije week had Jeroen die zoen in zijn hoofd ontelbare keren gerepeteerd. Met opzet had hij de afspraak met Elien tot na Nieuwjaar uitgesteld omdat hij dan een reden had om haar zomaar te kussen.

'We hebben nog een kwartiertje', zei hij terwijl hij op zijn horloge keek. 'Mooi, dan kunnen we rustig naar de UGC lopen. Ik heb mijn Booster daar laten staan.'

'Zo? Weer met de motorfiets?' vroeg ze terwijl ze nu pas de link tussen de valhelm en de Booster legde.

'Nou, eigenlijk mag het nog niet, maar het is een stuk handiger dan met de tram. Trouwens, ik draag nu een rekverband. Het lukt echt wel. Met de Booster hoef ik ook niet te lopen, dus belast ik mijn enkel niet zoveel.'

Het was heel wat minder druk dan de vorige week op de De Keyserlei. Voor veel mensen was de vakantie voorbij.

Ze liepen een beetje onwennig langs winkels en cafés.

'Goh, moet je zien hoeveel zo'n ring kost!' wees Elien toen ze voor het uitstalraam van Slaets stonden.

Toen ze haar hand liet terugvallen, zorgde ze ervoor dat ze zijn hand raakte. Heel even hielden ze hun handen tegen elkaar. Alleen hun ogen waren op de juwelen gericht.

Langzaam, alsof ze bang was dat een bruuske beweging hem zou afschrikken, verstrengelde ze haar vingers met de zijne. Even nog bleven ze staan, alsof nu doorlopen hen uit elkaar zou halen.

Hij keek haar aan met een geamuseerde tinteling in zijn ogen.

'Het is tijd, Elien', zei hij zacht.

Het voetgangerslicht sprong op groen. Toen ze overstaken, reed een bestelwagen hard door het rode licht. Elien hoorde hem niet, maar Jeroen keek schichtig naar links. De chauffeur ging voluit op de rem staan.

'Hé!' riep Elien geschrokken toen Jeroen haar met een ruk achteruittrok.

Met zijn duim wees Jeroen naar de chauffeur van de bestelwagen, die met zijn vingers op het stuurwiel trommelde tot het zebrapad weer vrij was.

'Die wagen kwam keihard aangereden', zei Jeroen verontwaardigd. 'Het scheelde maar zoveel.'

Hij liet haar vingers los en gaf met beide handen de afstand aan.

'Misschien schrik ik nu ook makkelijker, na dat ongeluk.'

Toen ze op het voetpad waren en Jeroen weer rustiger liep, keek Elien naar zijn been.

'Je hinkt nog altijd?'

Hij bleef staan en keek haar doordringend aan.

'Ja... En de dokter zei dat dat misschien zo zal blijven.'

Hij zag er opeens kwetsbaar uit.

'Vind je het erg?' vroeg hij. 'Dat ik hink?'

'Nee, helemaal niet', glimlachte ze. 'Het maakt niks uit.'

In een opwelling drukte ze haar hoofd tegen zijn voorhoofd.

'Nou kan ik niet meer voetballen', zei hij somber. 'Toch zeker de komende maanden niet.'

Omdat ze tegen hem aan stond, hoorde Elien hem niet.

Hij hinkt, dacht ze, en ik hoor slecht. We hebben allebei een schram op ons koetswerk.

Het was druk in de hal. Mensen hingen in groepjes rond of stonden voor de affiches. Maar Elien lette er niet op. Terwijl Jeroen aanschoof om kaartjes te kopen, keek ze naar de stoeltjes achter de trap. Daar waren ze niet. Toen liet ze haar ogen door de hele hal gaan. Manu en Joeri waren er niet.

Opgelucht zag ze Jeroen met de kaartjes naar haar toe komen.

Terwijl ze haar jas uittrok en die in een lege stoel naast haar legde, gleden haar ogen over alle rijen stoelen. Nee, de twee zaten ook niet in de zaal. Nu hoefde ze alleen de ingangsdeur in de gaten te houden tot de film begon. Als ze hen dan nog niet gezien had, kon ze onbekommerd van Jeroen en de film genieten.

'Je ziet er heel knap uit', zeiden Jeroens lippen toen ze hem even aankeek.

Elien lachte. Ze wist dat hij overdreef, maar vond het toch leuk om van hem een complimentje te krijgen.

Gevleid rekte ze zich even uit om haar rokje nog korter te laten lijken. Toen streek ze het glad en ging zitten. Ze was blij dat ze die middag voor het rokje had gekozen. Sinds die verwenste avond in de Moonstruck had ze het rokje en het topje niet meer gedragen, maar voor deze gelegenheid had ze niet getwijfeld. Het compenseerde die afschuwelijke hoorapparaten een beetje, vond ze. Het topje had ze niet aangetrokken. Dat paste niet in een bioscoopzaal. Misschien zou ze het in de zomer weer eens dragen, als het heet was. Hoewel...

'Zoveel geld uitgeven aan kleren om ze dan niet te dragen', had haar moeder gesakkerd, maar Elien had gemerkt dat ze toch blij was dat zij het bikinitopje in de kast liet liggen.

Hun armen lagen tegen elkaar op de leuning. Elien had zich heerlijk onderuit laten zakken en keek af en toe naar het silhouet van Jeroens gezicht in het duister. Gewoon om hem te zien.

'Goeie film, niet?' vroeg Jeroen.

In het halfdonker kon ze de bewegingen van zijn lippen niet goed zien.

'Ik versta het niet. Wil je het nog eens herhalen?'

'Vind je de film goed?'

Wanhopig probeerde ze zijn woorden te vatten. Hij bracht zijn gezicht heel dicht bij haar.

'Of je de film goed vindt?'

Maar nu waren zijn lippen zo dicht bij haar ogen dat ze ze onmogelijk kon lezen.

Toen hij merkte dat ze hem wanhopig aanstaarde, schudde hij glimlachend het hoofd en keek weer naar het doek.

Onrustig omdat ze het niet had verstaan, frunnikte ze wat aan haar pull. De film was ver weg. Ze wist dat het nog vaker zou gebeuren, dat ze niet snapte wat hij zei. O, ze had het thuis en bij haar vrienden al zo dikwijls meegemaakt. Ze herhaalden het enkele keren en als ze het dan nog niet verstond, lieten ze haar met een vriendelijk knikje links liggen omdat ze het herhalen beu waren.

De angst kneep haar keel dicht toen ze bedacht dat Jeroen ook zo zou gaan reageren. Misschien paste een slechthorende dan toch niet bij een horende... Misschien moest ze wel eeuwig bij de club blijven.

Opeens voelde ze zijn vingertoppen op haar dij, net onder de zoom van haar rokje. Ze verstrakte. Uit een ooghoek keek ze naar hem, om te weten te komen wat hij van plan was, maar zijn ogen bleven op het doek gericht.

In een flits zag ze zichzelf weer met Manu in de BMW zitten. Had zij toen verkeerd gereageerd door te vluchten? Zou ze nu Manu's liefje zijn als ze hem toen had laten begaan?

Jeroen kon toch niet hier, in de bioscoopzaal... Het was wel donker, maar... Met een hart dat tegen haar ribben bonkte, wachtte ze af. Zoekend schoof zijn hand over haar dij.

Zijn hand raakte haar pols. Zijn vingers pakten haar vingers en met zijn duim streelde hij haar huid tussen duim en wijsvinger. Toen hun handen zo bleven liggen, ontspande ze zich weer.

Moest zij nu ook iets doen? vroeg ze zich af.

Voorzichtig leunde ze met haar schouder tegen hem aan, klaar om meteen weer rechtop te zitten. Maar hij schoof ook dichter tegen haar aan.

Ontspannen lag ze tegen hem aan. Hun handen in elkaar, hun schouders tegen elkaar. Zo was het goed.

'Een keitoffe film', zei Jeroen terwijl ze de trappen afliepen.

'Ja, heel mooi', beaamde Elien, hoewel ze zich eigenlijk alleen het slot herinnerde.

Heimelijk keek ze naar de stoeltjes, maar ze zag Joeri of Manu niet. Toch wurmde ze zich door de menigte om zo vlug mogelijk buiten te zijn.

Het schemerde al toen ze op straat stonden.

Het zal helemaal donker zijn als ik thuiskom, dacht Elien.

'Zal ik met je meegaan tot aan de tramhalte?' stelde Jeroen voor.

Ze knikte. Het liefst was ze gewoon bij hem gebleven.

'Of zal ik je een lift geven?' vroeg hij hoopvol. 'Dan ben je sneller thuis.'

'Wil je dat echt doen?'

'Natuurlijk.'

Hij legde zijn hand op haar heup en bracht haar naar de Booster.

'Ik heb maar één valhelm', zei Jeroen terwijl hij het slot losmaakte. 'Maar wat maakt het uit? Je mag hem gerust gebruiken.'

'Hou jij hem maar... Of nee, ik wil hem toch opzetten.'

Ze wilde de voering van zijn helm voelen.

'Trek je handschoenen maar aan', gaf hij haar nog mee toen hij de motorfiets op straat duwde.

'Je gaat toch weer niet vallen?' jende ze hem.

'Ik val alleen als ik daardoor jou leer kennen', grapte hij. 'Maar deze keer zal ik heel voorzichtig zijn.'

Terwijl hij de bromfiets startte, trok zij de helm over haar hoofd, kroop achter op het zadel en sloeg haar armen om zijn middel.

'Klaar?' vroeg Jeroen zonder nadenken.

Toen hij geen antwoord kreeg, wachtte hij nog even en vertrok.

In het begin duwde ze haar knieën tegen het kunstleren zadel en klemde haar armen om Jeroens middel. Maar na een tijdje werd ze rustiger en legde ze haar hoofd op zijn rug. De Booster versnelde. Naast haar flitsten gevels, uitstalramen, auto's en mensen voorbij. Steeds sneller tot alles een oneindige, kleurige lijn werd.

Algauw voelden haar benen en haar voeten ijskoud aan. Stom om met dit weer zo'n rokje aan te trekken, verweet ze zich. Maar ze was Jeroens ogen nog niet vergeten, toen ze in de bioscoop haar jas had uitgetrokken. Die blik was een stel koude benen waard.

Het was pikdonker toen Jeroen zijn Booster langs het pleintje stuurde.

Waarom rijdt hij hierlangs? vroeg Elien zich af. Het is een omweg. Of zou hij de weg niet zo goed kennen?

De motorfiets stopte. Terwijl hij met een knikje naar het kruispunt wees, draaide Jeroen zijn hoofd.

'Daar raakte die rotzak me', zei hij nijdig.

Vol ongeloof keek hij naar de boom waartegen hij uiteindelijk was terechtgekomen.

'Kun je je voorstellen dat ik zo ver van het kruispunt tot stilstand gekomen ben?'

Hij steeg af en liep naar de rand van het pleintje. Elien zette de helm af en volgde hem.

'Gewoon omdat ik bij Christophe mijn tekenmap moest halen die hij vergeten had. En nu ben ik een mankepoot.'

Zijn tanden maalden onzichtbaar in zijn mond.

Troostend legde Elien haar hand in zijn hals. Hij kalmeerde, keek haar aan en grijnsde opeens.

'Maar misschien moest dat gewoon gebeuren. Anders had ik jou nooit ontmoet. Zonder die vrachtwagen was ik je gewoon voorbijgereden. Ik naar Merksem, jij naar huis. Wellicht hadden we elkaar nooit gezien.'

Zijn woorden ontroerden haar. Hoewel ze rilde van de kou, voelde ze er weinig voor om hem los te laten en terug naar de bromfiets te lopen. Heel even raakte hij met zijn lippen de hare aan. 'Omdat je me toen geholpen hebt', fluisterde hij.

Langzaam liet Jeroen de bromfiets uitlopen tot voor de deur.

Elien liet zich van de Booster glijden.

'Zo, dat was het dan', zei Jeroen terwijl hij de helm van haar overnam.

Ze knikte, maar had de spijt in zijn stem niet gehoord.

Snel boog hij voorover en drukte een lange afscheidskus op haar voorhoofd.

Vluchtig keek Elien naar de verlichte ramen, of iemand het had gezien. Jammer, dacht ze toen niks bewoog. Ze voelde zich zo trots, zo blij. Ze wou dat iedereen kon zien hoe gelukkig ze was.

Elien maakte zich los, stak de sleutel in het slot en duwde met haar knie de deur open.

'Zie ik je in het weekend?' vroeg Jeroen toen hij op de Booster was gaan zitten.

Elien schuifelde over de plaveien van de stoep. Achter de open deur gaapte de donkere gang.

'Kom je nog even mee naar binnen?'

'Tja, ik moet...'

Twijfelend trok hij zijn mouw op en keek op zijn horloge.

'Bijna halfzes. Straks eten we.'

'Toe nou, Jeroen!'

In het lege huis zou ze weer bang zijn. En uitgerekend nu wilde ze niet dat die inbrekers door haar hoofd spookten.

'Even dan', gaf Jeroen toe.

Hij duwde zijn motorfiets onder het raam, stak de ketting door het voorwiel en sloot het slot.

'Wil je iets drinken?' vroeg Elien nerveus terwijl Jeroen onwennig tussen de tafel en de muur bleef staan.

Hij vroeg zich duidelijk af waarom ze hem eigenlijk mee naar binnen gevraagd had.

'Dat is vreemd', zei hij terwijl hij naar een blauw lampje wees dat boven de deur hing.

'Dat heeft mijn vader geïnstalleerd', zei Elien. 'Het is mijn deurbel. Als iemand aanbelt, gaat het lampje branden. Zelfs als ik met mijn rug naar de deur zit, zie ik het schijnsel. Ook op mijn slaapkamer hangt zo'n lamp.'

'Knap gevonden.'

Roerloos bleef hij naar het lampje staren, aarzelde toen en deed een beweging naar de deur alsof hij weer naar buiten wilde gaan.

'Cola? Pils? Ice Tea?' vroeg ze gauw.

Als hij iets dronk, zou hij vast nog een tijdje blijven.

'Cola', zei Jeroen toen ze hem afwachtend bleef aankijken.

'Ga gerust op de bank zitten', zei ze terwijl ze naar de keuken liep.

In een wip had ze de fles uit de koelkast gehaald en alsof ze bang was dat hij ieder ogenblik kon weggaan, haastte ze zich terug naar de woonkamer.

'Zal ik je jas even weghangen?' stelde ze voor toen ze zag dat hij zich geen houding kon geven.

'Nee, ik kan echt niet lang blijven', zei hij.

Terwijl ze de cola inschonk, pakte Jeroen Poenki, die in een hoek van de bank lag.

'Is hij van jou?' vroeg hij terwijl hij de knuffel optilde. 'Of is het een zij?'

Ze lachte.

'Ik weet het niet. Ik heb het me nooit afgevraagd.'

Opgewekt liet ze zich naast hem vallen. De inbrekers waren nu ver weg.

'Laat hem nog wat op je schoot zitten', zei ze zacht. 'Dan went hij alvast een beetje.'

Het gesprek viel stil. Ze keken elkaar verlegen aan, glimlachten en keken weg naar het behang.

'Ik vond het een leuke middag', zei Jeroen ten slotte, om toch iets te zeggen.

'Ik ook.'

Twee vingers tokkelden in een strak, onrustig tempo op zijn knie.

'Ik moet nu toch weg', zei hij nadat hij in drie grote teugen zijn glas leeggedronken had.

'Nee! Blijf nog wat!' riep ze harder dan ze bedoelde.

Verbaasd staarde hij haar aan.

'Is het dan zo belangrijk voor je dat ik nog wat blijf?'

Ze knikte.

'Waarom?'

Aarzelend beet ze op haar onderlip. Zou hij haar niet truttig vinden als ze het hem vertelde? Zou hij haar angst niet weglachen?

'Goh, ik weet echt niet of... Ik... Als ik 's avonds na school alleen thuiskom en op de bank zit...' begon ze aarzelend, niet goed wetend hoe ze het hem moest vertellen. 'Ach, nee, laat maar.'

'Toe nou', moedigde hij haar aan.

'Als ik alleen op de bank zit...'

In haar hoofd zag ze weer haarscherp de inbrekers over het muurtje klauteren.

En toen stroomden de woorden uit haar mond. Ze vertelde over haar angsten, beschreef de waanbeelden die steeds weer opdoken.

'Ik kan het niet uit mijn hoofd zetten. Het lukt me gewoon niet. Maar je vindt me vast belachelijk...' besloot ze.

Hoofdschuddend streelde Jeroen met zijn middelvinger de rug van haar hand en tuitte nadenkend zijn lippen.

'Nee, ik vind het niet belachelijk', zei hij. 'Het doet me denken aan een verhaal dat een leraar vorig jaar vertelde over een of andere Romeinse keizer, Nero of Claudius, het maakt niet uit. Nu, die keizer had een boer een zak goudstukken beloofd als die op de rug van zijn ezel van Rome naar Ostia...'

'Ostie? Ik heb het niet goed verstaan', onderbrak ze hem.

'Ostia was een havenstad in de buurt van Rome. Dus die boer kon een smak geld krijgen als hij op de ezel van Rome naar Ostia kon rijden. Nou, makkelijk zat, dacht die boer. Maar er was wel een voorwaarde aan verbonden. Tijdens de rit mocht hij geen enkele keer aan de staart van de ezel denken. En dat was niet zo eenvoudig als het leek. De boer kroop op de ezel, van voren of van opzij, met zijn ogen open of dicht, maar telkens weer dacht hij: Ik mag niet aan de staart denken, ik wil niet aan de staart denken. En dan was het al te laat, natuurlijk, want dan was de staart in zijn gedachten geweest. Tien, vijftig, honderd keer probeerde die boer op de ezel te klimmen, maar het lukte niet zonder aan de staart te denken. Hij werd er gek van.'

Jeroen liet zijn vingertoppen over Poenki's korte haar gaan.

'Misschien zijn die inbrekers voor jou zoals de staart van de ezel voor die boer. Hoe meer je hen wilt verdringen, hoe vaker ze opduiken.'

'Is het die boer ook later niet gelukt om op de ezel te rijden zonder aan de staart te denken?' vroeg Elien gespannen.

'Ik weet het niet', zei Jeroen.

'Wil je nog wat cola?'

'Nee, maar ik blijf wel wachten tot je ma thuiskomt. Ik warm mijn avondeten wel op in de microgolfoven.'

19.

Op woensdagmiddag leek de straat van de school altijd een wespennest. Auto's, fietsen, bromfietsen, drommen jongeren krioelden door elkaar om het gebouw zo vlug mogelijk achter zich te laten. Alsof er een tijdbom lag.

'Nu ik eraan denk, waarom ben je zaterdag niet gekomen?' vroeg Muriel, die met Elien naar de tramhalte liep.

'Zaterdag?' viel Elien uit de lucht. 'Goh, wat deed ik zaterdag? Algebra en Nederlands, geloof ik...'

'Nee, dat bedoel ik niet. Waar was je zaterdagavond? Waarom kwam je niet naar Karens scoutsfuif? Iedereen van de klas was er. Zelfs Tom en Inez. En die komen anders nooit buiten.'

'Ik wist het niet', mompelde Elien.

Shit, dat ze dat niet geweten had. Met Jeroen naar die scoutsfuif gaan. Daar hadden ma en pa vast geen probleem mee gehad en dan had ze een hele avond met Jeroen samen kunnen zijn. Shit, shit, shit!

'Ik heb je toch gezegd dat er een fuif was in Het Centrum?'

'Maar ik wist niet dat ik ook verwacht werd!' riep Elien teleurgesteld uit. 'Ik wist niet dat iedereen naar die fuif ging!'

Muriel haalde de schouders op.

'Nou ja, het is voorbij. Pech voor jou. Volgende keer dan maar.'

Muriel hoorde een bromfiets achter haar remmen. Ze keek om. Iemand stak zijn hand op. Ze stootte Elien aan.

'Is dat nou Jeroen?' vroeg ze terwijl de Booster naast hen uitliep.

'Jeroen!'

Meteen liet Elien Muriel staan. Voor hij zijn helm kon afzetten, had ze haar armen om zijn hals geslagen.

Verlegen duwde Jeroen haar zachtjes van zich af. Hij gespte zijn helm los, grinnikte naar Muriel en kuste Elien onhandig op de mond.

'Jij bent dus Jeroen', zei Muriel terwijl ze de jongen nieuwsgierig opnam.

Hij knikte schaapachtig.

'En jij bent...'

'Muriel. Ik zit naast Elien in de klas.'

'Ik weet het', zei Jeroen. 'Ze heeft het me verteld.'

'Gewoonlijk loop ik met Elien naar de tramhalte', ging Muriel verder. 'Maar ik denk dat ze me nu wel kan missen. Dan loop ik nog even naar het Kofschip.'

'Het Kofschip?' vroeg Jeroen lacherig. 'Ga je varen?'

Muriel proestte het uit.

Wanhopig keek Elien afwisselend naar de twee lachende gezichten. Muriel en Jeroen praatten te vlug. En wat vertelden ze elkaar? Waarom moesten ze allebei lachen?

Jaloers keek ze naar Muriel, die zo luchtig met Jeroen kon babbelen. Nijdig klemde ze haar twee handen om Jeroens bovenarm en schudde hem heen en weer.

'Ik wil dat je naar me kijkt als je iets zegt!' riep ze heftig. 'Ik wil kunnen volgen!'

Ze zag dat hij schrok. Meteen had ze spijt van haar uitval. Zo had ze het niet bedoeld.

'Sorry', zei ze ongerust. 'Ik wil alleen maar meepraten.'

Jeroen knikte schuldbewust.

'Je hebt gelijk', zei hij. 'Ik was het vergeten... weer eens.'

Alledrie bleven ze een tijdje ongemakkelijk zwijgen.

'Nou, ik ga maar eens', zei Muriel. 'Tot morgen, Elien.'

'Tot morgen', zei Elien. Ze nam zich voor het morgen weer goed te maken met haar.

'Breng ik je naar huis of gaan we ook wat drinken in het Kofschip?' stelde Jeroen voor.

Aarzelend keek Elien naar de tramhalte, en toen naar het café.

'Ach, waarom ook niet?' zei ze.

Ze pakte zijn hand.

'Maar ik wil alleen bij jou zitten!'

Hij knikte, stapte van zijn Booster en liep met haar mee terwijl hij de bromfiets naast zich voortduwde.

Zoekend bleven ze in de deuropening staan. Aan het raam zaten Muriel, Karen, Tim en nog een paar jongens die Elien niet kende.

Kom bij ons zitten, gebaarde Karen terwijl ze haar tas van een stoel nam.

Maar Elien lachte en schudde het hoofd. Zeker nu er onbekenden bij waren, wilde ze niet naar Muriel.

'Daar!' wees Jeroen en meteen greep hij haar hand en trok haar met zich mee. Naast de deur van het toilet stond een tafeltje met drie vrije stoelen. Rond de deur hing een doordringende stank die erger werd telkens als iemand de deur opende.

Elien ritste haar jas maar half open. Het was warm in het café, maar als de deur openging, liet de tocht haar huiveren.

'Ik haal iets om te drinken', zei Jeroen. 'Wat wil je?'

Ze zag aan zijn mond dat hij riep, omdat het lawaaierig was. Ze moest lachen.

'Je hoeft niet te roepen, Jeroen! Ik begrijp je ook zo wel.'

Hij lachte mee.

'Natuurlijk, stom van me.'

'Cola', zei ze en Jeroen verdween.

'Leuk cafeetje. Kom je hier vaker?' vroeg hij toen hij met een Aquarius tegenover haar zat.

'Heel af en toe', zei Elien. 'Alleen als Muriel het me vraagt.'

'Als je nog eens zin hebt om hierheen te komen, geef je me maar een seintje', zei hij enthousiast.

Op dat ogenblik vond ze het ontzettend jammer dat ze zijn stem maar een beetje hoorde, vervormd en anders, dat ze nooit zijn echte stem hoorde. Was die zacht, dof, helder of saai? Toen ze eraan dacht dat ze dat nooit zou weten, kon ze bijna huilen.

Opeens stak hij zijn wijsvingers in zijn oren.

'Wat doe je nu?' vroeg Elien verbaasd.

'Ik wil een tijdje bijna niet horen, net zoals jij. Dan weet ik een klein beetje hoe het is, hoe jij je voelt.'

Wrevelig pakte ze zijn polsen en duwde ze zijn handen naar beneden.

'Zo is het niet, Jeroen! Zelfs al hoor je niks. Want jij weet dat je gewoon weer hoort als je je vingers uit je oren haalt. Zo is het een spelletje. Maar voor mij is het geen spelletje, want ik zal nooit horen.'

Hij keek naar zijn handen.

Omdat hij niet wist wat hij moest antwoorden, dronk hij vlug zijn glas Aquarius uit.

'Hebben we nog even tijd?' vroeg hij. 'Dan haal ik er nog een. Wil jij nog iets?'

'Nee', zei ze terwijl ze naar haar volle glas wees. Ze had er amper van gedronken.

Jeroen stond op, pakte zijn lege glas en verdween weer naar de tapkast.

Een tafeltje verderop haalde een meisje een pakje sigaretten uit haar tas. Ze grabbelde nog wat, maar vond blijkbaar niet wat ze zocht. Toen nam het meisje de tas op haar schoot en stak er bijna haar hoofd in. Ze zocht in de zakken van haar jas en van haar broek. Toen vroeg ze iets aan de jongen die tegenover haar zat. Die schudde het hoofd.

'Heb jij soms een vuurtje?' vroeg ze aan Elien terwijl ze zich omdraaide.

Uit een ooghoek merkte Elien dat het meisje zich tot haar richtte.

'Ik heb mijn aansteker ergens laten rondslingeren', zei het meisje met een verontschuldigend lachje.

Elien kon de snelle bewegingen van haar lippen niet volgen.

Kun je een beetje langzamer praten? wilde ze vragen.

'Nee, ze rookt niet', zei Jeroen, die net met een glas kwam aanlopen.

Het meisje knikte wat verbaasd en keerde zich toen om naar een ander tafeltje.

'Ik had zelf wel kunnen antwoorden, Jeroen', zei Elien gepikeerd toen hij weer aan het tafeltje zat.

'Ik wilde gewoon helpen. Ik zag dat je niet meteen verstond wat dat meisje vroeg.'

Elien keek hem strak aan.

'Ik ben geen baby, Jeroen. Je moet er erg in hebben dat ik anders ben, meer niet. Geen medelijden, me geen dingen uit handen nemen die ik zelf kan. Gewoon, zoals ik er rekening mee hou dat jij hinkt. Ik loop langzamer als ik merk dat je me niet kunt volgen.'

Jeroen schoof ongemakkelijk op zijn stoel.

'Ja, zeg! Zo bedoelde ik het toch niet. Ik wilde je echt niet betuttelen.'

'Wat is "betuttelen"?'

Ongelovig fronste hij zijn voorhoofd.

'Weet je echt niet wat "betuttelen" betekent?'

'Nee', zei Elien eerlijk. 'Het is vast een woord dat niet vaak gebruikt wordt.'

'Ook nog niet in een boek gelezen?'

'Ik lees geen boeken. Alleen als ik moet, voor school. Er staan te veel moeilijke woorden in.'

'En met een woordenboek?'

Ze schudde het hoofd.

'Voor jullie horenden lijkt het allemaal heel eenvoudig. Maar denk je echt dat het leuk is om een boek te lezen als je de hele tijd woorden moet opzoeken? Trouwens, soms snap ik ook de verklaring in het woordenboek niet...'

Ongelukkig liet hij zijn hoofd op zijn borst zakken.

'Zo had ik het toch helemaal niet bedoeld', mompelde hij.

Ze duwde haar vinger onder zijn kin en tilde zijn hoofd op.

'Ik kon je lippen niet lezen', zei ze met een glimlach.

Hij pakte haar handen en lachte terug.

20.

De fiets zonder licht dwarste opeens de straat en reed het voetpad op. Met het voorwiel sneed Lise Elien de weg af.

'God, Lise, ik schrok me dood!'

'Wat wil je dan dat ik doe?' grinnikte Lise. 'Eerst roepen? Je hoort me toch niet.'

Elien grijnsde mee.

'Je hebt gelijk. Ik zou het ook niet weten. Ik was ergens anders met mijn gedachten.'

Geamuseerd keek Lise Elien aan.

'Ergens anders? Of bij iemand anders?' vroeg ze plagerig.

Elien giechelde.

'Zie je wel! Wie?'

'Jeroen.'

'Jeroen?'

'De jongen die ik geholpen heb toen hij door die vrachtwagen was aangereden.'

'Tof voor je. Je moet hem eens meenemen naar de Moonstruck.'

Meteen verdween alle vrolijkheid van Eliens gezicht.

'Om Manu terug tegen het lijf te lopen? Nee, dank je.'

Het klonk bitter.

'Ga jij nog altijd naar die disco?' vroeg Elien.

'Ik amuseer me er best', zei Lise. 'En Robbe wil er ook steeds naartoe.'

Elien keek naar Lises gezicht. Het was opgemaakt. En plots besefte ze dat ze uit elkaar gegroeid waren. Ze had het niet gemerkt, maar ze waren verschillende wegen opgegaan. Even had ze gedacht dat Lises weg veel prettiger en spannender was dan haar leventje. Maar het was tegengevallen. Gelukkig had ze haar eigen veilige leventje teruggevonden. Samen met Jeroen.

'Vorige week vroeg Manu me waar je bleef', zei Lise terwijl ze Elien scherp in de gaten hield. 'Hij wou je nog eens zien.'

'Hij mag het vergeten!'

'Je hebt gelijk. Om eerlijk te zijn, ik moet hem ook niet zo. Hij heeft iets duivels in zich. Ik heb een paar smerige dingen over hem horen vertellen. Hij kan moeilijk zijn handen thuishouden. Katrien vertelde me dat hij haar in de auto wou aanranden.'

In een flits zag Elien zijn handen weer onder haar rokje gaan. Ze rilde.

'Samen met Joeri', ging Lise hoofdschuddend verder, alsof ze het zelf niet kon geloven. 'Die is ook gewoon maf.'

Ze slikte, alsof ze een vieze smaak weg wou werken.

'Gelukkig is Robbe helemaal anders', verzekerde Lise toen ze merkte dat Elien haar verbijsterd aanstaarde. 'En ik vind het geweldig dat jij ook iemand hebt.'

'We zijn samen naar de film geweest', zei Elien. 'En we hebben glühwein gedronken.'

Het beeld van Jeroen verdreef dat van Manu.

'Wil je achterop?' vroeg Lise. 'Dan ben je wat vroeger thuis en hoef je niet zo ver te lopen... Zoals ik je vroeger soms meenam. Alleen mag je nu niet meer zo wiebelen; je bent een stuk zwaarder geworden.'

Lachend ging Elien zitten. Net zoals vroeger sloeg ze met de vlakke hand op Lises rug. Het teken dat ze konden vertrekken.

Terwijl Lise op de trappers zwoegde, probeerde Elien de fiets vaart te geven door zich met haar voeten af te duwen. Zigzaggend reden ze aan de rechterkant van de straat tot ze snelheid hadden. Toen trok Elien haar benen op. Ze dacht terug aan lang geleden. Hoe vaak had ze niet achter op Lises fiets gezeten? Of met Lises fiets op het pleintje gereden, stiekem, omdat het niet mocht van pa en ma. Fietsen vonden ze te gevaarlijk voor een slechthorende.

De huizen gleden voorbij, maar in gedachten zag Elien de bomen van het pleintje voorbijflitsen. Haar achterwerk deed pijn van de harde bagagedrager, maar toch had het ritje veel te kort geduurd. Elien had ondergedompeld willen blijven in die zorgeloze gedachten aan vroeger.

'We zijn er.'

'Het was leuk', zei Elien.

'Net als vroeger, weet je nog?' lachte Lise.

'Ik weet het nog', zei Elien en ze was blij dat ook Lise eraan dacht.

Hun wegen hadden elkaar weer even gekruist. En er was Jeroen...

Bijna zorgeloos legde Elien haar rugzakje en een brief van de belastingen op tafel. Toch keek ze behoedzaam naar de keuken. Toen pas durfde ze het licht aan te steken. Alles in orde.

'Door het ritje ben ik een paar minuten vroeger', mompelde ze. 'Eigenlijk horen Nummer Eén en Nummer Twee nog boven te zijn.'

Hoofdschuddend pakte ze een blik cola uit de koelkast.

Misschien is er een fax van Jeroen, dacht ze opeens en ze haastte zich naar de woonkamer.

Nee, niks. Nu ja, ze had hem gisteren nog gezien. Maar misschien had hij iets liefs gefaxt. Zomaar. Dat zou haar dag perfect gemaakt hebben, ondanks de kou, ondanks het lege huis.

Ze pakte Poenki op van de bank en verbeeldde zich dat het Jeroen was. Ze kuste hem op de mond.

Met een zwaai liet ze zich op de bank vallen en zette de televisie aan. Haar hoofd stond niet naar tv kijken, maar nog minder naar studeren.

Op tv stapte een man in een auto, een Peugeot. Elien kreeg het opeens heel benauwd.

'Ik wil er niet aan denken!'

Met beide handen wreef ze hard over haar gezicht, tot ze gloeide.

Manu heeft iets duivels in zich. Katrien vertelde me dat hij haar in de auto wilde aanranden. Samen met Joeri. Die is ook gewoon maf.

Goddank had ze niks meer met die twee te maken. Misschien was ze juist op het nippertje ontsnapt. Ze waren tot alles in staat, zelfs...

'Nee!' kreunde ze binnensmonds toen ze Nummer Eén door het slaapkamerraam naar binnen zag kruipen.

Nummer Eén wachtte even en hielp Nummer Twee, die met zijn zwarte airwalks lenig op het parket naast haar bureau wipte.

Wanhopig poogde ze zich aan de ogen van Jeroen vast te klampen. Maar de staart van de ezel...

Onhoudbaar sloop Nummer Eén door haar slaapkamer. Hij opende de deur en stond boven aan de trap.

'Hier is niks te vinden', zei hij gedempt.

Zijn hoofd was, op een paardenstaart na, kaalgeschoren.

'Joeri!' fluisterde Elien ontzet. 'En Manu!'

Ze wilde zichzelf dwingen om naar de gang te gaan om te zien of het deze keer menens was. Maar ze bleef roerloos op de bank zitten en liet de beelden komen.

'Het is Eliens kamer', zei Manu. 'Nee, ik denk niet dat we in de slaapkamers wat vinden. We moeten naar beneden.'

Onrustig gleed zijn vinger over het zilveren neusringetje.

'En als er iemand thuis is?' vroeg Joeri bezorgd.

'Bullshit. Haar ouders komen pas later thuis. Dat heeft Lise me toch verteld.'

'En als Elien thuis is?'

'Heb je daar problemen mee?'

Joeri hikte.

'Nee, integendeel.'

Voorzichtig slopen ze de trap af. Met zijn hand tastte Manu de muur af. Hij vond de lichtschakelaar en liet de gang in het licht baden.

'Doe het licht uit, idioot!' snauwde Joeri nerveus.

In een flits zag Manu het horloge hangen, haakte het van de muur en stak het in zijn zak.

'Het ziet er oud uit', zei hij terwijl hij het licht weer uitknipte. 'Het is vast wat waard.'

In het duister zagen ze een lichtstreepje onder de deur.

'Shit, Elien is er al!' riep Joeri gedempt.

'So what?' deed Manu luchtig. 'Ben je bang van haar?'

Joeri legde zijn hand op de deurkruk.

'Gaan we?' vroeg hij nerveus.

Terwijl hij naar de deur schoof, raakte Manu met de punt van zijn schoen de melkkan. De regenschermen rammelden tegen de koperen wand. Maar Elien hoorde niks.

'Weg!' riep Elien terwijl ze wild met haar armen om haar hoofd sloeg alsof ze de fantasie als een lastige mug kon verjagen.

21.

In het zaaltje stonden de tafeltjes en de stoelen om drie ping-pongtafels geschikt.

Onwennig keek Jeroen in het rond. Toen hij merkte dat alle ogen op hem gericht waren, kneep hij in Eliens vingers.

'Wat moet ik nu zeggen? Of moet ik hun een hand geven?'

Ze lachte zijn schroom weg.

'God, nee. Doe gewoon. Er komen heus wel vaker horenden naar de club. Zo vreemd is dat nu ook weer niet.'

Een dertiger kwam naar Jeroen toe.

'Jij bent dus Eliens vriend?' vroeg hij overbodig.

Jeroen knikte.

'Tja, in het begin voel je je misschien wat onzeker, maar het went wel. Doe je ook mee aan het toernooi?'

Terwijl hij met Jeroen sprak, bleef zijn gezicht naar Elien gekeerd, zodat ze ook bij het gesprek betrokken bleef.

'Ja', zei Jeroen.

'Mooi, dan wachten we nog even om te zien wie er allemaal komt en dan stel ik straks een wedstrijdschema op. Willen jullie in dezelfde reeks spelen of liever niet?'

En weer keek hij naar Elien.

'Liever in dezelfde reeks', zei ze.

Het witte balletje sprong weg tegen de rand van de tafel en bleef een tijdlang op de tegels stuiteren.

'Eénentwintig-achttien!' riep Elien uit.

Jeroen grijnsde gelaten.

'Je bent me te sterk', zei hij.

'Nou, als je enkel weer helemaal oké is, dan weet ik het nog niet.'

'Ja, dan ga je voor de bijl. Geniet nog maar even van je overwinning.'

Hij sloeg zijn arm om haar schouder en ze liepen naar het tafeltje waar Sarah en Lore wachtten.

'Je hebt gewonnen', gebaarde Sarah.

Triomfantelijk stak Elien haar vuist in de lucht.

'Ik denk dat hij beter kan', vervolgde Sarah met een knikje naar Jeroen.

Jeroen snapte niets van de vlugge bewegingen van vingers en handen.

'Wat zegt ze?' vroeg hij terwijl hij aan Eliens arm trok.

En plots realiseerde hij zich hoe dikwijls hij die vraag al van haar gehoord had.

'Dat je niet voluit speelde', verduidelijkte Elien en ze kneep hem plagerig.

Alsof hij betrapt was, keek Jeroen weg.

'Aha! Je geeft het toe! Maar het geeft niks, hoor. Ik win graag.'

Snel boog ze voorover en drukte een kus op het topje van zijn neus.

'Je moet nog tegen Bert', zei ze.

Het ontging Jeroen niet dat ze die naam niet graag uitsprak.

'Wie is Bert?'

Ze wees een jongen aan die met hoekige slagen en een tomeloze inzet een zeventien-veertien-voorsprong opgebouwd had.

'Zou je van hem winnen?' vroeg Elien.

Het leek alsof ze dat heel belangrijk vond.

'Met een goede enkel zou dat vast geen probleem zijn', wikte Jeroen zijn kansen, 'maar nu... ik weet het niet... Zo'n pingpongtoernooi is anders best leuk.'

'Vind je?' vroeg ze opgetogen.

Het was een pak van haar hart. Ze had eraan getwijfeld om hem mee te vragen naar de dovenclub. Zeker in het begin zou hij zich niet op zijn gemak voelen, maar als hij haar wereld wilde kennen, hoorde daar ook de club bij.

'Is die gebarentaal moeilijk?' vroeg hij. 'Ik zou je ook van alles willen duidelijk maken als je een eindje van me af staat.'

Haar ogen straalden. Ze had het nooit durven vragen, maar ze had gehoopt dat hij het ooit zou voorstellen. Eigenlijk besefte ze dat het tussen hen niet kon blijven duren als ze niet vlot met elkaar konden omgaan.

Krampachtig ranselde Bert het balletje over het net. Maar Jeroen schoof achteruit en plaatste een effectballetje buiten het bereik van zijn tegenstander.

'Eénentwintig-vijftien', zei Eric terwijl hij het plaatje op het scorebord omdraaide. 'Jeroen wint.'

Met een nijdige grimas gooide Bert zijn bat op tafel en liep meteen naar het tafeltje waar Jelle en Christophe zichtbaar de draak met hem staken. Hij liet zich op een stoel vallen en tuurde boos voor zich uit.

'Goed gespeeld, Jeroen', zei Eric. 'Jammer dat Bert je hand niet wilde drukken.'

'Och', schokschouderde Jeroen. 'Verliezen is nooit prettig.'

'Nee', zei Eric, maar hij wist dat het voor Bert niet zomaar een spelletje pingpong was. Het was zijn bedoeling geweest zich op Elien te wreken door haar vriend te vernederen en dat was mislukt. Met zijn beperkte techniek maakte hij geen enkele kans.

'Je was megagoed!' riep Elien toen Jeroen terug aan hun tafeltje kwam zitten. Ze gaf hem een klapzoen op zijn wang. 'Heb je me niet horen brullen?'

Uitgelaten duwde ze haar hoofd tegen zijn schouder en draaide zich meteen daarna om. Dat Berts ogen bliksemden, maakte haar niks uit. Ze stak haar tong uit en liet hem verder mokken.

Rond elf uur begon het zaaltje leeg te lopen.

'Ik wil nog even naar de Moonstruck', zei Elien terwijl ze in de gang haar jas dichtritste.

'De Moonstruck?' herhaalde Jeroen. 'Zei je echt de Moonstruck?'

'Ja.'

Secondenlang bleef hij haar aanstaren, alsof hij wilde zien of ze het wel meende.

'Waarom?'

'Ik heb daar afgesproken met Lise.'

'En je hebt me daar niks over verteld?'

Hoofdschuddend pakte hij zijn valhelm.

'Toe nou, Jeroen, heel even maar.'

'Ik heb niet de juiste kleren aan voor zo'n disco. Waarom heb je me dat niet gezegd? Dan had ik wat anders aangetrokken.'

Hij liet zijn ogen over haar fluwelen broek gaan.

'En jij bent ook niet echt voor de disco gekleed.'

'Nee, maar dat geeft niet, ik moet gewoon Lise even zien. Ze wacht bij de uitgang.'

'Nou, goed dan', zwichtte hij.

Omdat hij voorop liep, kon hij niet zien dat ze hem met een bezorgd gezicht volgde.

'Stop hier!' riep Elien terwijl Jeroen de parking van de Moonstruck opreed.

'Hier?' vroeg Jeroen verbaasd terwijl hij remde.

Hij keerde zich om naar Elien.

'We kunnen toch dichter bij de uitgang parkeren?'

'Nee, hier is prima', zei Elien terwijl ze haar fonkelnieuwe valhelm losgespte.

Samen met Jeroen had ze hem twee weken geleden gekocht. De helft van het geld kwam uit haar kistje, de andere helft hadden haar ouders bijgepast.

Met een korte ruk zette Jeroen de Booster op zijn sokkel en wilde hem met de ketting aan een paaltje vastmaken.

'Dat hoeft niet, Jeroen. We rijden zo weer weg. Als Lise naar buiten komt, wil ik haar even dag zeggen. Het duurt maar een minuutje.'

Jeroen begreep het nu helemaal niet meer.

'Wil je zeggen dat we hier gewoon blijven wachten tot we Lise zien en dan weer wegrijden?'

'Ja. Ik heb het haar beloofd', zei Elien en ze nam in amazonezit plaats achter op het zadel.

Ze sloeg met haar hand uitnodigend op het kunstleer naast zich.

'Kom, schuif tegen me aan, dan hebben we het lekker warm.'

Zwijgend keek Jeroen naar de auto's die de parking op en af reden. Intussen hield Elien het achterste stuk van de parking in de gaten. In het schemerduister ontdekte ze Joeri, die nonchalant op de motorkap van Manu's Peugeot zat.

Ze dealen nog steeds, dacht ze opgewonden.

Toen Joeri toevallig haar richting uit keek, kromp ze in elkaar en dook ze achter Jeroen. Ondanks de kou voelde haar voorhoofd opeens klam aan. Hij kon haar toch niet gezien hebben?

Ze was pas gerust toen hij twee jongens aansprak die hem voorbijliepen.

Ze voelde een tikje op haar arm.

'Zeg, wanneer komt Lise nu?' vroeg Jeroen. 'Ik heb koude voeten.'

'Straks', zei Elien terwijl ze deed alsof ze op haar horloge keek. 'Nog tien minuutjes... Als ze er dan nog niet is, vertrekken we.'

'Goed', gromde Jeroen en hij blies warme adem in zijn handen.

Plotseling leek het alsof Eliens maag werd samengedrukt. Ze slikte. Hij had de kraag van zijn bruine pilotenjack opgezet, zodat zijn gezicht alleen vanaf de neus te zien was. Toch herkende ze Manu meteen aan zijn silhouet, aan de vlotte manier waarop hij bewoog.

Hij gekscheerde wat met de portier, die mee naar buiten kwam, en liep toen naar Joeri. Joeri verdween in de disco.

'Wil je me toch naar huis brengen?' vroeg Elien. 'Het is me te koud om op Lise te blijven wachten.'

'Om eerlijk te zijn, ik begrijp er niks van', bromde Jeroen, maar hij kwam opgelucht overeind en startte de bromfiets.

22.

Het sneeuwde een beetje, maar de vlokjes smolten meteen op het natte wegdek. Haastig liep Elien langs de gevel van het politiebureau, maar ze aarzelde toen ze voor de deur stond.

Ze legde haar vingers op de deurkruk. Misschien had zij nu de sleutel in handen om Nummer Eén en Nummer Twee uit haar leven te laten verdwijnen. Misschien zou die vreselijke fantasie ophouden. Maar dan moest ze deze stap wel durven nemen. Als ze de deur openduwde, kon ze straks van haar angst verlost zijn. Gewoon die deur openduwen.

Gelukkig, dacht Elien toen ze zag dat het receptiezaaltje leeg was.

Alleen achter de balie stond een agent, een zwaargebouwde man met een hartelijk gezicht. Zijn kepie en zijn jas hingen aan de kapstok achter hem. Hij keek vragend op.

'Ja?' vroeg hij vriendelijk.

Elien schuifelde naar de balie.

'Ik zou met die mevrouw willen spreken', zei ze benepen.

'Met welke mevrouw?'

'De mevrouw met wie ik sprak toen jullie in de Moonstruck naar drugs zochten.'

'Waarover wil je met haar praten?'

Opeens voelde Elien dat de deur achter haar openging. Geschrokken keek ze om. Het was een man, zomaar een man, maar het verlamde haar.

'Ik wil gewoon met die mevrouw praten. Kan dat niet?'

'Ik weet niet precies wie je bedoelt, maar wacht even.'

Hij tikte enkele gegevens op het computerklavier.

'Er waren twee vrouwen bij die razzia. Hoe oud was ze ongeveer?'

Omdat hij zijn ogen op het computerscherm gericht hield, had Elien hem niet verstaan.

'Ik hoor niet zo goed', zei Elien en ze lichtte beschaamd een haarlok boven haar linkeroor op, zodat hij het hoorapparaat kon zien.

'O, sorry', verontschuldigde hij zich. 'Er waren twee vrouwen bij die razzia. Een vrouw van rond de dertig en iemand van in de veertig.'

'De eerste', zei Elien beslist.

'Noëlla Demaere', zei de agent en meteen tikte hij nog wat op het klavier. 'Je hebt geluk. Ze is er vandaag. Een ogenblikje.'

Hij greep naar de telefoon, wachtte even en sprak toen zo snel in de hoorn dat Elien er niks van verstond.

'Ze komt zo meteen', zei hij.

Toen kwam hij achter de balie vandaan en opende een deur.

'Als je hier even wilt wachten.'

Het was een kaal lokaaltje waarin een tafeltje en vier stoelen stonden. Hij liet Elien alleen. Even later kwam Noëlla door een andere deur naar binnen.

Op een of andere manier stelde het Elien gerust de vrouw in uniform te zien.

Terwijl ze de deur achter zich sloot, nam ze Elien met een taxerende blik op.

'Ik ben Elien van Can. Ik wilde je wat vertellen.'

Toen ze de stem hoorde, klaarde het gezicht van de agente meteen op.

'O ja, nu weet ik het weer', zei ze. 'De Moonstruck, is het niet?'

'Ja.'

Noëlla nam een stoel en schoof tegenover Elien aan tafel.

'Je wilde me iets vertellen?' vroeg ze en ze glimlachte Elien bemoedigend toe.

Nerveus wrong Elien zich onder het tafelblad de handen. Haar mond voelde droog aan en even had ze het nare gevoel dat ze geen woord uit haar keel kon krijgen. Het leek alsof ze nu pas besefte wat ze besloten had te doen.

'Manu en Joeri', zei ze zacht alsof ze bang was dat iemand anders het kon horen. 'Ze verkopen drugs. xtc en speed.'

Tot haar grote verbazing bleef de agente rustig zitten.

'Echt!' verzekerde Elien haar in de overtuiging dat Noëlla het niet geloofde.

'Ken je ook hun achternamen?'

'Manu Verheugen en Joeri...'

Ze dacht na.

'Nee, ik ken zijn achternaam niet, maar hij is bijna kaalgeschoren en heeft een paardenstaart. Hij rijdt met een zwarte bmw.'

Terwijl Elien vertelde, noteerde Noëlla geregeld iets in haar notitieboekje. Opeens stak ze haar hand op. Ze duwde haar stoel achteruit en stond op.

'Wacht even, Elien. Ik ga kijken of we iets over hen in de computer hebben.'

Helemaal in de war bleef Elien zitten. Het wervelde in haar hoofd. Had ze dit wel moeten doen? Wat als haar zorgvuldig opgebouwde plannetje mislukte? Maar als ze er zeker van was dat de twee, die ze Nummer Eén en Nummer Twee was gaan noemen, in de cel belandden, was het toch allemaal de moeite waard. Of niet?

Vertwijfeld beet ze op haar onderlip tot ze de smaak van bloed proefde. Daarom had Jeroen haar die avond naar de Moonstruck moeten brengen. Om te weten of Joeri en Manu nog dealden. Aan Lise durfde ze het niet te vragen. Misschien zou ze toevallig haar mond voorbijpraten en Robbe... Robbe was oké, maar die twee waren zijn vrienden...

Elien schrok op toen Noëlla een vriendelijk tikje op haar hoofd gaf.

'Die twee zitten in de computer. Die Joeri heeft enkele zaakjes op zijn kerfstok.'

'Kerfstok?'

'Ja, hij heeft vroeger van alles uitgehaald wat niet kan.'

'Stoppen jullie hen nu in de gevangenis?' vroeg Elien gretig.

'Nou, zo vlug gaat dat nu ook weer niet. We willen dat zaakje eerst ongemerkt in het oog houden. Het zou mooi worden als we iedereen die aangegeven wordt zomaar gingen aanhouden.'

Omdat ze het opeens warm kreeg, ritste Elien haar jas open. Het liep helemaal niet zoals ze verwacht had. Gingen ze die twee dan niet in de cel stoppen?

Noëlla merkte haar verwarring.

'Maar als we merken dat ze dealen, worden ze natuurlijk voorgeleid', verzekerde ze. 'En je mag gerust zijn, je naam wordt nergens vermeld, maar je moet begrijpen dat we iemand niet zomaar kunnen oppakken.'

'Maar ik heb je toch verteld van de kofferbak, de xtc en de speed in hun achterzakken, dat ze elkaar bij de auto aflossen...'

'Dat houden we allemaal in de gaten, Elien. Wees maar niet ongerust. En als we merken dat ze echt dealen, dan ontsnappen ze niet. Daar mag je op rekenen.'

'Maar ze dealen echt!' riep Elien.

'Nou, slaap jij maar op je twee oren.'

Elien keek haar niet-begrijpend aan, maar wilde niks over die oren vragen.

'Zo', zei Noëlla terwijl ze opstond. 'Laat ik je even uit?'

'Ik vind het wel.'

Ze dealen echt, dus gaan ze in de gevangenis, overtuigde Elien zichzelf toen ze op de stoep stond en afwezig naar het verkeer keek.

Het sneeuwde niet meer. Dat beschouwde ze als een goed voorteken.

23.

Het blauwe lampje boven de deur brandde. Elien, die net haar rugzak van het tafelblad nam om op haar kamer geschiedenis te gaan studeren, schrok. Wie kon er in 's hemelsnaam op woensdagmiddag voor de deur staan?

Op haar hoede liep ze naar het raam en keek door de opening tussen de gordijnen.

Lise! Ze haastte zich naar de deur.

'Hoi, Elien, heb je even tijd?' vroeg Lise terwijl ze al met een voet in de gang stond.

Zonder op een antwoord te wachten liep Lise naar de woonkamer. Met een plof liet ze zich in het bankstel vallen en wachtte tot Elien met vragende ogen voor haar zat.

'Je moet me helpen, Elien. Robbe wil zondagmiddag schaatsen, maar ik kan helemaal niet schaatsen.'

Ze stak hulpeloos haar armen boven haar hoofd.

'Schaatsen! Hoe verzint hij het! Ik wil het wel proberen, maar als...'

Ze haalde gejaagd een pakje L&M uit de zak van haar anorak en stak een sigaret op.

'Heb je een asbak?'

Ma zal boos zijn als iemand in huis gerookt heeft, dacht Elien, maar ze wilde het niet tegen Lise zeggen.

Ze pakte een schoteltje van het dagelijks servies en zette het voor Lise op het salontafeltje.

'Kun jij schaatsen?' vroeg Lise.

'Nee. Nog nooit gedaan.'

Terwijl ze rook uit haar mond liet kringelen, keek ze Elien smekend aan.

'Als jij meegaat en we vinden er niks aan, kunnen we wat kletsen in de cafetaria. Robbe kan dan rondjes draaien zoveel hij wil.'

Ze grijnsde.

'Jeroen mag ook meekomen. Kan hij schaatsen?'

Elien tuitte nadenkend haar lippen.

'Ik weet het niet. Ik heb het hem nog nooit gevraagd. Misschien wel. Hij is goed in sport. Alleen, zijn enkel...'

Alsof ze tegensputteren wilde voorkomen, duwde Lise haar sigaret uit in het schoteltje en zei: 'Zo, dat is dan afgesproken. Dan zien we elkaar zondag om drie uur bij de ingang van de schaatsbaan in Deurne.'

'Maar als Jeroen niet wil?' vroeg Elien.

'Als jij het hem lief vraagt, wil hij vast wel', lachte Lise terwijl ze opstond.

Elien liep mee naar de voordeur. Opeens greep ze Lise bij de arm.

'Hoe gaat het met Manu?' vroeg ze zo luchtig mogelijk. 'En met Joeri?'

'Waarom wil je dat weten? Je hebt nu toch Jeroen?'

'Ja... natuurlijk. Maar ik wilde gewoon weten hoe het met hen is.'

'Goed, denk ik. Vorige week zag ik hen nog op de parking van de Moonstruck, maar gelukkig heeft Robbe geen contact meer met die twee. Hij zegt gewoon hallo en dat is het.'

Ze trok de deur open.

'Tot zondag dan?'

Alsof ze verwachtte dat Elien nog zou terugkrabbelen, verdween ze meteen op straat.

Versuft, alsof ze een mokerslag tussen haar ogen had gekregen, bleef Elien naar de melkkan staren. Liepen Manu en Joeri dan nog vrij rond? Dat kon toch niet! Hoe lang was het geleden dat ze naar de politie was gegaan? Drie weken? Deden die dan niks met haar tips?

In het glimmende gele koper van de melkkan zag ze de sinistere gezichten van Manu en Joeri. Ongerust liep ze de woonkamer in.

Met een hand tegen de kant gleed Elien voorzichtig vooruit. De andere hand haakte ze in Jeroens arm. Toen hij zijn schaatsen aantrok, had hij haar zijn enkel laten zien, die hij stevig had laten intapen. Zo lukte het wel.

Een paar meter voor haar wankelde Lise al even onhandig op haar gehuurde schaatsen. Robbe lachte en reed even voor haar uit om te laten zien hoe het moest. Het leek zo eenvoudig.

Met houterige beenbewegingen probeerde Lise Robbe na te bootsen. Even leek het te lukken, maar toen schoof haar linkerbeen weg. Haar vingers zochten hopeloos steun, maar de kant was te veraf. Zelfs Elien ving de korte, scherpe gil op toen Lise met haar achterhoofd tegen het ijs sloeg.

Robbe schoot met een bezorgd gezicht toe.

'Heb je je pijn gedaan?' vroeg hij. Het was een overbodige vraag, want Lise wreef met tranen in haar ogen over haar achterhoofd.

'Natuurlijk! Wat dacht je!' klonk het nijdig.

'Zo meteen voel je het niet meer', troostte Robbe terwijl hij haar kruin streelde. 'Kom, je mag het niet opgeven.'

Hij stak zijn hand uit om haar overeind te helpen, maar ze duwde die weg en maakte haar schaatsen los.

'Nee, dank je. Ik kijk wel vanaf de cafetaria.'

Onhandig kwam ze overeind en sukkelde naar de kant.

Elien schoof langs de kant naar haar vriendin toe.

'Stop je ermee?' vroeg ze toen ze de losse veters zag.

'Ja, ik ga een soepje drinken.'

'Dan ga ik mee', zei Elien.

Maar Lise schudde het hoofd.

'Het is niet omdat ik ophou, dat jij dat ook moet doen. Ga maar terug naar Jeroen.'

Elien twijfelde. Eigenlijk had ze geen zin om Jeroen alleen te laten, maar dat onbeholpen gedoe op de schaatsen vond ze maar niks.

'Weet je wat, ik ga nog een kwartiertje met Jeroen schaatsen en dan kom ik bij jou zitten. Dan kan Jeroen wat baantjes rijden zonder dat hij op mij hoeft te letten.'

Ze wuifde nog even, knikte naar Jeroen, die op haar wachtte, en greep weer naar zijn arm.

'Aan het eind lukte het een beetje', lachte Elien toen ze aan Lises tafeltje aanschoof.

'Ik merkte het', zei Lise. 'Je doet het al heel goed.'

'Ik moet oefenen. Volgende zondag komen we terug.'

'Ik niet', zei Lise overtuigd. 'Ik vrees dat schaatsen niet voor mij gemaakt zijn.'

'Wilt u iets drinken?' vroeg een kelner die opeens naast haar stoel stond.

'Hij vraagt wat je wil drinken', stootte Lise haar aan.

'Warme chocolademelk', zei Elien.

Ze zag zijn verwonderde gezicht en lachte even.

'Warme chocolademelk...' herhaalde hij om zeker te zijn.

Onder het raam reden Robbe en Jeroen rondjes langs de balustrade. Toen Jeroen haar zag, wuifde hij even.

'Zo wil ik het ook kunnen', zei Elien bewonderend. 'Het is vast heel leuk om te kunnen schaatsen zonder dat je bang bent om te vallen.'

Lise boog voorover en tikte Eliens pols aan.

'Ik heb nog een nieuwtje voor je. Er was gisteren weer een razzia in de Moonstruck.'

Eliens hart sloeg een slag over.

'Ja?'

'Het is vreemd. Twee razzia's, zo kort na elkaar. Het leek wel alsof ze getipt waren, want zonder aarzelen pikten twee agenten er Joeri meteen uit. Hij kreeg gewoon de kans niet om zijn spullen op de vloer te dumpen. Intussen hadden anderen Manu's auto doorzocht en natuurlijk... Je weet ook dat de kofferbak vol pillen en paxons lag. Manu bleef kalm, maar Joeri wist niet meer waar hij het had. Hij deed alsof hij niks wist, maar ja, die vrouw zwaaide met de zakjes xtc-pillen voor zijn neus en toen kon hij het wel schudden. Natuurlijk hebben ze weer iedereen gefouilleerd en een paar mensen opgepakt. Ik hoop maar dat ze de disco niet sluiten. Dat gebeurt soms, weet je. Hoewel, ik denk dat er in iedere discotheek gedeald wordt. Dan kunnen ze die allemaal wel sluiten.'

'En Manu? En Joeri? Wat is er met hen gebeurd?'

'Ze werden meegenomen.'

'Zouden ze in de gevangenis moeten?'

Lise keek haar vriendin verbaasd aan.

'Ik wist niet dat jij nog zo in hen geïnteresseerd was', zei ze.

'Nou, ja', probeerde Elien luchtig te doen. 'Ik ben gewoon nieuwsgierig.'

Nadenkend liet Lise een vingerkootje knakken.

'Het is niet de eerste keer dat ze met drugs betrapt worden. Deze keer zullen ze wel bloeden.'

Elien blies haar longen leeg. Ze leunde opgelucht achterover en staarde verstrooid naar haar kopje chocolademelk.

Ze keek pas op toen Jeroen naast haar zat.

'Aan het dromen?' vroeg hij. 'Je hebt wat gemist. Het was echt leuk.'

Hij lachte naar haar.

'Ja, het was leuk', zei Elien, en ze lachte terug.

EPILOOG

Kouwelijk klapte Manu zijn handen tegen elkaar. Hij ijsbeerde langs de verweerde buitenmuur van de gevangenis. Hoewel hij maar vijf dagen in voorhechtenis had gezeten, had het een eeuwigheid geleken. Zelfs het straatbeeld met doodgewone voorbijgangers en auto's leek een oude herinnering.

'Eindelijk', mompelde hij toen Joeri naar hem toe kwam lopen.

'Vijf dagen!' bitste Manu. 'Vijf dagen!'

'Heb je iets losgelaten?' vroeg Joeri.

'Dat we te veel spul hadden, kon ik toch moeilijk ontkennen. Maar onze leverancier... nou, dat was die magere Tunesiër die ons soms opbelde en dan met zijn groene Mercedes naar het Stuivenbergziekenhuis reed om ons daar de stuff te bezorgen. Je weet wel, het verhaaltje dat we vooraf hadden afgesproken.'

Hij keek Joeri een tijdlang in de ogen.

'Dat heb jij toch ook verteld?' klonk het toen een tikje dreigend.

'Natuurlijk', zei Joeri terwijl hij kleurde. 'Een onbekende, magere Tunesiër van rond de veertig met een groene Mercedes.'

Nadenkend beet Manu op zijn duimnagel.

'Heb jij er een idee van wie ons verlinkt kan hebben?'

'Verlinkt?'

'Jongen toch, natuurlijk zijn we verlinkt! Dat flikkenwijf stoomde met haar vriendjes regelrecht naar mijn auto en jou haalden ze toch ook meteen van de dansvloer? Dan hoef ik er toch verder geen tekeningetje bij te maken, of wel soms?'

Rillerig ritste Joeri zijn anorak dicht tot tegen zijn kin. Een tijdlang staarde hij zwijgend naar het huis aan de overkant van de straat. Toen draaide hij traag zijn hoofd naar zijn vriend.

'Dat dove ding waar jij eens wat mee had...'

'Ja, wat is er met haar?' vroeg Manu.

'Het kan best zijn dat het allemaal niks betekent', zei Joeri voorzichtig. 'Maar zo'n maand geleden zag ik haar bij de oprit van de Moonstruck. Ze zat zomaar wat met haar nieuwe vriendje te zitten, op zijn Booster. Toen ik toevallig in haar richting keek, dook ze weg achter dat kereltje. Helemaal zeker ben ik niet, maar ik zou durven zweren dat het dat dove meisje was.'

'Elien...' zei Manu langzaam.

'Ik had het gevoel dat ze me in het oog hield en toen jij me kwam aflossen, is ze weggereden. Vreemd, niet?'

'Elien', herhaalde Manu toonloos.

Opeens kwam hij in beweging.

'Waar staat je auto geparkeerd?'

'Om de hoek.'

Terwijl ze naar de auto liepen, begon het zachtjes te sneeuwen.

ZIJ EN HAAR

Ik wil graag Leen, Joke, Roos, Sara,
Nance, Lien, Ton en Jan bedanken
voor hun ideeën en openhartige babbels.

INLEIDING

De panden van Jaspers jas wapperden hoog boven zijn rug terwijl hij, met zijn neus op het stuur, als een gek op de trappers duwde.

'Kan het echt niet een beetje langzamer? Mijn benen doen pijn!' Het klonk als een wanhoopskreet.

Terwijl hij nauwelijks vaart minderde, keek Jasper over zijn schouder. Margaux lag al een paar meter achterop. Haar hoofd zag rood van het felle trappen. Eve deed haar best om Margaux' achterwiel aan te klampen. Haar rugtas was slecht op haar bagagedrager vastgemaakt en helde gevaarlijk naar het achterwiel.

'We zullen te laat op school komen!' riep Jasper, terwijl hij zijn ogen op de verkeerslichten bij het kruispunt richtte. 'Ik kreeg vorige week al straf omdat ik tijdens de middagpauze even in de stad was. Thuis zwaait er wat als ik nog eens moet nablijven.'

Zijn ogen fixeerden zich op de verkeerslichten.

Groen!

Hij beukte op de trappers.

Oranje!

Nog een enkele auto reed verder.

Het duurt een hele tijd voordat het licht weer op groen springt, dacht Jasper. Dan kom ik zeker te laat.

'Doorrijden!' schreeuwde hij zonder omkijken.

'We halen het niet!' riep Margaux.

Angstig blikte ze naar Eve, maar die knikte enkel.

'Wel waar!' riep Jasper. 'Als je stevig doorfietst, lukt het wel!' Rood!

Automatisch remde Margaux af.

'Je bent toch niet bang, Margaux!' riep Eve.

Margaux klemde haar tanden op elkaar, ging recht op de trappers staan en maakte opnieuw snelheid. Toen Eve haar wilde volgen, schoof de rugtas van de bagagedrager en hij bleef tegen het achterwiel hangen. Met een zucht kneep Eve haar remmen dicht en plaatste haar voet op de grond. Ze keek Margaux en Jasper na. Die waren al halverwege het kruispunt toen de stroom auto's aan de rechterkant in beweging kwam. Een vrachtwagen trok langzaam op. Eve wilde zich omdraaien om de rugtas weer op de bagagedrager te trekken toen ze opeens een automotor hoorde loeien. Een ongeduldige Mercedes vond een gaatje in de rij auto's naast hem, kwam achter de vrachtwagen vandaan en trok snoeihard op.

'Nee!' gilde Eve.

In een oogwenk zag ze de fiets van Margaux door de lucht wentelen terwijl het meisje op de motorkap van de Mercedes werd geworpen en een seconde later met haar hoofd op het asfalt terechtkwam. Verlamd bleef Eve toekijken.

De Mercedes stond half gedraaid op het kruispunt. De fiets lag een eind verderop. Het voorwiel stak in de lucht en draaide nog een paar rondjes. Een lijkbleke man met een donker pak sprong uit de auto en haastte zich naar Margaux.

Eve liet haar fiets op het asfalt vallen en rende naar de kring die zich om Margaux vormde. Ruw wurmde Eve zich tussen de mensen. Een man zat gehurkt naast Margaux en voelde aan haar hals. Smalle stroompjes helder bloed liepen langzaam uit de neus en de oren van het meisje.

'Heeft er al iemand een ambulance gebeld?' riep een schelle vrouwenstem.

Opeens keek iedereen wat naar elkaar en Eve hoorde wat onduidelijk gemurmel.

'Wil er dan verdomme iemand bellen?' schreeuwde de man die bij Margaux hurkte woedend. 'Er moet toch iemand een gsm bij zich hebben!'

'Ja, natuurlijk', zei een vrouw in een mantelpak. Een beetje beschaamd omdat ze er niet eerder aan gedacht had, rommelde ze gejaagd in haar handtas en haalde een mobieltje tevoorschijn.

De man van de Mercedes bleef ongelovig het hoofd schudden.

'Ze heeft vast het rode licht niet opgemerkt', herhaalde hij voor de zoveelste keer. Met opgewonden gebaren zocht hij begrip bij de mensen die in zijn buurt stonden. 'Ik zag dat het groen was en rekende helemaal niet meer op een fietser.'

'Hoe oud zou het meisje zijn?' vroeg de vrouw terwijl ze haar mobieltje dichtklapte.

'Dertien', mompelde Eve automatisch. 'Net zoals ik.'

Ze wilde niet meer naar Margaux kijken, maar toch kon ze haar ogen niet van het meisje afhouden.

De mensen, de stemmen, het bloed... Ze voelde zich onwel worden.

'Wat is er, meisje?' vroeg iemand terwijl Eve een hand om haar bovenarm voelde. 'Voel je je niet lekker? Misschien is het beter dat je hier weggaat. Kom maar, ik woon vlakbij. Even zitten en een glas water zullen je deugd doen.'

Willoos liet Eve zich meevoeren.

'Lig je zo goed?' vroeg mama terwijl ze het kussen wat beter onder Eves hoofd schikte.

'Ja', zei Eve terwijl haar ogen naar het plafond staarden.

Alsof Eve verlamd was, nam mama haar benen en legde haar voeten op de leuning van de bank.

'Zo lig je vast nog beter.'

Bezorgd legde mama haar hand op het voorhoofd van haar dochter. Eve zei niks en bleef naar het plafond kijken.

'Het is niet goed om over Margaux te blijven piekeren', zei mama. 'Het helpt haar echt niks. Uiteindelijk word je maar depressief.'

Meteen haalde ze haar hand weg.

'Wacht even. Ik neem een stripverhaal voor je. Dat bezorgt je misschien wat afleiding.'

Ze liep naar een open kast en nam een stapeltje stripverhalen op haar arm.

'Iets van Suske en Wiske?' vroeg ze terwijl ze het boekje toonde.

'Dat is goed', zei Eve loom.

Het maakte haar niks uit. Ze wilde enkel dat mama zweeg, maar ze durfde het niet te zeggen.

Mama legde de strips weer in de kast en duwde het Suske en Wiske-boekje in de handen van Eve.

'Probeer maar wat te lezen en een beetje te rusten.'

Ze streek nog even over Eves haar en verdween geruisloos in de keuken.

Afwezig sloeg Eve het album van Suske en Wiske open. De prentjes van *De sissende sampan* schemerden voor haar ogen. Telkens weer zag ze Margaux die als een bezetene achter Jasper aanfietste. *Je bent toch niet bang, Margaux!* hoorde ze zichzelf roepen. Misschien was er niets met Margaux gebeurd als ze gezwegen had. Ze keek naar de prentjes, maar ze zag ze niet. Telefoongerinkel deed haar opschrikken.

'Ik neem wel op', zei mama terwijl ze haastig vanuit de keuken kwam toegelopen. 'Rust nog wat.'

Terwijl ze luisterde, werd het gezicht van mama bedrukter.

'Veel sterkte. Ze wordt vast wel beter', zei ze terwijl ze het telefoontoestel uitknipte en op de tafel legde.

'Het gaat niet goed met Margaux', zei mama terwijl ze zich op een stoel liet zakken. 'Een ernstige schedelbreuk.'

'En het is allemaal mijn fout', mompelde Eve voor zich uit. 'Ik heb mijn beste vriendin laten verongelukken.'

'Maar meisje toch', zei mama terwijl ze snel overeind kwam en naast Eve op de bank ging zitten. 'Dat mag je niet denken. Het is gewoon...'

Ze drukte Eve tegen zich aan en wiegde haar zachtjes heen en weer. Eve voelde zich ellendig, maar begreep niet waarom de tranen wegbleven.

Aan de ziekenhuisbalie had Eve zich laten uitleggen hoe ze de kamer van Margaux kon vinden. Toch moest ze in het labyrint nog enkele keren een verpleegster aanspreken voordat ze voor de juiste deur stond.

Zachtjes klopte ze op de bruine deur. Seconden later werd er opengedaan en Eve keek in het roodbehuilde gezicht van Margaux' moeder.

'Mag ik even binnenkomen?'

De vrouw kwam naar buiten en trok de deur op een kier.

'Ik weet niet of...'

Ze wrong onzeker haar handen in elkaar.

'God ja, haar vader en ik zitten er ook maar bij. Kom binnen.'

De vader van Margaux knikte naar een stoel toen Eve schuw in de deuropening bleef staan.

Voorzichtig nam Eve de stoel op en plaatste hem geruisloos naast het bed. Zonder woorden keken de drie naar het meisje dat in een ziekenhuisslaaphemd onder een wit laken op haar rug lag. Het bleke hoofd van Margaux was omzwachteld en draadjes verbonden haar met allerlei toestellen. Haar handen lagen doods op het laken.

Er werd op de deur getikt en meteen ging die open. Een dokter keek vreemd op toen hij het meisje zag, maar hij maakte geen opmerking.

'Kan ik jullie even spreken?' vroeg hij zacht.

Met zijn hoofd wenkte hij de ouders naar de gang, alsof de meisjes niet mochten horen wat hij te vertellen had. Terwijl de deur onhoorbaar gesloten werd, boog Eve zich naar het meisje op het bed.

'Ik had niet mogen roepen dat je bang was. Het is mijn fout dat je hier ligt.'

Ze keek strak naar het bleke gezicht en ze hoopte een beweging te zien. Het leek alsof er een knoop in haar darmen lag. Ze zou zo graag huilen, maar haar tranen waren bevroren.

'Weet je nog, Margaux? Toen we tien jaar waren en we bij jou thuis van legoblokken het *centre court* van Wimbledon hadden nagemaakt? Jij had de lijnen van het tennisveld geschilderd en ik had het scorebord gemaakt. En samen hadden we de tribunes gebouwd. Iedereen vond het zo knap. Zelfs je vader kwam kijken. Weet je het nog?'

Ze legde haar hand op de hand die op het laken lag.

'En hoe we vorig jaar tijdens het toernooi het dubbelspel wonnen. Tegen Wendy en Charlotte. Ze hadden nog nooit verloren en jij maakte in de tiebreak het laatste punt. Dat boogballetje precies over het net. Weet je het nog, Margaux?'

Even meende Eve dat de vingers van Margaux bewogen. Ze ging rechtop zitten en bleef gespannen naar de hand staren.

Misschien is het maar inbeelding, dacht Eve toen de vingers roerloos op het laken bleven liggen.

De deur ging weer open. De vader van Margaux leek ineens jaren ouder. Zijn hoofd hing naar beneden en zijn schouders zakten wat door. Margaux' moeder verstopte haar ogen achter een zakdoek.

'Het is beter dat je weggaat, Eve', zei ze moeilijk, terwijl ze haar hand op Eves schouder legde.

Zonder iets te zeggen stond Eve op en liep naar de deur.

'Bedankt dat je gekomen bent', zei de vrouw. 'Margaux zou het vast heel lief gevonden hebben als ze...'

De laatste woorden werden verstikt door de tranen.

Eve wilde nog niet naar huis fietsen. Zonder erbij na te denken reed ze in de richting van de tennisclub. Op een veld sloegen twee oudere mannen een balletje. Met de fiets tussen haar benen geklemd bleef Eve kijken. Een zuinig glimlachje speelde even om haar mond toen ze zag hoe langzaam de mannen naar de bal liepen. Dan speelden Margaux en zij een heel stuk sneller.

Margaux! Ze zag weer het verrukkelijke boogballetje waarmee haar vriendin het toernooi besliste. Een prachtpunt was het. Ik was zo blij voor jou, voor ons. Alsof je Kim Clijsters zelf was, zo sloeg je de overbodige bal naar de toeschouwers voordat ik jou om je nek vloog.

In een waas van tranen zag ze de oudere man naar het balletje sloffen.

1.

In een wanhopige poging gleed Eve naar de bal die net binnen de zijlijn viel. De metalen rand van haar racket raakte de bal nog even en deed hem tegen het gaas van de groene Bekaertomheining kaatsen.

'Goed geprobeerd. Het was een moeilijke bal. Kim Clijsters zou het niet beter kunnen', lachte Domien terwijl Eve uit haar spreidstand kwam.

Eve liep naar de baseline om een volgende opslag van de trainer terug te slaan. Die keek op zijn horloge en schudde zijn hoofd.

'Het is tijd, meisjes. Ga maar naar de douches. Zaterdag verwacht ik jullie om vier uur.'

Met haar arm veegde Eve het zweet van haar voorhoofd. Op het naburige tennisveld trainden jongetjes van zeven, acht jaar. Eve bleef nog even kijken. Ze keek graag naar de kinderen die het abc van het tennis leerden. Toen Jochen een balletje juist over het net sloeg en daarmee een punt scoorde, zocht hij met zijn ogen Eve. Ze stak haar duim omhoog. Hij glimlachte gelukkig en concentreerde zich op de volgende bal.

Het boogballetje deed haar aan Margaux denken. Vorige week was het twee jaar geleden dat ze was begraven. Nog altijd voelde Eve de pijn. Ook de anderen in de klas waren tijdens de begrafenis verdrietig geweest. Ook zij hadden gehuild toen de kist uit de kerk werd gedragen. Maar hun verdriet was al na enkele weken weggesleten. Het leek wel alsof enkel Eve haar jeugdvriendinnetje niet kon vergeten. Als een boemerang verscheen Margaux in haar gedachten. Soms elke dag, soms elk uur. Ze huilde dan diep in zichzelf.

'Kom je niet douchen, Eve?'

Ze schrok op en leek zich schuldig te voelen omdat ze wegdroomde terwijl de anderen op haar wachtten. Ze boog zich om de hoes op te rapen en terwijl ze Shanna volgde, borg ze het racket op.

De loomheid en het zweet spoelden weg onder de waterstralen. Annelies wreef met een washandje tussen haar schouderbladen. Ze richtte zich naar Britt, die naast haar onder een douchekop stond en shampoo in haar natte haar masseerde.

'Mijn armen zijn te kort', zei Annelies. 'Britt, wil je mijn rug even wassen?'

Ze draaide haar rug naar het meisje. Die nam het washandje van Annelies over en wreef hard over de rug van haar vriendin.

'Dat voelt lekker als je zo stevig schrobt', zei Annelies en ze gromde genietend.

'Zal ik jouw rug doen, Britt?' vroeg Eve.

Zonder een antwoord af te wachten legde ze haar linkerhand op de schouder van Britt en begon haar rug te wassen.

'We maken een kringetje!' riep Shanna enthousiast. 'Ik was de rug van Eve en dan kan Annelies mijn rug doen.'

Ze draaiden uitgelaten in een cirkel rond terwijl ze elkaars rug boenden.

'Wie heb ik aan de lijn...' zong Britt heel luid en meteen zongen ze allemaal hard en lacherig mee.

'Hallo! Hallo!' riep Shanna.

Ze lieten elkaar los om zich onder de douches af te spoelen.

'Dat was leuk', zei Shanna terwijl ze haar ogen voor de shampoo dichtkneep.

'Zouden we vaker moeten doen', stelde Eve voor.

'Alleen als jij niet zo vals meer zingt', lachte Annelies.

'Over twee weken is er een clubtoernooi', zei Shanna. 'Wat denk je? Zullen we dubbel spelen, jij en ik?'

Het water begon kouder te worden en Eve liep naar de kleedkamer.

'Oké. Als Domien het goedvindt. Misschien wil hij me aan Lisa koppelen.'

'O nee, Lisa toch niet!' riep Shanna uit. 'Die raakt met haar racket zelfs geen basketbal. Ik vraag wel aan Domien of je met mij mag dubbelen.'

Met kleine pasjes, om niet uit te glijden op de natte vloer, liep Eve naar haar sporttas, die op de houten lattenbank stond. Een eindje boven haar hoofd was het smalle raam beslagen door de waterdamp. Hoewel het volop zomer was, liet het raampje maar weinig licht door.

'Ik zie mijn spullen amper staan', overdreef Britt en ze drukte op de lichtschakelaar.

Uit haar tas diepte ze een bus deodorant op.

'Welk merk heb je nu bij?' vroeg Shanna. Ze stal de bus uit de handen van Britt en verstoof wat onder haar oksels.

'Zeg, kun je dat niet eerst vragen? Dat is duur spul, weet je!' deed Britt verontwaardigd.

Shanna drukte haar neus in haar oksels.

'Mmm... dat ruikt lekker', zei ze alsof ze Britt niet gehoord had. 'Welk merk is het?'

'Tommy Girl van Hilfiger.'

'Wil je het ook eens proberen, Eve?' vroeg Shanna terwijl ze de spuitbus al aan het meisje toonde.

'Waarom niet?' zei Eve.

Handig ving ze de bus op die Shanna haar toewierp.

'Hé! Laat nog een beetje voor mij over', protesteerde Britt toen Eve uitgebreid onder haar armen spoot. 'Ik heb die deodorant betaald, weet je nog.'

'Hier', zei Eve. 'Zaterdag mag je mijn shampoo gebruiken.'

Ze greep de badhanddoek uit haar tas en droogde haar rug af. Zoals gewoonlijk had Shanna geen haast om zich aan te kleden. Ze liep naar de spiegel en poseerde als een topmodel. Dan weer haar handen in de heupen, dan weer haar armen gestrekt boven haar hoofd.

'Ik vind mijn borsten te groot', zei ze opeens en ze draaide zich om. 'Vinden jullie dat ook?' Haar stem smeekte om ontkenning.

Eve keek haar keurend aan.

'Helemaal niet', zei ze. 'Het mag toch wel íéts zijn. Edith, die heeft pas zware borsten. Dat is niet meer normaal. Het lijkt wel alsof ze ze heeft laten vergroten. Maar jij hoeft je helemaal niet te schamen.'

'Jongens houden van meisjes met grote borsten', zei Britt terwijl ze in haar tas scharrelde. 'Enfin, dat zegt men tenminste', vulde ze vlug aan toen Annelies haar wenkbrauwen optrok.

'Draag jij geen beha?' vroeg Eve verbaasd toen Britt het topje over haar hoofd trok.

Ze lachte geheimzinnig.

'Ik ga Samuel wat opgeilen.'

'Jij en Samuel?' vroeg Shanna verbaasd. 'Dat wist ik niet.'

'Hij ook nog niet', lachte Britt. 'En jij, Shanna? Is er niemand die jouw hartje vlugger doet slaan?'

'Och, voor mij hoeft het nog niet. Ik win liever een toernooi dan een vent.'

'Ja ja, dat zal wel. En jij, Eve? Je laat Tibo toch niet zijn hele leven achter je aanhollen?'

Eve bleef met één been in de pijp van haar short staan.

'Tibo?'

'Heb je nog niet gemerkt hoe die naar je kijkt? Dat meen je niet! Zelfs een blinde zou het zien.'

'Ach, je zit me gewoon te jennen', blies Eve de opmerking luchtig weg.

Tja, waarom niet, dacht ze. Tibo is leuk. Ik mag hem wel. Nu pas besefte ze waarom hij bij haar groepje wilde horen voor het project rond kinderarbeid dat ze in de klas uitwerkten. Gek dat ze dat nog niet eerder beseft had.

'Of heb je soms liever Tim?' stelde Britt met een scheef lachje voor. 'Die is ook gek op jou.'

Eve schaterde het uit.

'Doe me een lol, die griezel. Harry Potter met puistjes en een T-shirt van Ozzie Osbourne. Nee, dank je.'

'Die is gek op iedereen', zei Annelies.

Tim wilde altijd zo cool zijn dat hij er meestal belachelijk uitzag.

'Soms heb ik medelijden met hem', zei Eve. 'Hij wil er altijd bij horen, maar dat lukt hem niet. Hij wordt hoogstens geduld.'

'Zijn eigen fout', meende Shanna. 'Met zijn machogedoe. Als je hem hoort pochen, lijkt het alsof hij alle meisjes uit de school geneukt heeft.'

'Nou, dan is hij mij vergeten', lachte Eve.

'Ik denk dat hij hoogstens Berlinda haar handje eens mocht vasthouden.'

Berlinda was een vierdejaars die beschouwd werd als het trutje van de school.

Eve raapte het natte washandje op van de vloer en rolde het in haar handdoek.

'Ik ben klaar.'

Britt had net haar rokje aangetrokken.

'Rijd je niet mee naar huis, Britt?' vroeg Eve.

'Nee, ik wacht tot Shanna klaar is.'

Eve voelde zich wat teleurgesteld.

'Shanna woont in dezelfde straat als Samuel', legde Britt uit. 'Misschien is hij toevallig in de buurt.'

'Toevallig?' lachte Shanna. 'Net zoals zaterdag, zeker? En dinsdag en donderdag.'

Britt gooide het druipnatte washandje van Annelies naar Shanna en ze lachten alle vier.

'Tot zaterdag!' riep Eve terwijl ze de deur achter zich sloot.

Op een bankje zat een jongen wat te niksen in de zon. Hij leunde onderuitgezakt tegen de muur van de kleedkamer en draaide ongeduldig zijn hielen van links naar rechts.

'Hoi Kevin', zei Eve.

'Hoi', antwoordde Kevin en hij hield zijn voeten stil. 'Is Annelies bijna klaar?'

'Nog even. Ze is haar toiletspullen aan het opruimen. Als ze wist dat je op haar wachtte, zou ze zich vast wat meer haasten.'

'Ik ben benieuwd om haar gezicht te zien. Ze verwacht me helemaal niet.'

Eve stak haar hand op en ze liep verder.

Hoe lang is Kevin nu al het vriendje van Annelies, vroeg Eve zich af. Vast al een jaar of zo. Die houden het lang uit.

Haar fiets stond tegen de achtergevel. Het fietsenrek zat meestal vol en daarom plaatste Eve haar fiets altijd aan de achterkant van de kleedkamer. Daar stond hij wat verscholen achter een paar berkenbomen. Ze bond haar tas op de bagagedrager en met haar vlakke hand veegde ze wat zand van haar zadel. Jochen stak zijn hand op toen ze voorbijreed en ze wuifde vrolijk terug.

Zoals gewoonlijk hing Eve haar kleren waarmee ze getraind had, het washandje en de handdoek over het droogrek voordat ze in de keuken kwam. Het rook er uitdagend naar kerriesaus.

'Wat eten we vandaag?' vroeg ze toen ze naar de pan op het fornuis liep. 'Iets met kerriesaus?'

'Tagliatelle met scampi. Jouw lievelingskostje', zei mama.

'Lekker.'

'Dek jij alvast de tafel?' vroeg haar moeder.

'Is papa dan al thuis?'

'Hij is vroeg vandaag. Hij kijkt nog wat in de krant voordat we aan tafel gaan.'

'*And nothing else matters*', zong Eve terwijl ze borden uit de kast pakte. Omdat ze de overige woorden niet kende, neuriede ze de rest van de strofe gewoon verder. Het liedje van Metallica dat vanochtend op de radio was, had zich in haar hoofd vastgehaakt.

'Mooi. Niels is er ook al', zei haar moeder terwijl ze in een flits haar zoon voorbij het raam zag zoeven.

'Hoi', zei Niels en hij dropte zijn sporttas op de keukenvloer.

'Eerst je natte spullen op het droogrek, Niels', zei mama zonder om te kijken.

'Moet ik dat telkens zeggen?' imiteerde Eve mama's stem.

Niels zuchtte en sleepte zijn tas over de vloer naar het berghok.

'Zo, we kunnen eten', zei mama toen Niels even later terugkwam.

Ze plaatste de pan op tafel en Eve kon zich niet bedwingen om met haar neus boven de scampi te snuiven.

'Heerlijk', zei ze en ze stak haar bord toe.

Niels snuffelde met opgetrokken neus aan zijn zus.

'Je stinkt', zei hij.

'Britt had een nieuwe deodorant. Shanna en ik hebben hem eens uitgetest. Tommy Hilfiger.'

'Bah... meisjes!' zei Niels en hij trok een vies gezicht.

'Hoe was het op de training?' vroeg mama aan Eve.

'Ik heb twee keer gescoord!' zei Niels voordat Eve iets kon zeggen. 'Een keer met mijn hoofd.' Hij schoof zijn stoel achteruit, sprong omhoog en knikte met zijn hoofd een denkbeeldige bal weg.

'Ja ja, ga maar weer zitten', zei mama. 'Straks duw je de tafel nog omver.'

'En hoe was de tennistraining?'

'Zoals gewoonlijk', zei Eve. 'Alleen Debora was er niet. Ziek.'

Papa nam een lepel en schepte enkele scampi met wat saus op Eves bord.

'Ik las in de krant dat er in de Hoveniersstraat werd ingebroken. Vorige nacht. De bewoners waren op reis.'

'In de Hoveniersstraat? Wow!' riep Niels enthousiast. 'Die straat ligt achter onze tuin. Zo vlakbij. Dat is de max. Welk huis is het?'

'Nummer achtenzeventig.'

'Ik ga meteen kijken!'

'Zitten!' zei mama kort en haar ogen priemden hem op zijn stoel vast.

'Maar...'

'Morgen kom je er toch langs. Trouwens, ik vind het helemaal niet prettig dat er zoiets in de buurt gebeurt. Het maakt me ongerust.'

'Het zijn vast weer Roemenen of Albanezen', zei papa. 'Even naar België voor wat inbraken en meteen weer de grens over. Je hoort dat dikwijls. Het zijn gespecialiseerde bendes.'

'Ik hoop maar dat ze voortaan uit de buurt blijven', zei mama.

'Waarom breken ze bij ons niet eens in? Dan komt de politie zoeken naar vingerafdrukken en moeten we in het politiebureau achter speciaal glas verdachten aanwijzen. Keispannend!'

Niels' gezicht was een en al enthousiasme.

'Vertel geen onzin', zei mama.

'Vorige week was er ingebroken in de Gravestraat. De mensen waren naar een doopfeest.'

'In de Gravestraat', zei Niels teleurgesteld. 'Dat is aan de andere kant van de stad.'

'Ik vraag me af hoe ze konden weten dat er niemand thuis was', zei papa.

'Door ze eerst op te bellen. Als je dan niet opneemt, weten ze dat...'

'Niels!' zei mama streng. 'Zwijg daarover. Ik krijg het koud als ik eraan denk. Een mens zou zijn huis niet meer durven te verlaten.'

'Er zijn zoveel mensen die een mobieltje hebben', zei Eve pesterig tegen haar broer. 'Hoe kun je dan weten of er iemand thuis is?'

'Echte inbrekers komen altijd binnen', zei Niels overtuigd.

'Tja, we kunnen 's avonds het huis goed afsluiten', zuchtte papa. 'Maar eigenlijk heeft Niels gelijk. Als ze binnen willen komen, dan komen ze ook binnen.'

'Ik wil er niet meer over praten', zei mama terwijl ze met veel minder smaak dan gewoonlijk een scampi op haar vork prikte. 'Hebben jullie nog huiswerk?'

'Ik niet!' zei Niels triomfantelijk.

Papa trok zijn wenkbrauwen op.

'Echt waar! Voor ik naar de training ging, heb ik alles bijgewerkt. Is het niet, mama?'

'Hij is in elk geval naar zijn kamer geweest.'

'Ik moet nog een beetje aan mijn affiche over kinderarbeid werken', zei Eve. 'Niet veel meer. Hoogstens nog een halfuurtje. Daarna ga ik nog wat chatten.'

'Jij ook?' protesteerde Niels. 'Ik moet dringend Bas nog iets vragen.'

'O ja? Wat dan?' vroeg Eve met een sneer.

'Of hij zaterdag een halfuurtje vroeger naar de wedstrijd komt. Hij heeft een cd van The Offspring gedownload en we gaan vragen of die na de wedstrijd in de cafetaria van de club gedraaid kan worden.'

'Je hebt Bas toch tijdens de training gezien', zei papa. 'Waarom heb je het hem toen niet gevraagd?'

'Ik denk er nu pas aan.'

Mama zuchtte eens.

Snoopy en Woodstock lagen naast elkaar op het dekbed. Waarom wist ze niet, maar zelfs nu ze al vijftien was, vond Eve het nog steeds een mooi dekbed. Ook op haar drinkbeker die ze bij het ontbijt gebruikte, stond het zwart-witte hondje. Maar de rest van haar kamer zag eruit zoals het voor een meisje van vijftien hoorde. Posters van Coldplay en Beyoncé tegen de muur. En natuurlijk van Justine Henin en Kim Clijsters.

Voor ze aan haar taak begon, schoof ze op het parket met haar rechterbeen opzij zodat ze bijna een spagaat vormde. Ze sloeg een denkbeeldige bal weg. Eve kwam weer overeind en speelde nog wat luchttennis. Ze wierp een balletje op en serveerde langs de middellijn.

Enkel Britt kan harder opslaan, alleen is haar return minder goed, dacht Eve tevreden.

Opeens stopte ze met luchttennis.

Je laat Tibo toch niet je hele leven achter je aanhollen.

Tibo? Het was haar nog niet opgevallen dat die haar wel zag zitten. Tibo was tof. En hij zag er leuk uit.

Eve glimlachte dromerig voor zich uit. Het gaf haar een fijn gevoel dat hij een oogje op haar had.

Ze liep naar de badkamer om in de spiegel te kijken. Om te zien hoe Tibo haar zag. Zou hij haar knap vinden? Ze schudde haar

halflange, bruine haar los en ze richtte zich op. Nauwkeurig bekeek ze haar gezicht.

'Als je jezelf zo in de spiegel bekijkt, lijken alle foutjes reuze-
groot. Je moet een beetje achteruitgaan, dan zie je je zoals iemand je echt ziet', zei mama.

Betrapt deinsde Eve achteruit.

'Ik keek gewoon even omdat ik een puistje op mijn kin voelde',
zei ze beschaamd.

Mama lachte.

'Laat me eens kijken.'

Zonder op een antwoord te wachten nam ze Eves kin tussen
haar vingers en onderzocht nauwkeurig haar gezicht.

'Nee hoor, zelfs geen speldenkopje te zien. Je mag er best zijn.
Over enkele jaren moet je de jongens met een stok van je afslaan.'

Eve giechelde. Waarom dacht mama altijd dat het over enkele
jaren zover was? Zelfs toen ze twaalf was, zei ze al over enkele jaren.
Misschien hadden alle moeders dat?

'Ik ga wat aan mijn affiche werken', zei Eve.

Ze glipte langs mama de badkamer uit en glimlachte toen ze
merkte dat mama haar gezicht naar de spiegel boog.

2.

De tafeltjes stonden in groepjes van vier bij elkaar geschoven toen ze in het klaslokaal kwamen.

'Wat krijgen we nu?' vroeg Shanna zich hardop af. 'Waar moet ik zitten?'

'Cool. We mogen vandaag met de kaarten spelen', deed Jasper grappig.

Eve lachte en ze porde met haar elleboog in zijn heup.

'Au!' riep Jasper en hij greep met beide handen naar zijn zij, alsof het ontzettend pijn deed.

'Watje', grijnsde Eve.

Sinds het ongeluk fietsten ze niet meer samen naar school. Eve nam liever een omweg dan nog langs dat verdoemde kruispunt te rijden. De film van het ongeluk schoof al dikwijls genoeg voor haar ogen, ze wilde niet nog vaker geconfronteerd worden met de herinnering. Het maakte haar elke keer zo verdrietig dat ze tegen haar tranen moest vechten. Margaux was altijd vrolijk en speels. Hoeveel uren, dagen, weken hadden ze niet samen gespeeld? Ze hadden in Eves kamer toneelgespeeld. Eve met mama's kleren en Margaux met papa's kleren, die ze stiekem uit de kleerkast leenden. Voor Prosper, de labrador van Margaux, hadden ze in de tuin honderden hindernisparcoursen aangelegd. Of ze hadden gekibbeld terwijl ze met de PlayStation speelden en ze maakten grapjes over de meisjes en de jongens uit hun klas.

Langvergeten momenten dreven in haar hoofd voorbij. Niets kon ooit hun verleden vervangen.

'Kan het even wat rustiger!' riep mevrouw Belmans.

Het rumoer temperde een beetje.

'Ik heb de tafeltjes verzet. Nu kan elke werkgroep samen zitten om aan zijn project te werken.'

Eve nam een stoel en plaatste die bij het groepje tafels dat achter in de klas stond. Ze liet de rugtas van haar schouder zakken.

Daarna trok ze het losgeknoopte hemd uit dat ze over haar topje droeg en drapeerde het over de rugleuning van haar stoel. Ze nam de kartonnen koker die als een schoorsteen uit de rugtas stak.

'Is dat je affiche?' vroeg Tibo terwijl hij zijn stoel naast haar schoof.

Shanna en Jef kwamen bij hen zitten.

'Ik hoop dat jullie het mooi vinden', zei Eve terwijl ze een groot opgerold tekenblad uit de koker trok. Ze rolde het blad uit op de tafel.

'Schitterend!' zei Tibo terwijl hij in Eves ogen keek.

'Gaaf', zei Jef, maar hij klonk een stuk minder enthousiast.

'Dat heb je knap bedacht', prees Tibo.

Het complimentje deed haar plezier.

Hij is lief, dacht Eve. Ze voelde haar gezicht rood aanlopen toen Shanna stiekem naar haar knipoogde. Dagenlang had Eve gewerkt. Het tekenblad was in tweeën verdeeld. Het linkergedeelte toonde een meisje dat aan een naaimachine werkte. Nike-truitjes puilden uit een immense kartonnen doos. 7.16 u gaf een digitale klok boven haar hoofd aan. Op het rechtergedeelte sliep het meisje met haar hoofd op de naaimachine en stond er 20.36 u op de klok.

'Ik heb op het internet wat teksten over kinderarbeid in India gezocht', zei Tibo terwijl hij een bundeltje papier uit zijn tas haalde. 'Als ik een paar treffende oneliners in grote letters uitprint dan kunnen we die misschien op jouw affiche plakken. Dan springt die meteen in het oog.'

Zijn enthousiasme maakte haar warm en ze kneep speels in zijn wang. Meteen werd Tibo stil. Hij keek bedremmeld naar zijn papieren.

'Ik heb een soort dagboek van zo'n meisje. Misschien kunnen we daar op een of andere manier iets mee doen?' stelde Shanna voor.

Snel las Eve een paar fragmenten door.

'Prima', zei ze. 'En jij, Jef? Wat heb jij gedaan?'

'Eigenlijk niks', zei hij met een goedige grijns.

'Hoezo, niks?' vroeg Tibo verbaasd.

'Nou ja, gewoon niks.'

Alsof hij Tibo wilde overtuigen toonde hij zijn lege handen.

'Profiteur!' gromde Shanna.

'Niks profiteur', zei Jef rustig. 'Er zijn nu eenmaal werkers en er zijn leiders. Jullie hebben geluk: ik ben een geboren leider.'

'Ja, dat zal wel', zei Eve korzelig.

'Geloven jullie me niet? Wacht maar even.'

'Mevrouw!' riep hij.

'Ja, Jef?'

Met beide handen hield hij Eves affiche boven zijn hoofd zodat iedereen het kon zien.

'Eve heeft dit gemaakt. Zo'n affiche verdient het toch om in de hal van de school te hangen. Of niet soms?'

'Heel knap, Eve', zei mevrouw Belmans. 'Er zijn nog anderen die een tekening of een collage gemaakt hebben. Maar jouw affiche komt zeker aan de muur.'

Ze liep verder naar het groepje van Jasper.

'Zo, ik heb mijn steentje bijgedragen', zei Jef vrolijk. 'Public relations noemt men dat.'

Met een kreet dook hij onder tafel toen Shanna haar etui naar zijn hoofd gooide.

De rode basketbal bleef even rond de metalen ring draaien en viel vervolgens door het net. Voor de bal de grond raakte, had Jef hem opgevangen en hem doorgespeeld aan Liesbeth. Een poosje keek Eve naar de wedstrijd. Het spelletje met de jongens was haar te ruw. Er werd geduwd, soms viel er zelfs iemand op de tegels van het schoolplein. Enkel Liesbeth waagde zich tussen de jongens. Als er tegen een bal getrapt werd, was ze er altijd bij. Maar Liesbeth was nu eenmaal een halve jongen. Eve had haar nog nooit met een rokje of een jurk gezien.

'Meisjes die voetballen', had Niels op een minachtende toon gezegd toen ze het hem vertelde. 'Dat is pas lachen, die trappen de bal altijd met de punt van hun schoen.'

Een eindje verderop wandelden Shanna en Britt over het schoolplein. Eve liet het basketbal achter zich en liep het tweetal tegemoet. Ze merkte dat Shanna plotseling zweeg toen ze haar zag naderen.

'Wat is er? Waren jullie over mij aan het roddelen?' deed Eve gemaakt luchtig, maar ze kon de achterdocht in haar stem niet verbergen.

'Nee hoor, helemaal niet', zei Shanna vlug. 'Het had echt niks met jou te maken.'

Haar woorden maakten Eve nog wantrouwiger.

'Waar hadden jullie het dan over?'

Shanna en Britt keken elkaar peilend aan. Britt knikte.

'Ik vroeg aan Britt of zij soms ook masturbeert.'

'Masturbeert?' herhaalde Eve hardop.

Shanna stompte haar tegen haar bovenarm.

'Ja, zeg. Schreeuw het maar over het schoolplein.'

Vlug spiedde ze om zich heen, maar er was niemand die haar aankeek.

'Je weet toch wat masturberen betekent?' vroeg Shanna. 'Jezelf strelen', verduidelijkte ze meteen.

'Waar dan?' vroeg Eve naïef.

Britt en Shanna keken haar een seconde aan. Alsof Eve hen voor de gek hield. Toen proestte Britt het uit.

'Nou, waar je graag hebt dat een jongen je zou strelen, natuurlijk', kreeg Britt er tussen het lachen door uit. 'Waar anders?'

Eve kon zichzelf wel slaan. Ze had liever haar tong afgebeten in plaats van zo'n stomme vraag te stellen.

'Doe jij het nooit?' vroeg Britt.

'Nee, nooit', zei Eve vlug en ze vroeg zich vertwijfeld af of dit nu een goed antwoord was.

'Je weet niet wat je mist', zei Britt. Ze boog haar hoofd naar Eve en Shanna. 'Ik doe het weleens als ik 's avonds in bed lig of als er niemand thuis is.'

'Ik doe het gewoonlijk met Justin Timberlake of soms met Orlando Bloom', fluisterde Shanna.

'Nooit met iemand die we echt kennen?' vroeg Britt gretig.

'Soms wel. Maar met wie hoef jij niet te weten.'

'Met Jasper?'

'Ik zeg niks. Maar jij, Eve, heb jij niemand waarmee je in je fantasie weleens zou willen vrijen?'

'Nee, ik zou het niet weten.' Eve voelde zich beschaamd, maar toch wou ze graag wat meer weten. Ze keek Shanna en Britt nieuwsgierig aan.

'Hé, doe niet zo flauw. Er moet toch wel iemand zijn.'

Shanna tuitte haar lippen.

'Stel nu… als je het zou doen…' Ze pauzeerde om Eve tijd te geven om even na te denken. 'Over wie zou je dan fantaseren? Over Tibo?'

'Jezus. Nee.'

Eve voelde zich rood worden en ze richtte haar ogen beschaamd naar de grond.

'Haha, Tibo dus', deed Britt vrolijk. 'Ik had het wel gedacht. Ik doe het weleens met Jonathan', zei Britt nu opeens heel open.

'Jonathan? Niet met Samuel? Wie is die Jonathan? Ken ik hem?' vroeg Shanna benieuwd.

'Om te fantaseren heb ik liever Jonathan dan Samuel. Jonathan, die jongen uit het laatste jaar. Hij lijkt een beetje op Brad Pitt en hij komt met een oude Toyota naar school.'

'Nu weet ik wie je bedoelt. Maar hij heeft toch al een vriendin?'

Britt haalde haar schouders op.

'So *what*? In mijn fantasie heeft hij die al een paar maanden gedumpt. Hij is van mij als ik onder mijn donsdeken lig.'

Met zijn handen nonchalant in de zakken van zijn wijde broek kwam Tibo schijnbaar toevallig in hun richting geslenterd.

'Ssst! Daar komt Tibo aan.'

Shanna keek hem met een onschuldig gezicht aan.

'Tibo! Loop je nog een eindje met ons mee?'

'Eve zal dat vast leuk vinden', zei Britt plagend.

'Goh, jij met je grote mond', snauwde Eve en ze keek verlegen naar een raam ver achter Tibo's schouder.

'Kom, Shanna', zei Britt vlug. 'Ik moet je wat laten zien.'

Ze haakte haar arm in de arm van haar vriendin en trok haar ruw naar het afdak waar haar rugtas lag. Vandaar konden ze Tibo en Eve in de gaten houden.

'Waar hadden jullie het over?' vroeg Tibo om iets te zeggen.

'Och, niks bijzonders', acteerde Eve onverschillig. 'Over de tenniswedstrijd die we zaterdag spelen.'

'Moet je zaterdag tennissen?'

'Tegen meisjes van een andere club uit Zele.'

Ze wandelden langs een grote plantenbak die met houten blokken afgezoomd was. Op de blokken zaten meisjes en jongens wat te babbelen of ze leerden nog wat bladzijden voor een toets die hen na de pauze te wachten stond. Een zijde van de plantenbak werd ingepalmd door een groepje uit het laatste jaar. Een jongen maakte met veel gebaren en grimassen schunnige grapjes die de rij jongeren aan het lachen bracht. Toen Eve en Tibo langsliepen, keek een meisje Eve in de ogen. Ze liet haar niet los. Eve wist zich geen houding te geven. Het was alsof de ogen haar herkenden. Verward knikte ze naar het meisje, dat knipoogde. Het meisje keerde zich weer naar de grappenmaker en deed alsof ze om zijn grapje lachte.

'Om te supporteren?'

Tibo's stem drong tot haar door. Ze merkte aan zijn gezicht dat hij al een paar keer iets gezegd had.

'Wat zei je? Ik was even met mijn gedachten ergens anders.'

'Vind je het vervelend als ik zaterdag kom supporteren?'

'Nee, helemaal niet', haastte ze zich. 'Iedereen mag komen. Ik zou het zelfs tof vinden', wilde ze haar verstrooidheid goedmaken. Zonder dat het opviel, leidde ze hem terug in de richting van de plantenbak.

'Weet jij soms wie dat meisje is?' vroeg ze terloops.

'Welk meisje bedoel je?' vroeg hij terwijl hij met zijn ogen de rij afliep.

'Ze heeft zwart haar dat met gel naar achteren gestreken is... ze lijkt een beetje op Angelina Jolie. Er staat een afbeelding van een paard op haar T-shirt.'

'Dat is Céline. Ze woont in dezelfde straat als ik. Waarom vraag je dat?'

'Zomaar.'

Ze bleef aan de ogen van Céline denken.

3.

Tibo hoefde Eve niet te vragen of ze gelukkig was omdat ze de wedstrijd gewonnen had. Het straalde gewoon van haar gezicht. Hij plukte de oordopjes van zijn iPod uit zijn oren en wachtte haar op bij de uitgang.

'Dat andere meisje raakte gewoon geen bal', zei hij toen ze door het hekje het tennisveld verliet.

'Nee', lachte ze. 'Hoewel, ik heb al driemaal tegen haar gespeeld en het is de eerste keer dat ik kan winnen.'

'Ik breng je geluk', lachte hij.

In een opwelling drukte ze een kus op zijn wang.

'Oei', grinnikte ze terwijl ze vrolijk met de punt van haar wijsvinger het kusje van zijn wang veegde. 'Mijn ouders staan verderop. Ze hebben het vast gezien.'

'Vinden ze het vervelend als ik bij jou ben?' vroeg hij bezorgd.

'Dat denk ik niet', stelde Eve hem gerust. 'Ze zullen zich enkel afvragen wie je bent. Wat je ouders doen. Waar je woont en wat je later gaat studeren.'

De overwinning maakte haar zorgeloos. Haar ouders stonden aan de overkant van het tennisveld. Toen papa zijn duim opstak, zwaaide ze met beide handen boven haar hoofd. Ze had een hemelsblauw, mouwloos tennisjurkje aan en ze merkte hoe Tibo naar haar benen en haar borsten keek. Ze vond het wel leuk toen ze in zijn ogen keek en hij opeens verlegen naar het tennisveld staarde.

Een jongetje kwam halsoverkop aangerend.

'Je hebt gewonnen. Ik heb gezien dat je gewonnen hebt.'

Ze spreidde haar armen, ving hem op en zwaaide hem in het rond. Daarna liet ze hem weer op de grond zakken en kamde met haar vingers zijn krullen.

'Moet jij niet spelen?' vroeg ze.

'Morgen. Kom je kijken?'

'Misschien', zei Eve.

'En zul je winnen?' vroeg Tibo.

Jochen keek met een ongelovige snoet naar Tibo, alsof die hem een wel heel domme vraag gesteld had.

'Natuurlijk', zei hij eenvoudig.

'Is dat je vriendje?' vroeg hij onzeker aan Eve en hij leek duidelijk aan haar keuze te twijfelen.

Eve lachte.

'Nou, zover zijn we nog niet, hoor.'

Er gleed even teleurstelling over Tibo's gezicht.

'Maar we werken eraan', poogde hij opgewekt te doen.

'Ik ga me douchen', zei Eve. 'Zie ik je straks nog? We kunnen misschien iets drinken in de cafetaria?'

Bij warm weer werden witte, ronde plastic tafels en stoelen naar het terras gebracht. Met haar sporttas op haar rug zocht Eve tussen de terrasklanten naar Tibo. Haar tennisjurk had ze omgeruild voor een losse, katoenen kuitbroek en een strak topje. Haar blote voeten staken in een paar witte Fila's. Terwijl ze met de handdoek haar lokken nog wat depte, kwam Domien op haar af.

'Gefeliciteerd', zei hij. Terwijl hij haar passeerde, gaf hij een bemoedigend tikje op haar schouder. 'Maar ik ga nu weer naar Shanna kijken.'

'Hoe doet ze het?'

Hij schudde mistroostig zijn hoofd.

'De eerste set heeft ze verloren. Zes-drie. Dat andere meisje is echt heel goed. Je zou ook op je tenen moeten staan om te winnen.'

'Ik zal duimen', riep Eve hem na, terwijl hij tussen de tafeltjes slalomde. Ze keek weer over het terras en zag dat Tibo haar wenkte. Een seconde later verscheen Tim op het terras. Hij zocht wat verveeld naar een bekend gezicht. Zoals gewoonlijk op zonnige dagen droeg hij een doorschijnende, groene zonneklep boven zijn ogen. Vroeger had hij een leuk pagekopje, maar nu... Zelfs als je bij het leger was, droeg je je haar niet zo kort. Toen de jongen Tibo opmerkte, liep hij meteen op hem af en hij trok een stoel bij. Met een grijns zag Eve dat er een wolk voor het gezicht van Tibo gleed.

Margaux zou zo'n middag zalig gevonden hebben, schoot het door haar hoofd. Ze zou vast gillend om mijn hals gevlogen zijn omdat ik gewonnen had en daarna zouden we op het terras een Ice Tea gedronken hebben en de jongens een beetje gejend hebben.

Een paar tafeltjes verder zaten papa en mama bij de ouders van Britt.

'Goed gespeeld, meisje', zei mama toen Eve haar sporttas naast de tafel liet vallen.

'Kunnen jullie die tas met de auto meenemen?' vroeg ze. 'Dan ga ik nog even bij Tibo en Tim zitten.'

'Wie is die jongen?' vroeg haar moeder terwijl ze Tibo monsterde. 'Een vriendje?'

'Tibo. Ken je hem niet meer? Tibo van Goethem! Op de lagere school zat hij ook al in onze klas.'

'Is dat Tibo?' zei mama oprecht verbaasd terwijl ze hem met haar hand boven haar ogen bleef aankijken. 'Nu ja, die schoolfeestjes van de lagere school zijn ook al zo lang voorbij.'

'En die andere jongen?' vroeg haar vader.

'Tim, maar die ken je niet. Hij zit nog niet zo lang bij mij op school.'

Haar vader legde zijn hand op de hand van mama.

'Toch mooi dat die jongens zich voor tennis interesseren', zei hij met een knipoogje.

'Ik denk dat Tim zich vooral voor tennissende meisjes interesseert', zei Eve.

'Ga maar bij die jongens zitten', zei mama. 'Straks vertrekken we om Niels aan het voetbalterrein op te pikken. Je komt toch op tijd naar huis, want je moet vanavond nog babysitten.'

'Natuurlijk.'

Tibo lag onderuitgezakt op zijn stoel, de arm losjes over de armleuningen, maar toen hij Eve zag, veerde hij overeind.

'Zal ik iets te drinken voor je halen? Wat wil je?'

'Ik kan het zelf wel halen', zei Eve. 'Zo moe ben ik nu ook weer niet.'

'Dat dacht je maar', zei Tibo terwijl hij zijn hand op haar schouder legde en haar op een stoel duwde.

'Uitslover', mompelde Tim tussen zijn tanden, maar Tibo deed alsof hij het niet hoorde.

'Een blikje cola', zei Eve. 'Wacht, ik zal je geld meegeven.'

Ze zocht in haar broekzak naar haar portemonnee.

'Dit is er eentje van mij', zei Tibo galant. 'Wil jij nog iets drinken... uitslover?'

'Een Sprite', zei Tim.

'Volgens mij heeft Tibo de loterij gewonnen', zei Tim toen Tibo in de cafetaria verdwenen was. 'Hij heeft deze cola ook al betaald. Ik denk dat hij indruk op je wil maken.'

'Zoveel kost dat nu ook weer niet', meende Eve.

'Zou jij het betalen?'

'Nee, dat niet.'

Ze voelde zich geflatteerd omdat ze wist dat Tibo het deed om haar te imponeren. Ze strekte zich behaaglijk uit en wenste dat ze iets korters had aangetrokken om haar benen wat te laten bruinen in de zon.

Even later kwam Shanna aangesloft.

'Heb jij al gedoucht?' vroeg Eve verbaasd toen ze merkte dat er nog waterdruppels uit het haar van het meisje lekten.

'Zes-drie, zes-een', zei ze toonloos. 'Dat meisje was echt veel te sterk voor mij.'

Gelaten liet ze haar sporttas uit haar hand vallen en gleed op de stoel naast Tim.

'Volgende keer beter', zei Tim terwijl hij bemoedigend op haar dij sloeg.

'Ha, Shanna is er ook', deed Tibo verbaasd terwijl hij een dienblad met blikjes aandroeg. 'Wil jij ook iets drinken?'

'Een cola light.'

Meteen verdween Tibo weer naar binnen.

'Brave jongen', zei Shanna en ze knipoogde naar Eve.

'Mijn fiets staat tegen de muur van de kleedkamer', zei Eve toen ze samen met Tibo van het terras wegliep.

'Die van mij in het fietsenrek', zei Tibo. 'Maar ik loop eerst wel even mee.'

'Waarom gebruik je het fietsenrek niet?' vroeg Tibo toen hij haar eenzame fiets tegen de achtergevel zag.

'Dat is meestal vol', zei Eve. 'En achter de struiken ziet niemand hem staan. Ik denk dat het hier veiliger is.'

Toen hij merkte dat er niemand in de buurt was, greep Tibo haar arm en drukte haar tegen zich aan. Meer verbaasd dan geschrokken keek Eve hem aan.

'Vind je het vervelend?' begreep Tibo haar verkeerd.

Ze wist niet wat ze moest denken en ze schudde haar hoofd. Voorzichtig legde hij zijn hand tegen haar achterhoofd en opende met zijn tong haar mond. Eve liet hem begaan en terwijl ze zijn tong voelde zoeken, vroeg ze zich af of ze het prettig vond. Eigenlijk was ze meer nieuwsgierig dan opgewonden, benieuwd hoe het voelde om gekust te worden.

Misschien komt er zo meteen iemand om de hoek, ging het door haar hoofd. De gedachte vond ze wel spannend.

Even later liet hij haar los.

'Ik hou van je', zei Tibo en hij zocht in haar ogen naar een antwoord.

'Ik ook', zei ze omdat hij dat antwoord verwachtte.

Tot haar opluchting glimlachte hij en hij gaf haar nog vlug een kusje op haar mond.

'Ik neem mijn fiets en rijd met je mee naar huis', zei hij.

'Laat maar, ik moet me haasten, want vanavond moet ik nog naar Veerle en Bert.'

'Wie zijn dat?'

'De ouders van Amber en Kobe. Ik pas op de kinderen als ze ergens heen gaan.'

Gewoontegetrouw sloeg ze het zand van haar zadel en ze keek naar boven om te zien waar dat zand telkens vandaan kwam. Boven haar hoofd liep de dakgoot uit op een punt. Onder de dakgoot liep een smal bewasemd venster over de breedte van de gevel.

Wellicht valt er soms wat zand van de dakgoot, dacht ze. Die lijkt me al behoorlijk versleten.

Ze maakte het fietsslot los en reed naar Tibo, die op haar wachtte.

'Het is echt leuk om op Amber en Kobe te passen. Het zijn zulke schatten. Kobe is al drie jaar, maar met Amber kan ik echt moedertje spelen. Ze is nog een baby.'

Terwijl Eve over de kinderen kwebbelde, reed ze met Tibo de laan uit.

De flatgenoot van Hugh Grant trok in zijn lullige onderbroek de voordeur open en plotseling flitsten tientallen fototoestellen. Hij schrok, maar toen toonde hij zijn magere lijf met het air van een bodybuilder.

De eerste keer dat Eve het filmfragment zag, had ze het uitgegierd. Na de tweede keer was het al wat minder. Nu ja, veel keuze was er niet. Veerle en Bert waren nu eenmaal geen filmfreaks. In de kast lagen enkele dvd's van optredens van U2 en REM en nog een paar films die Eve niet interesseerden. Ze lag languit op de bank, het glas cola binnen handbereik.

Opeens greep ze naar de afstandsbediening en zette het geluid van het tv-toestel zachter.

'Shit!' mompelde ze. 'Amber is wakker.'

Meteen kwam ze overeind en ze haastte zich naar de deur. Toen ze in de hal was, hoorde ze het dreinerige gehuil van het meisje.

Straks maakt ze Kobe wakker, ging het door Eves hoofd. Ze opende de deur van de kinderkamer zodat het licht van de gang naar binnen viel. In haar bedje had Amber zich blootgewoeld. Toen het meisje merkte dat Eve er was, hield ze op met huilen.

'Dag, meisje, heb je het koud?' troostte Eve terwijl ze het dekentje weer op zijn plaats drukte. 'Zo, en nu maar weer lekker slapen.'

Ze wilde op haar kousenvoeten wegsluipen, maar Amber begon meteen weer te huilen.

'Wat is er, Amber? Heb je misschien een natte pamper?' vroeg ze op een bezorgd toontje.

Ze trok het dekentje weg, nam het kind op haar arm en trok met haar wijsvinger de pamper aan de rand wat open.

'Ha, vuile billen. Is dat het probleem?'

Met het kind op haar arm liep ze naar de woonkamer en ze merkte in een flits dat Julia Roberts boos was op Hugh Grant.

Voorzichtig legde ze de baby op het tapijt.

'Rustig blijven liggen, Amber', zei ze terwijl ze naar de keuken liep om een pamper uit de doos te halen.

Leuk was het niet, maar ze had het klusje al vaker gedaan. Met het verstand op nul maakte ze de vieze pamper los, wreef met een paar velletjes keukenrol de billetjes schoon en plakte de nieuwe pamper vast.

'Zo, nu mag je nog even op mijn schoot zitten, maar daarna moet je terug naar bed', deed Eve gemaakt streng. Ze tilde het meisje hoog in de lucht en liet ze met een zacht plofje op haar schoot belanden.

Wil ik haar nu nog wat bij me houden omdat ik dat leuk vind of omdat zij het graag heeft, vroeg ze zich opeens af.

'Omdat we het allebei leuk vinden', zei Eve hardop terwijl ze lacherig haar neus over Ambers voorhoofd liet gaan. 'Eve zal straks de vieze pamper wel opruimen.'

Amber lag met haar hoofd op Eves borst. Alsof ze het allemaal begreep, keek ze met grote ogen naar *Notting Hill*. Eve boog haar hoofd naar voren en voelde met haar wang de zachte dons op Ambers hoofdje. Het was heerlijk toen de baby haar duim greep en die niet meer wilde loslaten. Tien minuten later maakte Eve met tegenzin haar duim weer los.

'Bedtijd, meisje. Je bent nog te jong om naar een film te kijken. Als papa of mama straks merken dat je niet in je bed ligt...'

Ze maakte haar zin niet af, maar schikte Amber op haar arm en liep met de baby naar de slaapkamer. Zachtjes legde ze het meisje weer in het bedje, stopte haar onder en legde haar armpjes boven op het dekentje. Tot haar opluchting bleef het ook nog stil toen ze de deur achter zich sloot.

'Gelukkig', mompelde ze toen ze een streepje licht in zijn kamer liet vallen en zag dat Kobe rustig op zijn zij lag te slapen.

Eve had nog maar net de vuile pamper en de keukenrol opgeruimd toen ze de auto in de garage hoorde rijden. Een minuut later kwam Veerle naar binnen.

'Dag, Eve. Geen problemen gehad?'

'Nee, hoor. Ze waren heel rustig. Daarnet heb ik Amber nog een nieuwe pamper aangetrokken, maar ze slaapt al weer.'

'Je bent een echt moedertje', prees Veerle. Ze greep in haar tas, nam haar portefeuille en haalde een bankbiljet van twintig euro tevoorschijn.

'Het is al laat. Zal Bert je met de auto naar huis brengen?'

'Dat hoeft echt niet, Veerle. Zo ver woon ik nu ook weer niet. Tien minuutjes en ik ben thuis.'

Terwijl Veerle naar de gang liep, sloot Eve de deur achter zich.

Justine Henin sloeg een listig balletje over het net. Wanhopig sprintte Serena Williams naar voren, maar het balletje botste twee keer op het gras.

'Yes!' schreeuwde Eve en ze stak haar gebalde vuisten in de lucht.

'Vijf-vier voor Henin!'

Ze schoof nerveus over de bank.

'Toch denk ik dat Williams zal winnen', zei papa, die naast haar op de bank zat en voorovergebogen met de ellebogen op zijn dijen naar de tv keek.

Eve wierp hem een vernietigende blik toe. Hoe durfde hij! Papa was toch een Belg?

Er gleed een schim voorbij het raam. Mama keek op.

'Tibo is er.'

'Ja', mompelde Eve terwijl ze bang afwachtte of de tweede opslag van Henin zou lukken.

De bel klonk door het huis.

'Heb je geen zin om met hem mee te rijden?' vroeg mama verbaasd.

'Natuurlijk. Maar mag Tibo niet binnenkomen? Ik zou graag Henin zien winnen.'

Mama keek vragend naar papa, maar die haalde de schouders op.

'Goed. Laat Tibo maar binnen.'

'Wil jij de deur opendoen, mama?'

'Zou jij niet...'

Maar toen Eve naar de tv bleef kijken, stond mama op.

'Als mijn eerste vriendje vroeger langskwam, sprong ik een gat in de lucht', mopperde ze terwijl ze naar de hal liep.

Eve schaterde het uit toen papa haar met gefronste wenkbrauwen nakeek. Toch draaide Eve haar hoofd toen Tibo de woonkamer binnenkwam.

'Hoi', zei hij. Zijn gelhaar piekte in alle richtingen. Hij droeg een zwart-wit gestreept voetbaltruitje van Juventus over zijn broek, die tot net onder zijn knieën reikte.

'Hoi, Tibo', zei Eve.

'Rijden we niet meteen weg?' vroeg Tibo terwijl hij onrustig met zijn voeten schuifelde.

'Zullen we nog een paar minuutjes wachten?' stelde Eve voor. 'Je weet dat ik dol ben op tennis en het is net zo spannend.'

Ze maakte wat plaats op de bank.

'Kom naast me zitten', zei ze bijna bevelend terwijl ze met haar hand op het zitkussen tikte.

Gehoorzaam ging Tibo tussen Eve en papa zitten.

'Wat gaan jullie straks uitrichten?' vroeg mama toen papa en Eve zwijgend naar de wedstrijd bleven kijken.

'Pa heeft de barbecue in de tuin opgesteld en ma heeft Eve ook uitgenodigd. Mijn zus en haar man komen ook.'

Mama keek wat onzeker naar Eve.

'Is het niet een beetje vroeg om samen naar een familiefeestje te gaan? Hoe lang zijn jullie al samen?'

Eve maakte haar ogen van het scherm los.

'Drie maanden, mama. En het is niet omdat we naar die barbecue gaan dat we ook meteen trouwen. Jaren geleden zijn Margaux en ik ook eens naar een verjaardagsfeestje van Tibo geweest en toen had je daar geen probleem mee.'

'Toen waren jullie nog kinderen', zei mama hoofdschuddend.

'Vooruit, Justine! Een lobballetje over Serena!' riep Eve.

De roodgeverfde ramen van de bungalow staken kleurrijk af tegen de witgeschilderde muren. Grote vensters reikten van het dak tot het klinkerpad dat rond de bungalow aangelegd was.

Eve hoorde vrolijk rumoer achter het huis. Tibo had zijn hand op haar rug gelegd en leidde haar naar de tuin. Hardhouten tuinmeubelen waren van het terras naar het grasveld verhuisd en terwijl de ouderen een aperitiefje dronken, speelden een paar kleuters met een bal in het gras. Op de hoek van de tafel lag bestek naast een stapel borden. De geur van barbecuekruiden hing over de tuin. De vader van Tibo stond met een bezweet gezicht achter het barbecuestel en draaide met een vork stukken vlees om. Om zijn naakte lijf hing een schort. *Liever lui dan moe* stond er in grote letters op gedrukt.

'Ha, daar zijn jullie. Ik had jullie wel wat vroeger verwacht', zei Tibo's moeder een tikje verwijtend.

'Eve wilde graag naar het tennis kijken', zei Tibo.

'Wie heeft er gewonnen?' vroeg iemand geïnteresseerd.

'Henin', glunderde Eve alsof ze zelf een percentje van de winst-premie kreeg.

'Willen jullie iets drinken voor we gaan eten?' vroeg Tibo's moeder.

'Misschien een beetje cola?' vroeg Eve.

'Cola?' klonk het verbaasd. 'Er is ook port en sangria met stuk-jes fruit. Wil je niet proeven?'

'Mag cola niet?' vroeg Eve.

'Natuurlijk mag je cola. Ik haal een blikje', zei Tibo vlug.

Eve nam een vrije stoel en vond het helemaal niet prettig toen alle blikken zich op haar richtten.

'Jij bent dus het vriendinnetje van Tibo?' vroeg een jonge vrouw die duidelijk de zus van Tibo was.

'Kom nou, Astrid', kwam Tibo's moeder tussenbeide. 'Ze zijn nog maar vijftien.'

'Ik weet niet hoe ik het moet noemen, maar we kunnen wel heel goed met elkaar opschieten', antwoordde Eve.

Astrid vroeg haar uit over school, over tennis... Eve voelde zich ontzettend opgelucht toen Tibo met een blikje cola opdook en zijn zus benieuwd naar een pakje keek dat hij in zijn linkerhand hield.

'Ik heb ook nog een cadeautje voor je meegebracht', zei hij, ter-wijl hij het blikje en een glas voor haar op tafel plaatste.

'Een cadeautje? Waarom?' vroeg Eve verbouwereerd.

'Och, zomaar', deed Tibo luchtig. 'Maak het eens open.'

Het cadeautje was verpakt in een Ici Paris XL-papier. Eve pruts-te het lint open en haalde een sierlijk flesje uit het doosje.

'Waw!' lachte Astrid enthousiast. 'Armani!'

'Het is al een eeuwigheid geleden dat ik zoiets van Wim kreeg', zei ze licht verwijtend.

'Tibo is dan ook niet van plan om binnenkort een huis te bou-wen', reageerde haar buurman meteen en hij ontweek haar blik door vlug aan een glaasje rode port te nippen.

Eve draaide het flesje om en om.

'Dat is toch veel te duur, Tibo', zei ze schuchter.

'Ik weet ook niet waar Tibo het geld vandaan haalt', zei zijn moeder half schertsend.

'Gespaard, ma. En volgende maand heb ik een vakantiejob.'

'Wil je eens wat parfum op mijn arm spuiten?' vroeg Astrid.

Eve maakte de dop los en verstoof wat op haar arm.

'Heerlijk', zei Tibo's zus en ze stak haar arm onder Wims neus. 'Ruik eens.'

'De kalfslapjes en de worstjes zijn klaar! Aanschuiven!' klonk het achter de barbecue.

Wim zuchtte opgelucht en nam meteen een bord.

Het gras was kortgeschoren zodat de bal zonder botsen naar het doel rolde. Eve dook languit in het gras, greep met beide handen de bal en gooide hem al liggend naar Naomi en Jelle. De kleuters verdrongen zich om de bal te mogen trappen.

'Ik mag naar Eve trappen', zei Jelle fel terwijl hij zijn zusje een duw gaf.

'Maar jij wilt altijd trappen', protesteerde Naomi terwijl ze de bal bezitterig in haar armen klemde.

'Het is de beurt aan Naomi!' riep Eve terwijl ze overeind kwam.

Jelle kruiste boos zijn armen over elkaar en trok een pruillipje.

'Jij mocht drie keer na elkaar trappen', suste Eve. 'Je zusje mag toch ook eens?'

Jelle zei niks, maar liet zijn zusje begaan.

Eve boog zich in keepershouding en toen Naomi met haar schoenpunt de bal zachtjes naar het doel trapte, dook Eve met veel misbaar over de bal.

'Goal!' juichte Naomi en ze trappelde opgewonden in het gras.

'Je liet de bal met opzet passeren', snauwde Jelle terwijl hij zijn armen nog steviger tegen zijn borst drukte.

'Nee, hoor', zei Eve luchtig.

Aan de rand van het grasveld lag Tibo, leunend op zijn ellebogen. Toen Eve voor de zoveelste keer de bal naar de kleuters wierp, kwam hij overeind, sloeg wat grassprietjes van zijn broek en liep naar Eve.

'Zullen we een eindje fietsen?' stelde hij voor. 'Je wilt toch niet de hele middag met de kinderen spelen?'

'Nee, natuurlijk niet', zei Eve. Ze transpireerde een beetje.

'Jullie mogen allebei nog een keer trappen!' riep ze terwijl ze de bal naar de kleuters rolde.

'Stop je ermee?' vroeg Jelle verwonderd. 'Het is toch leuk?'

Met haar arm veegde Eve de zweetdruppels van haar voorhoofd.

'Oom Tibo wil ook weleens wat', glimlachte ze toegeeflijk. 'En ik ben moe', voegde ze er vlug aan toe toen ze de teleurgestelde gezichten zag.

Nadat ze met veel misbaar twee ballen onder zich had laten rollen, liep Eve naar Tibo toe, die intussen languit in het gras lag met zijn handen onder zijn achterhoofd. Hij had zijn ogen gesloten.

'Ben je er?' vroeg hij toen hij haar schaduw op zijn gezicht voelde. Meteen kwam hij overeind.

'Wat gaan we doen?' vroeg Eve.

'Een eindje fietsen?' stelde Tibo voor. 'We zien wel waar we belanden. Misschien kunnen we door het bos naar de stad rijden, daar wat rondhangen en een ijsje eten.'

'Nee, geen ijsjes!' pufte Eve en ze trommelde met een paar vingers op haar maag. 'Ik heb deze middag al genoeg gehad.'

'Bang voor je figuur?' vroeg hij plagerig.

Met de rug van haar hand sloeg ze hem op zijn ribben en ze liep naar haar fiets.

'We rijden naar de stad', riep Tibo naar niemand in het bijzonder en hij holde Eve achterna.

'Zin in een spurtje?' zei Eve toen ze een bospaadje affietsten. Ze ging recht op de trappers staan en maakte snelheid. Als een echte mountainbiker ploegde ze met haar fiets door het mulle zand. De banden hotsten en botsten over boomwortels en ondiepe putten.

Soms waarschuwde ze schreeuwend wandelaars, die zich vlug langs de rand van het pad in veiligheid brachten. Telkens weer moest ze met een zwaai van haar hoofd het haar voor haar ogen weghalen.

'Zalig! Vind je ook niet, Tibo?'

Toen ze niks hoorde, keek ze over haar schouder en ze zag dat Tibo een eindje achterop lag. Zo merkte ze de boomwortel niet die over het paadje liep. De fiets maakte een wilde sprong en hoewel ze uit alle macht haar remmen dichtkneep, kon ze niet verhinderen dat haar voorwiel onderuit slipte en ze met de fiets in de grasberm tuimelde. Beduusd ging ze rechtop zitten en ze keek verwijtend naar de boomwortel, alsof die haar met opzet uit evenwicht had gebracht.

Tibo remde bruusk af en liet zijn fiets in het gras vallen.

'Heb je je pijn gedaan?' vroeg hij bezorgd terwijl hij op zijn knieën naast haar kwam zitten.

Ze keek eens naar haar elleboog die wat geschaafd was en naar haar benen, die groene grassporen hadden.

'Een beetje pijn in mijn rug, dat is alles. Ik ben tegen een boomstam gerold.'

Ze richtte haar vinger ergens tussen haar schouderbladen.

'Stomme wortel', zei ze boos.

Tibo grinnikte.

'Geef die wortel maar de schuld. Je vergeet dat je als een gek over het pad scheurde.'

Ze trok een beteuterd gezicht. Hij boog zich over haar, legde zijn arm achter haar hals en kuste haar.

'Zal ik de pijn wegmasseren?' vroeg hij terwijl hij al op zijn knieën achter haar kroop.

'Hier?' vroeg hij terwijl hij met zijn vingers naar de pijnlijke plek op haar rug zocht.

'Een paar centimeters hoger', zei ze.

Hij masseerde met zijn duimen langs haar rugwervel.

'Lekker', zei ze genietend. 'Heb je dat vaker gedaan?'

'Nee, ik masseer gewoon op gevoel.'

Ze boog zich wat voorover zodat hij haar hele rug kon masseren.

'Het is gewoon...'

Opeens voelde ze hoe zijn masserende handen onder haar T-shirt kropen en naar haar buik gleden. Zijn borst drukte tegen haar rug.

'Nee, Tibo, liever niet', zei ze toen zijn handen een weg naar haar beha zochten.

'Waarom niet?' fluisterde hij in haar hals. 'Geef je niet om me?'

Zijn vingers gleden onder het elastiek van haar beha.

'Straks komen er wandelaars voorbij.'

'We hebben al een tijdje geen wandelaars gezien.'

Een rilling ging door haar heen toen zijn handen begerig haar borsten grepen. Ze trok zijn handen weer naar beneden en kwam vlug overeind.

'Ben je zo preuts?' vroeg hij met een verongelijkt gezicht. Zijn handen lagen werkloos op zijn dijen.

'Nee, echt niet', zei ze terwijl ze onder haar T-shirt het elastiek van haar beha op zijn plaats trok. 'Ik heb er gewoon geen zin in. Een andere keer.'

Hij haalde zijn schouders op en veerde overeind.

'Laten we maar verder fietsen', zei hij lusteloos.

Zonder een woord pakten ze hun fiets.

Ik heb het helemaal verpest, dacht Eve terwijl ze haar fietsstuur weer in de goede positie wrong.

Een streep licht viel op de muur toen mama de deur opende en haar hoofd in de slaapkamer stak.

'Slaapwel, Eve. Tot morgen.'

'Slaapwel, mama.'

Het werd weer donker. Eve lag op haar rug en staarde in het duister naar het plafond. Onder haar nachtpon speelden haar vingers met haar tepels en ze was benieuwd of ze iets bijzonders zou voelen.

'Ik ben niet preuts', mompelde ze. 'Een volgende keer zal Tibo het wel merken. Maar nu al...'

Voor haar hoefde het nog niet. Maar Tibo... eigenlijk had ze nog iets goed te maken. En ergens was ze ook wel benieuwd hoe het zou zijn om te vrijen.

Terwijl ze een hand tussen haar benen legde, zag ze achter haar gesloten oogleden dat Tibo op zijn knieën naar haar toe kroop. Net zoals deze middag kwam hij achter haar zitten. Ze stak haar armen omhoog zodat hij gemakkelijk haar T-shirt over haar hoofd kon trekken. Eerst zochten zijn vingers in de cups van haar beha, daarna gleden ze over haar schouders naar haar rug en frunnikten het haakje van haar beha los. Ze voelde zijn adem in haar hals toen zijn handen haar borsten verkenden.

Toen de handen daarna onder haar rokje zochten en haar broekje over haar knieën trokken, wreef Eve steeds feller met haar vingers tussen haar benen en ze verstrakte. Ze kneep haar dijen samen. De vingertoppen krioelden door haar schaamhaar en betastten haar vochtige spleetje. Eve kreunde een beetje toen ze met haar voeten haar onderlichaam omhoogduwde en opeens alle spanning voelde wegzinken.

Goh, mompelde Eve.

Ze liet zich in het gras onderuitzakken en ze was helemaal niet verbaasd toen ze boven haar hoofd niet Tibo zag, maar in het gezicht van Margaux keek. Ook Margaux droeg enkel nog een rokje. Het meisje was net als Eve ouder geworden en Eve stak haar hand uit om de borst van Margaux aan te raken. Terwijl ze met het topje van haar wijsvinger teder over de tepel van Margaux streelde, boog die zich voorover en kuste Eve op de mond.

Eve kreunde en schoof ongedurig over het laken terwijl ze haar hand tussen haar dijen sloot. Ze verkrampte en perste haar lippen opeen om het niet uit te schreeuwen. Eve bleef roerloos liggen en ze liet nagenietend de fantasie zich achter haar gesloten oogleden herhalen.

Opeens ging ze rechtop zitten. De donsdeken viel op haar benen en ze trok beschaamd haar hand weg.

'Met Margaux?' mompelde ze verward. 'Hoe kan dat nu? Zoiets fantaseren is vast ziekelijk.'

Een tijdlang bleef ze hoofdschuddend rechtop in het duister zitten. Toen liet ze zich weer achterovervallen. Ze strekte haar armen, alsof die haar lichaam niet meer mochten aanraken. Steeds weer verscheen Margaux in het duister van de kamer en Eve schaamde zich omdat de aanrakingen van het meisje haar zo opwonden.

4.

'Ja, mama!' riep Eve toen die onder aan de trap voor de tweede keer in vijf minuten haar naam schreeuwde. Ze lag languit in bed met de donsdeken onder haar kin. Het zonlicht drong getemperd door de gordijnen en Eve sloot haar ogen tegen het licht. Ze had een onrustige nacht gehad. In de schemerzone tussen slapen en wakker zijn had ze steeds weer Margaux gezien. Niet de Margaux die met legoblokken speelde, maar een naakte Margaux, die met haar vingers en haar mond Eve deed kreunen van genot.

Het is vies om op die manier aan haar te denken, dacht Eve radeloos. Maar ze herinnerde zich ook hoe de fantasie haar deed huiveren en hoe ze tot na middernacht in haar bed had gekronkeld terwijl ze zich vingerde onder de strelingen van het meisje. Onbewust gleed haar hand weer onder haar nachtpon.

'Eve! Je zult te laat op school komen!'

Ze schrok op.

'Ik ben al uit bed!' riep ze terug.

Ze gooide het dekbed van zich af en haastte zich naar de badkamer. Voor een keertje mocht een snelle zwaai met een nat washandje over haar gezicht wel. Enkele minuten later denderde ze de trap af.

'Goedemorgen', murmelde ze.

'Had je me niet gehoord?' vroeg mama. 'Ik heb je driemaal moeten roepen.'

'Nee, ik moet wel heel vast geslapen hebben.'

Om geen verdere uitleg te hoeven geven, opende ze de ijskast om een flesje Fristi te pakken en ze schoof achter haar bord met müsli.

'Müsli en Fristi. Dat gaat toch niet samen', zei mama hoofdschuddend.

Eve antwoordde niet, maar lepelde snel haar bord leeg. Zoals gewoonlijk had Niels slaperig zijn bord leeggeschept en hij stopte zwijgend zijn broodtrommel in zijn tas. 's Morgens was hij een zombie.

'Over drie minuten moet ik naar kantoor vertrekken', foeterde mama. 'Doe jij de deur op slot?'

'Ja, mama', zei Eve afwezig terwijl ze van haar Fristi dronk.

Plotseling keek mama haar strak aan.

'Is er iets?' vroeg ze bezorgd.

Eve schrok op.

'Nee. Wat zou er zijn?'

'Ik weet het niet. Je lijkt zo afwezig. Is er iets op school? Met Tibo?'

'Nee, echt niet. Er is niks bijzonders aan de hand', zei Eve en ze vroeg zich af of dat klopte. Tenslotte was er ook niks bijzonders gebeurd. Misschien was het toeval geweest dat Margaux plots in haar fantasie opdook en zou het gewoon bij die ene keer blijven.

'Oppassen als je met de fiets naar school rijdt', waarschuwde mama terwijl ze in haar tas rommelde om te controleren of ze niks vergeten was. Sinds twee jaar nam ze altijd met dat zinnetje afscheid.

'Doei!' zei Niels en hij verdween naar de garage, waar hun fietsen gestald waren.

Eve stopte haar bord, het glas en de lepel in de vaatwasmachine.

Bij de verkeerslichten trommelde Eve ongeduldig met haar vingers op haar fietsstuur. Het moest al laat zijn, want er wachtte bijna niemand voor de school of in het parkje dat voor de school lag. Gelaten keek Eve naar de auto's en de fietsen die voor haar neus voorbijreden. Opeens speelde er een glimlach op haar gezicht. Naast de schoolpoort leunde Annelies met haar rug tegen de muur. Met zijn rechterbeen tussen haar benen stond Kevin tegen haar aangedrukt en gaf zijn vriendin een eindeloze kus. Zijn helm lag naast zijn voeten. De armen van Annelies waren rond Kevins onderrug gesloten en knelden haar vriend tegen zich aan. Met de ogen dicht genoot ze van de kus.

De autostroom bleef staan en nog voor het licht groen werd, stak Eve het kruispunt over.

'Annelies! *Wake up!* Het is tijd!' riep Eve terwijl ze hen passeerde.

Het was alsof Annelies wakker schrok. Toen Eve de fietsenbergplaats binnenreed, zag ze hoe Kevin zich naar zijn motorfiets haastte, die naast het parkje op de sokkel stond. Met haar rugtas in haar hand snelde Annelies achter hem aan om hem nog een laatste kusje te geven.

Al rijdend sprong Eve van het zadel en duwde het voorwiel in het fietsenrek. Een rek verderop maakte Shanna haar boekentas los van de bagagedrager.

'Ben je daar eindelijk!' riep Shanna. 'Ik heb zeker tien minuten op je gewacht.'

'Sorry. Verslapen.'

Shanna had haar tas losgemaakt en liep naar haar vriendin. Op dat ogenblik fietsten wat jongeren uit de hoogste klas lachend de fietsenbergplaats binnen. Eve keek op en merkte hoe Céline haar aankeek. Ze draaide verlegen haar hoofd weg.

'Dag, Eve', zei Céline.

'Hoi, Céline.'

'Ken je mijn naam?' vroeg Céline terwijl ze verrast een rimpel tussen haar ogen trok.

'Tibo van Goethem kent jou.'

'Ha, Tibo. Hij woont een paar huizen verderop in onze straat. Zaterdag zag ik jullie samen. Ga je met Tibo?'

Het duurde even voordat Eve 'ja' zei.

Céline keek Eve taxerend aan, alsof ze haar niet geloofde.

'Eve! We mogen ons wel een beetje haasten. Zo meteen klinkt de bel', zei Shanna.

'Je bent toch met Tibo?' vroeg Shanna terwijl ze over het schoolplein liepen.

'Dat weet je toch.'

'Je klonk niet echt overtuigd toen je daarnet met Céline sprak.'

Eve beet onzeker op haar onderlip.

'Soms weet ik het niet', gaf ze toe. 'Ik vind Tibo tof. Hij ziet er goed uit en ik mag hem graag.'

'Hem graag mogen', zei Shanna schamper. 'Is dat alles?'

Terwijl de jongeren op het schoolplein wazig werden, dacht Eve aan Margaux, aan de vorige nacht.

'Ik heb met Tibo nog nooit een wawgevoel gehad, je weet wel', bekende ze. 'Maar dat komt nog wel... denk ik.'

Shanna schikte haar rugtas wat beter over haar schouder.

'Hoe lang kennen we hem al? Vanaf het derde leerjaar? Ik denk dat het moeilijk is om verliefd te worden op iemand die je al zo lang kent.'

Nadenkend hield Eve haar ogen op de schoolpoort gericht en ze merkte amper dat Annelies blozend het schoolplein op liep.

'Misschien heb je gelijk. Ik vind Tibo al jaren sympathiek.'

'Sympathie is geen liefde', deed Shanna belerend.

'Maar zei mevrouw Belmans onlangs niet dat je naar elkaar toe moet groeien? Waarschijnlijk moet ik wat geduld hebben.'

Shanna ontdekte Tibo tegen een pilaar van het afdak.

'Daar is Tibo. Bij Britt. Ik zou maar uitkijken als ik jou was', zei Shanna plagend.

'Ach, ga weg', zei Eve terwijl ze Shanna een goedbedoelde por in haar zij gaf. 'Die wil toch Samuel.'

'It takes two to tango', zei Shanna en het leek alsof ze het wel grappig vond. 'Samuel heeft al iemand anders.'

'Ken ik haar?' vroeg Eve meteen.

'Ik denk het niet. Ze zit niet op onze school. Hij heeft haar tijdens een scoutsfeestje leren kennen... Maar het zal vast niet lang duren. Samuel valt niet zo op nonnetjes.' Shanna giechelde geheimzinnig. 'Dat vertelde Britt me tenminste. En die kan het weten', voegde ze er ondeugend aan toe.

Eves ogen werden een beetje donker toen ze aan de vervelende fietstocht met Tibo dacht. Zou Tibo haar daarom... Maar nee, Tibo keek Britt helemaal niet verliefd aan. Ze praatten gewoon wat met elkaar. Toch leek het alsof Tibo schrok toen Britt hem met een duwtje vertelde dat Eve naar hen toe kwam.

'Hoi, meisje', zei Tibo en hij gaf haar een kusje op haar wang. Hij nam haar arm en ze lieten Britt achter.

'Heb je gisteren mijn sms'je gekregen?' vroeg hij terwijl hij bezorgd tussen zijn haarpieken krabde.

'Ja', zei Eve. 'Maar ik was helemaal niet boos om wat er gebeurd is.'

'Waarom heb je dan geen berichtje teruggestuurd?'

'Ik had geen beltegoed meer', zei ze meteen omdat ze het leugentje gisteren al had voorbereid. En opeens besefte ze dat het haar eigenlijk weinig uitmaakte of hij gisteren boos was of niet.

Nee, dacht ze, dat verdient Tibo niet. Daarvoor is hij veel te lief.

Tijdens de pauze liep ze met Tibo en Shanna rondjes op het schoolplein. Ze wist dat Tibo liever met haar alleen wilde wandelen, maar ze wilde Shanna niet dumpen. Ze trokken al jaren samen op.

'Kijk eens wat ik gekocht heb', zei Tibo terwijl hij een gsm uit zijn zak haalde. 'Er zit mms op. Je kunt er foto's mee verzenden. Sta eens even stil.'

Hij hield de Nokia voor de meisjes en toonde hun de foto op het schermpje.

'En naar wie ga je die foto doorsturen?' vroeg Shanna plagerig.

'Naar Britt. Ze heeft vorige week ook zo'n toestel gekocht.'

'Britt?' vroeg Eve verbaasd. 'Kan die zo'n Nokia betalen?'

'Waren jullie vanochtend over die gsm aan het praten?' vroeg Shanna.

'Ja', zei Tibo. 'Dat is toch logisch wanneer je allebei hetzelfde toestel hebt. Ik moest haar nog een paar functies uitleggen.'

'Gaan jullie woensdag trainen?' veranderde hij meteen van onderwerp.

'We trainen elke woensdag', zei Shanna.

'Dan kom ik kijken.'

'Liever niet', zei Eve. 'Domien heeft dat niet graag. Hij vindt dat we dan te veel worden afgeleid.'

'O', mompelde Tibo teleurgesteld.

'Maar na de training is het geen probleem', herstelde Shanna vlug Eves foutje. 'Misschien kunnen we nog iets drinken in de cafetaria. Dat kan toch, Eve?'

'Natuurlijk.'

Meteen klaarde Tibo's gezicht weer op.

'*A seven nation army couldn't hold me back*', zong Eve mee toen het liedje van The White Stripes uit een luidspreker over het terras klonk.

'Dat is een cool nummer', zei Britt terwijl ze gelijktijdig met Eve haar tennistas op de terrastegels liet vallen.

'Ik hoor het ook graag', zei Tibo, die hen aan een tafeltje opwachtte.

Shanna was iets eerder klaar met douchen en zat al tegenover Tibo. Eve plofte naast haar vriend in een plastic stoeltje.

'Dat was lijden', pufte ze.

Haar gezicht was rood aangelopen van de inspanning en het warme water. Haar halflange haar kleefde nog tegen haar hoofd en zorgde voor strepen op haar wangen en haar voorhoofd.

'Je haar lijkt op een hooimijt', verweet Shanna haar vriendelijk. 'Waarom wilde je mijn haardroger niet gebruiken?'

'Het droogt wel in de zon', zei Eve schokschouderend alsof dat het minste van haar zorgen was. 'Is Annelies er nog niet? Die was zich toch al aan het aankleden toen ik nog onder de douche stond.'

'Annelies is al weggegaan. Kevin... weet je wel', zei Shanna met een zucht. 'Het lijkt alsof ze geen seconde zonder hem kan. Soms kan Annelies echt wel truttig zijn.'

'Een Ice Tea?' vroeg Tibo terwijl hij zijn hand op haar arm legde.

'Graag.'

'Voor mij ook', zei Britt. Ze nam haar gsm en bijna blindelings duwde ze op de toetsen om een sms-berichtje te versturen.

'En jij, Shanna?'

Ze knikte naar haar flesje Fanta light, dat nog halfvol was.

'Ik kan wel een emmer Ice Tea drinken', zuchtte Eve. 'Domien heeft me echt afgejakkerd. In deze warmte...'

'Jouw wensen zijn mijn bevelen', zei Tibo overdreven romantisch terwijl hij haar hand greep en met een lichte buiging een kus op haar vingers gaf. Meteen verdween hij in de cafetaria.

Tim kwam om de hoek van het gebouw gewandeld en meteen stootte Eve Shanna met haar elleboog aan.

'Moet je kijken wat hij nu draagt. Die rare zonneklep op zijn kop en dan een T-shirt met een afdruk van Serena Williams. Hij wil vast een goede indruk op je maken.'

Shanna snoof minachtend.

'Ik haat de Williamszusjes. Die opgeblazen trutten.'

'Hoi!' zei Tim enkel en hij liet zich ongevraagd in de stoel naast Eve zakken.

'Dat is de plaats van Tibo', zei Eve streng.

'Ja, sorry', zei Tim bedremmeld. 'Dat kon ik toch niet weten.'

Hij klapte zijn groene zonneklep naar boven en haalde er een stoel bij.

'Wat kom je hier eigenlijk doen?' vroeg Britt. 'Jij speelt toch geen tennis?'

'Ik kan toch geen hele woensdag studeren', zei Tim laconiek terwijl hij een pakje Marlboro uit zijn zak peuterde. 'Wat moet ik anders doen? Vinden jullie het vervelend als ik bij jullie kom zitten?'

'Mij maakt het niks uit', zei Britt en ze blies verveeld door haar getuite lippen.

Haar gsm biepte en vlug las ze het bericht dat op het scherm verscheen.

'Van thuis?' vroeg Eve.

'Nee, dat niet.'

Ze wiste het bericht en legde het toestel weer op tafel.

'O! Tim is er ook', zei Tibo toen hij met een dienblad terugkwam en dat op het tafeltje plaatste. Hij gaf Eve een groot glas Ice Tea en gooide een groot pak paprikachips tussen de glazen.

'Jezus, dat is een vijver Ice Tea', zei ze verrast en ze zette meteen het glas aan haar lippen.

'Driekwart liter', zei Tibo met een grijns. 'Wil je ook wat, Tim?'

'Doe mij maar een cola. Het mag best een blikje zijn. Het is voor mij ook warm.'

'Dat dacht je maar. Een flesje zoals iedereen', zei Tibo en hij liep weer naar binnen.

'Het is lekker in het zonnetje', zei Eve genietend. Ze kruiste haar handen in haar hals en ze rekte zich uit.

'Zeker als je liefje erbij is', plaagde Shanna.

Eve glimlachte en ze nam een slok Ice Tea. Op het tennisveld tegenover het terras toonde Domien aan wat jongetjes hoe ze een servicebal moesten opwerpen. Jochen wierp zijn bal te ver naar voren zodat zijn racket de bal slecht raakte. De bal hobbelde tegen het hek. Met een boos gezicht haastte hij zich naar de Bekaertdraad om de bal weer op te rapen. Toen hij Eve in het oog kreeg, vormden zijn lippen een brede glimlach en hij zwaaide met zijn racket. Eve stak haar glas in de lucht en hij holde met nieuwe moed naar de opslaglijn om nog een poging te wagen. Deze keer lukte het beter en de bal viel juist over de netrand. Meteen gingen zijn ogen weer naar Eve en toen ze haar duim opstak, liet hij het racket vallen en stak triomferend zijn beide vuisten boven zijn hoofd.

'Jochen!'

De stem van de trainer klonk over het tennisveld. Jochen raapte vlug zijn racket weer op en spurtte naar de bal. Glimlachend keek Eve hem na. Jochen was een leuk ventje.

'Ga je ook?' vroeg Shanna.

'Heu…?' vroeg Eve verbaasd toen ze merkte dat haar vriendin haar wat gevraagd had.

'Of je volgende week ook naar het clubfeest gaat?'

'Natuurlijk', zei Eve. 'Waarom niet?'

'Waarom heb je me nog niks over dat feest verteld', vroeg Tibo wrang. 'Wil je soms niet dat ik kom?'

Ze wreef verzoenend met haar hand over zijn dij.

'Het is een feestje van de tennisclub. Enkel de leden mogen komen. Zo fantastisch is dat feest nu ook weer niet. Het is in de cafetaria en Domien is dj.'

'Vorig jaar was het anders best gezellig', zei Britt. 'Weet je nog dat je tijdens het dansen struikelde en op de dansvloer viel. Je had wat te veel Baccardi's gedronken.'

'Dat vergeet ik nooit', zei Eve. 'Iedereen kon vast mijn broekje zien. Ik schaamde me dood.'

De meisjes giechelden en Tibo schoof zuur grijnzend op zijn stoel.

'Zal ik je thuis komen ophalen?' vroeg Shanna.

'Prima. Dan pikken we daarna Britt en Annelies op.'

'Zou Annelies ook naar het feest gaan?' vroeg Britt venijnig. 'Mag die naar een feestje zonder Kevin?'

'Voor een keertje moet ze hem maar een avondje missen', zei Shanna beslist. 'Anders mag ze voortaan zelf haar rug wassen.'

'Is dat feest op zaterdag?' vroeg Britt opeens.

'Nee. Op zondag. Waarom?'

'Dan kan ik dit jaar niet gaan', zei Britt terwijl ze zijdelings naar Tibo keek.

'Nee?' vroegen Eve en Shanna gelijktijdig. 'De volgende dag hoeven we niet naar school. Die maandag is een vakantiedag.'

'Nee, het lukt echt niet', mompelde Britt stilletjes en weer loerde ze naar Tibo. Die knipperde snel met zijn ogen.

'Of misschien lukt het me toch', zei ze haastig.

Toen Tibo bijna onmerkbaar knikte, zakte ze weer ontspannen onderuit.

'Hoe laat vertrekken we?'

Wat betekent dat? vroeg Eve zich af terwijl ze ongelovig van Tibo naar Britt keek. Die twee hebben toch niks samen? Maar nee, Tibo en Britt kenden elkaar al zo lang. Ze gedroegen zich altijd zo gewoontjes tegenover elkaar. Maar waarom deden ze dan nu zo geheimzinnig?

'Kom je me om acht uur ophalen?' vroeg Shanna aan Eve.

'Heu...'

'Ja, zeg, ben je er nog? Als je me om acht uur afhaalt, dan rijden we naar Britt, daarna naar Annelies en dan zijn we rond halfnegen op het feest.'

Eve keek op haar horloge.

'Het is bijna vijf uur', zei ze plotseling gehaast. 'Ik moet er echt vandoor.'

Ze hing de tennistas over haar schouder.

'Rijd je mee, Tibo?' vroeg ze overbodig omdat hij ook al opstond.

Hij greep haar hand en ze liepen naar de achterkant van de kleedkamer, waar Eves fiets stond. Opeens maakte Tibo zijn hand los.

'Ga jij je fiets alvast halen', zei hij. 'Ik moet Britt nog wat vertellen.'

Op haar fietszadel lagen een paar zandkorrels, alsof er een vogeltje had rondgetrippeld. Verbaasd sloeg Eve ze van het fietszadel weg.

Met een flesje cola in haar hand stond Eve vlak bij de boxen die de waanzinnige viool van dEUS' *Suds & soda* lieten krijsen. Terwijl ze met het rietje wat cola opzoog, keek ze naar de jongens en de meisjes die op de te kleine dansvloer uit de bol gingen. Glimlachend zag ze hoe Shanna met haar armen boven haar hoofd rond haar as draaide. In het oranje-groene licht van de spots glom haar gezicht van het zweet. Ook Eve had het warm.

Als je niet danst op *Suds & soda* moet je karnemelk in plaats van bloed in je aders hebben, dacht Eve terwijl ze met haar voeten op het ritme bewoog.

Ze was echter te moe om zich weer tussen de dansers te gooien. Links van Shanna danste Britt met haar gsm in haar hand alsof ze het mobieltje geen seconde kon missen.

Axel kwam op Eve af met een flesje Jupiler in zijn hand. Hij was een jaartje ouder dan zij, maar toevallig hadden ze acht jaar geleden op dezelfde dag hun eerste tennisles gekregen. An-Sofie had haar arm rond zijn middel en leunde met haar hoofd tegen zijn schouder.

'Dans je niet meer?' vroeg Axel.

'Even rusten', zei Eve.

'Ik ook', zei hij terwijl hij An-Sofie een kusje op haar slaap gaf. Axel liet zijn ogen door de cafetaria glijden.

'Vind je het jammer dat Tibo niet mocht komen?' vroeg hij om iets te zeggen.

'Och', deed Eve luchtig. 'Zo is het ook wel leuk. Ik ken iedereen en iedereen kent mij.'

An-Sofie keek haar ongelovig aan.

'Heb je dan liever dat Tibo er niet is? Ik wil Axel geen seconde missen', zei ze en ze drukte zich wat steviger tegen hem aan.

'Een keertje vrijgezel mag toch', herstelde Eve zich vlug.

'Britt is ook moe', zei Axel met een knikje in de richting van de dansvloer.

'Ze ziet er schattig uit', zei An-Sofie een tikje spottend. 'Met haar twee haarvlechtjes, net Pippi Langkous.'

'Och', deed Eve vergoelijkend. 'Britt doet weleens gek, maar ze valt best mee.'

Britt liep naar de bar, kocht een tomatensapje en zocht het drietal op. Intussen blikte ze steeds weer naar haar gsm.

'Je lijkt wel met dat ding getrouwd', spotte Eve. 'Ik heb mijn mobieltje in mijn tas gelaten. Dat heb ik hier toch niet nodig.'

'De muziek is zo luid dat ik de ringtone nooit kan horen. Je weet maar nooit...'

'Is dat een nieuwe Nokia?' vroeg Axel belangstellend en hij stak zijn hand uit.

'Ze kan er foto's mee doorsturen', zei Eve terwijl Axel zijn vinger over de toetsen liet glijden.

'Oei, je hebt net een boodschap ontvangen', zei Axel.

Alsof de gsm plotseling witheet werd, duwde hij het toestel in Britts handen. Die las de boodschap en fronste haar voorhoofd.

'Sorry, maar ik moet dringend weg.' Ditmaal stopte ze de gsm in haar tas terwijl ze haar arm optilde om in het licht van een spot op haar horloge te kijken.

'Naar huis', voegde Britt eraan toe.

'Nu al?' protesteerde Eve. 'Maar het is nog niet eens middernacht en we moeten pas om twee uur thuis zijn.' Haar gezicht verraadde de teleurstelling.

'Ik kan er echt niets aan doen', zei Britt. 'Ik zie je deze week nog wel.' Meteen verdween ze naar de uitgang.

Toen Domien Bryan Adams' Heaven door de boxen joeg, keek An-Sofie vragend naar Axel. Hij knikte.

'Je vindt het toch niet erg dat we dansen?' vroeg An-Sofie voor de vorm.

'Natuurlijk niet', zei Eve met een nietszeggend lachje. 'Ik kijk liever nog wat toe.'

Toen de koppeltjes de dansvloer inpalmden, hield Shanna het voor bekeken. Een beetje nawiegend op het heftige ritme van dEUS bewoog ze zich naar Eve.

'Jezus, Eve, wil er echt niemand met je dansen?' vroeg ze met een snoet vol nepmedelijden.

'Nee, niemand op de hele wereld', speelde Eve haar rol.

'Heb je Britt nog gezien?' vroeg Shanna. Ze ging op haar tenen staan en probeerde om op de dansvloer het hoofd met de Pippi Langkousvlechtjes te ontdekken.

'Doe geen moeite. Ze is naar huis.'

'Naar huis?' herhaalde Shanna stomverbaasd en ze checkte haar horloge. 'Op dit uur? Waarom?'

'Ze had een berichtje gekregen. Meer uitleg kreeg ik ook niet.'

'Nou, leuk', deed Shanna pissig. 'En Annelies is er ook niet. Die moet handje in handje met Kevin op de bank zitten.'

Ongevraagd nam ze het colaflesje uit Eves hand en nam een

flinke teug. Ze boerde even, keek een tijdlang naar de dansvloer en dan weer naar Eve.

'Zullen wij dan samen dansen?' vroeg ze met een knipoogje.

'Wij? Een slow? God, waarom niet?'

Onbeschaamd dronk Shanna het flesje leeg, plaatste het op de bar en trok Eve tussen de dansende koppeltjes.

'Doe niet zo stijf', zei Shanna toen Eve haar handen op Shanna's schouders legde en haar armen bijna gestrekt hield. 'Zo dans je toch niet op Bryan Adams.'

Eve loerde schuw naar de anderen toen Shanna haar tegen zich aan trok en haar zacht heen en weer wiegde.

Om tien voor twee was het donker en rustig in de wijk. Hier en daar stond een auto langs het trottoir geparkeerd en achter een enkel raam was een gekleurd tv-scherm te zien. Ergens in de verte startte een auto, maar Eve lette er niet op. Nagenietend van het feest reed ze naar huis. Omdat het frisjes was, fietste ze met haar handen in de zakken van haar jack. De laatste uurtjes had ze met Joris gebabbeld, wat gedronken en met Shanna, Axel en An-Sofie de dansvloer stukgetrapt.

An-Sofie is een knap meisje, dacht ze. Met haar donkere haar dat in haar hals krulde. En ze had bijzondere, bijna zwarte amandelvormige ogen. Axel bofte toch maar dat ze op hem viel. Nee, het feest was best leuk geweest. Plotseling realiseerde ze zich dat ze Tibo geen seconde gemist had.

Nou ja, dacht ze. Zoals Annelies en Kevin is het toch ook maar niks. Als Tibo met vrienden een potje gaat voetballen zal hij me wellicht ook niet missen. Het is tenslotte niet omdat je met elkaar gaat, dat je een siamese tweeling moet worden.

Met een *doei!* en een *tot morgen!* had ze een paar minuten geleden Shanna bij de voordeur achtergelaten. Nog drie straten en dan was ze thuis. Zelfs mama vond dat het wel moest kunnen.

Ze stuurde haar fiets de Seringenstraat in en stopte opeens met trappen. Tweehonderd meter verder liep iemand dicht langs de hagen aan de straatrand.

'Britt?' mompelde Eve verrast en automatisch kneep ze de remmen dicht. 'Maar nee, dat kan toch niet. Britt is al een paar uur thuis.'

Toen de schim onder een straatlantaarn liep, zag Eve het rode hemdjasje, de donkere kniebroek, de twee Pippi Langkousvlechtjes... Het wás Britt.

'Wat doet die hier nog?' vroeg Eve zich binnensmonds af.

Waarom wist ze niet, maar ze stapte af, leidde met haar hand aan het stuur haar fiets naar de straatkant en drukte zich zo dicht mogelijk tegen een haag.

Voor een geelgeverfd villaatje bleef Britt staan. De garage stond een eindje in de tuin en de oprit was bezaaid met grote, witte keien. Britt nam een paar handschoenen uit haar zak en trok ze aan. Toen bukte ze zich, nam een kei en liep naar het huis. Ze keek nog vlug om zich heen en gooide vervolgens de steen door het raam van de zijgevel. Het leek alsof het geluid van brekend glas door de hele straat rinkelde. Rustig liep Britt terug naar de straat en zonder omkijken wandelde ze naar haar fiets, die verderop tegen een heg lag.

Onthutst zag Eve hoe Britt doodkalm de fiets nam en wegreed.

Wat is dat nu? vroeg ze zich af.

Het glasgerinkel had haar oorverdovend geleken en toch ging er in geen enkel huis het licht aan. Nergens stak er iemand zijn hoofd uit het raam of buiten de deur. In de verte zag ze het rode lichtje van Britts fiets flauwer worden. Volledig in de war zwierde Eve haar been over haar fiets.

Britt? In het holst van de nacht zomaar ergens een steen door een raam gooien en dan gewoon verder rijden alsof er niks aan de hand was? Eve snapte er niks van. Zou het een soort manie zijn? Zoals sommigen het niet kunnen laten om dingen in de fik te steken of iets te jatten?

Op de hoek van de Seringenstraat brandde nog licht in taverne

Malpertuus. Een blauwe meisjesfiets met een *Lord of the Rings*-sticker op het spatbord leunde eenzaam tegen de gevel.

'Krijg nou wat', zei Eve stomverbaasd.

Benieuwd liep ze naar de overkant van de straat en ze verborg zich tussen twee coniferen die aan de oprit van een huis stonden. Hoewel het al laat was, zaten er nog tamelijk veel mensen in de taverne. Aan de bar keuvelden wat mannen en een vrouw op barkrukken en de meeste tafeltjes waren bezet. Britt had in de hoek een leeg tafeltje gevonden. Er stond een glas cola voor haar neus en ze keek maar wat naar de muur of naar de andere gasten.

'Zou ik naar binnen gaan?' vroeg Eve zich af. 'Maar misschien vindt Britt dat juist vervelend.'

02.07 u gaf haar horloge aan.

Nee, ze moest naar huis. Mama leek wel een ingebouwde antenne te hebben die haar wekte als Eve haar sleutel in het deurslot stak. En te laat zijn betekende een boel heibel.

Eve wilde haar fiets naar de straat leiden toen ze een fietslicht zag naderen. Instinctief schoof ze weer tussen de coniferen. Toen de fietser bij het raam van de taverne stopte, kneep Eve haar knokkels wit in het fietsstuur.

'Tibo?'

Ze knipperde verbijsterd met haar ogen.

Tibo loerde even door het raam, plaatste zijn fiets tegen de gevel, duwde zonder aarzelen de deur open en ging bij Britt aan het tafeltje zitten.

Britt en Tibo? Hebben ze samen afgesproken? Liet Britt haar daarom op het feest achter? Ze voelde zich bedrogen, zowel door Tibo als door Britt.

Maar de twee kusten elkaar niet of lachten zelfs niet. Ze bogen hun hoofden wat naar elkaar, alsof ze niet wilden dat iemand hen kon horen.

Waarom hebben ze om twee uur 's nachts met elkaar afgesproken, ging het door Eves hoofd. En dan in een taverne waar ze wellicht nooit een voet hadden binnen gezet. Ze had hen in elk geval nooit over Malpertuus horen praten. Eve begreep het niet. Ze hoefde niet jaloers te zijn, Britt en Tibo deden helemaal niet verliefd. Eigenlijk kon ze hen enkel verwijten dat ze stiekem deden. Haar blik dwaalde af naar Tibo's fiets. Toen pas merkte Eve dat er op de bagagedrager een rolletje plastic zakken vastgeklemd zat.

Eve bleef de twee een tijdje in de gaten houden. Opeens rinkelde haar gsm in haar tas en Eve had het idee dat de hele stad het geluid kon horen. Ze blikte vlug naar de taverne en constateerde een tikkeltje verbaasd dat niemand naar buiten keek. Haastig grabbelde ze het mobieltje uit haar tas en drukte een toets in.

'Weet je hoe laat het is, Eve? Waar ben je eigenlijk?' klonk het onvriendelijk in haar oor.

'Ik ben al op weg naar huis', zei ze gedempt met de gsm dicht tegen haar mond. 'Het was gewoon erg leuk op het feest en ik was de tijd vergeten.'

'Kom maar meteen naar huis. Dan kan mama tenminste weer slapen.'

Eve duwde het mobieltje weer in haar tas en liep snel langs de overkant van de straat voorbij de taverne. Toen ze uit het zicht van de ramen was, liep ze een eindje terug om het rolletje op Tibo's fiets te bekijken.

'Vuilniszakken?'

Ze sperde haar ogen wijd open. Geen twijfel mogelijk: grijze vuilniszakken met zwarte letters.

Waarom liep Tibo in het holst van de nacht met vuilniszakken rond?

In de schaduw van een oude treurwilg wachtte Tibo tot Shanna en Eve uit de kleedkamer kwamen. Terwijl ze met haar rechterhand de tennistas op haar schouder vasthield, kamde ze met de gespreide vingers van haar linkerhand haar natte haar naar achteren. Eternity van Calvin Klein rook verrukkelijk. Britt bracht dikwijls iets nieuws mee en had er geen probleem mee dat haar vriendinnen het uittestten. Eve knipperde even met de ogen tegen het felle zonlicht, maar toen ze Tibo zag, liep ze op een drafje naar hem toe. Ze kuste zijn mond terwijl hij met zijn hand over haar rug streek en haar even tegen zich aan drukte.

'Is Jef er niet?' vroeg ze overbodig.

'Nee, hij stuurde me een sms'je. Hij had wel wat beters te doen.'

'Mooi is dat', mopperde Shanna, die er intussen was bijgekomen. 'Volgende week moeten we ons groepswerk voorstellen. We zwoegen maandenlang en meneer stuurt zijn kat. O wacht, morgen vertel ik het aan Belmans. Ze moet hem een nul geven.'

'Kom nou, Shanna, je gaat Jef toch niet verklikken. Zoiets doe je niet.'

'Nee...' zei Shanna aarzelend. 'Maar het is toch niet eerlijk dat Jef niks doet en net zoveel punten krijgt als wij?'

'We laten Jef foto's zoeken die we bij onze voorstelling tonen', suste Tibo haar. 'Dan hoeft hij enkel een beetje op het internet te surfen. Zoiets ligt hem meer.'

Hij drukte zijn hoofd eventjes tegen Eves natte haar.

'Hebben jullie alles meegebracht? Mijn ouders zijn gaan werken, dus kunnen we ons rustig met het groepswerk bezighouden.'

'Mijn map zit in mijn tennistas', zei Shanna.

'Die van mij ook', zei Eve terwijl ze naar haar fiets liep, die zoals gewoonlijk tegen de achtergevel van het gebouw stond.

Zware, eiken meubels stonden op de grote, vierkante tegels in de woonkamer. Aan het plafond hing een houten kroonluchter waarin kaarsvormige lampjes zaten. Boven op de kast stonden foto's van Tibo en zijn zus. In een zilveren lijstje bouwden Naomi en Jelle een zandkasteel op een Spaans strand.

'Het zijn echt leuke kinderen', zei Eve terwijl ze de foto van de kast nam en die in het licht van het raam beter bekeek.

Shanna nam het stapeltje papieren van het tafelblad en stopte ze in een kartonnen map.

'Rijd je mee naar huis, Eve?' vroeg ze. 'Of blijf je liever nog even?'

Ze trok ondeugende rimpels in haar voorhoofd. Snel legde Tibo zijn hand op de map van Eve, die nog op de tafel lag.

'Moet je echt al weg, Eve?' vroeg hij. 'Blijf nog even.'

Ze wierp een blik op haar horloge.

'Ik moet pas tegen het avondeten terug zijn. Ik heb nog wel wat tijd.'

Shanna lachte begrijpend.

'Het is echt geen probleem, hoor. Ik vind in mijn eentje ook de weg naar huis.'

Ze wierp de tennistas over haar schouder.

'Niks uithalen wat ik ook niet zou doen!' riep ze terwijl ze de deur achter zich dichttrok.

Even later zag Eve haar langs het raam fietsen.

'Misschien kunnen we nog wat tv kijken?' stelde Tibo voor. Zijn stem klonk opeens hees en verlegen.

'Is er wat te zien?'

'Ik weet het niet', bekende hij. 'Maar als je MTV niks vindt, zap ik wel naar een andere zender.'

Hij nam de afstandsbediening en knipte de tv aan. Eve schoof over de zwarte, lederen kussens van de bank, zodat haar rokje wat opschortte. De kussens voelden koel tegen haar dijen en ze huiverde even.

'Wil je nog wat drinken?' vroeg Tibo.

'Nee, dank je. Ik heb genoeg gehad.'

Hij kruiste zijn armen voor zijn borst en zijn vingers ritselden rusteloos over zijn bovenarmen. Opeens kwam hij naast haar zitten.

'Ik hou van je', zei hij en hij kuste haar in haar hals.

'Ik ook.'

Hij draaide haar gezicht naar zich toe en kuste haar op de mond terwijl zijn handen haar hals streelden. Eve wist wat hij wilde en ze wist dat dit moment ooit moest komen. Ze voelde zich verlegen, wat angstig, maar ook nieuwsgierig.

'Wacht even', zei ze toen zijn vingers onhandig naar de knoop-sluiting van haar rokje zochten.

'Kan niemand ons storen?' vroeg ze terwijl ze opstond.

'Ma komt pas rond halfzes naar huis en pa nog later.'

Ze trok haar T-shirt over haar hoofd en maakte haar beha los. Zijn ogen waren als tastende vingers. Ze aarzelde voor ze haar rok losmaakte.

'Alleen strelen', zei ze. 'Ik wil niet zwanger worden.'

'En als ik een condoom gebruik?' vroeg Tibo vlug.

'Heb je er dan een?'

Hij knikte en strekte zijn benen om met twee vingers een doos-je uit zijn broekzak te pulken.

'Je wist dat we deze middag...' Ze kon een glimlach niet be-dwingen.

Hij lachte verontschuldigend, als iemand die betrapt wordt.

'Je weet maar nooit. Misschien was het vandaag, misschien vol-gende week of volgende maand. Maar ik wist dat het ooit zou komen.'

Ze trapte haar blauwe Puma's uit en liet haar rokje op de grond vallen. Ze was blij dat ze na de tennistraining toevallig haar lichtgroene shorty had aangetrokken. Die was het mooist.

Intussen was Tibo opgestaan en in een oogwenk had hij zich ontkleed.

'Ik vraag me af hoe het is', zei ze terwijl ze met haar vingertop-pen aan zijn erectie voelde. 'Hoe het aanvoelt wanneer je in me bent.'

Hij kreunde toen hij haar aanraakte. Gewillig liet ze zich op de bank glijden en ze keek toe hoe hij nerveus het condoom uit de verpakking peuterde en het over zijn penis rolde. Toen hij op haar kwam liggen en haar kuste, sloot ze haar ogen. Ze voelde hoe hij met zijn hand de penis in haar leidde en rilde toen het even pijn deed. Hij plaatste zijn handen naast haar hoofd, strek-te zijn armen zodat hij haar kon zien en bewoog steeds heftiger.

Even later kreunde Tibo hardop en hij bleef hijgend met zijn hoofd naast haar oor op het kussen van de bank liggen. Ze streelde zijn rug en vroeg zich af of dat alles was. Als ze masturbeerde voelde ze een siddering door zich heen gaan, maar nu...

Misschien had ik er te veel van verwacht, dacht ze. In films is het fake en misschien scheppen de anderen maar wat op. Het lijkt allemaal geweldiger dan het is.

'Vond je het goed?' vroeg Tibo gesmoord met zijn mond op het kussen.

'Het was fantastisch', zei Eve. Ze raakte met haar lippen zijn slaap. Toen keek ze weer naar boven. Er hing een klein spinnenweb in de luchter.

5.

Al een paar dagen had een grijze lucht de zomerse najaarsdagen verdreven. Een fris westenwindje zorgde ervoor dat niemand nog met blote armen over het schoolplein liep.

'Heb je na de training nog wat te doen?' vroeg Tibo aan Eve terwijl Shanna zich naar het toilet repte.

'Shanna heeft een nieuw spelletje van The Sims gekocht voor haar PlayStation en ze heeft me gevraagd om het samen uit te testen.'

'Ga je met de PlayStation spelen?' vroeg Tibo verbaasd. 'Dan ken ik wel een leuker spelletje.'

'The Sims zijn best leuk', zei Eve terwijl ze naar de jongens keek die basketbal speelden.

'Misschien kan ik je na de training oppikken? Er is niemand thuis.'

Hij probeerde haar ogen te vangen, maar toen ze naar de basketbalspelers bleef kijken, streelde hij haar kruin. Ze wist waaraan hij dacht, maar een middag met Shanna leek haar vandaag net iets leuker.

'Ik ben ongesteld', zei ze.

'Alweer?' vroeg hij ongelovig. 'Twee weken geleden was je ook al ongesteld.'

'Achttien dagen geleden. Ik ben nogal onregelmatig.'

Eve rekende erop dat hij niet veel over menstruatie wist. Het leek wel alsof Tibo van elke gunstige gelegenheid gebruik maakte om te vrijen. Soms vond ze het best fijn, maar in haar eentje met Margaux kon ze het beter.

'Soms heb ik het gevoel dat je me ontwijkt', zei hij zeurend. 'Ik begrijp het niet. Je zei toch dat het heerlijk is om met mij te vrijen.'

'Volgende week', beloofde ze.

Ze drukte een kusje op zijn wrevelige gezicht.

Shanna kwam aanlopen.

'Hebben jullie niks beters te doen dan naar het basketbal te kijken?' vroeg ze schalks.

'Ach, liever dat dan die idiote kinderspelletjes die jullie spelen', zei Tibo boos en met zijn handen diep in zijn zakken liep hij naar de deur alsof de bel al gerinkeld had.

Het geroezemoes verstomde toen meneer Van Dros het klaslokaal binnenkwam en meteen zijn aktetasje op het bureau plaatste.

'Goedendag, jongelui. Klaar voor een beetje gegoochel met cijfers en letters?' deed hij opgeruimd.

Er klonk een collectieve zucht en de leraar grinnikte. De sloten van zijn koffertje sprongen met een klik open. Hij nam een ringmap en plots zweefde een blad papier uit de map op de grond. Hij raapte het blad op, keek er even naar en meteen verscheen er een verveelde trek op zijn gezicht. Hij reikte Eve, die voor hem zat, het blad aan.

'Eve, wil jij dit papier naar het secretariaat brengen? Ik had het eigenlijk vanochtend moeten afgeven, maar…' Hij lachte verontschuldigend. 'Ik ben het vergeten. Ze hebben het dringend nodig.'

Eve stond op, nam het papier en liep naar de deur.

Ze haastte zich helemaal niet toen ze van het secretariaat terugkwam. Het gaf een raar gevoel om in haar eentje door de lege gangen te lopen. Soms hoorde ze achter een deur de stem van een leerkracht en een enkele keer legde ze haar oor tegen een deur om te horen wat er verteld werd. Toen ze op het schoolplein rumoer hoorde, haastte ze zich naar het raam. In de uiterste hoeken van het schoolplein stonden rood-witte kegels opgesteld. In een lange sliert liepen jongens en meisje uit het laatste jaar rond het circuit. De druilerige regen maakte langzaam maar zeker de tegels donker. De turnleraar had zich met zijn papieren onder het afdak verscholen.

'Hij blijft lekker droog en zij moeten door de regen lopen', mompelde Eve terwijl ze naar de loopwedstrijd keek. Iedereen droeg het verplichte, ouderwetse sporttenue. Blauwe shorts en wit T-shirt met het schoolembleem.

'Lopen!' zuchtte Eve, want het betekende dat ze vrijdag tijdens L.O. ook zouden moeten lopen. De turnleraar was zo voorspelbaar. Alle klassen kregen hetzelfde programma. Hoewel ze behoorlijk snel liep, vond Eve lopen saai. Ze speelde veel liever tennis.

Een groepje van vier jongens en een meisje liepen voorop, een twintigtal meter verder gevolgd door een ander groepje. Achteraan sleepten wat leerlingen zich moeizaam rond het circuit. De kopgroep liep zich uit de naad. Ze wilden echt winnen.

Céline, herkende Eve het meisje in de kopgroep en meteen werd de wedstrijd boeiend.

Het meisje wilde niet de mindere zijn en bleef verbeten aanklampen. Toen ze nog een keer rond de kegel gedraaid waren, verliet de turnleraar het afdak en hij ging bij de laatste kegel staan.

De laatste ronde, begreep Eve.

Het kopgroepje zette alle zeilen bij.

'Go, Céline! Pak ze!' supporterde Eve met ingehouden adem. Ze balde haar vuisten. 'Je kunt het!'

Nog twintig meter. Céline perste alles uit haar lijf. Ze haalde de vierde in, de derde...

'Derde', zuchtte Eve tevreden.

Zodra ze de kegel gepasseerd was, boog Céline zich voorover en met haar handen op haar dijen bleef ze nahijgen. De turnleraar gaf waarderend een tikje op haar rug, terwijl hij de namen van de lopers noteerde die arriveerden. Céline kwam langzaam overeind en wandelde in de richting van het raam waar Eve stond. Haar hoofd was rood en ze ademde diep in en uit.

Eve vergat een ogenblik te ademen. Het sporttruitje van Céline was doorweekt en kleefde aan haar lichaam als een tweede huid. Alsof ze naakt was, stonden haar borsten afgetekend in het natte shirt. Eve kon haar ogen niet van het meisje afhouden.

Jezus, wat is ze knap, ging het door haar heen.

Alsof ze voelde dat ze werd aangekeken, hief Céline haar hoofd op. Ze keken elkaar recht in de ogen. Céline bleef staan en trok haar schouders naar achteren zodat haar borsten nog duidelijker te zien waren. Eve sloeg beschaamd haar ogen neer, maar ze kon zich niet bedwingen om weer naar het meisje te kijken. De felle gloed in de ogen van Céline hield haar blik vast. Met tegenzin deed Eve een paar stappen achteruit en als bedwelmd liep ze weer naar het klaslokaal.

Met een vingerknip deed meneer Van Dros Eve opschrikken. Verward keek ze de leraar aan.

'Scheelt er iets, Eve?' vroeg hij. 'Je bent zo afwezig. Dat ben ik van jou niet gewend.'

'Het is niks', haastte Eve zich. 'Mijn gedachten zaten even ergens anders.'

'Tibo?' vroeg de leraar plagerig.

'Nee hoor.'

Terwijl ze zich afvroeg hoe meneer Van Dros dat wist, wisselde ze een blik met Tibo. Hij glimlachte alsof hij begreep dat ze loog om hen flauwe grapjes te besparen.

'Wanneer je terug op de aarde bent, kun je misschien je gedachten bij de vergelijkingen houden. Dat is wellicht niet zo leuk als over een jongen dromen, maar wel gezonder als je examens hebt.'

Ze knikte en deed alsof ze ijverig naar de cijfers op het schoolbord keek. Ze schaamde zich dood omdat ze Céline met haar felle ogen en haar doorweekte truitje niet uit haar gedachten kon bannen.

Het licht van de lamp zorgde voor een gele vlek op haar bureaublad. Met een zucht klapte Eve het boek dicht en ze zakte wat onderuit. Algebra lukte niet vanavond. Ze probeerde zich steeds weer te concentreren, maar na een paar minuten werden de gedrukte regels weer vaag. Ze keek wat van Coldplay naar de reuzegrote Cacharelposter die ze een paar weken geleden in een parfumerie had gevraagd.

Ik vind sommige parfumposters echt heel mooi, had ze aan mama verteld toen ze hem met tape boven haar bed plakte.

Toch wist ze dat ze de poster gekocht had omdat ze het fotomodel, dat het flesje parfum tussen haar vingers hield, zo'n adembenemende vrouw vond. De sierlijke, witte jurk die om haar slanke lichaam gedrapeerd was zoals bij een Griekse godin; het lange, zwarte, zacht glimmende haar tot aan haar schouders; de mooie, blanke huid...

Eve kwam uit haar bureaustoel en kroop op haar knieën over het bed naar de poster. Met haar vingertoppen streelde ze de wangen van de vrouw. Ze probeerde zich in te beelden dat de vrouw niet van papier was, maar dat ze haar écht aanraakte. Ze liet haar vingers langs de hals en de schouders glijden en huiverde toen ze de gleuf tussen de borsten aanraakte, die achter het dunne jurkje verscholen bleven. Eve was zo opgewonden dat ze zachtjes vloekte omdat haar hand niet onder de spaghettibandjes kon kruipen om de jurk over de ronding van de schouders naar beneden te laten glijden.

Teleurgesteld liep Eve naar de badkamer. Ze knipte het licht aan en kneep wat tandpasta op de tandenborstel. Terwijl ze haar tanden poetste, bekeek ze haar gezicht in de spiegel. Ze hield de borstel stil. Er kleefde wat tandpasta aan haar lippen. Ze bracht haar gezicht tot een paar centimeters voor de spiegel en dwong zichzelf om in haar eigen ogen te kijken.

'Je bent niet lesbisch', fluisterde ze. 'Je bent niet lesbisch, Eve.'

Maar waarom denk ik dan aan Margaux als ik masturbeer? Waarom kan ik mijn ogen niet van Céline afhouden?

'Nee, je wilt niet lesbisch zijn!' zei ze hardop.

Ze wilde niet meer in de spiegel kijken.

Hoofdschuddend leunde Domien tegen de afrastering. Eve reageerde weer te laat op de bal die Britt serveerde.

'Zo moeilijk was die opslag toch niet', riep Domien.

Eve knikte schuldbewust en met beide handen kneep ze in het handvat van haar racket om de volgende opslag te retourneren. Britt wierp de bal in de lucht en Eve sloeg de return hopeloos in het net. Woedend keilde ze haar racket op het gravel.

'Eve!'

Domien leek nu echt boos. Terwijl ze haar tanden op elkaar liet knarsen, raapte Eve haar racket op.

'Het is hopeloos vandaag. Niks lukt me.'

Tranen blonken in haar ogen.

'Nog een kwartiertje. Nog even volhouden. De volgende bal lukt vast beter. Het is enkel een kwestie van concentratie', probeerde Domien haar op te peppen.

Met lome benen liep Eve naar haar sporttas en stopte haar racket in de hoes. Ze hing de tas over haar schouder.

'Britt kan misschien nog even met Annelies en Shanna trainen', zei ze terwijl ze langs Domien naar het hekje liep.

Die keek haar ongelovig na.

Alsof ze zichzelf pijn wilde doen, wreef Eve met de handdoek over haar dijen tot ze gloeiden. Er klonken stemmen voor de deur. Eve hoorde dat Britt haar naam noemde, maar de meisjes zwegen toen ze de deur openduwden.

'*Fuck*', kreunde Shanna terwijl ze zich op de lattenbank liet vallen. 'Domien is een sadist. Hij sloeg de ene bal na de andere om onze oren.'

Ze keek Eve schuin aan.

'Je weet wel wanneer je op de loop moet gaan.'

'Het lukte gewoon niet', verdedigde Eve zich. 'Je weet toch dat ik niet bang ben om mijn truitje nat te maken.'

'Het is wel goed, hoor', suste Shanna. 'Een slechte dag is nog geen slecht seizoen.'

Ze greep met gekruiste armen de zoom van haar truitje en trok het over haar hoofd.

Waarom begreep ze niet, maar Eve keek verlegen weg toen het meisje haar beha losmaakte. Het was toch niet de eerste keer dat ze Shanna naakt zag?

'Noa?' vroeg Annelies jaloers toen Britt het flesje parfum op de lattenbank plaatste. 'Dat is gruwelijk duur.'

'Behoorlijk, ja', zei Britt, alsof het niks bijzonders betekende. Zonder opkijken rommelde ze in haar tas op zoek naar haar douchegel. 'Wil jij een vleugje Noa, Eve?'

Zonder opkijken reikte ze haar vriendin het flesje aan. Terwijl Eve met een hand met de handdoek over haar natte haar boende, nam ze het flesje aan en verstoof wat parfum in haar hals en achter haar oren.

'Ruikt fantastisch', zei ze terwijl ze het parfum weer aan Britt gaf.

'Tibo wordt gek als hij aan je ruikt', grinnikte Britt.

Meteen werd Eve ernstig.

'Ik ga het uitmaken', zei ze zacht.

Shanna, die net onder de douchekop stond, kwam meteen weer naar de kleedkamer.

'Wat zeg je?' vroeg ze ongelovig. 'Ga je hem dumpen?'

Zes ogen staarden Eve ontsteld aan.

'Ja', zei Eve. 'Het klikt gewoon niet. Het ligt niet aan Tibo. Hij doet echt wel zijn best, maar... Ik voel me nu eenmaal niet bijzonder gelukkig bij hem. Als vriend is Tibo geweldig, maar ik ben gewoon niet verliefd op hem.'

'Hij vertelde me dat jullie het samen zo goed hadden', zei Britt. 'Ook bij het vrijen.'

'Heeft hij dat écht verteld?'

Eve kon wel door de grond zinken van schaamte. Ze kon bijna niet geloven dat Tibo... Tja, Britt moest wel een heel goede vriendin zijn.

'Ja. Mocht hij dat niet vertellen?'

'Waarschijnlijk wel.'

Eve vond het helemaal niet leuk. Wie weet wat Tibo allemaal

verteld had. Misschien had hij alles wel enorm opgehemeld.

'Ga je het hem straks vertellen?' vroeg Shanna.

'Ja', zei Eve somber. 'Om eerlijk te zijn, ik haat het om hem straks in de ogen te kijken, maar het moet nu eenmaal. Liever een korte pijn dan een lange.'

Ze zuchtte diep toen ze haar sporttas oppakte.

'Kun je hem geen sms'je sturen?'

Eve haalde haar schouders op.

'Dat is laf', zei ze. 'En morgen zie ik hem toch weer in de klas. Dat maakt het dubbel moeilijk.'

Ze hing de tas over haar schouder en toen ze de deur achter zich sloot, hoorde ze de meisjes druk met elkaar praten. Nu het weer wat frisser werd, waren de plastic meubeltjes op het terras verdwenen. Zoals Eve verwacht had, stond Tibo bij de ingang van het tennispark te wachten. Bijna altijd kwam hij haar op woensdag na de training ophalen en dan reden ze naar Tibo's huis. Telkens had Eve er wat meer tegen opgezien. Het vrijen was er te veel aan.

'Hoi!' riep Tibo en hij keerde zijn fiets al met het stuur in de richting van de straat.

Gewoonlijk drukte Eve een kus op zijn lippen alvorens ze haar fiets ging halen, maar nu bleef ze gewoon op een metertje of twee staan.

'Ik rijd vandaag niet met je mee, Tibo.'

Ze dwong zich om haar gezicht strak te houden. Zijn gelaat verraadde teleurstelling.

'Waarom niet? Moet je ergens heen?'

Ze beet op haar onderlip voordat ze antwoordde.

'Ik ga gewoon naar huis.'

'Naar huis?'

'Sorry, Tibo, maar ik denk dat we er beter mee kunnen kappen. Ik ben niet verliefd op jou. Eigenlijk nooit geweest, denk ik. Maar ik dacht dat het wel zou komen. Ik heb me vergist.'

'Vergist?' herhaalde hij zachtjes voor zich uit. 'En toen we vrijden? Jij vond het toch ook fijn?'

'Minder dan jij, denk ik.'

Hij boog zijn gezicht naar haar toe en snoof opvallend met zijn neus.

'Je ruikt zo bijzonder', zei hij bijtend. 'Voor wie heb je dat parfum gebruikt?'

'Voor niemand. Britt had het bij zich. We gebruiken dikwijls wat van elkaar.'

'Maak dat iemand anders wijs', gromde hij.

Hij plaatste ruw zijn voet op de trappers en schoot de straat in.

Eve voelde zich rot. Toen hij uit het zicht verdwenen was, slofte ze naar de achtergevel van de kleedkamer. Aan de zijkanten van haar zadel kleefden een paar zandkorrels. Toen ze de korreltjes wegwreef, bemerkte ze op het zadel lichte veegsporen, alsof iemand met zijn hand het zadel had willen schoonmaken. Ze fronste de wenkbrauwen terwijl ze de zandkorrels wegblies.

'Zou iemand...' vroeg ze zich hardop af en ze keek snel om zich heen. 'God, nee... ik verbeeld me maar wat. Wellicht iemand die toevallig voorbijliep en in een reflex zijn hand over het zadel liet gaan. Wie zou er nu voor mij de zandkorrels wegvegen?'

Misschien was het toch beter geweest om Tibo een sms'je te sturen, dwaalden haar gedachten meteen weer af.

6.

Heel langzaam fietste Eve door de Ekelaarslaan. Onafgebroken hield ze haar ogen op het huis met de felgroene ramen gericht. Toen ze het huis naderde, reed ze zo mogelijk nog wat langzamer. Teleurgesteld liet ze het huis achter zich.

'Zou ik nog eens het blokje omrijden?' vroeg ze zich af, maar ze schudde haar hoofd.

Ze was al vier keer langs het huis gereden en nog had ze Céline niet gezien. Ze maakte zich hopeloos belachelijk. En Tibo woonde wat verderop.

'Nog één keer', nam ze zich voor. Ditmaal bleef ze een tijdje op de hoek van de straat wachten terwijl ze het witte huis in de gaten hield. Opeens werd de garagepoort geopend. Eve bleef een ogenblik als versteend staan toen Céline haar fiets op het voetpad duwde en de garagepoort achter zich sloot. Gespannen streek Eve met beide handen haar trui glad.

'Hé, dat is ook toevallig', zei Eve toen ze Céline inhaalde.

'Eve!' riep Céline verrast. Haar ogen lichtten op.

'Ik was op weg naar de tennisclub en toen zag ik je plotseling voor me rijden.'

Ergens schaamde ze zich voor haar leugens, maar toch had ze geen spijt. Ze voelde de adrenaline door haar lijf stromen nu ze eindelijk eens met Céline kon praten.

'Naar de tennisclub? Dan rijd je toch niet langs deze straat?' Céline keek haar onderzoekend aan.

'O ja, je wilt natuurlijk eerst langs Tibo rijden', gokte ze.

'Het is uit tussen ons', zei Eve en ze kon een glimlach niet verbergen.

'O ja? Waarom?'

Eve voelde de vragende blik, maar ze bleef voor zich uit kijken.

'We pasten gewoon niet bij elkaar. Ik voel me nu beter.'

'Dat denk ik ook', zei Céline wat raadselachtig.

'Wat bedoel je?'

'Je merkt het nog wel.'

Ze legde haar hand op de arm van Eve. Haar vingers leken door de wol van de trui te dringen en Eve voelde de aanraking tot in de puntjes van haar haren. Céline trok haar hand weg. Ze reed met haar fiets het voetpad op en remde af bij een bakkerswinkel.

'Maar waarom reed je nu langs de Ekelaarslaan?' riep ze nog.

Maar Eve hoorde de vraag niet meer.

'Shit! Shit! Shit!' vloekte Eve toen ze zich op de lattenbank van de kleedkamer liet vallen. Woest duwde ze haar racket in haar sporttas.

'Iedereen heeft weleens een mindere dag', probeerde Shanna haar op te beuren.

'Ik bak er gewoon niks van', foeterde Eve. 'Zo slecht heb ik nog nooit getennist.'

'Trek het je niet aan. De volgende keer lukt het vast beter.'

Eve bleef stijf tegen de muur zitten en keek maar wat naar de overkant van de kleedkamer.

'Komen jullie nog?' riep Annelies. 'Straks zijn de jongere meisjes aan de beurt en dan moeten we de kleedkamer vrijmaken.'

'Ja ja', gromde Eve terwijl ze met een zucht de handdoek en een bus shampoo uit haar tas opdiepte. Snel trok ze haar tenniskledij uit en ze trippelde op haar blote voeten naar de douches.

'Zullen we elkaars ruggen wassen?' stelde Annelies voor. Met haar vinger maakte ze een cirkeltje in de lucht.

Eve schrok toen ze naar het naakte meisje keek en wist zich plotseling geen raad. Alsof Annelies op haar gezicht kon zien dat ze haar opeens op een heel andere manier bekeek. Het liefst was ze weer naar de kleedkamer gelopen om later in haar eentje te douchen. Eve draaide zich met haar gezicht naar de muurtegels terwijl ze de waterstralen over haar hoofd liet lopen. Ze verstrakte toen ze een hand op haar schouder voelde. Toch dwong ze zichzelf om zich om te draaien en Britt aan te kijken.

'Omdat de training niet lukte, hoef je toch niet nijdig op ons te zijn. Wij kunnen er toch niets aan doen?'

'Nee, je hebt gelijk. Sorry.'

'Zullen we straks nog iets drinken in de cafetaria?' stelde Annelies voor.

'Prima', zei Eve meteen omdat ze iets had goed te maken. Ze draaide zich terug naar de muur en begon verwoed met haar vingers wat shampoo in te masseren. Toen ze met gesloten ogen de shampoo uit haar haar liet stromen, werd het water opeens koud en Eve deed snel een stap achteruit.

'Hé! Hoe komt dat...'

Ze keek in de lachende gezichten en begreep meteen dat Shanna de schuldige was. Ook Eve lachte.

'Wacht even!' riep ze, maar Shanna glipte vlug naar de kleedkamer.

Toen Eve klaar was met douchen had Shanna haar ondergoed al aangetrokken. Terwijl ze voorbij het meisje liep, kneep ze vlug wat shampoo over het hoofd van Shanna.

'Eve! *Fuck!* Nu moet ik weer onder de douche!'

Maar aan haar lachende ogen merkte Eve dat Shanna geen probleem had met het plagerijtje. Ze nam haar handdoek en droogde haar haar. Toen een wolk even het zonlicht in de kleedkamer wegjoeg, keek Eve naar het raampje dat boven in de muur zat. Opeens zag ze door het bewasemde glas een groene schijn die meteen verdween. In een reflex liep Eve onder het raam zodat ze uit het zicht was. Omdat Britt en Annelies naar Shanna keken, die weer onder de douche vandaan kwam, hadden ze niks gemerkt. Eve opende haar mond om de meisjes te waarschuwen, maar ze bedacht zich.

Onopvallend schoof ze weer naar de overzijde van de kleedkamer en begon langzaam haar benen af te drogen. Vanuit een ooghoek zag ze opnieuw de groene schijn en ze richtte zich op om haar rug nog eens af te drogen.

'Wie het laatst is, moet straks betalen!' riep Britt opeens.

Ze gooide haar spullen in haar tas en haastte zich naar buiten.

'Dat is niet eerlijk', pruttelde Shanna tegen. 'Door Eve moest ik opnieuw onder de douche.'

Maar toen ze merkte dat Eve zich helemaal niet haastte, stapte ze vlug in haar jeansbroek.

'Dat vind ik sympathiek, Eve. Nu ja, eigenlijk heb je ook nog wat goed te maken.'

Hopelijk hebben Veerle en Bert me binnenkort nodig om op de kinderen te passen, dacht Eve. Ze stopte zestig eurocent wisselgeld in haar portefeuille. Terwijl ze met een rietje aan een flesje choco slurpte, liep ze naar het tafeltje waar de drie meisjes zaten en ze nam een stoel.

'Daar is Tim', zei Annelies toen de deur van de cafetaria openging. 'Ik wist niet dat hij zo dol was op tennis. De laatste maanden is hij hier niet weg te slaan.'

'Och, waarschijnlijk verveelt hij zich en op de tennisclub is er altijd wat te zien', zei Eve met een oog in de richting van de deur.

'Tim!' riep Eve. 'Kom je bij ons zitten?'

'Ja, zeg', fluisterde Annelies boos. 'Je vraagt die weirdo toch niet. Toen Tibo nog bij ons zat, oké... maar nu?'

'Ben je bang dat Kevin jaloers wordt als hij hoort dat Tim bij jou zat?'

Annelies stak haar tong uit.

'Kevin is helemaal niet jaloers. Hij weet dat hij me kan vertrouwen.'

Ze ging wat meer rechtop zitten en keek Eve uitdagend aan. Die deed alsof ze de tong niet had gezien en bleef naar Tim kijken tot hij een stoel had bijgetrokken.

Er lag wantrouwen op het gezicht van Tim, alsof hij niet kon geloven dat Eve hem had geroepen. Hij glimlachte zwakjes, maar zijn ogen stonden waakzaam. De groene zonneklep stak een eindje uit de zak van zijn jas.

'Is Tibo er nog niet?' vroeg hij onrustig.

'Ik denk niet dat hij nog komt. Het is al een tijdje uit tussen ons', zei Eve meteen. 'Wist je dat niet?'

'Nee. Waarom is het uit? Of praat je er liever niet over?'

'Och', deed Eve onverschillig. 'Tibo is tof, maar het klikte niet.'

Ze merkte niet dat de ogen van Britt haar strak aankeken.

'Zullen we over iets anders praten?' stelde Annelies voor. 'Ik vind het niet gezellig om over Tibo te praten nu hij er niet meer bij is.'

'Anders ben je toch ook niet bang om over iemand te roddelen', merkte Britt venijnig op.

Annelies pulkte wat aan haar haarpuntjes en Eve herinnerde zich dat Britt altijd heel dik was met Tibo. Het lag op het puntje van haar tong om te vragen waarom zij en Tibo die nacht in de taverne waren, maar ze wist zeker dat Britt haar vraag zou ontwijken. Toch had ze nooit het gevoel dat zij en Tibo een relatie of zo hadden.

Terwijl de meisjes over het tennis babbelden, schoof Tim wat op zijn stoel. Het was duidelijk dat hij zich overbodig voelde.

'Ik ga maar eens', zei hij na een tijdje. 'Nog wat studeren.'

Meteen dronk Eve haar flesje choco leeg.

'Ik rijd ook maar eens naar huis', zei ze vlug. 'Tot morgen.'

Ze zag het onbegrip in de ogen van de meisjes toen ze met Tim naar buiten liep.

'Vind je het vervelend als ik een eindje met je meerijd?' vroeg ze toen hij zijn fiets pakte, die voor de cafetaria stond.

Hij keek haar argwanend aan.

'Helemaal niet', zei Tim en toen ze lachte, boog hij verlegen zijn hoofd over het fietsslot.

'Wacht je even? Mijn fiets staat achter de kleedkamer, tegen de gevel.'

Maar dat hoef ik je niet te vertellen, dacht ze. Je gebruikt mijn fiets als laddertje om door het raam te gluren.

'Ik wacht wel.' Zijn stem klonk hees en onzeker.

Eve schudde haar hoofd toen ze het zand van haar zadel wegsloeg. Een volgende keer zou ze een ander plekje voor haar fiets zoeken.

Met een bil over zijn fietsbuis wachtte Tim haar op. Het leek alsof hij verbaasd was toen Eve met haar fiets aan de hand naar hem toe liep.

'Jij moet toch de andere kant uit?' vroeg hij bij het hek van de tennisclub.

'Dan rijd ik gewoon een eindje om', deed ze luchtig. 'Of fiets je liever alleen verder?'

'Nee, nee, ik vind het echt prima.'

Ze keek vlug om zich heen en toen ze niemand zag, kuste ze hem een seconde op de mond. In een reactie trok hij zijn hoofd weg en ze lachte.

'Vind je het erg dat ik je kus?' vroeg ze plagerig.

'Nee', zei hij overdonderd. 'Maar ik begrijp het niet.'

'Heb je me liever niet?' vroeg ze met een gemaakt pruilmondje.

'Ik geloof dat ik droom', zei hij glimlachend. 'Straks word ik wakker en...'

Lachend ging ze op de trappers staan.

Zoals elke ochtend babbelden trosjes jongeren nog wat in het parkje voor het schoolgebouw. Ze kletsten wat onder elkaar of rookten een sigaret. Fietsen stonden tegen de bomen geleund en het gras en de paadjes waren bezaaid met rugtassen.

Eve plaatste haar fiets tegen de schoolgevel en stak haar hand op naar een paar klasgenootjes. Zoals gewoonlijk stonden Annelies en Kevin wat verderop tegen de muur.

'Hoi', zei Eve toen ze voorbijliep, maar haar vriendin was verdwaald in een lange tongkus. Ze reageerde niet.

Eve glimlachte toen ze Tim zag. Hij droeg een battlebroek met talloze zakken en een groene, ruime pull. Tijdens de twee weken dat ze met hem ging, had ze hem gelukkig kunnen overtuigen om die zonneklep thuis te laten en geen idiote truitjes meer te dragen. Hij kuste haar en Eve liet zich gewillig tegen de muur drukken.

'Ik ben zo blij dat je vroeger gekomen bent', zei Tim en hij duwde zijn voorhoofd tegen haar voorhoofd. Hun neuzen waren maar centimeters van elkaar verwijderd. Tim legde zijn handen op haar heupen, maar toen Eve het gerinkel van een fietsbel hoorde, keek ze op.

Terwijl ze hen langzaam voorbijreed, keek Céline haar verwonderd aan en Eve draaide beschaamd haar hoofd weg.

'Wat is er?' vroeg Tim. Hij keek om, maar toen hij enkel Céline zag, drukte hij zich gerustgesteld weer tegen Eve aan.

'Ik denk dat het tijd is om naar binnen te gaan', zei Eve en ze duwde zijn handen weg.

'We hebben nog een kwartiertje', prostesteerde Tim voorzichtig.

Zonder nog iets te zeggen liep Eve naar haar fiets.

Opgejaagd door een gure oostenwind dreven donkere wolken gehaast door de lucht. Dezelfde wind deed de populieren aan de overzijde van het kerkhof buigen. Kiezelsteentjes kraakten onder Eves Puma's. Omdat het zo koud was, zat ze weggedoken in haar rode anorak en een gebreide sjaal die ze een paar keer rond haar hals had gedraaid.

Uit gewoonte had ze de hand van Tim gegrepen en ze leidde hem naar een witte grafzerk in het midden van de rij. Op de grafzerk prijkte een foto van een meisje met wilde krullen. Het meisje droeg een blauw truitje en een wit rokje. In haar handen klemde ze fier een tennisracket.

'Is dat Margaux?' vroeg Tim overbodig.

'Ja', zei Eve zacht. Ze liet zijn hand los en boog zich voorover om een boeket witte anjers op de grafsteen te leggen. Ze richtte zich weer op zonder naar zijn hand te zoeken, alsof het onbetamelijk was om hem bij de grafzerk aan te raken. Ze stopte haar handen in de zakken van haar anorak en bleef in gedachten naar de foto kijken.

'Kom je echt elk jaar naar dit graf kijken?' vroeg Tim ongelovig.
'Minstens tweemaal', zei Eve. 'Altijd op een november. En op zeven mei, dan is ze jarig. En telkens breng ik bloemen mee. Soms rozen, soms tulpen, soms gladiolen... altijd andere bloemen. Margaux hield van alle bloemen en kleuren.'

Eve keek hem tersluiks aan. Tim rilde in zijn blouson, die eigenlijk te dun was voor het gure najaarsweer. Hij peuterde heimelijk in zijn neus en knipte met duim en wijsvinger het bolletje pulksel tussen de grafstenen. Ze voelde zich gekwetst omdat hij zo lomp bij het graf stond. Als hij haar echt aanvoelde, dan zou hij toch niet zo onverschillig blijven? Zelfs met andere kleren was hij niks bijzonders. Geen wonder dat de meisjes amper met hem gezien wilden worden.

Ze begreep nog steeds niet waarom ze hem ooit gekust had en later zijn grijpgrage hand in haar broekje had gebracht. Of toch... ze begreep het wel. Ze wist dat ze Tim zonder moeite kon krijgen. Misschien had ze zichzelf willen bewijzen dat ze op een jongen verliefd kon worden als ze het maar wilde. En nu...

Misschien had ik hem niet hiernaartoe mogen brengen, dacht ze. Maar ik heb je echt niet verraden, Margaux. Ik denk nog steeds aan jou.

Aan de rand van het kerkhof lag de strooiakker die afgezoomd was met een muur vol urnen.

Telkens als ze de weide zag, was Eve blij dat Margaux' ouders haar in een kist hadden begraven. Het leek haar niks om aan de rand van een vierkant gazonnetje te staan.

'De bloemen liggen op het graf. Nu kunnen we teruggaan', stelde Tim voor. 'Ergens iets warms drinken. Daar ben ik wel aan toe. Ik vries zowat uit mijn kleren.'

Hij draaide zich om, maar toen hij na een paar passen merkte dat Eve hem niet volgde, keerde hij terug.

'Ga je niet mee?' klonk het verbaasd.

'Nee, ik blijf nog even', zei ze zonder haar ogen van de foto weg te halen.

'Nou zeg, het lijkt wel of je verliefd op haar was', deed hij korzelig.

Haar ogen waren kil toen ze hem aankeek.

'Ik heb liever dat je weggaat', snauwde ze. 'Je begrijpt er niks van.'

'Zo bedoelde ik het toch niet', probeerde hij haar te sussen. 'Het is gewoon te koud om hier zomaar te blijven staan.'

Verzoenend wilde hij zijn arm op haar schouder leggen, maar ze schudde hem van zich af.

'Laat me los. Ga maar wat in meisjeskleedkamers gluren.'

Zijn arm viel slap langs zijn zij en er lag paniek op zijn gezicht.

'Waarom heb je nooit verteld dat je het wist?'

'Waarom zou ik?' antwoordde ze ijzig. 'Het maakte me niks uit of je nu een gluurder was of niet. Je was enkel maar een test. Flikker nu maar op.'

Alsof daarmee alles gezegd was, draaide ze zich weer naar de grafzerk. De kiezels knisperden toen Tim ervandoor ging.

Ze wist dat ze hem gekwetst had, maar het maakte niks uit. Hij was gewoon een fout geweest.

'Het is beter zo, Margaux', mompelde ze. 'Het lukt me echt niet. Ik kan het hem zelfs niet kwalijk nemen. Tim gluurde in de kleedkamer, maar ik heb hem gebruikt om mezelf wijs te maken dat ik op jongens verliefd kon worden.'

Toen ze weer kiezels hoorde ritselen, keek ze opzij. Twee oude vrouwtjes in een dikke winterjas, met ieder een hoedje op het hoofd kuierden tussen de rijen graven. Ze hadden hun armen in elkaar gehaakt en wezen elkaar grafzerken aan alsof ze door een museum liepen.

'Misschien had Tim gelijk. Misschien was ik wel verliefd op je, zonder dat ik het besefte. En zelfs nu nog. Je weet toch dat ik aan jou denk wanneer ik 's avonds in mijn bed...'

Eve vocht tussen een glimlach en een traan.

7.

Het was stil rond de eeuwenoude eik. Een muurtje van lege cola-kratten stond onder de boom. Céline keek naar het groepje jongeren dat wat schuw naar een tak hoog in de boom loerde.

'Wie komt er eerst?' vroeg een jongen hardop en hij keek uitnodigend naar een paar meisjes. In zijn hand hield hij een leeg colakrat.

Elk jaar organiseerde de school een projectweek in een oud klooster. De dagen waren gevuld met allerlei activiteiten. Discussies over verdraagzaamheid, armoede of antiglobalisme; er waren creatieve activiteiten en sport... zowat alles kwam aan bod. Naar jaarlijkse gewoonte moesten de laatstejaars op woensdagochtend sportactiviteiten organiseren.

'Dat is niks voor mij', zei Annelies stilletjes. 'Ik heb hoogtevrees en ga liever met de oriëntatietocht mee. Dan zie ik jullie vanmiddag terug als we de film opnemen.'

Het was koud en ze huiverde in haar gewatteerde jas.

'Ga je mee, Britt?' zocht ze gezelschap. 'We worden met auto's ergens in een bos gedropt en we moeten de weg naar het klooster zelf terugvinden. We krijgen een kaart en een kompas mee.'

Britt keek naar het touw dat hoog in de boom over een zware tak lag, knikte en volgde Annelies naar de auto's die op het binnenplein van het klooster wachtten.

'Wie begint?' vroeg de jongen nog eens.

'Ik wil het wel proberen', zei Eve.

Ze keek naar Céline, maar het meisje reageerde amper. Er was enkel een vonk van herkenning toen hun blikken elkaar raakten.

'Mooi', zei de jongen. 'Céline helpt je met de veiligheidsgordel.'

'Hier instappen', zei Céline terwijl ze de riemen op de grond legde.

Eve rilde even toen Céline de riemen langs haar benen naar haar kruis optrok.

'Het touw zit stevig op je rug vast. Je hoeft niet bang te zijn.'

Céline voelde nog even of de sluitingen oké waren en trok toen het touw strak over de tak.

'Je bent met mij verbonden, Eve. Ik zorg ervoor dat je niet valt.'

Alsof ze het wilde bewijzen, trommelde ze met haar vingers op het touw dat aan een gordel om haar middel was vastgemaakt.

De jongen plaatste twee kratten omgekeerd op elkaar en plantte die stevig in het zand.

Zorgvuldig plaatste Eve haar voeten in de handvaten van het bovenste krat en hield zich met een hand aan de rand vast.

'De volgende', zei ze en de jongen reikte een krat naar haar vrije hand.

Ondanks de kou glom het zweet op Eves gezicht. Ze voelde de adrenaline door haar lijf stromen. Eve had geen flauw idee hoeveel kratten er intussen opgestapeld waren, maar ze stond al meters boven de grond met haar voeten in de handvaten van het hoogste colakrat. Onder haar volgden gezichten gespannen al haar bewegingen.

'Nog een krat', zei ze.

Met een lange stok stak de jongen een volgend krat in haar richting. Langzaam strekte ze haar arm om het krat van de stok te pakken. De krattentoren wiebelde heen en weer, maar Eve wilde nog hoger komen. Ze wist dat Céline naar haar keek. Voorzichtig liet ze een hand los en ze testte of haar voeten stevig in de handvaten stonden. Ze richtte zich een beetje op om de bak op de toren te kunnen plaatsen. Toen schoof ze de bak wat heen en weer om te voelen of hij goed op de vorige bak geplaatst was en boog zich meteen voorover om de rand vast te grijpen. De toren wankelde gevaarlijk.

'Volgende krat', hijgde ze en ze perste meteen haar lippen op elkaar in een poging om de wiebelende toren onder controle te houden. Ze stak haar hand uit om het krat van de stok te pakken en vanuit een ooghoek keek ze naar Céline, die het touw strak hield. Eve probeerde te glimlachen, maar meteen voelde ze de toren fel heen en weer zwaaien. In een poging om haar evenwicht te bewaren, boog ze zich voorover en meteen viel de toren onder haar voeten weg. Ze bengelde in haar veiligheidsgordel met haar gezicht naar de grond en zag hoe Céline langzaam het touw vierde.

'Negentien bakken!' riep Céline terwijl Eve op het mos lag. 'Zoveel kratten heeft nog niemand gehaald.'

Ze stak haar handen onder de oksels van Eve en hielp haar overeind. Eve merkte verrukt dat Célines handen haar langer vasthielden dan nodig was.

'Wacht, ik zal de veiligheidsgordel losmaken', zei Céline. Ze knielde. Eve voelde een siddering over haar rug lopen toen de vingers van Céline haar buik raakten om de gordel los te maken.

Zoiets kon alleen meneer Boets verzinnen! In het midden van een bos een fragment uit Romeo en Julia naspelen en dat met een camera opnemen. De vorige dag hadden ze in groepjes de tekst uitgeschreven en een beetje gerepeteerd. Ze hadden het stuk op een waanzinnige manier herschreven. Shakespeare zou zich omdraaien in zijn graf. Meneer Boets vond het best.

Eve vond het helemaal niet romantisch. Met dikke jassen, handschoenen en mutsen verklaarde Alex tussen de bomen zijn liefde aan Britt. Tibo hanteerde de camera en deed alsof hij Eve amper opmerkte. Sinds ze uit elkaar waren, had hij haar zoveel mogelijk gemeden. Toch merkte Eve dat hij soms met droeve hondenogen naar haar keek. Het deed haar goed dat hij toch nog wat verliefd op haar was.

Terwijl Tibo met de camera rond de acteurs cirkelde, gaf regisseur Sven zijn aanwijzingen en riep op de meest onmogelijke momenten 'cut!'. De eerste tien 'cut!'s hadden ze gelachen, daarna was de lol eraf.

Gelukkig had Eve maar een bijrolletje. Gewoon als bedelaarster voor de camera lopen en met een uitgestoken hand bij Romeo om wat geld bedelen. Ze mocht zelfs haar handschoenen aanhouden. Romeo liep voorbij een tafeltje waarop een paar schoenen stond.

'Wilt u geen schoenen kopen, heer?' vroeg Annelies op een overdreven geacteerde toon.

'Waarom zou ik?' vroeg Alex.

'Voor de koude winterdagen. Ze zijn heerlijk warm.'

'Goed. Laat me die schoenen eens passen.'

Hinkend trok Alex een schoen uit en probeerde de schoen die Annelies hem aanreikte. Met wat wringen lukte het hem de schoen over zijn kous te trekken.

'Die schoen is zeker twee maten te klein. Hij doet me pijn.'

Annelies reikte hem ook de tweede schoen aan.

'De schoenen zijn ideaal, heer. De remedie voor liefdesverdriet.'

'Hoezo?'

'Stelt u zich eens voor dat Julia u laat vallen. Dan vergaat u van verdriet. Maar met deze schoenen is dat anders. U komt 's avonds thuis en ploft op de bank. U trekt uw schoenen uit en denkt opgelucht: Waw! Ik ben de gelukkigste mens op de wereld!'

'Cut!'

'Regelmatig in de spaghetti roeren', raadde Shanna haar aan.

Toen Eve het deksel van de ketel oplichtte, sloeg de damp in haar gezicht. Met een houten lepel bracht ze de massa spaghetti in beweging. Het was vanavond hun beurt om voor het eten te zorgen. De anderen hingen rond in het klooster of speelden wat spelletjes op de laptop van Rolf.

'Mag er zo'n heel flesje tabasco in de tomatensaus?' vroeg Tibo nadat hij de fijngesnipperde ui in een pan met gesmolten boter had laten vallen en duchtig bleef roeren. Terwijl hij roerde, keek hij Eve met vragende ogen aan.

'Ja, dan hangen ze een hele avond onder de waterkraan', zei Eve guitig. Meteen werd ze weer ernstig. 'Of nee, liever niet. We moeten ook van die saus eten. Een half flesje lijkt me ruim voldoende.'

Tibo knikte en dropte een paar kruidenblokjes in de pan. Eve roerde nog eens door de spaghetti en liep vervolgens naar de eetzaal, waar Britt en Jessica de borden op de tafels plaatsten. Ze

nam Britt bij de arm en trok haar mee naar een hoek in de kamer.
'Tibo heeft iets tegen me gezegd', zei ze vrolijk. 'Dat is de eerste keer sinds we... nu ja, je weet wel.'
'Dat verbaast me niks', zei Britt. 'Hij heeft een liefje. Vorige week heb ik ze samen gezien. Een knap meisje, hoor.'
'Ken ik haar?'
'Ik denk het niet. Ik had haar ook nog nooit gezien. En het was grote liefde... Volgens mij probeerden ze het wereldrecord tongkussen te verbeteren.' Ze wapperde even met haar hand, alsof ze die wilde afkoelen. 'Maar misschien probeert hij jou op die manier te vergeten', voegde ze er wat nijdig aan toe.
'Dat geloof ik niet', zei Eve en ze draaide haar gezicht naar het raam.
Op het binnenplein trapten wat jongens tegen een bal. Eve hield haar adem in toen ze Céline zag. Er verscheen een gelukzalige tederheid op haar gezicht. Haar ogen haakten zich aan het meisje, dat in een short en een losse joggingtrui achter de bal aanliep. Eve vond dat ze best haar mannetje stond tussen de jongens.
De hoogste klassen logeerden in een andere vleugel van het gebouw. Spijtig genoeg volgde elke klas haar eigen programma. Als de klassen elkaar al eens ontmoetten, probeerde Eve om Céline ergens te ontdekken. Gewoon haar zien, maakte haar al gelukkig.
'Jaloers?'
Met tegenzin lieten Eves ogen Céline los.
'Op wie?' vroeg ze verwonderd.
'Op Tibo's liefje, natuurlijk. Wie anders?'
Britt keek Eve onderzoekend aan en loerde toen door het raam.
'Of heb je misschien een oogje op een van de jongens uit het laatste jaar?'
Met haar neus op het glas probeerde Britt te ontdekken wie in aanmerking kwam.
'Doe niet zo gek.'
'Nou ja, je reageerde zo vreemd toen ik je vroeg of je jaloers was op dat meisje. En je kon je ogen niet van het raam weghouden.'

'Ik was gewoon verrast', zei Eve vlug. 'Ik had er niet aan gedacht dat Tibo een nieuw liefje zou hebben. Soms dacht ik dat jij en Tibo...'

Ze maakte haar zin niet af, maar keek Britt met guitige ogen aan.

'Ik en Tibo! God, nee... Tibo valt niet op meisjes met vlashaar, sproeten en een brilletje.' Ze lachte schamper. 'We zijn goede vrienden. Tibo zei ooit dat het fout zou gaan als er meer tussen ons was.'

Eve merkte dat ze de afwijzing met een grijns probeerde te verbergen.

'Ik dacht toch...'

'We kunnen goed met elkaar opschieten, maar verder niks, hoor. Als ik zo knap was als jij, ja dan...' Ze schudde mistroostig haar hoofd.

'Ik dacht maar... na het feest van de tennisclub zag ik jullie 's nachts samen in een taverne op de hoek van de Seringenstraat. En...'

Ik zag je een steen door een raam gooien, lag op het puntje van haar tong, maar ze bedwong zich.

'En?' vroeg Britt meteen.

Het meisje zag er opeens heel gespannen uit. Haar vingers ritselden nerveus over haar sweater en ze keek langs Eve weg.

'En... tja, je was zo vroeg van het feest verdwenen. Weet je nog?'

'Mijn moeder had me opgebeld om... om... wat was het ook weer? Shit, ik herinner het me niet meer. Maar het bleek niet zo belangrijk te zijn als ik dacht en ik had geen zin om een hele avond thuis op de bank te zitten. Ik reed toen maar terug naar het feest en onderweg zag ik Tibo. Hij stelde me voor om samen nog een slaapmutsje te drinken in de taverne.'

Eve wist dat ze loog, maar ze wilde niet verder aandringen.

'Hoe gaat het nu met Tim?' veranderde Britt vlug van onderwerp.

'Hij zegt goeiedag. Dat is het zo'n beetje.'

Er kon weer een zuinig glimlachje af.

'We hebben nooit begrepen waarom uitgerekend jij op zo'n weirdo verliefd werd.'

'Ik achteraf ook niet', zei Eve en ze trok speels aan Britts oorlel. Opgelucht schaterden de meisjes het uit.

Een buislamp in het midden van het plafond wierp een fel licht op de twee stapelbedden die elk tegen een kamermuur stonden. In de hoek leidde een deur naar een Spartaans badkamertje. Met wat zeuren hadden Britt, Shanna, Annelies en Eve voor elkaar gekregen dat ze dezelfde kamer mochten delen.

'Brrr, het is hier om te bevriezen', zeurde Annelies terwijl ze aan de radiator voelde die aan de vrije muur hing. Ze sloeg haar armen om zich heen en kromp in elkaar. 'IJskoud natuurlijk. Ze zijn te gierig om de slaapkamer op te warmen. En wie haalt het nu in zijn stomme kop om ons in die vrieskou op nachttocht te sturen? Enkel zo'n sadist als mevrouw Debels natuurlijk.'

Met een somber gezicht loerde ze naar de deur in de hoek.

'De badkamer is vast ook een ijskast. Ik duik zonder me te wassen in bed. Ik ben nu al een ijspegel. Enkel tanden poetsen en dan onder de deken. Moet je mijn handen eens voelen.'

Eve schreeuwde het uit toen Annelies haar handen in haar nek legde en sloeg ze meteen van zich af.

'Net diepvriesvlees, niet? Het lijkt verdomme wel alsof we in Siberië beland zijn. En dan te bedenken dat we voor deze project-week bijna honderd vijftig euro moesten betalen.'

In een mum van tijd spoelde Annelies haar mond, kleedde zich uit en trok haar pyjama aan. Ze plaatste haar voet op het bed van Eve en trok zich op naar het hoogste bed.

'Ik zal morgen wat meer deodorant onder mijn armen spuiten', gromde ze terwijl ze de deken onder haar kin trok. 'Dan merkt er niemand dat ik me niet gewassen heb.'

Rillend wachtte Eve tot ook Britt en Shanna in bed lagen. Ze knipte het licht uit en zocht op de tast haar bed op. Ze rolde zich op tot een bolletje en probeerde met haar handen haar voeten op te warmen. Terwijl ze in haar hoofd Céline tegen een balletje zag trappen, hoorde ze vaag hoe de andere meisjes gedempt met elkaar babbelden. Opeens kraakte het bed boven haar hoofd en meteen daarna zag Eve een paar benen voor haar neus bengelen.

'Schuif wat op, Eve. Ik kom bij jou liggen. Met zijn tweeën is het vast een stuk warmer.'

Voordat Eve kon protesteren, werd haar deken weggeslagen en kwam Annelies bij haar liggen. Eve verstijfde en schoof onmerkbaar naar de rand van het bed. Balancerend op de houten rand bleef ze ademloos liggen. Ze dacht helemaal niet meer aan koude voeten.

Ik durf haar niet aan te raken, dacht ze. Misschien denkt ze wel...

Met wijd open ogen staarde ze beschaamd in het duister.

'Ik hoef echt niet het hele bed te hebben', zei Annelies hardop. 'Schuif eens wat dichterbij, dat is warmer. Ik bijt niet, hoor.'

Meteen tastte ze naar Eves arm en trok die bij zich, zodat Eve tegen de rug van Annelies aan rolde.

'Dat voelt al een stuk beter', knorde Annelies tevreden. 'Als we zo tegen elkaar aan gedrukt blijven, dan is het over enkele minuten zalig warm in bed.'

Eve durfde bijna niet te ademen. Behoedzaam probeerde ze haar hand weg te halen die Annelies op haar buik had gelegd. Pas toen ze dacht dat Annelies sliep, schoof ze voorzichtig naar de rand van het bed tot ze de kamermuur tegen haar hoofd voelde.

Eve schrok op uit haar sluimerslaapje toen Annelies zich omdraaide, even door haar neus snoof en meteen verder sliep. Met open ogen bleef ze liggen. Ze had het gevoel dat ze de hele nacht had wakker gelegen. Enkel omdat ze bang was dat ze in haar slaap Annelies zou aanraken. Ze trok haar arm onder de deken vandaan. 6.38 u gaven de verlichte cijfers van haar horloge aan.

Nog anderhalf uur, dacht ze terwijl ze de deken weer onder haar neus trok en haar ogen sloot.

Ik word gek als ik blijf liggen, dacht Eve. Dan kan ik beter opstaan en de ontbijttafel klaarmaken.

Om Annelies niet te wekken kroop ze via de achterkant uit het bed.

'Ik kan me later nog wassen', mompelde Eve.

Op de tast vond ze haar joggingpak en ze kleedde zich vlug aan.

'Wat is er?' vroeg een slaperige stem. 'Is het al tijd om op te staan?'

'Nee', fluisterde Eve snel. 'Ga maar weer slapen, Britt.'

'Waarom sta je dan op?'

'Ik ga de ontbijttafel dekken.'

'Je bent gek. Knettergek.'

Tot haar opluchting stopte Britt zich met de deken in en zweeg. Eve trok haar Puma's aan en sloot de deur stilletjes achter zich.

Het eetzaaltje was onwezenlijk leeg en koud toen ze het licht aanknipte. Meteen zocht Eve de thermostaat en draaide de knop naar tweeëntwintig graden. Vier rijen houten stoelen flankeerden twee rijen lange tafels. Op de tafels stonden lege bier- en colaflesjes. Stille getuigen van het geklets na de nachttocht. Eve greep een leeg bierkrat, plaatste dat op de tafel en ruimde de flesjes op. Op het aanrecht vond ze een vaatdoek, die ze even onder de waterkraan hield, en ze wreef de tafelbladen schoon. Daarna nam ze borden en koppen uit de hangkasten en zette die op de tafels.

Ze schrok toen er opeens geklopt werd.

'Ja!'

Langzaam schoof de deur open en het hoofd van Céline stak vragend om de deur.

'O, jij bent het', zei Céline en meteen duwde ze de deur wijd open.

Eve bleef stijf naast de tafel staan. Ze voelde zich heel onrustig. Céline kwam bij haar staan en glimlachte. Ze droeg een lang, gebreid vest en ze had een blauwe, wollen muts op haar hoofd.

'Ik was op het binnenplein en toen zag ik in deze kamer licht branden.'

Eve knikte alsof het logisch was dat Céline rond zeven uur buiten het klooster rondliep.

'Ik had gisteravond met Kenneth gewed dat ik vlugger een flesje Jupiler kon opdrinken dan hij. En ik heb verloren. Misschien had ik al wat te veel gedronken.' Ze lachte ondeugend. 'Nu moet ik zes flessen chocolademelk in het dorp halen en ik vroeg me af of hier een boodschappentas ligt. Het is lastig om in mijn eentje zes flessen te dragen.'

'Ik weet het niet', zei Eve vlug. Meteen liep ze naar de kastjes onder het aanrecht en trok de deurtjes open.

'Potten en pannen zoveel je wilt, maar geen boodschappentas. Zelfs geen plastic zakken', zei ze terwijl ze opstond en de deurtjes weer sloot.

'Nou ja, pech gehad', zei Céline. 'Bedankt.' Met de deurknop in haar hand keek ze naar Eve.

'Misschien heb je zin om mee te gaan? Kun je me de flessen helpen dragen.'

'Ik weet niet', aarzelde Eve. 'Mevrouw Debels zal woedend zijn als ik zomaar uit het klooster verdwijn.'

Céline knikte en trok de deur open. De klik van de deurknop hielp Eve om te beslissen.

'Céline!' riep ze gedempt en meteen holde ze het meisje achterna. 'Wacht even.'

Céline draaide zich om en lachte haar tanden bloot.

'Ga je toch mee?'

Eve knikte heftig.

'Dan kun je misschien beter een jas gaan halen. Het vriest buiten.'

'Wacht even. Ik ben zo terug', zei Eve opgewonden en ze holde halsoverkop naar haar kamer.

'Wat heb jij? Ben je al op?' vroeg Annelies verbaasd toen Eve de deur bruusk openduwde en in een beweging haar anorak en haar muts van de kapstok graaide.

'Ik loop even met Céline naar het dorp om wat flessen chocolademelk te halen.'

Alsof het afgesproken was, veerden de drie meisjes gelijktijdig overeind.

'Jij liever dan ik', zei Britt. 'Hoe laat is het eigenlijk?'

'Een paar minuten over zeven.'

Met een klap liet Britt zich weer op haar rug vallen.

'Je bent zo gek als een achterdeur', zei Annelies hoofdschuddend.

'Och, enkel maar prettig gestoord', zei Eve terwijl ze probeerde aan de voeten van Annelies te kietelen. Met een gilletje kromp die in elkaar. 'Waarschuwen jullie mevrouw Debels dat ik wat later kom?'

Zonder op een antwoord te wachten klapte ze de deur achter zich dicht. Ze kon zich amper bedwingen om niet dansend door de gangen te lopen.

Eve merkte niet dat de plastic zak in haar vingers sneed. Ze liep naast Céline over het pad van gemalen hout dat door het bos liep. Tussen de bomen zag ze het kloostergebouw en ze vond het spijtig dat de ochtendwandeling bijna voorbij was. Alsof ze bang waren om te praten liepen ze zwijgend naast elkaar. Ze luisterden naar de ochtendgeluiden en soms keek Eve het meisje stiekem aan.

Ze is mooi, dacht Eve en ze kon bijna niet geloven dat ze zomaar naast haar mocht lopen.

'We zijn er bijna. Ik denk dat de anderen intussen wel uit hun bed gekomen zijn', zei Céline.

'Jammer', zei Eve. 'Ik vond het gezellig om met jou naar het dorp te wandelen.'

Ze bleef staan toen Céline zich naar haar toe keerde. Céline keek haar ernstig aan, daarna verzachtten haar ogen. Ze legde haar hand op Eves achterhoofd en trok haar naar zich toe. Alsof ze er allebei op gewacht hadden, kusten ze elkaar.

'Ik dacht dat je het nooit zou doen', zei Eve toen Céline nog even haar hoofd op haar schouder liet rusten.

8.

Alsof ze wilde bewijzen dat het haar niks deed, schrobde Eve hard met het washandje over de rug van Annelies. Ze duwde het meisje zelfs wat vooruit. In haar rug voelde Eve de hand van Britt, die het schuim over haar rug masseerde. Britt gebruikte nooit een washandje.

'De meeste dromen zijn bedrog!' zongen de meisjes hardop terwijl ze in een kringetje ronddraaiden. 'Maar als ik wakker word naast jou, dan droom ik nog!' Eve dwong zichzelf om mee te zingen. Ze durfde niet naar de andere meisjes te kijken, alsof haar ogen haar konden verraden. Terwijl ze zong, probeerde ze niet aan de hand van Britt te denken. Misschien kon ze zich inbeelden dat het de hand van Céline was? In haar hoofd tolde alles rond. De dag na de ochtendwandeling met Céline was ze nog ondersteboven van hun kus. Maar ze maakte zich te veel zorgen om te kunnen zingen van geluk. Het liefst zou ze in haar eentje douchen en stilletjes uit de kleedkamer verdwijnen, maar dan zouden de anderen haar verbaasd aankijken en vragen wat er scheelde.

'Dat is lekker!' riep Shanna uitgelaten terwijl ze met haar duimen de hals van Britt masseerde.

'Ik ga me afspoelen en aankleden', zei Eve terwijl ze uit het kringetje stapte en onder een douche ging staan.

'Nu al?' vroeg Britt teleurgesteld. 'Het is net zo leuk.'

'We kunnen toch niet de hele dag onder de douches blijven. Straks komen de anderen om zich te wassen.'

'Dat duurt nog een halfuurtje', protesteerde Shanna.

Maar Eve liet het warme water over zich heen stromen en zo vlug het kon, liep ze naar de kleedkamer. Sinds november trainden ze in de sporthal. Eve vond het eigenlijk wel jammer. Buiten spelen was leuker, maar... Ze klom op een bankje en speurde door het raam de omgeving af.

'Is er iets te zien?' vroeg Shanna, die ook de douche achter zich liet.

'Niks bijzonders. Ik wilde gewoon even kijken of het nog regent', zei Eve terwijl ze snel van het bankje kwam.

'En?'

'Nee, maar het ziet er wel koud uit. Veel wind. Je kunt maar beter je muts opzetten.'

Ze nam haar handdoek en droogde zich vlug af.

'Heb je iets bijzonders bij je, Britt?' vroeg ze terwijl ze haar beha en haar broekje pakte.

'Tommy Girl. Net zoals vorige week.'

'Oh, dat ruikt fantastisch. Mag ik nog eens wat gebruiken?'

Zonder te antwoorden boog Britt zich over haar sporttas en ze haalde het flesje tevoorschijn.

'Je bent een schat', zei Eve.

Ze nam haar handdoek, veegde de wasem van de spiegel en borstelde zorgvuldig haar haar terwijl ze met een half oor naar het geklets van de meisjes luisterde.

Ongeduldig wachtte ze tot de andere meisjes ook hun tas over hun schouder hingen en naar de uitgang liepen. Eve liet als laatste de deur van de sporthal achter zich dichtvallen.

'Koud!' bibberde Shanna terwijl ze haar sjaal wat dichter rond haar hals strikte en zich naar het overdekte fietsenrek haastte.

Aan de rand van de parkeerplaats wachtte een meisje. Ze trappelde wat met haar voeten op het asfalt en hield haar armen kruiselings tegen zich aan gedrukt.

'Wat komt zij hier doen?' vroeg Annelies aan niemand in het bijzonder. 'Lekker weer om hier wat rond te hangen.'

'Dat is Céline', zei Eve neutraal.

'Ja, dat weet ik ook. Maar op wie staat die in de kou te wachten?'

'Misschien heeft ze wel iets met een van de jongens die nu aan het trainen zijn?' fluisterde Britt opdat Céline het zeker niet kon horen. 'Sam misschien? Die heeft het net uitgemaakt met Lien.'

'Ik denk dat ze op mij wacht', zei Eve voorzichtig. 'We gaan vanmiddag in Gent naar een film kijken.'

Drie paar ogen keken haar gekrenkt aan.

'En wij dan? We kunnen toch ook samen naar de film gaan?'

Zonder hen aan te kijken, haalde Eve verontschuldigend haar schouders op.

'We hoeven toch niet altijd bij elkaar te zijn? We zien elkaar al zo dikwijls op school of op de tennisclub. Ik leerde Céline beter kennen toen we samen chocolademelk haalden. Ze is echt wel tof, hoor.'

'Op het schoolplein speelt ze soms basketbal met de jongens. Ze doet echt niet onder voor de anderen.'

'Céline valt heus wel mee. Ik kan heel goed met haar praten.'

Om van het gevraag af te komen wenkte Eve het meisje. Ze zorgden ervoor dat ze een paar meter afstand hielden.

'Ik heb net verteld dat we naar de film gaan', zei Eve.

'Hallo', zei Céline luchtig.

'Naar welke film gaan jullie kijken?' vroeg Annelies.

'Dat weten we nog niet', zei Céline. Er fonkelden spotlichtjes in haar ogen. 'Dat zien we in de Decascoop wel. Hebben jullie soms zin om mee te gaan?'

Een beetje overdonderd staarden de meisjes elkaar aan.

'Nou, je voorstel komt nogal onverwacht', zei Shanna. 'Ik denk niet dat ik zomaar naar Gent mag.' Ze keek Eve verwijtend aan. 'Je had me wel eerder kunnen waarschuwen. Dan had ik het thuis kunnen vragen.'

'Vanmiddag kan ik niet', zei Britt.

'Het zou leuk zijn als Kevin ook mee kon', zei Annelies. 'Maar ja... hij weet nergens van.'

Ze merkten niet dat Céline opgelucht ademhaalde. Voor de schijn keek ze op haar horloge.

'Als we de trein van 16.48 u willen halen moeten we wel opschieten, Eve. Je moet ook je sporttas nog naar huis brengen.'

'Ja, natuurlijk', deed Eve opeens gehaast opdat niemand zich nog kon bedenken.

Terwijl haar sporttas op haar rug schommelde, haastte ze zich naar het fietsenrek.

'Tot overmorgen!' riep ze toen ze de meisjes voorbijfietste.

Langzaam schoof mama in de richting van het station. Met de neus tegen de voorruit zocht ze schichtig tussen de rijen auto's naar een gaatje, maar uiteindelijk liet ze haar rug tegen de stoelleuning vallen.

'Zo halen we het niet', zeurde Eve zenuwachtig terwijl ze telkens naar het klokje op het dashboard keek.

'Ik had ook niet verwacht dat het zo druk zou zijn', verdedigde mama zich. 'Ik dacht dat ik nog tijd had om Niels bij het voetbalveld op te pikken voordat ik jullie naar het station moest brengen.'

Intussen speelde Niels met zijn GameBoy op de achterbank. Céline zat naast hem en volgde het spelletje op het display.

'Tennis je ook, Céline?' vroeg mama terwijl ze het meisje door de achteruitkijkspiegel aankeek.

Meteen boog Céline zich naar voren.

'Nee, dat niet. Soms durf ik weleens op het schoolplein met de jongens tegen een balletje te trappen.'

'Speel jij ook voetbal?' vroeg Niels opeens geïnteresseerd.

'Niet echt. Enkel op het schoolplein.'

Ze richtte zich weer tot mama.

'Ook speel ik weleens een partijtje basketbal met de schoolploeg. Maar ik ben niet bij een club aangesloten.'

'Hoe kennen jullie elkaar dan?' viste mama verder. 'Je bent toch drie jaar ouder dan Eve.'

'Heel toevallig. Tijdens de projectweek hielp Eve me met de boodschappen in het dorp en toen bleek dat we het goed met elkaar konden vinden.'

Onmerkbaar slaakte Eve een zucht van opluchting. Gelukkig

zei Céline niks over de weddenschap. Dat zou mama vast niet leuk vinden.

Een fietser slalomde tussen de auto's en schuurde hun voorbumper net niet.

'Zo onvoorzichtig', riep mama geschrokken.

Eve wist dat ze nu allebei aan het ongeluk dachten. Opeens gebaarde mama naar twee fietsers aan de overkant van de straat. Ze laveerden in tegenovergestelde richting tussen de voetgangers op het voetpad.

'Het is ook zo dom om op het voetpad te fietsen', zei mama hoofdschuddend. 'Hé, dat is toch Britt?' zei ze verbaasd terwijl ze met haar vinger het tweetal aanwees. 'En die jongen achter haar, is dat niet Tibo?'

Eve volgde de vinger.

'Ja', zei ze verbaasd.

In een flits zag ze het rolletje vuilniszakken op zijn bagagedrager.

Weer vuilniszakken? ging het door haar hoofd en meteen zag ze op haar netvlies het rolletje vuilniszakken op zijn fiets tegen de tavernegevel.

'Hebben die twee nu iets samen?' deed haar moeder het beeld in haar hoofd verdwijnen.

'Dat ze samen fietsen, wil niet zeggen dat ze ook verliefd zijn. Shanna vertelde me trouwens dat Tibo een meisje heeft, maar ik ken haar niet.'

'Jaloers?' vroeg mama terwijl ze vanuit een ooghoek Eve vorsend aankeek.

Eve draaide vlug haar hoofd naar Céline. Die knipoogde stiekem en Eve glimlachte opgelucht.

'Helemaal niet. Waarom zou hij geen ander meisje mogen hebben? Dat het tussen ons niet liep, wil niet zeggen dat hij in een klooster moet gaan.'

'Hij is je toch vlug vergeten', zei mama wat bits.

'Tsja, jongens zijn ook allemaal hetzelfde', grijnsde Céline.

'Ik vrees echt dat jullie de trein niet halen', zei mama gelaten. 'Nog acht minuten en het verkeer zit potdicht.'

Eve beet twijfelend op haar onderlip.

'Lopend halen we het nog', besliste ze snel. 'Wat denk je, Céline?' Zonder haar antwoord af te wachten duwde ze het portier open en haastte zich naar het voetpad. Ze holden naast elkaar naar het station en Eve moest zich bedwingen om de hand van Céline niet te grijpen.

'Gelukkig dat er bij het loket geen rij stond', hijgde Eve nog wat na toen ze de trap naar het perron met twee treden tegelijk was opgesneld.

De trein was al gearriveerd. Drommen mensen drongen langs de ingangsdeuren naar binnen.

'Ik geloof nooit dat we nog een zitplaats vinden', zei Céline toen ze door het venster in de wagon keek. In de coupé waren alle zitplaatsen bezet en in de gang stonden de mensen tegen elkaar aan gedrukt. Eve knikte, maar het kon haar niks schelen dat ze niet kon zitten. Ze voelde zich zo gelukkig. Desnoods wilde ze op het dak van de wagon zitten om samen met Céline naar Gent te rijden.

'Ik denk dat we beter hier kunnen blijven staan', stelde Céline voor toen ze het dringen tussen de mensen beu was. Ze draaide zich om en boog zich naar Eve.

'Eigenlijk vind ik het helemaal niet vervelend om zo dicht tegen jou aan te staan', fluisterde ze in Eves oor.

Ze glimlachte. Stiekem zocht Eve haar hand en gaf haar een onzichtbaar kneepje in haar pink.

'Het is wel warm in de trein', zei Eve.

Ze trok de muts van haar hoofd en stak die in haar zak. Ze ritste haar anorak open. Ook Céline maakte haar jas los. Ze keek naar de bagagedrager om hem weg te bergen.

'Kun je niet gewoon stilstaan?' vroeg een vrouw bits toen Céline haar armen uitstak om haar gebreide jas uit te trekken. 'Zo ver is het toch niet naar Gent en je valt de mensen lastig.'

Céline trok een gekke bek naar Eve en ze liet haar jas gewoon openhangen.

Een veertiger met een gewatteerd vest en een laptop in zijn hand wurmde zich tegen de rug van Eve.

'Het is altijd hetzelfde', mopperde hij tegen niemand in het bijzonder. 'Is het zo moeilijk om een extra wagon aan de trein te koppelen? Dan worden we tenminste niet als varkens in een veewagen geperst.'

Hij keek venijnig naar twee jongens die een zitplaats hadden. Ze droegen allebei een iPod en met gesloten ogen deinden hun hoofden ritmisch op de zinderende beats die zelfs Eve kon horen.

'Vroeger stonden jongeren hun plaats af aan oudere mensen. Maar tegenwoordig...'

Hij keek rond om gelijk te halen, maar niemand luisterde. De man keerde zich van de twee jongens weg en duwde onbewust zijn laptop tegen de rug van Eve. Automatisch schoof het meisje wat vooruit en zonder het te willen drukte ze haar borst tegen de borst van Céline. Ze voelde hoe de adem van Céline de haartjes op haar hoofd liet bewegen. De aanrakingen deden haar duizelen. Dit gevoel wilde ze nooit meer vergeten. Plotseling dacht ze niet meer aan de trein, aan de mensen. Ze wilde met elke vezel Céline voelen. Ook toen de man zijn laptop wegtrok, bleef ze onbeweeglijk staan. Pas toen de trein in een station stopte en wat mensen de wagon verlieten, schoof ze met tegenzin weg.

'Finding Nemo is een mooie film. Ik dacht dat hij een beetje kinderachtig zou zijn, maar het viel best mee.'

'Wanneer vertrekt de trein?' vroeg Eve.

'We hebben tijd', zei Céline en meteen liep ze wat langzamer.

De film was aan Eve voorbijgegleden. Al haar aandacht was naar Céline gegaan. Soms had ze haar arm op de armleuning van de zetel gelegd zodat ze Célines arm raakte. Niet te lang, alsof het toevallig gebeurde. En iedere keer hadden ze even in elkaars ogen gekeken. De aanrakingen deden haar lijf zinderen. Alsof

Céline niet enkel haar arm aanraakte.

Ze schoof dichter naar haar vriendin toe en toen ze schouder tegen schouder liepen, nam ze Célines hand en kneep erin alsof ze die hand nooit meer wilde loslaten.

'In Gent kan het', zei Eve. 'Hier kent niemand ons.'

Céline trok de hand van Eve mee in de zak van haar jas. Eve bleef staan en door de wol heen voelde ze de dij van Céline. Met haar hoofd wees Eve naar de grote, gele maanschijf boven hun hoofden.

'Het is vollemaan', zei Eve. 'Weet je, telkens als het vollemaan is, zal ik aan dit moment denken.'

'Ik ook', zei Céline zacht en ze legde haar hoofd tegen de schouder van Eve.

Zonder zich te haasten wandelden ze zwijgend over de Kortrijksesteenweg.

'Daar is het station', wees Céline toen na een tijdje de contouren van het Sint-Pietersstation zichtbaar werden.

'Misschien zijn er mensen die ook de trein naar Aalst nemen.'

Eve kneep nog eens hard in Célines vingers en trok toen haar hand uit de jaszak.

'Ik wenste dat we eeuwig hand in hand door Gent konden lopen', zei ze gemeend.

Met zijn mollige vingertjes probeerde Kobe een klein legoblokje tussen twee andere stukjes te wringen. Het huisje van Kabouter Plop schoot al flink op. Enkel de schoorsteen gaf nog wat problemen. Terwijl hij zijn wangen bol blies, duwde Kobe het stukje zo hard op de schoorsteen dat een stuk van het muurtje afbrak. Boos gooide hij een paar blokjes weg en richtte zich op.

'Niet boos worden, Kobe', probeerde Eve hem te kalmeren. 'Wacht, ik zal je helpen.'

Meteen liet Kobe zich weer op zijn buik vallen en keek benieuwd hoe Eve het schoorsteentje weer opbouwde. Met hun gezichten naar elkaar gericht lagen Kobe en Eve op het parket.

Enkel het kabouterhuisje stond tussen hun neuzen. Een metertje verderop lag Amber op een deken en ze keek afwisselend naar de lichtjes in de luchter en naar de twee die het huisje bouwden.

'Zo, ik heb een huisje voor Kabouter Plop gemaakt', zei Kobe trots, alsof het niet Eve was die bijna alles gedaan had.

'Het is een heel mooi huisje, Kobe', prees Eve. 'Kabouter Plop zal vast heel blij zijn.'

Meteen kwam Kobe overeind en in een bak vol met speeltjes zocht hij een paar plastic kabouters. Zijn zusje volgde hem met aandachtige ogen.

Het is zalig om met de kinderen te spelen, dacht Eve vertederd toen Kobe met een paar kabouterpoppetjes kwam aandribbelen. Meteen versomberde haar gezicht.

'Hoe moet dat dan?' vroeg ze zich opeens hardop af. 'Als ik met Céline samen ben, zal ik nooit zelf kinderen hebben.'

Eve liet nadenkend haar vinger de naden in het parket volgen. De momenten met Céline waren heerlijk, maar kinderen die je in je buik voelde groeien, die je tegen je wang wilde knuffelen, zou ze nooit hebben. Ze zou nooit haar handen op haar bolle buik kunnen leggen en het kind voelen bewegen. Een kind van haar en Céline... het kon gewoon niet.

'Waarom moet mij dat nu weer overkomen?' vroeg ze zich met een zucht af.

'Eve wil niet meer spelen?' vroeg Kobe.

Hij kwam naast haar liggen en duwde een kaboutertje in haar handen. Met een peinzende tederheid staarde Eve naar het vragende gezicht.

'Misschien zal ik nooit zelf zo'n lief kereltje als jij op de wereld zetten', zei ze omdat ze wist dat hij niet begreep wat er in haar omging.

Kobe was het wachten beu en liet zich op zijn achterwerk naast het kabouterhuisje vallen. Eve keek op haar horloge.

'Bedtijd!' zei ze.

Kobe deed alsof hij niks gehoord had en liet een kabouter met sprongetjes rond het huisje lopen. Eve en Kobe keken op toen ze het signaal van het mobieltje hoorden. Meteen kwam Eve overeind en ze nam de gsm die op tafel lag.

Ik heb je lief xxx stond er op het display.

Alsof ze het niet kon geloven las ze het bericht driemaal en meteen seinde ze *ik ook* door. Er lagen pretlichtjes in haar ogen toen ze de gsm weer op tafel legde en plotseling neuriede ze zomaar *Hou me vast* van Volumnia. Ze had het altijd een slijmliedje gevonden en nu zou ze het kunnen blijven zingen.

'Nog vijf minuutjes dan', gaf ze toe toen Kobe haar niet-begrijpend aankeek.

Ze greep Amber onder haar oksels en tilde de baby op.

'Jij krijgt eerst een nieuwe pamper', zei Eve vrolijk terwijl ze met haar neus over Ambers kruin aaide.

Heel voorzichtig legde Eve het meisje in het wiegje en dekte haar met het dekentje toe. Het kind kirde toen Eve nog even met het topje van haar wijsvinger onder de kin van de baby kietelde.

'Je bent een schatje', zei Eve op een knuffeltoontje. 'Maar nu moet je slapen. Straks komen mama en papa naar huis en ze zullen vast boos zijn als hun kleine Amber nog wakker is.'

Het guitige meisje verwachtte duidelijk nog wat knuffels.

'Nee, het is echt bedtijd, malle meid', fluisterde Eve.

Met tegenzin stelde ze de verlangende oogjes teleur en voetje voor voetje schuifelde Eve achteruit naar de deur. Ze knipte het licht uit en verliet de kamer. Bijna ademloos bleef Eve met haar oor tegen de deur luisteren.

'Ze slaapt', mompelde Eve een paar minuutjes later. Op haar tenen sloop ze naar de volgende deur en weer legde ze haar oor tegen de deur. Met een glimlach op haar lippen liep ze naar de woonkamer.

Het scherm van het tv-toestel flitste van de ene zender naar de andere.

Ik had mijn map Engels moeten meenemen, dacht Eve terwijl ze zapte. Honderd zenders en geen enkele waar iets op te zien is. Terwijl de beelden voorbijschoten, dacht ze aan Amber. Het was zo'n lief kind. Eve keek dromerig naar de deur.

'O, wat is het zalig om Amber tegen me aan te drukken en haar eens lekker te knuffelen.'

Ze beeldde zich het lachende babygezichtje in en moest zich bedwingen om niet op te staan en het kind uit het bedje te halen.

Nooit zal ik een eigen kind kunnen vasthouden, flitste het door haar heen. Het leek alsof zelfs de gedachte pijn deed in haar borst. Ze knipte de tv uit en ze keek wat doelloos voor zich uit terwijl de emoties door haar hoofd cirkelden. Terwijl ze wat aan haar haarpunten pulkte, snikte ze met droge ogen.

Maar ik ben toch niet de enige die op een meisje verliefd wordt, dacht ze om zich op te monteren. In gedachten probeerde ze zich meisjes voor de geest te halen die misschien ook lesbisch waren. In de school waren wel meisjes waarover men soms fluisterde. Ook Céline werd soms genoemd, maar enkel omdat ze met de jongens op het schoolplein voetbalde. Alsof alle meisjes die voetbalden lesbisch waren...

Ondanks haar piekeren verscheen er een zweem van een glimlach op haar gezicht toen ze in gedachten Céline door de regen over het schoolplein zag rennen. God, wat was ze knap.

Om iets om handen te hebben, stond ze van het bankstel op en liep naar de keuken, waar Veerle altijd twee blikjes cola koel zette als Eve kwam babysitten. Ze nam een blikje uit de ijskast, hield het even tegen haar voorhoofd en trok toen het lipje open. Terwijl ze dronk, liep ze door de gang om te luisteren of de kinderen rustig waren. De deur van het bureau stond op een kier en toen ze passeerde, zag Eve dat Berts computer nog aanstond. Ze duwde haastig de deur verder open. Bert had er geen probleem mee dat ze de computer soms gebruikte voor een schooltaak. Ze startte de internetverbinding en klikte *Google* aan. Nadat ze even had nagedacht typte ze *lesbisch meisje tiener* in.

'Goh, wat moet ik nu?' vroeg ze zich af toen ze merkte dat er duizenden sites bestonden. 'Waar vind ik nu hoe andere meisjes zich voelen?'

'Bah!' zei ze toen ze op goed geluk een site aanklikte en foto's van naakte meisjes met opgeilende tekstjes te zien kreeg.

Ze probeerde nog een paar sites, maar telkens kreeg ze dezelfde vuiligheid.

Lesbische meisjes tiener verhalen tikte ze in.

Ze klikte een site aan die haar wel wat leek, maar toen ze begon te lezen bleek het een smerig tekstje over meisjes die elkaars lichaam verkenden. Teleurgesteld wreef ze met beide handen over haar gezicht en ze sloot het zoekprogramma af. In het duister bleef ze naar het lege scherm staren.

In het licht van de straatlantaarn blies een flinke westenwind de regendruppels schuin voor zich uit. Eve huiverde toen ze haar fiets uit de garage duwde.

'Moet Bert je niet naar huis brengen?' vroeg Veerle bezorgd. 'Je zal kleddernat zijn als je thuiskomt.'

'Nee, het is niet nodig. Ik zal heus niet smelten van de regen.'

Zeker vanavond had ze zin om in haar eentje naar huis te fietsen. Ze ritste haar K-Way dicht en trok de kap over haar hoofd. Ze wuifde nog eens naar Veerle en bijna meteen hoorde ze achter zich de garagepoort dichtkantelen.

De straten waren leeg en nat. Het was bijna een uur en de huizen in de wijk waren stil en donker. Hier en daar stond een auto op straat. De fiets kwam tegen de wind in amper vooruit en Eve boog haar neus over het stuur. De inspanning en de regendruppels die in haar gezicht waaiden, deden haar goed. Ze bliezen haar donkere gedachten weg.

Toen ze het witte knipperlicht van de spoorwegovergang zag, luisterde ze of ze het geluid van een trein hoorde.

'Op dit uur rijden er geen treinen meer', zei ze hardop, maar ze voelde zich toch opgelucht toen ze de rails over was.

Omdat ze intussen de wind in haar rug voelde, richtte ze haar hoofd op. Enkele huizen verderop liep iemand over het pad in de voortuin naar de straat. Om zich tegen de wind en de regen te beschermen had de kerel de kap van zijn sweater over zijn hoofd getrokken. In zijn armen droeg hij een pak. Het was erg zwaar, want halverwege het tuinpad stopte hij even. Moeizaam sleepte hij de zak naar de straat. Aan de rand van het trottoir liet hij hem voorzichtig op de stenen zakken. De man keek naar rechts en naar links. Toen hij het fietslicht opmerkte, draaide hij zich bruusk om en liep beheerst, maar vlug naar het huis terug.

Wie zet er nu midden in de nacht zijn vuilniszak op straat, dacht Eve toen ze langs het huis reed. Er brandde nergens licht. De kerel verdween net om de hoek van de woning en even meende Eve een groot, wit Scapakruis op zijn rug te zien.

Net zoals de sweater van Tibo, dacht ze meteen.

Onmiddellijk schudde ze haar hoofd. Tibo woonde ergens anders. Waarom zou hij op dit uur hier een vuilniszak op straat zetten? Zoiets deed hij thuis nog niet. En die sweater dan? *So what?* In India maakte men vast miljoenen Scapasweaters met een kap.

Vroeger zou ze Tibo met het bizarre voorval geplaagd hebben, maar sinds het uit was tussen hen, ontweek ze hem toch liever. Zelfs al had hij nu een ander vriendinnetje.

Om hand in hand te kunnen lopen waren Céline en Eve naar Antwerpen getrokken. In het park waren er zo weinig mensen dat ze het aandurfden.

'Ik heb het veel te warm.'

Eve trok haar jasje uit en knoopte de mouwen om haar middel. Ze stak haar hand in de achterzak van Célines jeans en zo wandelden ze in de richting van de vijver.

'Weet je dat ik soms jaloers ben als ik koppeltjes hand in hand zie wandelen?'

'Ik ook', zei Céline en ze raakte even Eves wang aan.

Een eindje verderop zat een man op een bank. Naast hem lagen een paar boterhammen op een vetvrij papier. Hij droeg een blauw pak en een das met rood-witte stippen. Om zijn broek te beschermen lag er een handdoekje op zijn dijen. De man kauwde wat op het brood terwijl hij geïnteresseerd naar Eve en Céline keek.

Eve knikte vriendelijk toen ze langs de bank liepen.

'Ik wil je best eens neuken', zei de man.

Meteen hield Eve haar hoofd rechtop en ze liet Céline los.

'Pardon?' vroeg ze omdat ze dacht dat ze hem verkeerd begrepen had.

Hij grijnsde, legde een boterham terug op het papiertje en keek zonder schaamte naar haar borsten.

'Kruip maar eens met mij in bed, dan zul je van dat lesbische gedoe vlug genezen zijn. Dan wil je geen meisje meer.'

'Echt?' vroeg Céline.

'Zeker weten', zei de man terwijl hij zijn lippen in een kus tuitte.

Met een gemeen lachje op haar gezicht schoof Céline wat naar de man. Die grijnsde opeens onzeker en om zich een houding te geven beet hij vlug in een boterham.

'Mag ik je identiteitskaart zien?' vroeg Céline terwijl ze haar hand uitstak.

'Mijn identiteitskaart?' vroeg de man onthutst. De grijns smolt van zijn gezicht en plotseling keek hij heel wantrouwig.

'Ja. Hoe kunnen we anders weten waar je woont? Je wilt toch met ons naar bed, niet?' Ze knikte naar de trouwring aan zijn vinger. 'Het zal vast leuk zijn wanneer je vrouw ook meedoet', zei Céline luchtig alsof ze het best wel zag zitten.

'Mijn vrouw?' hikte de man.

Meteen legde hij het stuk brood op het papier en verborg vlug zijn hand onder het handdoekje.

'Ze zal vast heel blij zijn dat je ons wilt helpen, dat je ons wilt genezen.'

Met open mond bleef hij Céline aanstaren zodat ze de brood-prop tussen zijn tanden kon zien.

'Geef nu maar je adres', pookte Céline hem nog wat op.

'Vuile pot! Hoe durf je...'

Hij slikte zijn brood door, gooide het handdoekje in het open attachékoffertje dat naast hem lag en knipte woedend de sloten dicht.

'Ze moesten jullie allemaal op een eiland zetten.'

Hij kwam overeind, greep met een woest gebaar het koffertje van de bank en liep snel weg, alsof ze een besmettelijke ziekte hadden.

'Ik denk niet dat hij echt zin had', zei Céline terwijl ze hem nakeek. 'Veel beloven, maar...'

Eve had ongelovig naar het toneeltje gekeken, maar toen ze het triomfantelijke gezicht van Céline zag, schaterde ze het uit.

9.

Eve liep een pas achteruit en bekeek zichzelf in de spiegel. Vorige week had ze een nieuwe jeans gekocht die laag op haar heupen lag.

'Ga je straks nog mee naar de cafetaria?' vroeg Britt terwijl ze haar hoofd schuin hield en met de haardroger haar lokken liet wapperen.

'Nee, ik kan niet. Céline komt me straks oppikken.'

'Jakkes, doe toch niet zo flauw', zei Britt. 'Gisteren was ik jarig en ik heb geld gekregen om te trakteren. Domien komt straks ook. Het is maar half zo gezellig als jij er niet bij bent.'

'Ik kan echt niet.'

Eve stak haar duimen in de zakken van haar broek en duwde die nog wat lager zodat de rand van haar bloedrode broekje twee vingers boven het jeansblauw te zien was. Terwijl ze zich wiegend bewoog, keurde ze kritisch haar spiegelbeeld. Ook toen ze aan de zoom van het mouwloze ritstruitje trok, bleef haar navel zichtbaar.

'Moet je nu echt weer naar Céline?' vroeg Annelies meer geergerd dan verbaasd. 'De laatste weken ga je er na de training telkens vandoor. Zo is het niet leuk meer. Jullie lijken wel een koppel.'

Eve durfde niet van de spiegel weg te kijken.

Ze vermoeden iets, flitste het door haar hoofd.

'Hoe verzin je het? Dat ik goed met haar kan opschieten wil dus meteen zeggen dat we iets hebben.'

Ze draaide zich van de spiegel weg en stopte haar spullen in haar sporttas.

'Wat is er dan zo dringend?' vroeg Annelies.

'Céline gaat me leren hoe ik muziek van Kazaa kan downloaden', zei Eve. Omdat het niet gelogen was, keerde ze zich terug naar de meisjes en ze merkte dat haar vriendinnen haar onderzoekend aankeken.

'Dat had ik je ook kunnen leren. Dat weet je toch', zei Annelies droog.

'Wanneer zou je daar tijd voor vinden?' vroeg Eve nijdig. 'Je bent bijna altijd bij Kevin.'

'Ons groepje is al zo lang samen', zei Shanna. 'Als je nu een vriend had, ja, dan zouden we het begrijpen. Maar een ander meisje... het lijkt wel alsof we niet goed genoeg meer zijn.'

Eve kreeg een bittere smaak in haar mond.

Zouden ze iets vermoeden? En ze had nog wel zo haar best gedaan om de afspraakjes met Céline te verbergen. Het leek alsof de meisjes haar geheim blaadje voor blaadje wegpelden.

'Doe niet zo opgefokt!'

Haar stem klonk bits.

'Laten we het een beetje leuk houden', zei Annelies verzoenend. 'Met ruzie Britts verjaardag vieren is ook maar niks.'

Ze keken elkaar ongelukkig aan.

'Misschien kun je Céline vragen om eerst wat te drinken?' stelde Shanna voor. 'Dat is voor Britt ook leuker. Ze verjaart dit jaar maar een keer, weet je.'

Die goede Shanna, dacht Eve opgelucht.

'Prima.'

'Ga je nu toch niet mee?' vroeg Annelies toen ze uit de kleedkamer kwamen.

Eve leunde met haar rug tegen de gevel.

'Ik kom zo meteen. Ik wacht gewoon even op Céline.'

Terwijl de meisjes naar de cafetaria liepen, bleef Eve bij de kleedkamer rondhangen. Ze had het akelige gevoel dat de anderen wisten dat ze verliefd was op Céline.

Eve zuchtte opgelucht toen Céline naar de sporthal liep. Nonchalant beet het meisje in een appel.

Ze dwong zichzelf om rustig te wachten tot Céline bij haar was.

'Ben je niet met de fiets?' vroeg Eve.

'Lekke fietsband', zei Céline terwijl ze haar schouders gelaten optrok. 'Ik had geen tijd om hem te herstellen, want dan had ik onze afspraak gemist. Ik heb de bus genomen.'

Ze streelde licht en vluchtig met haar vingertoppen over Eves wang. In een reflex trok Eve haar hoofd achteruit.

'Sorry', zei ze zacht. 'Ik ben bang dat iemand het ziet.'

Céline knikte begrijpend. Ze knabbelde nog wat aan de appel en gooide toen het klokhuis met een baseballworp op het grasveld dat tussen twee tennisterreinen lag.

'De meisjes hebben gevraagd of we nog iets komen drinken.'

Er verscheen een rimpel in Célines voorhoofd.

'Britt is jarig en ik wil haar niet teleurstellen. We zijn al vriendinnen sinds we zo groot waren.'

Ze hield haar hand een metertje boven de grond.

'Als jij graag wilt, dan is het prima voor mij', stelde Céline haar gerust.

Ze lieten een paar meter tussen hen open toen ze naar de cafetaria liepen.

Toen Eve de deur opende, zag ze nog net hoe de mond van Annelies haar naam vormde en meteen werd het stil aan het tafeltje. Ze voelde hoe ze kleurde.

'Hoi!' herstelde Annelies zich als eerste. 'We hebben stoelen vrijgehouden.'

Eve en Céline schoven hun stoelen zo ver mogelijk uit elkaar.

'Wat drink je?' vroeg Britt.

Eve wachtte tot Céline een cola vroeg en meteen bestelde ze Gini. Voor geen geld wilde ze hetzelfde drankje kiezen. Er hing nu al een luchtje van roddels boven het tafeltje. Gelukkig kwam een minuut later Domien naar hun tafeltje gelopen.

'Ha, de jarige', zei hij opgeruimd.

Hij gaf Britt een hand en drie kusjes op haar wang.

'Hoe oud ben je nu?' vroeg hij alsof hij dat niet wist.

'Zestien.'

'Het vliegt voorbij', zei Domien terwijl hij naar de bar liep om een biertje te halen. 'Ik zie je nog op het tennisveld staan met je vlechtjes en binnenkort moet ik je vriendjes verjagen. Is het niet, Eve?' zei hij plagerig.

Eve zweeg en toen hij een stoel pakte, schoof ze nog wat verder van Céline weg, zodat hij tussen hen in kon zitten.

'Een nieuw lid voor de tennisclub?' vroeg Domien terwijl hij Céline aankeek.

'Nee', zei Céline. 'Ik had met Eve afgesproken om wat muziek te downloaden en op een schijfje te branden.'

'Spijtig', zei Domien. 'Je lijkt me best sportief. Hoewel... je had beter vroeger aan de opleiding kunnen beginnen. Maar als je echt talent hebt...'

'Ik zal er eens over nadenken.'

Zodra haar glas leeg was, stond Eve op en meteen schoof ook Céline haar stoel achteruit.

'Gaan jullie al weg?' vroeg Britt teleurgesteld.

'Sorry, maar als we nog iets willen doen, mogen we niet te veel treuzelen. En ik moet vanavond nog chemie leren. Of ben je vergeten dat we morgen een toets hebben?'

Eve was nerveus toen ze de deur achter zich sloot. Ze had het gevoel dat ze nu pas echt over de tongen zou gaan. Ze werd gek van het stiekeme gedoe.

'Ga jij je fiets maar halen', stelde Céline voor. 'Ik wacht wel even.'

'Het is wel een eindje lopen voordat we bij jou thuis zijn.'

'We hebben toch een fiets', zei Céline en ze lachte aanstekelijk. 'Ik trap en jij gaat op de bagagedrager.'

Céline nam de sporttas van Eve over en hing die over haar schouder. Terwijl Eve met haar voeten de fiets in evenwicht hield, trapte Céline hem in gang. Wiebelend reden ze het laantje uit. Toen in de smalle straat een vrachtwagen hen het trottoir op stuurde moest Eve hard lachen omdat ze allebei in het grasperk van een voortuintje terechtkwamen.

Omdat de kamer van Céline in het dak gebouwd was, liep een muur schuin naar de laminaatvloer. In de muur was een dakvenster verwerkt om het daglicht binnen te laten. Célines bureau stond onder het venster. Aan de andere kant van de kamer liep Eve langs een wandkast en liet haar vinger over de boeken, de strips, de cd's en de vakantieprullaria glijden. Het was alsof ze alles van Céline wilde zien, alles over haar wilde weten en alles in zich wilde opzuigen.

'Ik ben er bijna', zei Céline. Ze had haar wollen vest samen met Eves anorak op het bed gegooid en ze zat in haar tuniek op een draaistoel aan haar bureau. Meteen kwam Eve naast haar staan en ze volgde het pijltje op het scherm. Met amper merkbare polsbewegingen stuurde Céline de muis over het matje en even later verscheen Kazaa op het scherm.

'Welke muziek hoor je graag?' vroeg Céline terwijl haar ogen op het scherm gericht bleven. Ze schoof wat comfortabeler op haar bureaustoel en wachtte af.

'*Coldplay*', stelde Eve voor. 'Lukt dat?'

'Waarom niet', zei Céline terwijl ze al met de muis klikte. 'Welke cd? *A rush of blood to the head?*'

'Ik weet het niet', bekende Eve. 'Ik ken gewoon wat toffe nummers, maar ik heb geen idee op welke cd die te vinden zijn.'

'Als je wilt kunnen we een mix maken van allerlei artiesten. We pikken er dan gewoon hun hits uit en branden die op een cd.'

'Ja? Echt?'

'Natuurlijk', zei Céline terwijl ze opstond. 'Ga jij maar op mijn stoel zitten, dan gids ik je door een lijst van nummers. Je vertelt me gewoon welke groepen of zangers je graag hoort, dan downloaden we hun beste nummers en brand ik die later op een schijfje.'

Ze draaide de stoel naar Eve en toen die voor het scherm zat, kwam ze achter haar staan.

'Wat moet ik nu doen?' vroeg Eve terwijl ze het pijltje zomaar wat over het scherm liet dwalen.

Zonder iets te zeggen boog Céline zich over haar schouder zodat haar wang Eves haar raakte. Ze legde haar hand over Eves hand en liet zo de muis bewegen. De huid van Eve tintelde onder de aanraking. Ze durfde niet van het scherm weg te kijken, maar ze zag de letters niet meer.

'Wat nu?' vroeg ze en ze kon het niet verhelpen dat haar stem op een vreemde manier hees klonk.

'*Clocks*, dat nummer ken je zeker', zei Céline. 'Klik het maar aan.'

Alsof het niet anders kon, leunde Céline wat over Eve en duwde haar neus in Eves haar.

'Je haar ruikt lekker', zei Céline. Ze tilde de lokken van Eve op en gaf haar hals een likje. Eve kreeg er kippenvel van.

Kazaa was opeens niet meer belangrijk en Eve liet zich wat onderuitzakken zodat ze met haar achterhoofd op de stoel leunde. Met gesloten ogen voelde ze hoe Célines lippen haar mond openden. De vingers van Céline ritsten langzaam haar truitje open en Eve voelde een huivering langs haar ruggengraat lopen. De hand gleed in haar beha en bleef op haar borst rusten. Eve voelde haar tepels hard worden toen Céline haar streelde en ze stak haar armen achteruit om Céline aan te raken.

'Zullen we op het bed gaan liggen?' vroeg Céline zacht. 'Of liever niet?'

Eve antwoordde niet. Ze kwam voor Céline staan, greep de zoom van haar tuniek en trok die over haar hoofd.

'Je draagt geen beha', zei Eve en ze keek naar het meisje alsof ze het beeld nooit meer wilde vergeten.

'Misschien had ik een voorgevoel dat ik die toch moest uittrekken', zei ze met een tedere ernst.

'Rustig', zei Céline toen Eve gejaagd aan de knoop van Célines broek peuterde. 'Heel langzaam.'

Ze kleedden elkaar uit en toen hun kleren op het laminaat lagen, nam Céline haar hand. Terwijl ze elkaar kusten, wenste Eve dat ze honderd vingertoppen had waarmee ze Céline kon aanraken.

Haar vingers zweefden millimeters boven de huid van Céline

alsof ze enkel de haartjes wilden strelen die wat glansden in het licht van het lampje. Omdat het daglicht verdween, had Céline het lampje op haar nachtkastje aangeknipt. Eve lag met haar hoofd op Célines buik en keek vertederd naar de rillingen die haar vingertoppen bij Céline veroorzaakten. Ze voelde zich wat slaperig, maar dit moment was te heerlijk om er een seconde van te missen.

Eigenlijk had ze al thuis moeten zijn, maar het kon haar deze keer niks schelen. Liggend op bed had ze haar mobieltje uit de zak van haar anorak gevist. Ze had tegen Niels gezegd dat ze wat later zou thuiskomen en meteen had ze haar mobieltje uitgeschakeld. Het zou haar straks wel wat gezeur bezorgen, maar dat nam ze er graag bij. Elke minuut die ze bij Céline mocht doorbrengen was belangrijk. De handen, de lippen en de tong van Céline hadden haar lichaam bespeeld tot ze soms kreunde, dan weer schreeuwde. Ze voelde zich rood kleuren toen ze zich herinnerde dat ze Céline met haar vingernagels in de rug gekrabd had. Soms had ze Célines handen weggeduwd omdat ze de tintelingen niet meer aankon. Nooit had ze gedacht dat ze zoiets kon voelen.

Céline richtte zich op een elleboog en keek Eve in de ogen.

'Je pupillen zijn groot', zei ze.

'Wat is daarmee?' vroeg Eve verwonderd.

'Dat betekent dat je verliefd bent.'

Eve nam een hand van Céline en koesterde die tussen haar handen.

'Ik laat je nooit meer los', zei ze met een gelukzalige glimlach.

Céline schoof wat opzij zodat hun neuzen elkaar raakten. Opeens werd Eve ernstig.

'Hoe wist je dat ik van je zou houden?' vroeg ze.

Er verschenen pretlichtjes in de ogen van Céline.

'Ik zag het aan je ogen.'

'Wat zag je dan?'

'Ik kan het niet uitleggen. Het is de manier waarop je naar me keek. Je keek naar me zoals een jongen geïnteresseerd naar een meisje kijkt. Ik zag het gewoon, ik voelde het. Het lijkt alsof er een radar in mijn hoofd zit die een signaal uitzendt als ik een meisje zie dat ook lesbisch is. Soms zie ik het zelfs bij meisjes die zelf nog niet weten dat ze op een meisje verliefd kunnen worden.'

Ze tikte met haar wijsvinger op de neusvleugel van Eve.

'Jij voelde het toch ook toen je op het schoolplein naar me keek?'

'Ik weet het niet', zei Eve terwijl ze zich de eerste blik van Céline voor de geest probeerde te halen. Ze herinnerde zich hoe ze na dat eerste oogcontact Céline steeds onbewust tussen de honderden anderen op het schoolplein zocht. Zelfs toen ze nog met Tibo of Tim ging.

'Ik denk dat ik vroeger op Margaux verliefd was', zei Eve toen het een tijdje stil was.

'Margaux?'

'Ze is altijd mijn beste vriendin geweest, maar ze verongelukte toen ze dertien was. De anderen uit mijn klas waren toen ook verdrietig, maar ik weet dat ik het veel dieper voelde. Bij hen sleet het na een paar weken, bij mij sleet het nooit. Ik dacht altijd dat ik gevoeliger was dan de rest, maar nu denk ik dat ik misschien toen al op Margaux verliefd was, maar dat ik het nu pas besef. Ook nu leg ik nog steeds bloemen op haar graf.'

'Als je nog eens naar haar graf gaat, zou ik graag meegaan', zei Céline en Eve voelde dat ze het meende. Alsof ook Céline alles wat met Eve te maken had in zich wilde opzuigen.

'Ik praat nog dikwijls met haar. Vind je dat belachelijk?'

'Nee', zei Céline. 'Ik begrijp je heel goed.'

Eve streek met haar vingertoppen over Célines lippen.

'Masturbeer jij weleens?' vroeg ze opeens en ze had meteen spijt van haar vraag.

'Ja', zei Céline gewoon. 'Jij niet?'

Eve grinnikte opgelucht.

'Ik probeerde altijd over Tibo en Tim te fantaseren, maar dat kon me niet echt opwinden. Vroeger werden ze in mijn verbeelding telkens door Margaux verdrongen. Met haar in mijn hoofd lukte het wel.'

'Vroeger?' vroeg Céline met een schalks gezicht terwijl ze een haarlok van Eves voorhoofd verlegde.

'Sinds ik jou ken...' zei Eve eerlijk. 'Maar deze middag...' Haar stem haperde. 'Zoiets heb ik nog nooit gevoeld wanneer ik me streelde.'

Céline legde haar arm over Eves borst en ze genoten zwijgend van elkaars warmte.

'Weet je', zei Eve ontspannen. 'Er is niemand met wie ik zo openhartig durf te praten. En ik voel me niet eens beschaamd.'

Ze rekte zich uit en begroef haar hoofd in Célines oksel.

'Volgende week is er een holebi-feest in Antwerpen. Zullen we daar heen gaan? Ik ken er een paar meisjes. Als ik het vraag, mogen we vast bij Roxanne blijven slapen.'

'Roxanne?'

'Gewoon een meisje dat ik ken. Ze huurt een flat samen met Sara. Ik heb vroeger nog in de logeerkamer geslapen.'

Meteen kwam Eve overeind.

'Alleen?'

Ze kon het niet verhelpen dat haar gezicht wantrouwig stond.

'Nee, ik was toen met Aster. Maar je hoeft niet ongerust te zijn. Er is al meer dan een halfjaar niks meer tussen ons.'

Natuurlijk, dacht Eve een tikje teleurgesteld. Ze had er nog geen seconde bij stilgestaan dat ze misschien niet de eerste was.

'Zijn er nog andere meisjes geweest?'

'Een paar', zei Céline en ze legde plagerig haar hand op Eves gezicht. 'Maar jij hebt toch ook Tibo en Tim gehad? En je bent ook nog een paar jaar jonger dan ik.'

'Dat waren jongens', verdedigde Eve zich. 'Dat telt niet.'

Céline lachte hardop. Ze nam haar hand weg en kuste Eve innig op de mond.

'Wat denk je?'

'Wat denk ik?'

'Wil je naar dat feest gaan? Probeer het je eens in te beelden...
We kunnen samen dansen zonder dat iemand daarover vervelende opmerkingen maakt en daarna kan ik in je armen slapen.'
Het leek ongelooflijk. Eve vroeg zich af hoe ze dat thuis moest verkopen.
'Je vertelt gewoon dat je in Antwerpen met mij naar een feestje gaat. Van de computerclub, dat klinkt goed. En dat ik een vriendin heb waar we kunnen blijven slapen. Je hoeft er tenslotte niet bij te vertellen dat het een gayparty is. Zou het lukken, denk je?'
'Misschien', zei Eve. 'Zo streng zijn mijn ouders ook weer niet. Als ik daarna een tijdje thuis blijf...'
'Zodra je het weet, bel ik Roxanne.'
Eve drukte zich tegen Céline aan en probeerde zich een nacht met haar vriendin in te beelden.
'Is ze mooi?' vroeg ze opeens met gesloten ogen.
'Wie?'
'Aster natuurlijk.'
'Ja. Maar jij bent mooier.'
Eve wist niet of Céline het meende, maar ze voelde zich al een beetje gerustgesteld.
'Als mijn ouders niet willen dat ik naar...'
Ze maakte haar zin niet af.
'Ga je dan zonder mij?'
Ze opende haar ogen toen Céline niet meteen antwoordde.
'*Please?*' bedelde ze.
'Nee, dan ga ik ook niet.'
Céline keek naar het dakvenster en ze draaide zich meteen op haar zij om naar het klokje te kijken dat op haar nachtkastje stond.
'We moeten ons weer aankleden. Straks komen mijn ouders thuis. Ze kunnen best wat hebben, maar als ze ons in bed aantreffen, zouden ze toch schrikken.'
Eve veerde overeind en raapte haar kleren op van de vloer.
'Kom je niet?' vroeg Eve.

'Nog een seconde.'

Céline verschoof zich wat in het bed tot ze op de plaats lag waar het hoofd van Eve een afdruk op het kussen had achtergelaten. Met haar ogen dicht genoot ze nog even van Eves warmte op de matras en het hoofdkussen.

'Weten ze dat je lesbisch bent?' vroeg Eve terwijl ze haar broek voor zich uit hield.

'Eigenlijk hebben ze het altijd geweten. Niet dat ze in hun handen klapten toen ik het vertelde. Ze hadden liever dat het anders was, maar ja... als ik me maar gelukkig voelde, zei mama. Ik hoef het ook niet te verstoppen, zolang ik maar gewoon doe. Ze zouden het niet leuk vinden als ik tijdens de Gay Parade in een flashy, oranje bikini op een wagen zou dansen.'

Eve lachte, maar dacht toen aan mama en papa en ze zuchtte.

De taxichauffeur keek haar met een nietszeggend lachje aan terwijl Eve een briefje van vijftig euro uit haar portemonnee haalde.

Dit uitstapje kost me een paar avonden babysitten, dacht ze.

De taxichauffeur toonde het wisselgeld en liet het in haar hand vallen. Céline was intussen uitgestapt en wachtte bij de deur van de zaal. Twee mannen kwamen aangewandeld. Een van hen had zijn arm rond het middel van zijn vriend gelegd en hij stak zijn hand op naar Céline voordat ze de zaal binnenliepen.

'Ken je hen?' vroeg Eve toen Céline de deur voor haar openhield.

'Ik heb hen nog in de Jacob gezien. Als je hier meer komt, zul je heel wat anderen leren kennen.'

In de vestiaire bleven ze staan.

'Je ziet er fantastisch uit', charmeerde Céline toen Eve haar jas losknoopte.

Eve nam het complimentje met een glimlach aan. Nog nooit had ze zo lang voor de spiegel gestaan. Ze had haar halflange, bruine haar opgestoken, zodat haar hals bloot was. Ze trok even haar asymmetrische, citroengele topje recht. Mama had het gisteren aarzelend bij de schouderbandjes voor zich uit gehouden. Het topje liet de rug bloot en toonde een gleuf tussen haar borsten. Maar met een *je wordt oud, mama* en *Annelies heeft er ook een met een blote rug* was mama weliswaar niet overtuigd, maar ze had toch zuinig geknikt. Een witte, enkellange splitrok paste er prima bij, vond ze.

Draaiende spots lieten hun blauwe, rode en witte kleuren over de dansvloer cirkelen. Terwijl de boxen *Paradise by the dashboard light* door de zaal joegen, legde Eve uitbundig haar handen op haar hoofd en ze deinde uitdagend naar Céline toe. Het was fantastisch om met een verliefd gezicht met Céline te kunnen dansen. Hier hoefde ze niet bang te zijn voor een venijnige of smerige opmerking. In het begin had ze het vreemd gevonden om enkel mannen- of meisjeskoppels te zien dansen, maar het had haar ook rustiger gemaakt. In deze zaal begreep iedereen elkaar.

Een slank meisje met een korte, blauw bedrukte jurk dook tussen Céline en Eve op en posteerde zich dansend voor Céline. Ze had een ponykapsel en een verleidelijke glimlach. Het meisje lachte en riep Céline iets toe dat Eve niet kon horen. Toen de muziek plotseling in Whitney Houstons *I will always love you* overging, legde het meisje haar armen rond Célines hals. Eve bleef doodstil tussen de zacht deinende koppeltjes staan. Het was alsof een koude hand in haar hals kneep. Ze probeerde de ogen van Céline te vangen, maar al dansend liet het meisje Céline ronddraaien zodat Eve enkel nog de rug van haar vriendin te zien kreeg. Geprikkeld liep Eve van de dansvloer. Aan de bar bestelde ze een flesje cola met een rietje en terwijl ze aan het rietje zoog, bleef ze Céline in het oog houden. Het meisje had haar hoofd op Celines schouder gelegd en geërgerd vroeg Eve zich af waarom Céline dat hoofd niet van zich afduwde. Met een ruk draaide Eve zich om, zocht een krukje en met haar rug naar de dansvloer bleef ze mokkend aan het rietje zuigen.

Naast haar duwde iemand een krukje wat dichterbij. Wat verveeld loerde ze vanuit een ooghoek opzij en ze keek in het lachende gezicht van een jongen. Ze schatte hem een jaar of twintig.

'Ik denk niet dat ik jou al eerder gezien heb', brak hij meteen het ijs. 'De eerste keer in de Jacob?'

'Ja', zei Eve. 'Ik ben met Céline.'

Ze wees met haar hoofd naar de dansvloer en kon het niet verhelpen dat haar gezicht versomberde.

'Céline? Die ken ik. Een tof meisje. Mijn vriend is een pakje Camel halen', zei hij terwijl hij zich op het krukje hees. 'Wil jij iets van me drinken?'

Ze toonde hem het colaflesje dat nog voor driekwart gevuld was. Hij wenkte de barman.

'Mag ik een pilsje?'

Alsof hij Eve al jaren kende, legde hij even zijn hand op haar arm en tot haar verbazing had ze helemaal niet de reflex om die weg te halen.

'Je lijkt me nog behoorlijk jong. Ben je al uit de kast?'

'Uit de kast?' vroeg Eve verbouwereerd. 'Wat bedoel je daarmee?'

'Of je al aan anderen verteld hebt dat je op meisjes valt. Heb je je al ge-out, als je dat woord liever hoort.'

'Nee', zei ze en ergens voelde ze zich laf omdat ze het aan niemand durfde te vertellen.

'Moet je toch eens doen', zei hij. 'Dat lucht op. Vroeg of laat komen ze het toch te weten en intussen doe jij het in je broek omdat iemand misschien iets kan ontdekken.'

'Aan wie heb jij het eerst verteld?' vroeg Eve alsof ze een tip zocht.

Hij grinnikte alsof hij aan een leuke grap dacht.

'Je raadt het nooit. Aan mijn beste vriendin.'

'Een meisje!' riep ze en ze lachte met hem mee.

'We konden heel goed met elkaar opschieten. Het rare is dat ze het allang wist. Maar mijn familie ziet het niet. Ik hoor mijn tante nog zeggen: *Och, over Joost hoeven we ons geen zorgen te maken. Die is echt geen homo.*'

Hij verslikte zich in een slok bier terwijl hij het uitschaterde.

'Ja schat, dacht ik toen. Ik geef je nog maar sinds ik acht ben advies over welke kleren je leuk staan. Of wat je met je haar moet doen.'

'Wanneer wist je dat je homo was?'

'Goh, eerst besef je het zelf amper, tot je merkt dat je in een videoclip meer interesse hebt voor de knappe vent dan voor de vrouw waarmee hij danst. Over haar dacht ik alleen maar: denk je echt dat je van die siliconentieten zoveel mooier wordt?'

Hij keek opeens halsreikend de zaal in alsof hij iemand zocht en Eve zoog vlug wat cola door het rietje.

'Pieter is er nog niet', zei hij. 'Misschien maakt hij met iemand een praatje in het toilet.'

Het leek alsof hij zich opeens weer bewust werd dat Eve naast hem zat.

'Waar was ik gebleven? O ja, ik begreep uiteindelijk dat ik op jongens viel. In het begin wilde ik dat gevoel verdringen. Je wilt tenslotte zoveel dingen die je niet kunt als homo. Kinderen bijvoorbeeld.'

Hij keek ineens heel wazig, alsof hij met zijn gedachten ver weg was.

'Ik denk ook dikwijls aan kinderen', zei Eve en even gleden de leuke avonden met Kobe en Amber door haar hoofd. Meteen gevolgd door Jochen, die haar altijd zocht wanneer een bal eindelijk deed wat hij wilde.

'Bij jou kan het toch. Er bestaat zoiets als een spermabank.'

'Dat is toch anders', reageerde Eve. 'Dat is niet samen met Céline. Of misschien toch?'

'Ja en nee', knikte hij begrijpend. 'Ik probeerde ook op meisjes verliefd te worden. En ineens gebeurde er iets fantastisch. Ik werd verliefd. Op een meisje welteverstaan. Zie je wel, dacht ik, ik ben dus toch geen homo. Maar ik merkte al snel dat het niks werd. En toen ik haar een week niet zag, was ik al over haar heen.'

Eve klakte met haar tong. Ze dacht aan Tibo.

'Toen wilde ik het aan een jongen uit mijn klas vertellen. Nou, vertellen? Ik hakkelde: "Ik... eh... hum..." Zeg het of zeg het niet, reageerde hij, maar sta daar niet zo te stuntelen. En ik dus: "nou... ik... heu... ben een homo." En weet je wat hij zei?'

'Nee?' zei Eve terwijl ze zowat aan zijn lippen hing.

'Is dat alles? Dat wist ik toch al lang.'

En weer schaterde hij het hoofdschuddend uit.

'Stilaan wist iedereen het op school en dat luchtte lekker op. Soms hoorde ik weleens iemand "vuile flikker" roepen, maar ja...' Hij haalde gelaten zijn schouders op. 'Dat hoort er nu eenmaal bij, denk ik. Trouwens, zonder dat je het weet, zullen de anderen op een andere manier over je praten.'

'Wat bedoel je?'

'Nou, als iemand over je praat...' Hij plaatste zijn biertje op de bar en acteerde alsof het glas een mens was.

'Zeg, ken jij Joost?'

'Weet ik eigenlijk niet.'

'Je weet wel, lange jongen, blauwe ogen, zwart krulhaar. Hij draagt soms zo'n azuurblauw truitje van het Italiaanse voetbalteam.'

'Oh, die. Ja, die ken ik wel.'

Hij schoof het bierglas wat opzij.

'Voortaan gaat het zo', zei hij tegen Eve terwijl hij het colaglas uit haar handen nam en het op de bar plaatste.

'Zeg, ken jij Joost?'

'Weet ik eigenlijk niet.'

'Je weet wel, die homo.'

'O, die niet, die ken ik wel.'

Hoewel hij op een grappige manier sprak, kon hij Eve niet aan het lachen brengen.

'En je ouders? Hoe reageerden die?'

'Ze weten het nog altijd niet. Ze zijn echt heel conservatief, ze zouden er niet mee kunnen leven. Daarom ben ik ook in Antwerpen gaan wonen. Ze denken dat ik verhuisde om dichter bij mijn

werk te zijn. Ze hoeven niet te weten dat ik met Pieter samen-
woon. Elke zaterdag ga ik hen bezoeken, zonder Pieter. Ik vertel
het hen wel bij hun graf.'

Hij richtte zich weer naar de zaal en opeens liet hij zich van het
krukje glijden.

'Pieter is terug. Als ik een beetje vlug ben, kan ik nog even met
hem slowen.'

In een paar slokken dronk hij zijn glas leeg en hij haastte zich
naar een man die met een pakje Camel in de hand duidelijk iemand zocht.

Vertederd zag Eve hoe hij Pieters hand nam en hem naar de
dansvloer trok. Toevallig dansten ze naast Céline en het meisje
met het ponykapsel. De twee lachten en alsof ze Eve wilde treite-
ren duwde het meisje haar oor tegen Célines wang.

I'd rather go blind than to see you walk away...

Eve ving wat woorden van het liedje op.

'Ik zou liever blind worden dan je zien weggaan', vertaalde Eve
in stilte voor zichzelf. Ze kende het liedje niet. Het moest vast
iets heel ouds zijn. De zangeres zong het zo aangrijpend en zo
smekend dat Eve kippenvel kreeg. Ze zong precies wat Eve voelde.
Ze legde haar hand over haar ogen omdat ze de twee niet meer
wilde zien en draaide zich weer met haar rug naar de dansvloer.

'Dat was nog eens leuk', zei Céline en ze legde haar hand in de
hals van Eve. 'Zit jij in je eentje wat te drinken? Moet jij niet
naar de dansvloer?'

'Wie is dat meisje?' vroeg Eve afgemeten.

'Aster.'

'Ik dacht het al', zei Eve nijdig.

'We mogen toch wel dansen', verdedigde Céline zich. 'Je moet je
echt niks in je hoofd halen. Aster is een afgesloten hoofdstuk.'

'Moest ze dan per se haar hoofd op je schouder leggen? Waarom
heb je haar niet weggeduwd?'

'Het was een slow, die dans je toch niet op vier meter afstand van elkaar. Maar het betekende echt niks.' Ze boog zich naar Eve. 'Vannacht slapen we samen', fluisterde ze in haar oor. 'En het is een eenpersoonsbed.'

Moeizaam verscheen er een vergevende grijns op Eves gezicht. Toen Céline de piano-intro van Lou Reeds *Perfect day* hoorde, nam ze het colaflesje uit Eves handen en plaatste het op de bar.

'Jij en ik gaan dansen', zei ze op een toon die geen tegenpruttelen verwachtte.

Hand in hand liepen ze naar de dansvloer. Céline sloot haar armen rond de schouders van Eve en drukte het hoofd van Eve tussen haar hals en haar schouder. Eve had haar hand op de billen van Céline gelegd en ze voelde haar liefje zalig dicht tegen zich aan. Toen ze haar ogen even opende, zag ze Aster, die aan de bar zat en wat somber over haar rechterschouder naar Céline keek.

Eat your heart out, Aster, dacht Eve en ze schurkte zich nog wat dichter tegen Céline aan.

Het peervormige lampje wierp een flauw schijnsel op de wankele, houten stoel en de oude kleerkast. Enkel een kalender van een Peugeotgarage en een poster met een zonsondergang op een tropisch strand sierden de witgekalkte muren. Eve lag in het smalle bed en had de donsdeken tot over haar oren opgetrokken. Het was nog koud in het bed en ze had haar benen ingetrokken. De pyjama die mama haar had meegegeven lag nog in de plastic C&A-tas onder de stoel.

Onze eerste nacht in zo'n armzalig kamertje heeft wel iets romantisch, dacht ze.

Na de party hadden ze een taxi genomen, maar Roxanne en Sara wilden hen niet naar hun kamer laten gaan zonder eerst nog een glaasje rode wijn te drinken.

Ga jij maar naar bed, ik help hen nog even met opruimen, had Céline gezegd toen Eve geeuwde.

Ze willen het vast nog eens over Aster hebben, dacht Eve somber. Ze haatte het meisje. Terwijl Eve erbij stond had Aster Céline nog tweemaal gevraagd om een slow te dansen. Aster had haar niet eens aangekeken, alsof ze lucht was. Het was de enige vlek op een zalige avond en toch verpestte die vlek het hele feestje. Voor haar netvlies zag ze Aster telkens weer haar hoofd op Célines schouder leggen. Ze kon het niet helpen, maar ze snikte ingehouden en tranen vochten in haar ogen.

'Morgen dekken wij de tafel. Slapen jullie maar eens lekker uit', hoorde ze Céline zeggen en meteen ging de deur open.

'Nu is de nacht van ons', zei Céline. 'Ben je niet te moe?'

Ze sloot de deur achter zich en drukte even haar rug tegen het hout. Omdat Eve haar tranen niet wilde verraden, zweeg ze. Snel trok Céline haar kleren uit en wierp die nonchalant over de stoel.

'Ik zal je eens lekker warm wrijven', zei ze. 'Eerst je benen, je buik...'

Ze maakte haar zin niet af. Ze reikte haar handen naar haar rug om haar beha los te maken, maar bewoog opeens niet meer toen ze merkte dat Eve verdrietig met haar hoofd op het kussen bleef liggen.

'Wat is er?'

Eve hield haar lippen op elkaar geperst. Haastig trok Céline haar ondergoed uit en sloeg de deken opzij.

'Wil je een beetje opschuiven? Hoe kan ik anders je koude voeten verwarmen?'

Een beetje onwillig, maakte ze plaats voor Céline. Ze snakte naar een opbeurend woord en een lief gebaar. Céline kroop dicht tegen haar aan en omklemde Eve met haar benen en haar armen.

'Aster?' vroeg Céline zacht.

'Ik wil je niet kwijt', snikte Eve opeens hardop. 'Alleen bij jou voel ik me goed. Ik heb je nodig.'

'Ik wil jou ook niet verliezen. Geloof me, Aster is verleden tijd. Maar ik kan haar toch niet afwijzen als ze me vraagt om met haar te dansen? Ik kan het toch ook niet helpen dat ze me er tijdens de kusjesdans telkens weer uitpikte. Je moet me geloven, ik voel me enkel gelukkig bij jou.'

'Echt?' bedelde Eve om zichzelf te overtuigen.

'Echt', zei Céline en ze likte de tranen op. 'Alleen jij en ik.'

Eve voelde hoe de handen van Céline over haar huid zochten. Ze ontspande zich en strekte haar benen.

10.

Heerlijk, zo'n warme meidag, dacht Eve terwijl ze rustig met haar fiets naar school peddelde. Na de koude en natte maanden kon ze voor het eerst weer een T-shirt dragen. Het gaf haar meteen een zomers gevoel. Ze genoot van de zon op haar armen en haar benen en ze hoopte dat de mooie dagen nog wat bleven, zodat haar huid weer wat kleur zou krijgen. Toen haar korte wikkelrok een beetje opwaaide, legde ze snel haar linkerhand op haar dij. Haar hand gleed langzaam over het fuchsia rokje met de veelkleurige stippen. Vorige zaterdag had Céline het voor haar in Antwerpen gekocht en nu was het eindelijk warm genoeg om het te dragen.

Alsof het toeval was, stond Céline bij het fietsenrek toen Eve met haar fiets aan de hand de schoolingang passeerde. De ogen van Céline gingen even naar het rokje en keken toen Eve veelbetekenend aan. Eves lippen vormden een voorzichtig glimlachje, maar omdat een paar jongens uit haar klas langs het rek liepen, keek ze vlug een andere richting uit. Alsof Eve opeens niet meer bestond, pakte Céline haar rugtas van de grond en liep naar het schoolplein.

Annelies en Shanna stonden in een hoek van het schoolplein toen Eve op hen toeliep. Ze merkte dat Annelies druk kwebbelend Céline nakeek. Toen Shanna Eve opmerkte, porde ze Annelies in de zij en meteen zwegen ze.

Ze hebben het over Céline en mij, ging het door Eves hoofd en meteen streek ze een paar keer over haar rokje, alsof dat haar rustiger kon maken.

'Waarover waren jullie aan het praten?' vroeg Eve.

'Och, over de zaterdagtraining. Je komt toch?'

'Waarom zou ik niet?' antwoordde Eve met een vraag.

'De vorige keer was je er ook niet. Toen moest je in Antwerpen shoppen', zei Annelies op een toontje dat twijfels verraadde.

'Dat kan toch', zei Eve fel. 'Vorige maand miste jij toch ook een wedstrijd.'

'Ik was toen ziek', zei Annelies. 'Dat is tenminste een echte reden om niet te tennissen.'

'Een nieuw rokje?' vroeg Shanna om het brandje te blussen.

'Ja, in Antwerpen gekocht.'

'Mooi', zei Shanna om het gekibbel af te sluiten.

De schoolbel rinkelde. Eve zuchtte opgelucht.

Terwijl meneer Pilaet met de handen op de rug tussen de tafeltjes wandelde, zat iedereen over de toets Engels gebogen.

Is het nu *should* go of *would* go, vroeg Eve zich af toen het signaal van haar gsm de stilte verscheurde.

Opeens keerden alle hoofden zich in haar richting.

'Is dat jouw gsm?' vroeg meneer Pilaet, die onverwacht snel voor haar opdook. 'Je weet dat gsm's uitgeschakeld moeten worden tijdens de lessen.'

Zonder nog iets te zeggen, stak hij zijn hand uit. Eve boog zich naar haar rugtas en voor ze het mobieltje tevoorschijn haalde, keek ze snel naar het display. Een sms'je van Céline zag ze, voordat ze het toestel uitschakelde. Ze verborg haar glimlach toen ze haar gsm aan meneer Pilaet gaf.

Ze was verslaafd aan de verrassingssms'jes die Céline haar soms stuurde. Zelfs het afkeurende hoofdschudden van de leraar kon haar dat opgewekte gevoel niet afnemen.

'Smakelijk, jongelui', zei meneer Pilaet terwijl hij zijn boekentas onder zijn arm nam en naar de uitgang liep.

'Meneer?' vroeg Eve.

De leraar bleef bij de deur staan.

'Mijn gsm?'

'O ja, die ligt nog op het bureau. Je mag hem meenemen. Maar een volgende keer...'

'Ja, meneer,' zei Eve gedwee, maar voor geen geld zou ze een onverwacht sms'je van Céline willen missen. Misschien kon ze haar vragen om het een paar weken tijdens de lessen van meneer Pilaet rustig te houden.

'Ga je mee eten?' vroeg Annelies terwijl ze met Britt en Shanna bij de deur bleef wachten.

'Ja, ik kom', zei Eve terwijl ze meteen haar gsm aanknipte en het berichtje las.

Zullen we straks in de Panos eten? Liefs.

'Is het iets belangrijks?' vroeg Britt. Zonder dat Eve het gemerkt had, was ze dichterbij gekomen en ze probeerde over Eves schouder het berichtje mee te lezen.

'Nee, iets van mama', zei Eve terwijl ze het mobieltje snel in haar rugtas stopte.

'Komen jullie?' vroeg Annelies. 'Het weer is te mooi om in het klaslokaal rond te hangen.'

'Shit!' riep Eve terwijl ze boos met haar voet op de grond stampte. 'Ik ben mijn boterhammen vergeten.'

'Tja, wat nu?' vroeg Shanna.

'Misschien kun je een broodje in het schoolrestaurant kopen?' stelde Annelies voor.

'Ik hoef die kleffe dingen niet', zei Eve meteen. Ze stak haar vinger in haar mond en deed alsof ze moest kotsen. 'Ik ga iets in de Panos halen.'

'Maar je hebt geen pasje', zei Britt. 'Dan mag je tijdens de middagpauze toch de school niet uit?'

'Och, een keertje maar', zei Eve en ze wenste dat de meisjes ophoepelden.

'Nou, tot straks dan', zei Britt.

Hoewel het een koud kunstje was om zonder pasje de school te verlaten, bonsde haar hart in haar keel. Eve loerde in de hal of er geen leerkracht in de buurt was voordat ze de poort opende en ze zuchtte van opluchting toen ze eenmaal ongezien op straat stond. De zon had nogal wat leerlingen naar het grasveldje voor het schoolgebouw gelokt. Ze lagen in het gras een sigaret te roken of kletsten wat met elkaar. Met haar hoofd van de zonnebaders afgewend liep ze in de richting van het station. Op de hoek van de Liénardstraat aarzelde ze. In de straat was een winkel waar broodjes verkocht werden. Misschien kwam ze hier wel een paar klasgenoten tegen? Het voetgangerslicht stond op rood, maar omdat ze bang was dat iemand haar zou opmerken, stak ze meteen de straat over. Op een drafje liep ze door de Stationsstraat en pas toen ze eraan dacht dat ze al lopend zeker opviel, dwong ze zichzelf om rustig naar het station te wandelen.

Ze had niet verwacht dat er tijdens de middagpauze zoveel jongeren op en rond het Stationsplein hingen en weer kreeg ze klamme handjes bij het idee dat iemand uit haar klas haar stiekeme afspraak met Céline kon ontdekken.

Doe toch gewoon, vermande ze zichzelf, terwijl ze het Stationsplein overstak. Net alsof je de enige bent die in de Panos een broodje eet. Toch lukte het haar niet om zonder omkijken naar de winkeldeur te lopen.

In de lunchroom zat een bejaard koppel een kop koffie te drinken. Een vijftiger vond het worstenbroodje blijkbaar te warm, want steeds weer legde hij het broodje op de papieren broodzak en blies hij op zijn vingertoppen. Hier en daar zaten nog wat jongeren aan een tafeltje met een broodje of een cola, maar Eve herkende niemand.

Pas toen ze vanuit een ooghoek een arm zag wenken, merkte ze Céline op. Ze had in de uiterste hoek van de zaal een eenzaam tafeltje gevonden.

'Een broodje martino', vroeg Eve toen de verkoopster haar vragend aankeek. Ze scharrelde in haar portemonnee twee euro en tachtig cent bij elkaar en legde het geld op de toonbank. De verkoopster haalde een broodje uit de glazen toonbank en stopte het in een zakje.

'Hoi.'

Eve vond het jammer dat ze Céline geen kusje kon geven en ging tegenover haar aan tafel zitten.

'Je hebt een mooi rokje aan', zei Céline. Ze tuitte haar lippen even.

'Heel mooi', zei Eve.

'Hebben ze er thuis niks over gevraagd?' vroeg Céline.

'Ik heb gezegd dat het een koopje was. Alleen vond mama het rokje gewaagd kort, maar ja, mama is soms een tikkeltje ouderwets.'

Eve voelde dat Céline haar benen tussen haar knieën nam. Ze schoof wat naar voren en keek Céline heimelijk in de ogen. Over Célines schouder keek ze vlug door de zaal. De vijftiger vocht nog altijd met het warme worstenbroodje, het bejaarde koppel keek elkaar over twee koffies nietszeggend aan en de jongeren gunden hun geen blik waardig. Eve liet haar benen door Céline gevangenhouden.

'Ik wist meteen dat het rokje je beeldig zou staan.'

'Enkel mijn benen moeten nog wat bruiner worden.'

'Dat komt wel', zei Céline. Toen keek ze Eve vragend aan. 'Kon je gemakkelijk van school wegkomen?'

'Dat wel, maar ik kreeg je berichtje net tijdens een toets Engels. Ik moest mijn gsm afgeven.'

'Misschien is het veiliger dat ik je tijdens de lessen geen berichtjes meer stuur', zei Céline.

'God, nee', fluisterde Eve. 'Ik kijk er echt naar uit. Elke minuut wacht ik op het signaal van mijn mobieltje en ik voel me altijd zo gelukkig wanneer ik je nummer op het display zie verschijnen, maar ik zal voortaan mijn gsm stilzetten.'

Ze beet in haar broodje en toen ze de deur hoorde openzwaaien, keek ze op.

'Annelies', siste Eve verrast terwijl broodkruimels uit haar mond op het tafeltje sprongen.

Haar vriendin keek snel door de zaal, stak haar hand op toen ze Eve zag en liep meteen weer naar buiten. Even later zag Eve de hoofden van Britt en Shanna voor het raam verschijnen. Daarna verdwenen ze weer.

'Shit!' mompelde Eve en ze gooide haar broodje op tafel. 'Ik heb geen honger meer.'

Ze bleven elkaar zwijgend aankijken.

'Je mag toch met mij een broodje eten', zei Céline. 'Daar is toch niks verkeerds mee.'

'Nee, maar ik heb onze afspraak voor hen verzwegen en ze zullen het wel heel toevallig vinden dat ik hier met jou zit.'

Céline legde haar vingers op Eves hand en het duurde seconden voordat Eve haar hand wegtrok. Ze had een beetje steun broodnodig.

Haar keel leek bijna dichtgeknepen toen Eve de schoolpoort openduwde en naar het schoolplein liep. Céline was nog even in de broodjeszaak achtergebleven, zodat niemand kon zien dat ze samen weggegaan waren. Tussen de honderden jongeren die over het schoolplein krioelden, ontdekte Eve Tibo en Britt, die wat met elkaar babbelden. Het gezicht van Britt stond strak van woede toen Tibo in Eves richting wees.

Ze hebben het vast over mij, dacht Eve terwijl ze vlug haar hoofd wegdraaide. In de buurt van het toilet leunden Annelies en Shanna tegen de muur. Eve wilde hen liever niet ontmoeten, maar ze besefte dat ze hen niet eeuwig kon ontwijken.

'Liever de korte pijn dan de lange', mompelde ze om zichzelf moed in te pompen.

Met lome voeten liep ze in de richting van de twee meisjes en ze probeerde haar onrust met een grijns te camoufleren. Het leek alsof Annelies en Shanna haar niet zagen, want zelfs toen ze tot op een metertje genaderd was, bleven de twee meisjes gewoon naar de overkant van het schoolplein staren.

Ik mag niet rood worden, dacht Eve en meteen voelde ze het bloed naar haar hoofd stijgen.

'Ik ben terug', zei Eve.

Alsof ze haar nu pas opmerkten, keken de twee haar aan, maar een glimlach kon er niet af. Het bleef een ogenblik stil.

'Toevallig was Céline ook in de Panos', probeerde Eve de stilte te doorbreken.

'Jullie zijn me gevolgd.' Ze zei het zonder bitterheid. Ook zij zou vast met de meisjes tijdens de middagpauze uit de school ontsnapt zijn wanneer er iets te beleven viel.

'We wisten dat er iets was. Eerst dat sms'je, de vergeten broodtrommel... Je liegt verdomd slecht, weet je.'

Ondanks alles kon Eve een glimlach niet verbergen.

'We dachten wel dat je stiekem een afspraak had met Céline.'

'Ja', bekende Eve. 'Céline vroeg me om naar de Panos te komen.'

'Waarom doe je dan zo stiekem?' vroeg Annelies. 'Ben je soms verliefd op Céline?'

Eve beet nerveus op haar onderlip en draaide ongemakkelijk met haar schouders.

'We houden van elkaar', zei ze zacht en meteen loerde ze om zich heen om te kijken of iemand haar gehoord had.

'We dachten het al een tijdje', zei Annelies losjes. 'De laatste maanden was je meer bij Céline dan bij ons, terwijl we vroeger...'

Eve keek de meisjes smekend aan.

'Willen jullie het aan niemand vertellen? Alsjeblieft? Ik schaam me nu al zo erg.'

Annelies sloeg haar arm om Eve en drukte haar even tegen zich aan.

'Moet je daar nu zo beschaamd over zijn? Voor mij maakt het geen donder uit dat je lesbisch bent. Ik ben alleen blij dat ik het niet ben. Wat vind jij, Shanna?'

Shanna knikte, maar ze sloeg meteen haar ogen neer toen Eve haar aankeek.

'Waarom heb je het ons niet eerder verteld?' vroeg ze. Er lag verwijt in haar stem.

'Dat is toch normaal', verdedigde Eve zich. 'Jij loopt toch ook niet over het schoolplein te schreeuwen dat je hetero bent.'

'Ben je gek!' zei Annelies en ze lachte.

'En Britt?' vroeg Eve. 'Willen jullie het aan Britt vertellen?'

'Britt heeft je ook in de Panos gezien', merkte Annelies op. 'Maar is het niet beter dat jij het haar vertelt?'

'Ja, zeg', zei Eve. 'Ik hoef het toch niet aan iedereen te vertellen.'

'Nee, dat niet. Maar ik vind wel dat Britt het uit jouw mond mag horen. Zij hoort toch ook bij ons groepje.'

'Ik vertel het haar wel... als Tibo niet bij haar is.'

Eve vroeg zich af hoe lang haar geheim een geheim zou blijven.

'Eve?' vroeg Shanna voorzichtig.

'Ja?'

'Heb je dan seks met haar?' vroeg ze terwijl haar ogen op de punten van haar Fila's gericht bleven.

Het bloed stuwde naar Eves hoofd.

Kon ze niet beter liegen? Misschien wel, maar ze zouden het vast merken wanneer ze loog.

'Ja. Er komt nu eenmaal een tijd dat er meer is dan enkel elkaars hand vasthouden. Hoewel ik dat ook nog altijd leuk vind', voegde ze er vlug aan toe.

'Ik vind het maar raar', zei Shanna met een zuur mondje. 'Twee meisjes met elkaar...'

'Het is zoals vrijen met een jongen... maar anders', zei Eve voorzichtig.

'Bah! Ik moet er niet aan denken', zei Shanna.

Annelies lachte hardop.

'Je hoeft er ook helemaal niet aan te denken, Shanna. Waarom zou je? Denk jij maar aan Orlando Bloom.'

Annelies liet het gespannen sfeertje een beetje ontdooien.

'Céline is er ook', zei ze toen ze langs Eve in de richting van de schoolpoort keek.

Eve keek over haar schouder en toen ze oogcontact had, stak ze haar hand op. Meteen daarna keken ze van elkaar weg, alsof ze opeens vreemden waren.

Nog een uurtje en dan komen Veerle en Bert weer thuis, dacht Eve.

Ze had het tv-toestel uitgezet en keek dromerig naar het lege scherm.

Misschien kan ik een beetje chatten, ging het opeens door haar hoofd.

In de hal bleef ze even staan. Het was er stil.

'Het zijn schatjes', mompelde ze voor zich uit terwijl ze het bureau van Bert binnenliep. Ze ging in de bureaustoel zitten en drukte op de knop om de computer te starten. Terwijl ze wachtte, dacht ze aan de kinderen.

We kunnen toch een spermadonor zoeken, had Céline onlangs gezegd toen Eve een beetje in een dipje zat. *Voor mij is het echt geen probleem. Als we het samen opvoeden, wordt het gewoon een kind van ons beiden.*

Maar gaat dat kind later niet op school geplaagd worden als het moet zeggen dat het twee mama's heeft?

Langzaam schudde ze haar hoofd. Ze klikte Chat.to.be aan en zag meteen dat er zelfs om een uur 's nachts nog wat meisjes op de chatlijn waren. Soms chatte ze samen met Céline op haar kamer en dan vonden ze het opwindend om met hun tweetjes andere meisjes op te geilen. Ze lachten soms wat af met de cyberseks. Soms drongen ook jongens onder een meisjesnaam tot de site door, maar meestal werden die al vlug ontmaskerd. Ze verraadden zich steeds door al heel snel vulgaire sekspraatjes in te tikken.

Om kwart voor twee wiste ze alle sporen van haar chatsessie en ze schakelde de computer uit. In de woonkamer zette ze de radio aan. Ze draaide het geluid naar beneden en liet zich languit op het bankstel vallen. Met haar ogen op het plafond gericht dacht ze aan Céline.

Hou me vast klonk uit de radio. Ze sloot haar ogen en met Céline op haar netvlies neuriede ze het liedje mee. Volumnia zong precies waarover ze achter haar oogleden droomde.

Haar droombeeld werd ruw verscheurd door de ringtone van haar gsm.

Céline, ging het door haar heen en vertederd dacht ze dat het geen toeval kon zijn. Céline die haar met een telefoontje verraste terwijl *Hou me vast* op de radio klonk...

Ze haastte zich naar de tafel waar haar mobieltje lag en knipte meteen het toestel aan.

'Dag, liefste', fluisterde ze. 'Weet je, ik was net aan jou aan het denken. Op de radio...'

'Dat vind ik nu aardig', zei een mannenstem.

'Heu...' Eve kon geen woord meer uitbrengen.

'Ben je echt nog maar zestien jaar?' vroeg de stem gretig.

'Ja.'

Ze begreep er niks van.

'Mooi. Morgen heb ik een vrije dag. Kom jij naar mij? Ik woon in Brussel. Of heb je liever dat ik naar jou kom? *By the way*, hoeveel vraag je?'

'Pardon?'

Eve was zo in de war dat ze automatisch de gsm tegen haar oor bleef klemmen.

'Hoeveel vraag je voor een stevige neukpartij?'

Nu pas begreep ze wat de kerel van haar wilde.

'Viespeuk!' snauwde ze en ze schakelde snel haar mobieltje uit.

Minutenlang bleef ze naar het toestelletje in haar hand kijken. Het bleef stil en het leek alsof dat telefoontje enkel maar verbeelding was geweest. Ze keek pas op toen ze hoorde dat de garagepoort werd geopend en een auto in de garage reed.

'Dag, Eve', zei Veerle en zoals altijd legde ze haar jas over een stoelleuning voordat ze hem in de hal aan de kapstok zou hangen.

'Dag', zei Eve afwezig.

'Is er iets gebeurd?' vroeg Veerle met een vraagrimpel in haar voorhoofd.

'Nee nee, de kinderen zijn echt rustig geweest', herstelde Eve zich.

Ze wilde Veerle niet ongerust maken. Het telefoontje leek nu zo onwerkelijk.

'Toch vind ik dat je er een beetje pips uitziet. Zal Bert je naar huis brengen?'

'Dat hoeft echt niet. Ik hou ervan om nog een eindje te fietsen.'

Als ze over het telefoontje vertelde, zou Bert haar zeker naar huis brengen. Misschien zou Veerle het zelfs te gevaarlijk vinden dat Eve nog in haar eentje op de kinderen lette. En ze paste zo graag op Amber en Kobe. Wat extra zakgeld kon ze altijd wel gebruiken. Trouwens, die kerel woonde in Brussel. Wist hij veel waar ze op de kinderen paste...

Haar hart klopte in haar keel toen ze naar Veerle zwaaide en de straat op reed. Ze trapte harder dan gewoonlijk. Het was een zachte avond en als die klier niet gebeld had, zou het lekker fietsen zijn. Ze probeerde het gesprek uit haar hoofd te bannen en enkel aan Céline te denken, maar het lukte maar met fragmenten.

Toen ze het kruispunt naderde, remde ze een beetje af.

'Ga je aan de Ronde van Frankrijk deelnemen?' hoorde ze opeens. Haar hart klopte in haar keel, maar ze had de stem herkend.

'Céline!'

Op de straathoek zat haar vriendin op de bagagedrager van haar fiets en leunde met haar ellebogen op het zadel. Rustig, alsof ze op een zonnig terrasje zat.

'Surprise!' riep Céline lacherig.

Meteen stuurde Eve haar fiets naar het trottoir en liet hem kletterend op het asfalt vallen. Ze drukte Céline secondenlang tegen zich aan en kuste haar heftig op de mond.

'Dat is een verrassing', lachte Eve gelukkig. 'Ik had je helemaal niet verwacht.'

'Dat was ook de bedoeling', zei Céline met een ondeugend gezicht.

Ze maakte zich los uit de omhelzing en nam haar fiets.

'Gisteren had je gezegd dat je tot twee uur moest babysitten. Ik bleef op de hoek wachten omdat je misschien liever niet had dat Bert en Veerle ons samen zouden zien.'

'Ik vind het heel lief', zei Eve. Ze gaf Céline nog even een kusje op haar voorhoofd en raapte haar fiets op.

'Ik moet nu wel naar huis', zei ze. 'Anders belt mama of papa waar ik blijf.'

'We zullen meteen doorrijden', gaf Céline haar gelijk. 'De volgende weken mag je thuis zeker geen problemen krijgen.'

'Weken?' vroeg Eve verbaasd.

In de duistere, stille straten voelden ze zich veilig genoeg om hand in hand te fietsen.

'Over twee weken gaan mijn ouders een weekendje naar de Ardennen. Wat denk je?'

'Misschien', zei Eve terwijl ze al nadacht over een uitvlucht om een nachtje weg te blijven.

Met haar duim kietelde Céline in de muis van Eves hand.

'Fiets je altijd zo snel als je naar huis rijdt?' vroeg Céline.

'Nee, meestal heel rustig. Het geeft een heel apart gevoel om 's nachts door de verlaten straten te rijden. Maar ik was een beetje nerveus omdat ik een vervelend telefoontje had gekregen. Daarom was ik ook zo blij dat je me opwachtte.'

'Alleen maar daarom?' vroeg Céline schalks en ze greep plagerig haar stuur weer met beide handen vast.

'Natuurlijk niet, als dat telefoontje er niet was geweest, zou ik ook heel blij zijn. Dat weet je best', zei Eve. Ze grabbelde Célines arm vast en liet zich zo verder trekken.

'Wat was dat vervelende telefoontje?'

'Iemand die vroeg of ik met hem wilde neuken.' Ze sprak het woord *neuken* met een stuurs gezicht uit.

'Wat heb je geantwoord?'

'Viespeuk', zei Eve. Nu Céline naast haar fietste, leek het opeens allemaal niet zo erg meer. 'Ik stond echt aan de grond genageld. Wie verwacht nu zoiets?'

'Het is waarschijnlijk zo'n oude viezerik die zomaar wat gsmnummers intikt. Als hij dan een meisjesstem hoort, verkoopt hij zijn hitsige praatjes. Een exhibitionist met hete voorstellen. Net zoals die jongens die via de chatbox zichzelf willen opgeilen.'

'Ik denk het ook. Trouwens, ik hoefde niet bang te zijn. De kerel zei dat hij in Brussel woont. Dat hij toevallig mijn nummer intikt, wil nog niet zeggen dat hij ook weet waar ik woon.'

'Zeg eens, Eve...'

'Ja?'

'Hoeveel zou je gevraagd hebben voor een nummertje?' vroeg Céline ondeugend.

Eve moest even nadenken.

'Ik ben onbetaalbaar', zei ze ernstig. 'Maar voor jou is het gratis', ging ze met een brede glimlach verder en ze greep opnieuw Célines hand.

Toen ze voorbij de Vlasstraat reden, hoorden ze ergens glasgerinkel. Het was een eind weg, maar in de stilte van de nacht hoorden ze het heel duidelijk. Ze keken elkaar aan.

Britt, dacht Eve meteen en weer zag ze hoe het meisje ergens zomaar een steen door het raam keilde.

'Een of andere dronkenlap heeft een fles laten vallen', gokte Céline.

'Of Britt', zei Eve. Tijdens een wandeling in Antwerpen had Eve verteld wat ze die nacht gezien had.

'Dat zou wel heel toevallig zijn', meende Céline.

'Vind je het erg om even in de richting van het gerinkel te rijden?'

'Ik vind het spannend. Maar moest je niet dringend naar huis?'
'Tien minuutjes maar. Enkel om te kijken of het Britt is. Maar
we kunnen beter onze fietslichten doven. Als het Britt is, wil ik
niet dat ze ons ziet.'

De wijk was een wirwar van straatjes. Ze reden op goed geluk
zomaar straat in, straat uit.
'Niks', zei Eve een beetje teleurgesteld.
'We hebben ook nergens gebroken glas gevonden', zei Céline.
'Vals alarm. Wie weet was het een poes die ergens een bloemen-
vaas van een venster stootte.'
'Misschien. Ik kan maar beter naar huis rijden', meende Eve.
In een wijde boog draaiden ze hun fietsen en ze reden de Vlas-
straat uit.
'Daar rijdt iemand', fluisterde Céline toen ze in de verte een
rood fietslicht zag.
Zonder erbij na te denken volgden ze de fietser.
'Niet te dicht naderen', waarschuwde Eve.
In het silhouet van de fietser herkende ze Tibo. Ze had geen
flauw idee wat er aan de hand was, maar dat er iets niet klopte,
kon ze op haar vingers natellen. Opeens remde Céline bruusk af
en Eve moest op het voetpad rijden om niet tegen haar op te botsen.
'Zeg, kon je me niet waarschuwen?' mopperde ze gedempt.
Céline knikte enkel in de richting van de fietser. Naast een glascontainer stond iemand weggedoken. Toen Tibo de glascontainer
naderde, kwam er een meisje uit de schaduw. Ze greep haar fiets
en ze reden samen weg. Eve was niet verbaasd toen ze de schater-
lach van Britt hoorde.
'Waar houden die zich mee bezig?' vroeg Céline zacht.
'Ik weet het ook niet', gaf Eve toe.
Ergens hoorden ze een auto stoppen en bijna meteen tweemaal
een autoportier dichtklappen. Een paar seconden later trok de
auto hard op en verschenen er lichtbundels in de straat.

'Kom mee! Snel!' siste Eve.

Ze haastten zich naar de schaduw van een huis. Een lichte bestelwagen stoof hen voorbij. Toen de auto verderop Britt en Tibo bereikte, knipperde de chauffeur een paar keer met zijn lichten. Eve zag nog net hoe de twee hun hand naar de chauffeur opstaken alvorens ze om de hoek verdwenen.

De vraag brandde op haar lippen toen Eve in het chemielokaal kwam. Britt en Tibo waren samen naar binnen gekomen, maar ze acteérden zo gewoon, dat het leek alsof vrijdagnacht niet had bestaan. Ze lieten hun rugtassen naast hun tafeltjes vallen en zakten met een verveeld gezicht op hun stoel. Zoals altijd liep Eve meteen naar een stoel achteraan bij het raam. Wendy kwam naast haar zitten en ze stootte Eve aan.

'Is het waar?' vroeg ze terwijl ze Eve onderzoekend aankeek alsof ze ergens een pukkeltje op haar gezicht zocht.

'Wat?'

'Dat je lesbisch ben?'

Eve voelde haar hartslag opeens een stuk sneller gaan.

'Wie heeft je dat verteld?'

Haar ogen flitsten van Annelies naar Britt en daarna naar Shanna. Maar geen van de meisjes keek haar richting uit, terwijl alle andere gezichten op Eve gericht waren.

'Het maakt toch niks uit wie dat verteld heeft. Bijna iedereen in onze klas weet het. Maar er zijn er een paar die het niet geloven. Omdat je er helemaal niet lesbisch uitziet.'

'Hoe ziet een lesbisch meisje er dan uit?' vroeg Eve giftiger dan ze bedoelde.

'Nou... een beetje zoals een jongen. Je weet wel wat ik bedoel.'

'Pfff...' deed Eve gemaakt luchtig. 'Belachelijk.'

'Maar hoe zit het nu? Ik vraag het je liever in je gezicht dan allerlei roddels achter je rug te moeten horen.'

Eve pulkte nerveus aan haar oorlel. Ze voelde de ogen vragen en ze besefte dat ze geen verstoppertje kon blijven spelen.

'Goed', zei ze terwijl ze met gespreide vingers haar haar naar achteren streek. Ze liep naar de deur en keek snel in de gang. Zoals ze verwachtte was mevrouw Bogaerts nog niet te bespeuren. Iedereen wist dat ze tussen de lessen een sigaret opstak. Het duurde telkens minstens vijf minuten voordat ze in het chemielokaal opdook.

Het geroezemoes in het lokaal verstomde toen Eve naar voren liep en met een bil op een tafeltje ging zitten. Haar linkerbeen liet ze gemaakt nonchalant over de tafelrand bengelen. Ze slikte en verplichtte zichzelf om iedereen aan te kijken.

'Ik wil dat jullie iets van me weten', zei ze en in gedachten probeerde ze haar zinnen goed te formuleren. 'Sinds een jaar of wat heb ik iets over mezelf ontdekt. Ik weet sindsdien dat ik niet op een jongen verliefd kan worden.'

Ze liet haar ogen op Tibo rusten. Iedereen wist dat ze ooit een koppeltje waren.

'Ik heb het geprobeerd, maar het lukte me niet. Ik vind je echt heel tof, Tibo, en ik wil graag goede vrienden zijn. Maar ik zal nooit verliefd op je worden. Ik weet dat ik enkel van een meisje kan houden.'

Verlegen draaide Tibo zijn ogen weg en hij staarde door het raam alsof hij nog nooit een berkenboom had gezien.

Haar stem was zachter toen ze verder ging.

'Maar voor het overige ben ik echt niet anders geworden. Ik ben nog steeds de Eve die jullie altijd gekend hebben en ik zou het tof vinden wanneer er ook voor jullie niks zou veranderen. Dat jullie... nou ja... gewoon doen.'

Ze zweeg en opeens boog ze beschaamd het hoofd naar de vloer.

'Ook zou ik graag hebben dat dit binnen de klas blijft. Ik wil dat sommige mensen het eerst uit mijn mond horen.'

Ze vroeg zich af hoe vlug haar outing de ronde zou doen. Sommigen zouden zwijgen, anderen niet. Ze hoopte maar dat de praatjes niet bij haar ouders terecht zouden komen.

Er hing een breekbare stilte in het klaslokaal.

'Doodzonde! Dat nu juist een leuk meisje als jij lesbisch moet zijn. Kun je niet ruilen met mevrouw Bogaerts?' flapte Dries eruit en meteen schaterde iedereen de spanning weg.

Ook Eve lachte opgelucht en ze kwam van het tafeltje.

'Nu heb je de natte dromen van Dries helemaal bedorven', zei Ineke. 'Over wie moet hij nu fantaseren?'

'Pas maar op', dreigde Eve plagerig. 'Of ik kom eens op je schoot zitten.' Ze draaide haar achterwerk naar Ineke en deed alsof ze op haar dijen wilde zakken.

'Weg!' riep Ineke en ze drukte zich in paniek tegen haar tafeltje aan.

'Kan het een beetje rustiger?' vroeg mevrouw Bogaerts toen ze de deur openduwde.

Eve haastte zich naar haar stoel en ondanks het grapje met Ineke voelde ze de ogen op haar rug gloeien.

'Ik zie dat er nog nergens een chemiemap op tafel ligt', mopperde de lerares. 'Of waren jullie weer met andere dingen bezig?' Omdat ze de vreemde stemming in de klas niet vertrouwde, inspecteerde ze onopvallend haar bureau.

11.

Omdat haar T-shirt aan haar lijf leek te kleven, greep Eve het bij de zoom en wuifde zo wat lucht naar haar buik. Grote zweetvlekken kleurden het shirt donker onder haar oksels.

'O boy, Domien heeft er behoorlijk de zweep overheen gelegd', zuchtte Annelies terwijl ze zich met een afgepeigerde snoet op de lattenbank liet vallen.

'Nogal logisch', vond Britt. 'Over een week moeten we een toernooi spelen. Als we dan iets willen laten zien, moet er getraind worden. Wat vind jij, Eve?'

Eve sloeg met haar vlakke hand tegen haar voorhoofd.

'Ben je het toernooi vergeten?' vroeg Shanna stomverbaasd.

'Dat meen je niet!'

'Céline en ik zouden die zondag naar Oostende rijden. Als het zonnig is, tenminste.'

'Domien vermoordt je als je niet komt', voorspelde Britt.

'Ik weet het', zuchtte Eve. 'God ja, de zee zal nog niet meteen verdampen. En het is nog maar mei. Er komen nog meer mooie dagen. Céline zal het wel begrijpen.'

'Je kunt toch op zaterdag naar de zee gaan', zocht Annelies een oplossing.

Het gezicht van Eve klaarde meteen op.

'Ja, natuurlijk. Waarom dacht ik er niet meteen aan.'

'Hoe is het verder met Céline en jou?' vroeg Annelies.

'Geweldig', zei Eve.

'Ik zie het. Je straalt gewoon', zei Annelies. 'En je mag gerust gelukkig zijn. Van mij wel. Sommigen in onze klas hebben het er moeilijk mee.'

'Wie?' vroeg Eve meteen.

'Gisteren zei Marlies dat lesbisch zijn... vies is.'

'Marlies? Die stomme trut? Die denkt nog steeds dat Parijs de hoofdstad van Nederland is. Wat die vertelt interesseert me niet.

Maar vorige week had iemand een dichtgeknoopt condoom met yoghurt in mijn rugtas gestopt. En een paar dagen geleden stak er een *Playboy* in mijn chemiemap.'

Eve zei het voorzichtig, alsof ze op eieren moest lopen. Ze vertelde niet graag over de pesterijen op school. Ze wilde niet zielig zijn.

'Echt? Vast een van de jongens', meende Annelies overtuigd. 'Kenneth zou dat durven. Of Emiel.'

'Misschien', zei Eve. 'Het kan iedereen zijn.'

'Ineke denkt dat je naar haar gluurt wanneer we gaan zwemmen', zei Shanna.

'Nonsens', zei Eve gekrenkt. 'Ik kijk naar niemand. Zeker sinds ik weet dat ik lesbisch ben. Ik wil hen geen reden geven om vervelend te doen. Ineke heeft gewoon te veel verbeelding.'

'Misschien zou ze graag hebben dat je naar haar keek als ze zich omkleedt', lachte Annelies.

Eve gooide haar handdoek naar het hoofd van Annelies. Die stond op en gooide de handdoek terug, kleedde zich uit en liep naar de douches. Eve hoorde haar gilletje toen het water nog wat te koud bleek. Ook Britt en Shanna trokken hun bezwete kleren uit en een beetje weemoedig dacht Eve dat de meisjes misschien onbewust veranderd waren. Ze draaiden sindsdien hun rug naar haar toe als ze zich omkleedden. Er leek iets gebroken in het gezellige sfeertje in de kleedkamer. Ze wasten ook elkaars ruggen niet meer, alsof ze bang geworden waren. Soms wilde Eve vragen om nog eens een kringetje te vormen, maar ze durfde het niet. Wie weet wat er allemaal door hun hoofden spookte als ze het voorstelde.

'Ik heb een nieuw parfum bij me. Iets van Calvin Klein. Als je wilt, mag je het straks gebruiken', zei Britt. 'Pak het maar uit mijn tas als je eerder klaar bent met douchen.'

Eve knikte naar het achterhoofd van Britt. Ze stond op om haar truitje uit te trekken toen de ringtone van haar mobieltje uit haar sporttas klonk. Ze keek naar het display en fronste haar wenkbrauwen toen ze een onbekend nummer zag. Met tegenzin hield ze de gsm tegen haar oor.

'Ben je vandaag vrij?'

'Nee!' zei ze bits. 'Voor jou ben ik nooit vrij!'

Nijdig drukte ze het toestel uit en ze gooide haar mobieltje weer in haar tas.

'Ik hoop dat het Céline niet was', hengelde Shanna naar meer uitleg.

'Nee, natuurlijk niet. Maar ik krijg al een tijdje telefoontjes van allerlei mannen.'

Eve dacht dat het iets met haar lesbisch zijn te maken had, maar hoe... Ze had geen flauw idee waarom.

'Wat voor telefoontjes?' vroeg Britt benieuwd zonder zich om te draaien.

'Elke dag word ik opgebeld door hitsige mannen die me voorstellen om seks met hen te hebben. Je kunt niet geloven wat ze soms van me willen.'

'Zoals...' Shanna maakte haar zin niet af, maar haar gezicht bedelde om meer uitleg.

'Alles wat je maar kunt bedenken', wimpelde Eve haar af.

'Waarom zet je je gsm niet af? Dan ben je zo van die telefoontjes verlost.'

'Soms doe ik dat ook wel. Maar dan kan Céline me niet meer bereiken.'

'En een nieuwe gsm? Dan heb je zo een nieuw nummer', stelde Shanna voor.

'Dan vragen mijn ouders meteen waarom ik zo nodig een nieuw mobieltje moest hebben. Ik kan hen moeilijk vertellen dat ik steeds maar door geile mannen opgebeld word. Dan maken ze zich zo ongerust dat ik niet meer naar buiten mag. En dat wil ik niet.'

'Tja', voelde Britt met haar mee. 'Dan weet ik het ook niet meer.'

Samen met Shanna liep ze naar de douches. Met een loom gebaar trok Eve haar truitje over haar hoofd.

Misschien wil Céline me verrassen en komt ze me na de training oppikken, dacht Eve terwijl ze de shampoo uit haar haar spoelde. In een oogwenk had ze zich gewassen en ze trippelde met natte voeten naar de kleedkamer. Net toen ze haar handdoek pakte, hoorde ze een korte bieptoon in de sporttas van Britt.

'Britt. Iemand heeft je een sms gestuurd', zei Eve in de richting van de douches.

Haar woorden gingen verloren in het geruis van het water en de stemmen van de meisjes.

'Britt had iets nieuws van Calvin Klein', herinnerde ze zich hardop toen ze haar ondergoed had aangetrokken. Benieuwd liep ze naar de tas van Britt om het nieuwe parfum te zoeken. Boven op een versgewassen mouwloos bloesje lag Britts gsm.

Een sms van Tibo, zag Eve ongewild. Ze schoof de gsm opzij en pakte het flesje parfum.

'Van Tibo', mompelde ze peinzend. 'Wat is er toch tussen die twee?'

Vanuit de douches hoorde ze haar vriendinnen kwebbelen. Het duurde nog wel even voor ze klaar waren. Snel nam ze de gsm uit de tas en haalde de berichten op.

Melle Koekoekstraat 12/5 1.20

Aalst Rozenstraat 14/5 1.30

Een ogenblik keek ze niet-begrijpend naar het bericht. Toen knipte ze de tekst weg en ze legde de gsm weer op de bloes.

'O, je bent bijna aangekleed', zei Shanna toen de drie meisjes samen uit de douches kwamen.

'Misschien wacht Céline me op', zei Eve.

Ze richtte zich naar Britt.

'Ik mocht je nieuwe parfum gebruiken, Britt. Weet je nog?'

'Pak het maar uit mijn tas', zei Britt terwijl ze met de handdoek nog even over haar benen ging.

'Hé, je hebt een berichtje van Tibo gekregen', acteerde Eve verbaasd terwijl ze de gsm uit de tas haalde. 'Zal ik het even voorlezen?'

Ze knipte de optie *berichten* aan.

'Geef maar hier,' zei Britt snel. Ze griste de gsm uit de hand van Eve. 'Ik lees jouw berichten toch ook niet.'

Zonder het sms'je te lezen, drukte ze het mobieltje uit.

'Ik vraag me af wat jij met Tibo hebt', zei Annelies plagend. 'Ik krijg nooit berichtjes van hem.'

De trein opende zijn deuren en eindeloze slierten dagjesmensen liepen over het perron naar de uitgang. Op het plein voor het station van Oostende snoven enkelen de zeelucht op. Anderen liepen in de richting van het Mercatorschip, dat verderop in een dok lag. Een grote stroom toeristen bewoog zich in de richting van het strand.

Eve keek om zich heen en toen ze niemand herkende, zocht ze Célines hand. Hier kon ze rustig haar hoofd tegen Célines schouder leggen of zelfs... opeens legde ze haar hand in de hals van Céline, trok haar hoofd naar zich toe en kuste haar even op de mond. In haar ogen fonkelden ondeugende lichtjes. Meteen liet ze Céline weer los. Hun gevoelens verbergen was een tweede natuur geworden.

'Op de dijk hoeven we niet jaloers te zijn op andere koppeltjes', zei Eve opgetogen.

Het maakte haar dag nog zonniger. Zonder aarzelen had ze vanochtend een mouwloos T-shirt uit de kast gekozen en het wikkelrokje dat ze van Céline had gekregen. En onder haar kleren had ze een verrassing klaar.

Céline is al mooi bruin, dacht ze vertederd. Ze heeft niet veel zon nodig. Vanavond is ze vast zo bruin als een kastanje. Eve voelde zich trots omdat ze zo'n knappe vriendin had.

'14/5 stond er in het bericht van Tibo', zei Céline onverwachts.

'1.30', vulde Eve aan. Ze vond het een beetje jammer dat Céline haar uit haar roes haalde. 'Die avond hebben ze vast weer een afspraak. Maar ik begrijp nog steeds niet wat ze dan uitrichten.'

'Misschien kunnen we die nacht ook naar de Rozenstraat gaan?'

'Misschien', zei Eve. 'Eigenlijk vind ik het niet netjes om hen te bespioneren.'

'Ik ook niet, maar ik ben wel razend nieuwsgierig.'

Ze keken elkaar heel even aan en glimlachten.

'Ik kan thuis vertellen dat ik die avond naar Veerle en Bert moet', zei Eve.

Ze kruisten een meisje met blond haar dat tot op haar rug hing. Eve merkte dat het meisje haar ogen zocht.

'Zou ze ook lesbisch zijn?' vroeg Eve toen het meisje hen gepasseerd was.

'Zeker weten', knikte Céline. 'En daar...'

Ze wees met haar vinger onopvallend naar een meisje dat met een groepje jongeren voor een winkelraam stond.

'Het meisje met dat rode baseballpetje op haar hoofd.'

'Hoe weet je dat?' vroeg Eve.

'Je ziet het toch', zei Céline. Haar stem klonk verbaasd, alsof ze niet begreep waarom Eve dat niet meteen gezien had.

Ze wees met haar wijsvinger naar haar kruin.

'Heeft je radar een snipperdag genomen?' vroeg ze. 'Of is hij door de warmte buiten dienst?'

Eve lachte en terwijl ze verder wandelden, maakten ze er een spelletje van om zoveel mogelijk lesbische meisjes te herkennen.

Eve wapperde met haar strandlaken en liet het daarna in het warme zand vallen. Ze trapte haar Puma's uit en voelde meteen de zandkorrels tussen haar tenen. Ze ging voor Céline staan en legde haar handen op de ogen van haar vriendin.

'Je moet je ogen sluiten. Ik heb een verrassing.'

Ze haalde haar handen weer weg, trok haar T-shirt uit en liet het op haar badlaken vallen.

'Nu mag je ze openen.'

Even knipperde Céline met haar ogen tegen de felle zon, maar meteen daarna gleden haar ogen over Eve.

'Vind je het mooi?' hengelde Eve naar een complimentje terwijl ze uitdagend haar rokje in het zand liet vallen.

Haar exotische bikini onthulde meer dan hij verhulde. Veiligheidshalve knoopte ze het bandje rond haar hals opnieuw vast.

'Sexy', vulde Céline aan terwijl ze haar ogen niet van Eve kon afhouden. 'Ik zou je zo meteen willen...'

Terwijl ze hitsig gromde, liet ze haar tanden zien en klauwde met gekromde vingers in de richting van Eves beha.

'Later', lachte Eve. 'Voorlopig mag je alleen nog maar kijken. Maar wie weet... vanavond?'

Ze sperde koket haar ogen open.

'Ik zal je aan mijn been moeten vastbinden om je niet kwijt te raken.'

'Je raakt me nooit kwijt', zei Eve gelukkig. 'Ik ben zo graag bij jou.'

Ze had dolgraag Céline gekust, maar ze durfde niet. Er zaten zoveel mensen om hen heen.

Ook Céline trok haar driekwart broek uit. Ze droeg een slipje met knooplintjes en een bovenstukje dat aan de voorkant dichtgeknoopt was.

'En dan beweer jij dat ik mooi ben', deed Eve lief.

Twee jongens in een bermudazwembroek kwamen nonchalant voorbijgewandeld.

'Ha, de zusjes', zei de langste van de twee, terwijl hij bleef staan.

Eve slikte.

'Ik ben Ronan', zei hij. Hij had kortgeknipt piekhaar waarvan de punten blond waren. 'En dit is Cédric.'

Cédric grinnikte wat schaapachtig toen hij voorgesteld werd. Hij was eerder klein en hij kon best wat buikspieroefeningen gebruiken.

'Vinden jullie het erg als we bij jullie komen liggen?' vroeg Ronan terwijl hij zijn handdoek al tevoorschijn haalde om hem naast Eve in het zand te leggen.

'Eigenlijk wel', zei Céline koel. 'Maar het strand is van iedereen.'

De jongens begrepen de hint niet en zochten twee meter verder een plaatsje bij twee jongetjes en een meisje die de hoogste zandberg van de wereld maakten.

'Ik hoop dat die twee niet de hele dag bij ons blijven hangen', fluisterde Eve.

'Misschien komen ze nog van pas', zei Céline raadselachtig.

Eve trok vragend rimpels in haar voorhoofd.

'Wat bedoel je?'

Céline draaide zich naar de jongens, die hun strandlakens zo gelegd hadden dat ze de meisjes gemakkelijk in de gaten konden houden.

'We gaan even zwemmen. Willen jullie zolang op onze spullen letten?'

'Natuurlijk', zei Ronan gedienstig en hij grinnikte samenzweerderig naar Cédric.

Céline bedankte hem met een lachje.

'Vertrouw je die jongens?' vroeg Eve terwijl ze in de richting van het water liepen. 'Misschien stelen ze ons geld wel.'

'Ik heb die Ronan naar jou zien kijken. Die is echt niet geïnteresseerd in de paar euro's die in je portemonnee zitten. Die wil jou.'

'Oh, dan is het goed', lachte Eve. 'Jammer, het lijkt me een lieve jongen.'

'Hé, pas op. Ik houd je in de gaten', deed Céline gemaakt streng. Met haar armen wijd open waadde ze door de golven en liet zich languit in het water vallen.

De strandlakens van Cédric en Ronan waren wat opgeschoven, merkte Eve toen ze hun plaatsje op het strand weer opzochten. Ze hijgde nog een beetje na. Ze had niet gedacht dat dollen in het water zo vermoeiend kon zijn.

Ronan schoof de zonnebril verder op zijn neus en ging op zijn zij liggen, zodat hij de meisjes beter kon zien. Cédric bleef onbeweeglijk op zijn rug liggen en keek met gesloten ogen naar de zon.

'Niemand heeft iets durven aan te raken', zei Ronan trots, alsof hij hun spullen met hand en tand had moeten verdedigen.

'Dank je', zei Eve en ze boog zich voorover om haar strandlaken te pakken. Toen ze zich oprichtte zag ze dat de ogen van Ronan een opening zochten in de cups van haar beha en ze kon met moeite een lach bedwingen. Het deed haar plezier dat hij haar aantrekkelijk vond. Ze droogde zich af, nam haar zonnebril uit haar tas en zette die op haar neus. Terwijl de blik van Ronan aan haar vastgekleefd leek, liet Eve zich op haar buik zakken.

'Wacht even', zei Céline. 'Ik zal je met zonnebrandmousse insmeren. Voor je het weet, ben je verbrand.'

Ze nam een busje Nivea uit haar tas en ging schrijlings op de billen van Eve zitten. Ze spoot wat mousse tussen haar schouderbladen en wreef die zorgvuldig over de huid van Eve.

'Zal ik het van je overnemen?' stelde Ronan voor en hij kwam al overeind.

'Sorry, maar ik denk niet dat Eve op jou zit te wachten', zei Céline zuinig.

'Heet je Eve?' vroeg Ronan meteen geïnteresseerd.

Maar Eve deed alsof ze hem niet gehoord had.

'Nu de voorkant nog', stelde Céline voor terwijl ze overeind kwam.

Eve keerde zich op haar rug, een been gestrekt en een been opgetrokken. Zorgvuldig smeerde Céline de crème rond haar beha. Met jaloerse ogen volgde Ronan haar vingers.

'Klaar', zei Céline en ze tikte op de buik van Eve. Vluchtig streek ze nog wat mousse over haar eigen schouders en liet zich op haar badlaken vallen. Ze schoof wat met haar rug om comfortabel te liggen en sloot haar ogen.

Eve genoot van de zon die haar huid verwarmde en ze luisterde naar het geluid van de zee en het strand.

'Zullen we straks iets drinken, Eve? Ik weet een toffe kroeg. Niet op de dijk, een beetje verder in de stad.'

Eve herkende de stem van Ronan. Ze reageerde niet. Dromerig nam ze wat zand in haar hand en liet het door haar vingers wegstromen. Met haar pink raakte ze de dij van Céline aan en ze voelde hoe haar vriendin automatisch wat van haar wegschoof, alsof ze bang was dat iemand het zou zien.

Jammer, dacht Eve. Jammer dat ik mijn hand niet op haar dij mag leggen. Dan zou het pas echt een onvergetelijke dag zijn. Maar de mensen... Een verliefd paartje mag elkaar aanraken, elkaar kussen, knuffelen... zolang het maar een jongen en een meisje zijn.

Ze vond het niet eerlijk en slikte teleurgesteld haar onvrede weg.

Morgen vertel ik het thuis, nam ze zich voor. Dan hoeven we ons niet meer te verstoppen. Dan mag iedereen het weten.

Maar waarom wachten tot morgen, flitste het opeens door haar hoofd.

Ze wist dat ze het morgen misschien weer zou uitstellen. De woorden van Joost suisden in haar oren. *Moet je toch eens doen. Dat lucht op.*

Opeens krabbelde Eve overeind. Ze negeerde Ronan, die nog steeds op zijn zij lag en naar haar keek. De kinderen hadden het werken aan de grootste zandberg van de wereld stopgezet. Twee van hen likten aan een ijsje en een jongetje sloeg met zijn hand de wand van de berg plat. Twee oranje en een blauw schopje lagen naast hem.

'Mag ik een schopje van je lenen?' vroeg Eve terwijl ze op haar knieën naar hem toe kroop.

'Waarom?' vroeg hij wantrouwig.

'Ik wil het schopje maar even gebruiken. Dan krijg je een ijsje van me.'

Het ventje knikte. Hij nam het schopje en volgde Eve naar haar handdoek.

'Wat ga je doen?' vroeg Céline. 'Zandtaartjes maken?' Met haar hand schermde ze haar ogen af tegen de zon.

'Straks mag je kijken', zei Eve en ze drukte even haar hand op het gezicht van Céline om duidelijk te maken dat ze haar ogen gesloten moest houden. Ze nam een muntstuk van een euro uit haar portemonnee.

'Straks krijg je je schopje terug', beloofde ze nog eens terwijl ze het muntstuk voor zijn neus hield. Hij nam de euro uit haar vingers en rende meteen naar een ijskarretje dat op de dijk stond.

Op haar knieën begon Eve een greppel rond hun plekje te graven. Het maakte haar niet uit dat Ronan nog steeds naar haar borsten loerde.

'Zal ik je een handje helpen?' stelde hij voor. 'Dan gaat het wat vlugger.'

Hij kwam meteen overeind en reikte naar een van de schopjes die nog bij de hoogste berg van de wereld lagen.

'Nee!' zei Eve scherp. 'Waar bemoei jij je mee? Ik wil dit gewoon alleen doen. Mag ik even? Ik hoef geen klier aan mijn lijf!'

'Ja zeg, bijt mijn neus niet af', zei hij gekrenkt. Hij ging weer op zijn rug liggen en keek mokkend naar de lucht.

Alsof hij Eve niet echt vertrouwde, kwam het ventje met een ijshoorntje in zijn hand naar haar kijken.

'Wat maak je?' vroeg hij terwijl hij onophoudelijk zijn tong over het ijsje liet gaan.

'Iets moois', zei Eve terwijl ze verder rond de strandlakens groef.

'Dat is geen zandkasteel', zei het ventje met een minachtende blik.

'Nee', lachte Eve.

Zonder zich nog iets van het kereltje aan te trekken groef Eve de sleuf rond de handdoeken verder uit. Het ventje likte de kleverige, gesmolten ijsrestjes van zijn vingers toen Eve zich oprichtte.

'Ik ben klaar', zei ze terwijl ze hem het schopje aanreikte.

'Wat is het?' vroeg het kereltje.

'Een hart. Vind je het niet mooi?'

'Nee', zei hij hoofdschuddend en hij liep met zijn schopje naar de zandberg.

'Opstaan, slaapkop!' riep Eve lacherig. Ze boog zich over Céline, greep haar handen vast en trok haar overeind. Ze leidde haar vriendin naar de punt van het hart, dat de twee lege strandlakens omsloot.

'De hele wereld mag zien dat we op elkaar verliefd zijn', fluisterde ze in haar oor. 'Of toch tenminste Europa.' Ze ging achter Céline staan, sloot haar in haar armen en drukte haar hoofd tegen de rug van Céline.

'Je bent fantastisch', zei Céline en ze hield haar hoofd wat achterover zodat haar kruin het haar van Eve raakte.

'Kom', zei ze. 'We gaan ons in ons hart opsluiten.'

Terwijl Eve haar bleef vasthouden, liepen ze voorzichtig over de uitgegraven greppel.

Ze gingen weer op de strandlakens liggen en terwijl ze haar ogen sloot, nam Eve de hand van Céline en legde die op haar dij. Ze bleef de hand vasthouden, alsof ze bang was dat hij zou wegglijden. Eve opende haar ogen een beetje toen ze hoorde dat Ronan overeind kwam en naar het hart in het zand keek.

'Shit, dat zijn twee potten!' hoorde ze hem zeggen, terwijl hij met zijn rechterhiel de punt van het hart kapotschopte.

Meteen kwam ook Cédric overeind en door de spleetjes van haar ogen zag Eve hoe ze hun spullen opraapten en verder liepen. Zodra ze uit het zicht verdwenen waren, kwam Eve overeind en met haar handen herstelde ze het hart. Toen ze weer op haar handdoek lag, trok ze met haar vinger een cirkeltje rond de mond van Céline.

'Er kleven zandkorreltjes aan je lippen', zei Eve toen ze haar hand wegtrok. Ze boog haar hoofd over Céline en kuste de korreltjes weg.

Met een punt pizza in hun handen liepen ze over de dijk. In de bocht voor het casino bleef Eve staan.

'Zullen we even gaan zitten?' stelde ze voor en zonder op een antwoord te wachten liep ze naar de balustrade die de dijk afschermde. Ze liet zich samen met Céline op de stenen zakken en leunde met haar rug tegen de ijzeren staven. Ze voelden warm aan.

'Mag ik een hap van jouw pizza?' vroeg Eve terwijl ze gelijktijdig haar stuk voor de mond van Céline hield.

'Ze waren niet zuinig met knoflook', zei Céline.

'Dan moet ik zeker een stuk hebben', zei Eve. 'Hoe kun je me kussen als de knoflookgeur in mijn gezicht waait?'

Toen de pizza op was, greep Eve naar de gsm in haar tas.

'Ik moet mijn mobieltje weer inschakelen', zei Eve. 'Ik denk dat mama straks belt om te vragen wanneer ik naar huis kom.'

'Krijg je nog steeds van die vervelende telefoontjes?' vroeg Céline.

Eve zuchtte.

'Zodra ik mijn mobieltje inschakel, begint het. Twintig, dertig op een dag.'

Ze keek naar het venstertje en toetste de gemiste oproepen meteen weg.

'Waarom bel je zelf niet naar huis? Dan kun je je gsm meteen uitschakelen.'

'Ik moet zelf mijn herlaadkaart betalen', zei Eve nuchter.

Toch schakelde ze het mobieltje uit.

'Ik wil deze dag niet laten verpesten door die viezeriken. Ik zal mama straks wel bellen.'

Ze stak de gsm in haar rugtasje, draaide zich om en legde haar hoofd op de dijen van Céline.

'Ik vraag me af waarom jij steeds gebeld wordt', vroeg Céline zich af terwijl ze over Eves haar streek. 'Hoe kennen ze jouw nummer? Een keer kan toeval zijn, maar het gebeurt nu wel erg vaak...'

Het hoofd van Eve lag zacht op de dijen van Céline. Het maakte niks uit dat de dijen warm en een beetje zweterig aanvoelden.

Mijn haren kriebelen vast op haar huid, dacht Eve vertederd en ze moest plotseling aan die zondag denken.

'Weet je nog, Céline? Die tomaten?' zei ze zacht.

Zelfs zonder haar ogen te openen wist ze dat Céline nu glimlachte.

Die zondag waren Célines ouders een hele dag naar Brussel. Zodra de auto uit de garage was, had Céline Eve opgebeld. Toen Eve er was, had Céline de deuren afgesloten en ze hadden meteen in bed gevrijd tot ze moe waren.

Eve zocht met haar hand over de stenen tot ze de enkel van Céline voelde en dromerig haalde ze die zondagnamiddag voor haar ogen.

'Ik heb honger', zei Eve.

'Wacht even', zei Céline. 'Ik maak wat lekkers.'

Zonder zelfs een broekje of een beha aan te trekken liep ze naar de keuken. Een tijdje bleef Eve languit in het bed nagenieten, maar toen kon ze zich niet meer bedwingen.

Een kleurig bloemetjesgordijn verborg het keukenraam, maar het liet voldoende zonlicht door om het in de keuken gezellig schemerig te maken. Op een houten snijplankje lagen schijfjes tomaat en mozzarellakaas. Een rood-wit gestreept torentje stond al op een dessertbord.

Poedelnaakt drukte Eve zich tegen Céline aan.

'Dat ziet er lekker uit', zei Eve.

'Het is ook lekker', zei Céline terwijl ze nog wat kaas afsneed en een tweede torentje bouwde. Met duim en wijsvinger strooide ze telkens een beetje gehakt basilicum op de witte kaas.

'Je hebt te veel tomaat afgesneden', zei Eve terwijl ze naar een glazen kommetje wees waarin nogal wat schijfjes lagen.

'Ik kieper ze straks wel in de keukenemmer.'

'Zonde', zei Eve.

'Ik heb geen zin om al die tomaatschijfjes op te eten.'

'Ook niet als ze op een verleidelijke tafel opgediend worden?' vroeg Eve en haar lippen bogen in een ondeugende glimlach.

'Wat bedoel je?'

Céline fronste vragend haar wenkbrauwen.

Zonder iets te zeggen plaatste Eve het kommetje op de vloer. Dan liet ze zich neerzakken en ze strekte zich languit naast het kommetje. De tegels waren koud tegen haar rug en even verscheen wat kippenvel op haar huid.

Ze nam een schijfje tomaat uit het kommetje en legde het in de gleuf tussen haar borsten. De koele vloertegels en de natte, koude tomaat deden haar tepels hard worden en Eve voelde zich opgewonden toen ze zich inbeeldde wat er ging komen. Onder het eerste schijfje legde ze een tweede, een derde...

'Nu nog een paar stukjes links en rechts zodat het een duidelijke pijl vormt', zei Eve met een guitige snoet. 'En dan mag je aan tafel gaan.'

De ogen van Céline glansden terwijl ze toekeek hoe Eve met de tomaatschijfjes een wegwijzer naar haar schaamhaar vormde. Ze knielde neer, boog zich over het meisje en zonder haar handen te gebruiken begon ze de schijfjes op te eten.

Uit de richting van het Thermaehotel kwam een vrouw aangewandeld. Een strohoedje had niet kunnen verhinderen dat haar gezicht en haar armen roodverbrand waren. Ze duwde een buggy voort waarin een meisje zat met een matrozenmutsje op het hoofd. Opeens zag de vrouw de twee meisjes en haar hoofd ging met een schokje omhoog. Ze perste haar lippen misprijzend op elkaar en met haar ogen constant op de meisjes gericht liep ze voorbij.

'Dag mevrouw', zei Céline spottend.

De vrouw klakte minachtend met haar tong, terwijl ze Céline bleef aankijken.

'Pas op!' riep Céline.

Maar de vrouw merkte de afsluiting te laat op. De buggy bleef met een wiel achter een staaf van de balustrade haken zodat hij kantelde. Toen het kind op de stenen viel, kwam Eve bliksemsnel overeind.

'Wacht, ik zal je even helpen', zei ze terwijl ze het huilende meisje overeind hielp.

'Blijf met je poten van Jolien', beet de vrouw haar toe. 'Misschien is het wel besmettelijk.'

Alsof de vrouw met een stok op haar vingers had getikt, trok Eve haar handen weg. De vrouw hees het kleintje met een arm omhoog, terwijl ze de buggy moeizaam weer op zijn wieltjes kreeg. Zonder nog een woord te zeggen duwde ze het kind weer in de buggy en ze beende weg.

Eve snoof ongelovig een paar keer door haar neus terwijl ze keek hoe de vrouw tussen de wandelaars verdween.

Zelfs Niels keek van het tv-scherm weg toen Eve van de bank opstond.

'Wat is er?' vroeg hij.

'Ik ga slapen.'

'Nu al? Het is toch nog vroeg?'

Hij wierp een bezorgde blik op de hangklok.

'Kwart voor tien. Op zaterdag mogen we toch langer opblijven?'

'Ik moet morgen een toernooi spelen', zei Eve.

Pa grinnikte terwijl hij naar ma knipoogde.

'Meestal moeten we je zeggen dat het tijd is om naar bed te gaan. Toernooi of geen toernooi.'

'Ik wil fris zijn. Welterusten, iedereen', zei ze en ze sloot de deur achter zich.

Ze had aan Céline beloofd dat ze het vanavond, of ten laatste morgen aan haar ouders zou vertellen. Het maakte dat ze al de hele avond op de toppen van haar zenuwen liep. Ze kon het niet meer, zomaar bij hen zitten en doen alsof er niets aan de hand was. Nu vertel ik het, ging het steeds maar door haar hoofd, maar ze durfde het niet. Dan kan ik maar beter naar bed gaan, dacht ze. Ik kan het beter morgen vertellen.

Ze wist dat ze moeilijk in slaap zou kunnen komen. Sinds ze ontdekt had dat ze op meisjes viel, had ze al heel wat uren wakker gelegen. Dromend, wensend, fantaserend en vooral piekerend.

Ze knipte het licht in haar kamer aan. Boven het bed hing een reuzenposter van Hugo Boss.

Beetje bij beetje had Eve haar vroegere posters vervangen door posters met fotomodellen die flesjes parfum toonden. *Wat heb jij toch met al die parfummerken?* had haar moeder onlangs gevraagd.

Morgen móét ik het vertellen, dacht ze weer, terwijl ze haar nachtpon over haar hoofd trok.

De müsli smaakte niet. Eve roerde wat met haar lepel in haar bord en voor de schijn nam ze af en toe een hap. Zoals elke zondagochtend zat pa achter zijn krant verborgen, terwijl zijn hand soms blindelings naar een boterham met kaas of een kopje koffie tastte.

'Is je bord leeg, Niels?' vroeg ma terwijl ze in de koelkast naar een potje jam zocht.

Niels antwoordde niet, maar hij beet gretig in een snee geroosterd brood waarop een vingerdikke laag chocopasta gesmeerd lag.

Alles was zo rustig en gewoon in de familie Broeckaert. Papa die zijn krant las, mama in haar kamerjas omdat ze straks zou douchen en Niels die weer een snee brood in de toaster stopte.

Straks moet ik een bom in die rust gooien, dacht Eve en ze aarzelde. Misschien kwam er later een betere gelegenheid om het te vertellen?

Eve zat ineengedoken, alsof ze het koud had. Haar hoofd was over haar bord gebogen en haar haar hing bijna in de müsli.

'Wat is er, Eve?' vroeg ma. 'Je eet bijna niks.'

Eve richtte haar hoofd op en stak geforceerd wat müsli in haar mond. Ze richtte haar ogen op de foto van een auto-ongeluk op de voorpagina van de krant.

'Ben je soms zenuwachtig omdat je vanmiddag moet spelen? Het is toch niet je eerste toernooi?'

Nee, ik mag het niet weer uitstellen, dacht ze. Ik heb het Céline beloofd.

In haar hoofd telde ze tot tien en ze haalde diep adem.

'Ik ben verliefd', zei ze stilletjes zonder van de voorpagina weg te kijken.

'Alweer?' stelde Niels ongeïnteresseerd vast en hij greep naar een volgende boterham.

'O ja', vroeg mama meteen benieuwd. 'Wie is het? Ken ik hem?'

'Het is geen jongen.'

Papa liet zijn krant zakken en richtte zijn ogen over de rand naar Eve.

'Toch niet op een man die jaren ouder is dan jij?' vroeg hij met een rimpel tussen zijn ogen.

'Op een meisje. Op Céline.'

Mama hield met haar ogen papa in bedwang.

'Nu begrijp ik het', zei mama terwijl ze zachtjes met haar hoofd knikte. 'Daarom was je zo dikwijls met haar samen.'

Mama veegde met een paar vingers wat kruimels bij elkaar die op de tafel lagen en ze liet de kruimels in de broodzak vallen.

Zoiets doet ze anders nooit, dacht Eve en meteen voelde ze zich schuldig omdat ze mama in de war bracht.

'Maar Eve', zei mama moeilijk. 'Je bent nog maar zestien. Je bent toch nog veel te jong om zeker te zijn. Misschien zocht je gewoon naar genegenheid en kwam Céline op dat moment voorbij.'

Ze schoof haar stoel naar Eve en legde haar hand in haar hals. Eve schudde bijna onmerkbaar haar hoofd.

'Ik dacht dat het met Tibo wat kon worden. En daarna met Tim. Het lukte gewoon niet.'

'Misschien moet je gewoon de juiste jongen nog ontmoeten?'

'Bij Céline voel ik me goed. Beter dan bij wie dan ook.'

Papa had zijn krant samengevouwen en keek haar bedenkelijk aan.

'Céline is drie jaar ouder dan jij', zei mama.

'Nou en? Papa is toch ook vier jaar ouder dan jij.'

'Ik bedoel dat Céline rijper is. Misschien heeft ze je er gewoon van overtuigd dat je verliefd op haar bent en merk je na een tijd dat je helemaal niet lesbisch bent. Dat je je door haar liet meeslepen.'

Ik kan hen toch niet vertellen dat ik masturbeerde met Margaux in gedachten voordat ik Céline kende, ging het door Eve heen en ze kon het niet helpen dat ze zich schaamde.

'Nee, ik ben er echt wel zeker van dat het zo is', zei Eve met een vaste stem.

'Heb je als eens nagedacht wat de gevolgen zijn?' vroeg papa rustiger dan ze verwacht had. 'Kinderen, of liever geen kinderen. Sommige mensen zullen je links laten liggen. Of ze zullen zich allerlei dingen voorstellen. Sommigen zullen je misschien pesten of over jou roddelen.'

Het luchtte Eve op dat haar vader zich niet meteen boos maakte. Ze had zich op het ergste voorbereid.

'Maar misschien is het zoals mama zegt en denk je er helemaal anders over als je eens een leuke jongen ontmoet.'

Eve schudde haar hoofd.

'Nee, papa. Duizend keer heb ik voor de spiegel gestaan, naar mezelf gekeken en gezegd: nee, je bent niet lesbisch. Maar het is gewoon zo.'

Hij klemde nadenkend zijn kaken op elkaar terwijl hij enkele keren door zijn neus ademde. Alsof hij tijd nodig had om haar woorden te laten doordringen.

'Ik denk dat het beter is dat je het aan niemand vertelt', zei hij met een knikje. 'Als dan later blijkt dat je niet... dan is er niks aan de hand.'

'Ik heb het in de klas al verteld', zei Eve.

'Maar Eve...' zuchtte mama en ze haalde haar hand weg.

Eve keek haar teleurgesteld aan.

'Hoeveel keer heb je me niet gezegd dat ik je alles kon vertellen, dat ik je alles móést vertellen. Dat ik eerlijk moest zijn, ook al zou het voor jou niet prettig zijn om het te horen. En nu...'

De ogen van mama waren vochtig, maar ze veegde haar tranen niet weg.

'Je hebt gelijk, meisje. Dat heb ik altijd gezegd.' Ze aaide Eve over het haar. 'Hoe het ook is, je blijft onze dochter.'

Ze keek naar papa en knikte, alsof ze zonder woorden wilde zeggen dat Eve nog altijd bij hen hoorde.

'En de familie?' vroeg papa.

'Misschien kunnen we tegen opa en oma maar beter zwijgen. Ze begrijpen het vast niet', zei ze.

'Geef de kaas eens door, Eve', zei papa en hij reikte naar de broodmand.

Eve stond op, legde haar armen rond zijn hals en drukte haar hoofd tegen zijn kruin om hem te knuffelen. Ze vocht tussen een traan en een glimlach.

'Eet nu je müsli maar op. Dat je naar meisjes kijkt, wil nog niet zeggen dat je niet moet eten', grijnsde papa.

Ze drukte nog een kus in zijn haar. Ze schoof aan tafel en lepelde snel haar bord leeg. Zodra ze kon, haastte ze zich naar haar kamer, griste haar gsm van haar bureau en tikte blindelings het nummer van Céline in.

'Neem nou op, Céline', mompelde ze terwijl ze ongeduldig door haar kamer ijsbeerde.

'Met Céline.'

'Ik heb het hun verteld!'

Eve keek nog een laatste keer naar de zijlijn. Ze ademde diep in, gooide de bal in de lucht en mepte hem met haar racket over het net. Bewegingloos zag het meisje aan de overkant van het net dat de snelle bal op centimeters van de lijn de grond raakte en een beetje gravelstof deed opwaaien.

'Yes!' schreeuwde Eve. Dolgelukkig gooide ze haar racket in de hoogte. Ze hoorde niet eens hoe de mensen langs de afrastering in de handen klapten. Ze raapte haar racket op en liep op een drafje naar het net om haar tegenstreefster op de wang te kussen en de scheidsrechter een hand te geven. Ze stak haar racket in de hoes en liep naar het hekje in de afsluiting, waar Céline haar opwachtte. Vanuit een ooghoek zag ze hoe haar ouders naar haar toe kwamen.

'Je speelde geweldig, Eve!' glunderde Céline. 'Ik ben zo trots op je. Ik móét je gewoon knuffelen.'

Spontaan drukte Céline haar stevig tegen zich aan. Opeens bleven haar ouders staan en ze draaiden zich verlegen om.

'Papa en mama zien ons', fluisterde Eve en ze duwde Céline voorzichtig van zich af.

Pas toen Céline begrijpend wat afstand nam, keek mama weer in haar richting.

Mama stak trots haar duim op en papa keek wat naar de twee jongens die zich op het tennisveld opwarmden. Eve zag aan zijn gezicht dat hij niet boos was, alleen dat hij hét niet wilde zien. Céline volgde Eve op een metertje toen ze naar haar ouders liep.

'Knap gespeeld, meisje', zei mama en veel uitbundiger dan gewoonlijk drukte ze Eve tegen zich aan. Ze glimlachte zuinigjes naar Céline.

'Dag Céline', zei papa. Zijn stem klonk neutraal alsof er tijdens het ontbijt niks gezegd was.

'O ja', zei Eve alsof ze zich opeens iets herinnerde. 'Céline en ik gaan vanavond een filmpje pikken in Gent.'

'Zou je dat wel doen?' vroeg mama en ze streek bezorgd over haar voorhoofd.

'Hoe het ook is, je blijft onze dochter', herhaalde papa haar woorden. 'Maar maak het niet te laat.'

Eve glimlachte breed.

'Nu wil ik me douchen.'

'Ik loop nog een eindje mee en dan wacht ik in de cafetaria op je', zei Céline.

Ze liepen langs het pad in de richting van de kleedkamers.

'Eve!'

Eve herkende de stem van Annelies. Hand in hand met Kevin kwam ze aangelopen. Britt en Shanna volgden rustig in hun spoor.

Eve wreef onrustig haar lippen over elkaar toen ze zag dat ook Tibo bij hen was. Hij had zijn arm om een meisje, maar toen Eve naar hem keek, nam hij zijn arm voorzichtig weg om een zakdoek te zoeken en even over zijn neus te wrijven.

'Dit is Mieke', zei Tibo en het leek alsof hij zich schaamde. Hij draaide verlegen met zijn schouders toen hij naar Eve keek.

'Hoi', zei Eve terwijl ze Mieke glimlachend aankeek. 'Tibo heeft een goede smaak.'

Het meisje lachte kirrend.

'Het was een mooie wedstrijd', zei ze. 'Je speelt echt heel goed.'
De ogen van Tibo flitsten onrustig van Eve naar Mieke en hij
schuifelde wat doelloos met zijn voeten.

'Je zult vast willen douchen', zei Britt. 'Zien we je straks nog?'

'Heel even', zei Eve. 'Céline en ik rijden nog naar Gent vanavond. Lekker stappen.'

'Tot straks dan', zei Britt koel.

Het groepje wandelde rustig in de richting van de cafetaria en
Eve zag dat Tibo zijn handen in zijn broekzakken hield en snel
nog even in haar richting keek.

'Je wilt me toch niet jaloers maken?' fluisterde Céline een beetje plagend, een beetje ernstig.

'Jaloers? Op Tibo?'

'Ik zag wel hoe je naar Mieke keek. Dat je haar even met je radar testte.'

'Je hoeft niet ongerust te zijn', zei Eve lacherig. 'Ik heb geen
vonkje in haar ogen gezien. Trouwens, ik wil alleen jou.'

Ze kneep stiekem in de hand van Céline.

De lucht was nog steeds strakblauw. Heel ver weg hing een onschuldig wolkje. Zelfs het flauwe briesje dat over het Stationsplein streek, voelde warm aan. Ze liepen naast elkaar, maar zolang ze in Aalst waren, durfden ze elkaar niet aan te raken.

Straks in Gent, dachten ze allebei.

'Ik wil eerst nog even naar het toilet', zei Eve.

'Ik wacht op het perron', zei Céline en ze liep de trappen op
terwijl Eve zich naar het toilet repte.

Toen Eve op het perron kwam, vond ze het vreemd dat Céline
niet boven aan de trap wachtte.

'Eve! Kom eens hier! Vlug!'

Céline stond voor een paar reclamepanelen en ze wenkte Eve
dringend met haar hoofd.

'Wat is er?' vroeg Eve verbaasd.

De reclamepanelen waren volgekrabbeld met allerlei schrijfsels en tekeningetjes.

'Lees dit eens', zei Céline terwijl ze haar vinger op een van de tekstjes drukte.

Voor seks met een meisje (16 jaar)
Bel 0491/374382

'Maar dat is mijn nummer!' riep Eve gedempt uit. 'Welke lul heeft mijn nummer opgeschreven?'

'Daarom krijg je die schunnige telefoontjes.'

Eve likte aan de top van haar wijsvinger en probeerde het tekstje weg te vegen.

'Ik heb het ook al geprobeerd', zei Céline. 'Het lukt niet.' Ze haalde gelaten haar schouders op. 'Misschien heeft iemand die tekst nog op andere plaatsen neergekrabbeld.'

'Nog even en ik keil mijn gsm in de Dender', zei Eve vastbesloten.

'Ik denk ook dat dat de beste oplossing is', zei Céline. 'Je kunt beter een nieuw toestel kopen. Dan ben je van die telefoontjes verlost. Misschien kun je thuis vertellen dat je mobieltje in Gent werd gestolen?'

Eve knikte zwakjes. Opeens boog ze zich weer naar het bord.

'Dat handschrift...' Ze knabbelde nadenkend op haar duimnagel. 'Hoewel... misschien zijn er honderden handschriften die hierop lijken.'

'Maar wie dit geschreven heeft, kent ook je nummer. Dat handschrift, je leeftijd en jouw nummer... dat is me een beetje te veel toeval.'

Eve zweeg en draaide haar ogen in de richting van de stad alsof ze door de muren van de huizen heen kon kijken.

12.

'Het is vollemaan', zei Eve. 'Weet je het nog?'
Met een glimlach vertelde Céline dat ze die eerste avond in
Gent nog niet vergeten was.
Ze stroopte de mouw van haar trui wat omhoog en keek op haar
horloge.
'Bijna kwart over een. Nog een kwartiertje.'
Eve zei niks, maar ze liet haar ogen door de straat gaan. In het
maanlicht kon ze de huizen goed zien. Sommige waren door een
hoge haag van elkaar gescheiden en overal lag er een voortuintje
voor de gevel. Hoewel achter elk huis een garage gebouwd was,
stond hier en daar nog een tweede auto op de oprit of op de straat.
Op de hoek van de straat bevond zich een grasveldje met enkele
houten speeltuigen voor de kinderen die in de wijk woonden. Céline en Eve waren in het klimrek geklauterd en hadden zich in
een houten uitkijktorentje geïnstalleerd.
De spieren van Eve waren verstijfd en ze had veel zin om zich
op te richten en zich uit te rekken. Ze hadden op veilig gespeeld
en zaten al ruim een uur op de houten vloer. De ruwe randen van
de planken leken in haar billen gedrukt.
Céline zat op haar knieën, zodat haar ogen net boven het houten staketsel uit kwamen.
'Ik hoop maar dat er iets gebeurt', zei Eve en ze verschoof haar
achterwerk over de plankenvloer.
Weer zag ze het reclamebord in het station voor haar ogen.
Waarom? had ze zich de hele dag afgevraagd. Ze begreep het niet.
Voor de zoveelste keer wilde ze op haar horloge kijken toen Céline
haar een duw gaf. Meteen verdampten de telefoontjes in haar
hoofd en ze ging op haar knieën naast Céline zitten.
Aan de overkant van de straat zagen ze een meisje langs de huizen lopen. Hier en daar bleef ze voor een huis staan en liep dan
weer verder. Rustig, alsof ze een wandelingetje maakte. Overal

leken de mensen al naar bed te zijn. Of de rolluiken waren neergelaten, of het was donker achter de ramen. Voor een villaatje bleef het meisje opvallend lang staan. Voor het huis stond een stenen brievenbus waarop een kabouter zat. Het meisje liep een eindje het klinkerpad op dat naar de garagepoort leidde en keerde daarna weer terug naar de voorzijde van het huis. Even leek ze te aarzelen. Maar toen keek ze snel om zich heen en ze gooide een steen door het raam van de zijgevel. Het leek alsof het glasgerinkel overal te horen was, maar de enige reactie kwam van een paar honden die ergens blaften en bijna meteen weer ophielden. Rustig liep Britt de straat op en net voordat ze bij het kruispunt rechts afsloeg, zag Céline dat ze haar mobieltje aan haar oor hield.

'Wat nu?' vroeg Eve.

'Misschien kunnen we beter nog wat afwachten', zei Céline, die haar ogen op de straat bleef richten.

'We hebben Tibo nog niet gezien en op de een of andere manier moet die ook iets met dit gedoe te maken hebben.'

Om toch iets te doen keek Eve op haar horloge. 1.43 u.

'Er komt een fietser aangereden', zei Céline zacht terwijl ze Eve met haar elleboog aanporde.

Een eind achter het uitkijktorentje verscheen een lichtje.

'Bukken!' fluisterde Céline bijna bevelend.

Ze doken in elkaar en door een spleetje tussen de planken zag Eve de fietser voorbijsnellen. Toen ze haar ogen boven de rand van de schutting uitstak, zag ze hoe de fietser zonder aarzelen naar het huis met de opvallende brievenbus reed.

'Het is Tibo', zei Eve op een manier alsof ze niet anders had verwacht. 'Ik zie zelfs een rolletje vuilniszakken achter op zijn fiets.'

Met een voet op de stoeprand bleef Tibo naar het huis kijken om even later naar de achterzijde van het huis te rijden.

'Heb jij dat ook gehoord?' vroeg Eve toen Tibo uit het zicht verdwenen was.

'Wat?'

'Ik dacht dat ik weer glas hoorde breken.'

'Ik heb niks gehoord', zei Céline zonder het huis uit het oog te verliezen. 'Maar hij is vast al binnengekomen. Soms zie ik achter de ramen een streepje licht bewegen. Ik denk dat hij een zaklamp bij zich heeft.'

'Wat doen we?' vroeg Eve.

De zenuwen deden haar stem schor klinken.

'Ik weet het niet', zei Céline hoofdschuddend. 'Misschien nog even afwachten?'

Een paar minuten later verscheen Tibo op de oprit. In zijn hand bengelde een vuilniszak. Hij ging even op zijn tenen staan om over de haag in de straat te kijken en plaatste toen de zak op het trottoir. Daarna haalde hij zijn fiets en reed Britt achterna.

'Ik wil weten wat er in die zak zit', zei Céline beslist. 'Geef me een seintje met je mobieltje als je iets hoort of iemand ziet.'

'Zou je wel...' zei Eve aarzelend.

Alsof ze geen last van stramme spieren had, klom Céline uit het klimrek en ze haastte zich naar de vuilniszak. Vlug schakelde Eve haar gsm in, wiste een paar vervelende oproepen en drukte blindelings het nummer van Céline in. Hoewel ze razend nieuwsgierig was om te zien wat Céline uitrichtte, dwong Eve zichzelf om de omgeving in de gaten te houden. Toen ze even naar Céline blikte, zag ze dat het meisje de vuilniszak had geopend en een paar dingen bekeek.

Eve slikte nerveus toen ze ergens een auto hoorde. Ze keek over haar schouder. Om de straathoek verschenen de stralen van autolichten. Een lichte bestelwagen stopte op de hoek en draaide toen de Rozenstraat in. Meteen liet Eve het mobieltje van Céline een keer overgaan en ze verborg zich achter de schutting om tussen de spleten naar haar vriendin te kijken.

Wat doet ze nu, ging het door haar heen toen Céline de vuilniszak optilde en ermee in de richting van de garage liep. De bestelwagen reed langzaam door de straat. Bij het huis met de kabouter op de brievenbus bleef de auto staan. Hij reed enkele meters vooruit, weer achteruit en uiteindelijk kwam er een man uit de auto.

Céline, dacht Eve doodsbang. Het zweet kwam uit al haar poriën en haar kleren kleefden aan haar lijf.

De kerel liep zoekend door het voortuintje, maar toen hij niks kon ontdekken, repte hij zich naar de auto. Hij liet de bestelwagen optrekken en scheurde de straat uit.

Meteen kwam Eve overeind en liep naar het huis. Céline rende met de zak in haar armen in haar richting.

'Naar het klimrek', hijgde Céline. 'Misschien komt hij terug.'

Eve nam de zak van haar over en toen ze bij het klimrek waren, trokken ze samen de vuilniszak in hun schuilplaats.

'Wat zit er in de zak?' vroeg Eve. Ook zij was nu buiten adem.

'Een dvd-speler, een laptop, een klokje dat er antiek uitzag en nog allerlei spullen. Ze gaan gewoon op rooftocht.'

'Ssst!' deed Eve terwijl ze haar wijsvinger op haar lippen legde.

De auto verscheen weer in de straat. Eve en Céline doken opnieuw in elkaar en loerden tussen de spleten. Britt en Tibo sprongen uit de wagen. Ze zochten rond het huis, maar keerden even later terug naar de auto, die meteen wegreed.

'Ik dacht echt dat je in de problemen zou komen', zei Eve terwijl ze het autogeronk hoorde wegsterven.

'Ik had me achter in de tuin achter een berg hout verstopt', zei Céline. 'Even vreesde ik dat de kerel ook daar zou zoeken, maar waarschijnlijk vond hij het te gevaarlijk. Tenslotte wist hij ook niet wie de vuilniszak had meegenomen.'

Eve trilde op haar benen.

Wacht je bij de schoolpoort op me? xxx

Eve controleerde nog eens het bericht op het scherm van haar mobieltje en stuurde het vervolgens naar Céline.

Die nacht had ze bijna niet geslapen. Steeds weer had ze in haar bed heen en weer gewoeld en plannen gemaakt voor vanochtend. Eerst was ze van plan geweest om haar woede op school uit te schreeuwen, maar uiteindelijk had ze zich voorgenomen om rustig te blijven. Rustig, maar zonder medelijden.

Céline had haar fiets al in het rek gezet en stond bij het parkje met haar rugtas in haar hand.

'Dag', zei Eve terwijl ze Céline op de mond kuste. 'Ik wil graag dat je er ook bij bent. Dan voel ik me een stuk zekerder.'

Het was zoals altijd druk op het schoolplein en Eve rekte haar hals om haar vriendinnen te zoeken.

'Daar zitten Britt en Tibo', wees Céline met haar kin en ze liepen naar hen toe.

De twee zaten naast elkaar, hun billen leunden tegen de rand van de vensterbank. Hun gezichten stonden somber en ze keken sprakeloos naar het gewoel op het schoolplein. Annelies en Shanna liepen gearmd naar hen toe.

'Raar', merkte Céline langs haar neus weg op. 'Als zij arm in arm lopen zegt niemand iets, maar als wij...'

Ze maakte haar zin niet af, maar zwaaide met haar hand alsof er iets vies aan haar vingers kleefde.

'Is er iemand dood?' vroeg Annelies toen Britt en Tibo haar niet eens aankeken.

Britt haalde haar schouders op en zweeg.

'Is er iets gebeurd?' vroeg Shanna benieuwd. 'Als jullie een koppel waren, dan zou ik denken dat Tibo je net heeft gedumpt.'

'Zeur toch niet', zei Britt nijdig. 'We hebben gewoon een rotweekend achter de rug.'

'Omdat je een vuilniszak zoekt?' vroeg Eve schijnbaar achteloos.

Britt en Tibo keken elkaar ontsteld aan. Meteen kwam Britt van de vensterbank en ze klemde de bovenarm van Eve vast.

'Kom', zei ze op een toon die geen tegenspraak duldde en ze trok Eve naar een rustiger plekje op het schoolplein. Toen Eve naar de vensterbank keek, merkte ze dat Annelies en Shanna Tibo met vragen bestookten.

'Wat weet je van die vuilniszak?' vroeg Britt onvriendelijk.

'Dat het een trucje is om huizen leeg te halen. Jij, Tibo en nog iemand. We hebben jullie vannacht aan het werk gezien.'

'Je gaat ons toch niet verklikken?'

Britt keek Eve aan en sloeg meteen haar ogen neer.

'Waarom gooide je een steen door het raam?' ontweek Eve de vraag.

'Het was een idee van Willy.'

'Willy?'

'De man met de bestelauto. Hij is een oudere neef van Tibo.'

'En?'

'Willy zocht steeds een rustige wijk uit. Dan hier, dan daar. We kregen een seintje waar en wanneer. Wanneer ik dacht dat er niemand thuis was, gooide ik een steen door het raam. Ik wachtte even en wanneer er geen hond blafte, liep ik verder. Dan belde ik Tibo op om het huisnummer door te geven.'

'Waarom een steen door het raam?'

'Op die manier konden we zien of er iemand thuis was. Als iemand me zou betrappen, had ik enkel een steen door het raam gegooid. Voor zo'n akkefietje stoppen ze me heus niet in de gevangenis. Daarna kwam Tibo. Als hij in het huis of bij de buren geen licht zag, kon hij via een raam inbreken en dan had hij welgeteld drie minuten om het huis te doorzoeken.'

'Waarom drie minuten?'

'Het was een limiet waaraan hij zich moest houden. De bewoners konden thuiskomen. Hij liep het meeste risico. Ik bleef vanaf een afstand de straat in de gaten houden, maar het bleef link.'

'En die vuilniszakken?'

Er gleed een grijns over het gezicht van Britt.

'Wie verdenkt nu iemand die zijn vuilniszak op straat zet? Men zal het hoogstens raar vinden dat iemand dat karweitje 's nachts uitvoert, maar dat is dan ook alles. En daarna waarschuwde Tibo Willy. Die pikte dan gewoon de vuilniszak op. Als iemand dat zag, dan zou hij hoogstens zijn schouders ophalen omdat iemand 's nachts in vuilniszakken scharrelt. En Willy kende wat mensen die de gestolen spullen opkochten. Hij betaalde ons en dat was het. Wie kan er tenslotte geen geld gebruiken?'

Eve zag het allemaal duidelijk. De steen door het raam, de vuilniszak... Eigenlijk vond ze het een knap systeem, maar ze schudde haar hoofd.

'Er is nog iets... voor seks met een meisje (16 jaar). Bel 0491/374382.'

Britt keek haar geschrokken aan. 'Waarom denk je dat ik dat...'

Ze zweeg opeens en balde verslagen haar vuist.

'Nu weet ik tenminste zeker dat jij het was', zei Eve bijtend. 'Ik twijfelde nog een beetje, maar ik meende jouw handschrift te herkennen en het moest iemand zijn die mijn nummer kende.'

Met een snelle beweging van haar hoofd gooide Eve haar haar achterover.

'Waarom deed je het? Was het omdat ik lesbisch ben?'

Voor het eerst keek Britt Eve in de ogen. En Eve schrok toen ze de woede zag.

'Ik deed het voor Tibo', zei Britt fel.

'Voor Tibo?' vroeg Eve verbijsterd.

'Voor Tibo', herhaalde Britt met nadruk. 'Maar je moet me geloven, Tibo weet niks van de tekst in het station.'

Eve wist niet of ze haar kon geloven, maar Britt keek zo nijdig dat ze moeilijk anders kon.

'Was je dan jaloers op mij toen ik nog met Tibo was?'

Britt trok haar mondhoeken schamper omhoog.

'Helemaal niet. Er is nooit iets tussen Tibo en mij geweest en er zal ook nooit iets zijn. We zijn gewoon heel goede vrienden. Al sinds we kinderen waren. Net zoals jij en Margaux vroeger. Ik kwam bij hem spelen, hij bij mij.'

De naam Margaux sneed door Eve heen en in een flits zag ze hoe ze samen met Margaux op de veranda een tennisveld van lego bouwden. Ze klemde haar tanden op elkaar en liet haar hoofd op haar borst zakken.

'Tibo was kapot toen je hem dumpte. Hij heeft me zo dikwijls verteld dat hij dol op je was. Hoe geweldig het was wanneer jullie vrijden.'

'Heeft hij dan écht alles wat we deden aan jou verteld?' vroeg Eve meer verbaasd dan boos. 'Jezus!'

Haar mond viel open en ze wreef met beide handen over haar slapen.

'Tibo weet dat ik kan zwijgen. De dag dat je het uitmaakte, was hij 's avonds op mijn kamer. Hij huilde. Je hebt hem meer gekwetst dan je beseft. Ik had medelijden met hem.'

'Maar even later was hij toch met Mieke', zei Eve schamper.

'Ze is een vervangmeisje', zei Britt nonchalant, alsof Mieke helemaal niet belangrijk was. 'Tibo is nog altijd gek op jou. Als je morgen zegt dat je voor Tibo kiest, is Mieke passé.'

Er kwam opnieuw felheid in haar ogen toen ze Eve weer aankeek.

'Ik heb altijd gehoopt dat het tussen jou en Tibo nog goed zou komen, tot je vertelde dat je lesbisch was. Jij hebt Tibo gekwetst en ik vond dat je ook wel wat mocht hebben. Daarom heb ik die tekst op dat paneel gekrabbeld.'

Eve ging op haar tenen staan en duwde haar vinger tegen Britts borstbeen.

'Morgen gooi ik mijn gsm in de Dender. Dan heeft niemand nog last van die rottelefoontjes. En jij koopt een nieuw mobieltje voor me.'

Ze haalde haar vinger weg en liep naar Céline. Een paar meter verderop bleef ze staan en ze keek over haar schouder.

'O ja', zei ze, alsof ze zich opeens iets herinnerde. 'We hebben de vuilniszak voor de deur van het politiebureau gedropt. Misschien kun je hem daar ophalen.'

EPILOOG

Klop en er zal opengedaan worden. Ook voor *hetero's* stond er in grote sierletters op het witte vel papier dat met punaises op de deur was geprikt.

Terwijl ze in haar tas naar de sleutel zocht, keek Eve nog eens naar het blad en er verscheen een rimpel boven haar neus. Met haar vingernagels peuterde ze de punaises los. Het papier rolde ze keurig op en ze stak het onder haar arm. Terwijl ze haar sleutel pakte, dacht ze eraan dat Céline er al moest zijn en ze duwde de klink naar beneden.

'Mmm, dat ruikt lekker', zei ze terwijl ze de geur opsnoof.

'Ik ben al begonnen', zei Céline zonder van haar kookboek op te kijken. 'De scampi zijn al gepeld... Speciaal voor jou, omdat je zo graag scampi in kerriesaus lust.'

Ze boog met getuite lippen haar hoofd naar Eve, die een kusje op haar mond drukte.

'Waarom heb je dat blad van de deur gehaald?' vroeg Céline verwonderd toen Eve het papier in de kast stopte.

'Ik denk dat papa en mama het liever niet aan de deur zien hangen als ze straks komen eten. Morgen zal ik het terughangen.'

'Sorry, ik had er niet aan gedacht', knikte Celine. 'Pel jij de tomaten? Als je ze eerst in warm water legt, is het een fluitje van een cent.'

'*Tiens*, tomaten... aan wat doet me dat nu ook weer denken?'

'Ik denk dat ik een paar tomaten te veel gekocht heb', zei Céline zo droog mogelijk.

'Toevallig?' vroeg Eve en ze drukte haar wijsvinger plagerig in Célines navel.

'Nee, niet echt toevallig', zei ze schalks. 'Misschien kunnen we vanavond nog wat tomaten eten.'

'Misschien...' zei Eve en ze schaterde het uit.

Met opzet gleed Eve met haar buik tegen Céline. Plagerig duwde die haar billen achteruit zodat Eve languit op het bed viel.

'Hoe kan ik je helpen als je me op het bed duwt?' zei Eve alsof ze verontwaardigd was. Vanaf het bed legde ze haar armen rond Célines middel en ze probeerde het meisje op de donsdeken te trekken.

'Graag', zei Céline terwijl ze Eves armen losmaakte. 'Maar nu niet. We hebben geen tijd. Straks komen je ouders en we hebben nog heel wat te doen.'

Eve kwam overeind en ze wurmde zich tussen het bed en het tafeltje.

'Hebben we plaats genoeg?' vroeg ze opeens bezorgd.

'We maken straks het bureau leeg en zetten dat dan tussen de deur en het bed. Jij en ik kunnen op het bed zitten. Je ouders weten tenslotte ook dat studentenkamers krap zijn. Ze zijn hier trouwens al eerder geweest.'

'Tomaten en warm water', herinnerde Eve zich hardop.

Op het tafeltje stond een klein, elektrisch fornuis met twee kookplaten. Naast het fornuis lagen de ingrediënten op elkaar gestapeld.

'Heb je alles gevonden?' vroeg Eve.

Céline had die middag geen les gehad, zodat ze kon winkelen.

'Eigenlijk moet er een scheutje cognac bij, maar ik vond het te gek om daarvoor een fles te kopen. Zonder cognac lukt het ook wel.'

Boven het tafeltje waren tientallen foto's met doorzichtige tape op de zachtgeel geverfde muur geplakt. Vakantiefoto's, kinderfoto's, familiekiekjes...

'Vrijdag zou Margaux negentien worden', zei Eve terwijl ze naar de foto keek waarop zij en Margaux in een bubbelbad lagen. Margaux had haar arm om haar schouder geslagen en ze lachten hun tanden bloot naar het fototoestel dat papa vasthield.

'Wanneer gaan we bloemen op haar graf leggen?' vroeg Céline en ze keek Eve ernstig aan.

'Op haar verjaardag lukt het niet, dan hebben we les. Zaterdag.'

Céline zocht een rode en een groene paprika, sneed ze in stukken en stopte af en toe een blokje in haar mond.

'Hoe was het vandaag?'

'Statistiek was moeilijk. In het weekend moet ik echt wat tijd vrijmaken om te studeren. Maar Margaux, tennis...'

'En ik?' vulde Céline aan.

'Economie ging beter', ging Eve verder alsof ze Céline niet gehoord had. 'De docent maakt er een erezaak van om elke les iets grappigs over zijn vak te vertellen en soms lukt het hem zelfs!'

'En ik?' herhaalde Céline terwijl ze Eve met een bedelend gezicht aankeek.

Eve maakte het goed met een glimlach.

'Zijn de tomaten klaar?' vroeg Céline terwijl ze zich weer over het kookboek boog.

'Bijna. Wat moet ik daarna doen?'

'Als je de uien pelt, dan krijg je een kusje.'

NAWOORD

Eve ontdekt in dit boek dat ze lesbisch is. Ze wordt verliefd op een ander meisje. Ze is niet de enige. Onderzoeken wijzen uit dat 1 à 2 mensen op 20 homo, lesbisch of bi zijn, kortweg holebi. In België zouden dat er dus 500.000 zijn. In Nederland 800.000. Het staat in elk geval vast dat in elke klas of sportclub wellicht minstens één iemand holebi is. Bij jezelf ontdekken dat je homo, lesbisch of bi bent, is niet altijd even eenvoudig. Het kan duizend vragen bij je oproepen. 'Ben ik de enige?', 'Wat zullen mijn ouders en mijn vrienden daarvan zeggen?' en 'Waar vind ik andere jongeren zoals ik?'

Je beseft het meestal ook niet van het ene moment op het andere. Veel jongeren zijn er een hele tijd mee bezig. Het is ook niet voor iedereen even duidelijk of even gemakkelijk te aanvaarden. En hoe vertel je het aan iemand anders? Voor sommigen is die stap gemakkelijk, anderen beginnen te twijfelen. 'Wat als mijn beste vriendin slecht reageert?', 'Wat als mijn leerkrachten het te weten komen?', 'Zullen mijn ouders niet erg teleurgesteld zijn?', 'Zullen nu alle meisjes of jongens denken dat ik op hen val?'

Bang en onzeker zijn is natuurlijk begrijpelijk, maar het is ook belangrijk om te beseffen dat er veel positieve kanten zijn aan een 'coming-out' (aan anderen vertellen dat je homo, lesbisch of bi bent). Je hoeft niet langer een geheim met je mee te dragen en ook je vrienden en ouders begrijpen misschien beter wat er in je omgaat.

Al sta je er niet altijd bij stil, je groeit op in een heterowereld. Films, reclame, schoolboeken, buren, ouders en idolen doen je vaak geloven dat meisjes enkel iets voelen voor jongens en andersom. Er is dus vaak weinig informatie voorhanden. Net als Eve gaan heel wat jongeren op zoek naar informatie over homo, lesbisch of bi zijn. Gelukkig heeft het internet behalve de geile sites die Eve terugvindt, ook een aantal toffe sites met leuke informatie voor jongeren die holebi zijn of die er nog niet helemaal uit zijn. Typ maar eens 'jongeren' en 'lesbisch', 'homo' of 'bi' in bij Google. Zo vind je snel een of andere holebi-jongerengroep in je buurt.

Want dat is natuurlijk de laatste moeilijkheid als je holebi bent. Waar vind je jongeren die zijn zoals jij? In Vlaanderen en Nederland bestaan er heel wat verenigingen. Zo is er bijvoorbeeld Wel Jong Niet Hetero (WJNH), de Vlaamse jeugdbeweging voor holebi's en transgenders. Verspreid over Vlaanderen zijn er bijna 20 jongerengroepen die verschillende keren per maand iets organiseren: een (praat)café, een stadsspel, een activiteit over coming-out, een vriendenavond,... Het kan van alles zijn. Eigenlijk misschien nog het meest vergelijkbaar met een jeugdhuis of een gewone jeugdbeweging, maar dan vooral met holebi's. Je kunt er ook steeds terecht voor een babbel of een rustige kennismaking.

Wel Jong Niet Hetero doet ook nog andere dingen. Zo is er een uitgebreide website met veel informatie en een forum, er zijn kampen, weekends en activiteiten voor verschillende leeftijdsgroepen (-19, 18-24, 24-30), fuiven, een werking voor transgenderjongeren... Een divers aanbod, omdat er ook heel verschillende jongeren naartoe komen. Hopelijk is er voor elk wat wils...

Seppe Geerts
Woordvoerder Wel Jong Niet Hetero

WAAR KUN JE TERECHT?

In Vlaanderen:

• Wel Jong Niet Hetero,
  Kammerstraat 22, 9000 Gent
  09-335 41 87
  http://www.weljongniethetero.be
  info@weljongniethetero.be

• De Holebifoon: 0800 99 533

In Nederland:

• Schorer stichting
  www.schorer.nl

• Website over homoseksualiteit bij jongeren
  www.expreszo.nl

• Switchboard Nederland
  informatie- en adviestelefoon: 020-623 65 65
  (maandag-vrijdag: 12-18 u / weekend: 16-18 u)
  helpdesk@switchboard.nl

OVER
TIJD

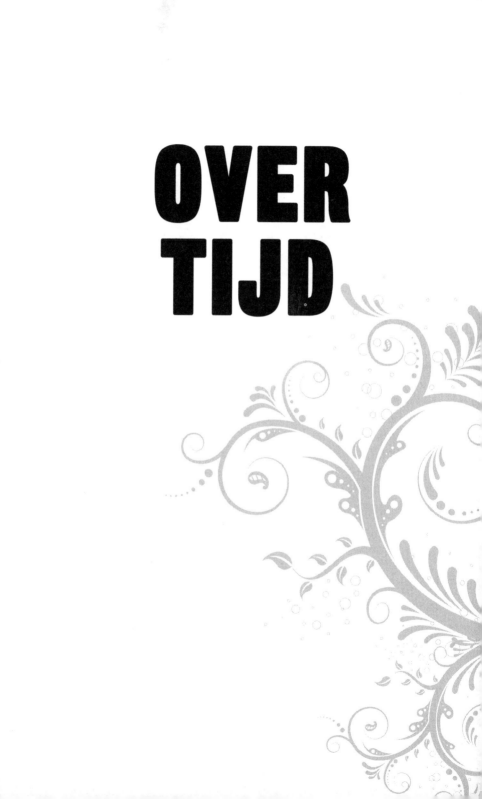

PROLOOG

Om alles goed te kunnen zien sleepte Dorien een stoel aan. De stoelpoten schraapten over de tegels van de badkamer.

'Ssst, wees een beetje stil', zei mama. Ze keek Dorien berispend aan. 'Je laat je zusje schrikken. Straks begint ze weer te huilen.' Automatisch legde Dorien haar wijsvinger op haar lippen. Mama had dat gebaar al zo vaak gemaakt sinds haar halfzusje was geboren.

Met een glimlach schudde mama haar hoofd en boog zich over de baby, die haar vanuit het badje met grote ogen aankeek. Dorien ging op haar knieën op de plastic stoel zitten en zag hoe mama Fleur met een handige zwaai uit het badje tilde. Meteen legde ze de baby op het aankleedkussen en wikkelde haar in een handdoek. Terwijl ze kusjes op Fleurs gezicht gaf, depte ze strelend met de handdoek het natte lijfje.

'Mag ik vandaag Fleurs naveltje verzorgen?'

Doriens stem klonk hoopvol. Ze kwam overeind en greep naar het doosje met steriele gaasjes.

'Nee, Dorien, dat doe ik liever zelf. Daarvoor ben je echt nog te klein.'

Teleurgesteld zakte Dorien met haar zitvlak op haar hielen, ze liet lijdzaam het doosje uit haar handen pakken.

'Mag ik haar straks een luier omdoen?'

Mama zuchtte.

'Je mag me helpen.'

Meteen liet Dorien zich van de stoel glijden, duwde die in de richting van de baby en wurmde zich tussen mama en het aankleedkussen.

'Leg jij de luier maar klaar', zei mama.

De deur zwaaide tegen het kussen van de bank toen Dorien de woonkamer instormde.

'Ik mag Fleur haar fles geven!'

Haar stem sloeg over en ze begreep niet waarom Lukas niet eens van zijn PlayStation opkeek. Ze gooide zich op de bank en wachtte ongeduldig tot mama, die met Fleur op haar arm de kamer inliep, haar zusje in haar armen zou leggen.

'Wees een beetje rustig, Dorien.'

Mama ging naast haar op de bank zitten en nestelde Fleur voorzichtig op Doriens arm.

'Lukt het zo?' vroeg mama terwijl ze Fleurs ruggetje bleef ondersteunen.

Dorien knikte heftig. Haar neus streelde de donzige, blonde haartjes op Fleurs schedel.

'Ze ruikt lekker', zei Dorien.

Mama stopte de fles in haar vrije hand. Een beetje plagerig streek Dorien met de speen tegen Fleurs wang en ze glimlachte toen ze zag hoe de lippen van haar halfzusje driftig de speen zochten.

'Je mag haar niet plagen', zei mama terwijl ze Doriens hand nam en de fles naar Fleurs mond leidde.

'Ik plaag haar niet, we spelen gewoon een beetje', zei Dorien verongelijkt. Toch liet mama haar hand niet los.

'Ik wil later kinderen. Veel kinderen', zei Dorien terwijl ze toekeek hoe Fleur de pap naar binnen klokte.

Ze begreep nog steeds niet waarom Lukas' ogen op het scherm gericht bleven. Dit was toch veel leuker!

A.

De ruitenwissers vlogen over de voorruit van de witte Mazda. De auto bolde langzaam langs de bomen die langs de Lichtaartsebaan in Kasterlee stonden. Een ongeduldige automobilist achter hem toeterde agressief en toen een tegenligger voorbij was, stoof hij met loeiende motor voorbij. Tijdens het voorbijrijden keek hij vernietigend naar Lukas.

'Loser!' gromde Lukas. Hij omklemde het stuur met beide handen en keek schuin naar Dorien. 'Het moet vlakbij zijn. Enkele weken geleden was je er toch voor een intakegesprek?'

'Ik weet het niet meer precies. Ik ben met de bus gegaan, dan let je niet zo op de omgeving. En alles lijkt op elkaar.'

Dorien speurde naar de huisnummers. Eigenlijk voelde ze zich opgelucht omdat ze maanden van stress, ruzie en discussie achter zich kon laten. De gesprekken van het CLB[*], CBJ[**], de jeugdrechter... Het leek alsof iedereen zijn zegje over haar had. En het was tenslotte haar keuze.

'Ma bedoelt het niet slecht', zei Lukas. 'Ze draait wel bij als het kind er eenmaal is.'

'Ik weet het niet, ik bedoel, ik weet niet meer of ik ma nog wil ontmoeten', zei Dorien zacht terwijl ze geconcentreerd tussen de bomen zocht. 'Het ging fout toen ze besefte dat ik echt geen abortus wilde.'

'Het is Peter die haar opnaait. Ze wil hem niet kwijt.'

De ogen van Dorien verhardden.

'Ze is liever haar dochter kwijt.'

Lukas legde troostend een hand op haar dij en onwillekeurig hield ze zijn hand vast. Zijn steun deed haar goed. Ze had het gevoel dat iedereen haar liet vallen. Niemand durfde het hardop

---

[*]   CLB: Centrum voor Leerlingenbegeleiding.
[**]   CJB: Comité voor Bijzondere Jeugdzorg.

te zeggen, maar het was voor iedereen een verademing geweest toen ze vorige maand bij Lukas introk. Het was behelpen in de krappe studentenkamer, maar liever dat dan de verziekte sfeer thuis.

'We mochten de auto toch lenen', zei Lukas verzoenend.

'Wat had je dan gedacht? Dat ze me met mijn koffers op straat zou gooien om me de bus te laten nemen?'

'Hier is het! Tegenover dat bushokje!' riep ze plotseling terwijl ze met haar vinger naar een oprit wees die ze tussen enkele struiken ontdekte.

Lukas keek in de achteruitkijkspiegel, zag geen fietsers en reed het kiezelplein op. Hij parkeerde voor een grote bungalow die bijna volledig uit glas leek te bestaan. Gordijnen sloten de binnenkant grotendeels van de buitenwereld af.

Stil bleven ze naar het huis kijken, alsof ze bang waren om uit de auto te komen. Achter die deur stopt dit leven en begin ik opnieuw, besefte Dorien. Dan blaas ik alle bruggen achter me op. Dan kan... Ze knipperde met haar oogleden. Nee, dan wil ik niet meer terug. Dan is het alleen nog mijn kind en ik.

Om de bungalow stonden hoge bomen en Dorien keek hoe ze langzaam in de wind bewogen. Ze streek over haar bolle buik. Het was intussen een gewoonte geworden, zeker sinds ze vier maanden geleden voor het eerst leven had gevoeld. Meteen had Fleur ook aan haar buik willen voelen. Ma niet. En Lukas was op dat moment in Leuven.

'Beweegt hij?' vroeg Lukas toen hij merkte dat ze haar hand over haar buik bewoog.

'Of zij', corrigeerde ze meteen. 'Wil je haar...' Ze glimlachte plagerig. 'Of hem eens aanraken?'

Hij knikte. Ze trok haar truitje omhoog en hij legde zijn hand op haar buik. Glimlachend wachtte hij af.

'Ja, hij schopt. Of nee, dat was een stevige tackle.'

Ze probeerde onder zijn vingers de golven in haar huid te zien. Lukas haalde zijn hand weg. Dorien bleef kijken of er nog rimpelingen zouden volgen, maar toen die wegbleven, trok ze haar truitje weer naar beneden.

'Zullen we dan maar?' stelde hij voor.

Eigenlijk was ze het liefst in de auto blijven zitten. Met de hand van Lukas op haar buik voelde ze zich rustig en gelukkig.

Dorien opende het portier en zette haar voeten moeizaam op de grond. Met één hand greep ze het dashboard en ze trok zich overeind. Ze zuchtte toen ze eindelijk naast de auto stond. Intussen opende Lukas de kofferbak van de auto en tilde twee tassen uit de bagageruimte.

'Zal ik er ook een nemen?' vroeg Dorien.

Lukas antwoordde niet en terwijl hij met beide koffers naar de deur liep, belde Dorien aan. Op de deur hing een vel papier waarop stond dat men oude kleren, speelgoed en knuffeldieren die nog in goede staat waren, mocht achterlaten. Alsof ze het koud had, wreef Dorien met beide handen over haar bovenarmen.

'Nerveus?' vroeg haar broer.

'Dat wel. Maar ook opgelucht. Omdat al die maanden van ruzie en twijfelen voorbij zijn.'

Door het glas in de deur zagen ze een vrouw komen. Het was een slanke veertiger met een pagekapsel en een vriendelijk gezicht.

'Dag Dorien', zei ze terwijl ze de deur opende.

Dorien liep naar binnen. Ze herinnerde zich het interieur. Het rieten bankstel, de bakstenen muur, het moderne half verheven beeld van een moeder met haar kinderen, de gang die naar de wasruimte leidde...

'Zullen we naar de woonkamer lopen?' stelde de vrouw voor. 'Dan kun je meteen met de meisjes kennismaken. De formaliteiten kunnen we later afhandelen.' Opeens leek ze zich iets te herinneren. 'O ja, noem me maar Lies', voegde ze er vlug aan toe. 'Ik ben je individuele begeleidster. Niet dat ik de andere meisjes links laat liggen, maar voor jou en voor Emma ben ik wat meer.'

'Hier is de kinderkamer', zei Lies met een hoofdknikje terwijl ze verder liep. 'Maar die heb je vast al gezien.'

'Ja.' Dorien herinnerde zich de rondleiding na het intakegesprek.

In de wasruimte hingen overal kinderkleertjes en kledingstukken te drogen. Een wasmachine en een droogtrommel stonden tegen de muur.

'Aan de balie kun je muntjes kopen om de machines te gebruiken', zei Lies.

'Moet ik betalen om de was te doen?'

Lies trok haar wenkbrauwen op.

'Tja, voor een deel zul je toch op je eigen benen moeten staan. Maar je krijgt ongeveer zeshonderd euro bijstand en als je kindje geboren is, komt er nog tweehonderd bij plus kinderbijslag.'

'Daarmee kan ik heel wat muntjes kopen', lachte Dorien opgelucht.

'Juich niet te snel', waarschuwde Lies. 'Voor je verblijf betaal je vierhonderd euro. En er zijn ook nog de kosten voor luiers, zuigflessen, potjesvoeding, kleertjes, jouw kleren, school... en wat al meer. Je kunt ook wat geld sparen om later op eigen benen te staan. Om je huurwaarborg te betalen, bijvoorbeeld. Je moet echt je geld leren beheren.'

Dorien slaakte een diepe zucht en Lies sloeg haar arm bemoedigend om haar schouder.

'Nu lijkt het alsof je een rotsblok een berg op moet duwen, maar het lukt je vast wel. Als het kind er is, zal je vriend je vast wel wat geld geven.'

'Ik heb geen vriend', zei Dorien meteen.

'O', zei Lies. 'Maar je kunt de vader van je kind wel alimentatie vragen.'

Dorien draaide haar hoofd om en keek snel even naar Lukas. Die draaide ongemakkelijk met zijn schouders. Lies volgde haar blik.

'Ik weet niet wie de vader is', zei Dorien zo neutraal mogelijk.

Lies staarde Lukas even aan en keerde toen haar gezicht af. Om zich een houding te geven, pakte ze een kinderhemdje dat op een radiator lag, legde het op het blad van de wasmachine en streek het glad.

Dorien merkte de verlegenheid van de begeleidster op.

'Lukas is mijn broer. Maar ik zal me prima kunnen redden', zei ze een beetje te opgeruimd.

Vanuit de gang kwam het geluid van rennende voetjes. Iedereen keek opgelucht naar de deuropening toen een peuter, waggelend als een pinguïn, de wasruimte inliep. Het meisje had haar duim in haar mondje gestopt en keek met verbaasde ogen naar Dorien. Meteen liet Lies het babyhemdje liggen.

'Dag Melanie, wat kom jij hier doen? Moet je niet bij mama zijn?'

'Vies', zei het meisje en ze wreef met een hand over haar luier. Lies bukte zich, rook even aan de luier en tilde het meisje in de lucht.

'Kom, we gaan mama zoeken.'

Alsof ze verwachtte dat Dorien en Lukas haar automatisch zouden volgen, liep ze naar een deur.

'Hier is de woonkamer.'

Vanuit de kamer hoorden ze radiomuziek en stemmen.

'Dit is Dorien', zei Lies.

Achteraan in de kamer stond een tafel met eromheen enkele eenvoudige stoelen. De kamer was volgestouwd met een oude computer, een tv, een bankstel en vier kinderboxen. In een van de boxen stond een kind, dat huilde.

De zeven meisjes die aan de tafel zaten, draaiden hun hoofden naar Dorien. Enkele meisjes hadden een kind op schoot. Ze zwegen. Dorien voelde hoe het bloed naar haar hoofd steeg. Ze besefte dat ze gemeten en gewogen werd.

Moet ik hen een hand geven, vroeg ze zich bezorgd af.

'Hallo', zei iemand. Toen draaiden de hoofden zich weer weg.

'De start is altijd moeilijk. Het is ook voor hen wennen', probeerde Lies haar gerust te stellen. 'Ze vormen al zo lang een groepje en nu kom jij in de plaats van Liesbeth. Maar je leert elkaar snel kennen, hoor. Gewoon een beetje goede wil van iedereen.'

Dorien had het opeens heel koud. Het liefst had ze zich meteen omgedraaid en was ze met Lukas weggereden. Maar wat dan?

'Anouk, ik heb Melanie meegebracht', probeerde Lies de onverschilligheid te doorbreken.

Ze richtte zich tot een meisje dat op de aftandse computer een spelletje patience speelde. Zonder de muis los te laten, keek Anouk opzij.

'En ik ben bang dat ze een poepbroek heeft. Werk aan de winkel.'

'Alweer? Het is net mijn beurt om aan de computer te zitten. Kun jij haar geen nieuwe luier geven?' Anouk klikte een kaart aan.

'Dat is jouw werk, Anouk.'

Verveeld stond het meisje op, sleepte nog vlug een kaart weg en liep naar Lies, die Melanie met gestrekte armen aan haar gaf. Anouk droeg een jeansbroek en een kort truitje dat heel wat huid bloot liet.

Ik zou iets anders aantrekken, ging het door Doriens hoofd toen ze de rode zwangerschapsstriemen zag.

'Is er iets?' vroeg Anouk toen ze de blikken van Dorien voelde.

'Nee hoor', zei Dorien vlug terwijl ze snel naar de baby in de box keek.

'Foei, Melanie, je hebt pas een schone luier gekregen. Denk je echt dat mama zoveel geld heeft?'

Toch duwde ze liefkozend haar neus tegen Melanie's neus.

'Ik ga naar mijn kamer om haar een andere luier te geven', zei ze kort.

'Mooi', zei Lies.

Het kind in de box keek haar verwachtingsvol aan, maar Lies deed alsof ze het niet merkte. Met haar vinger wees ze enkele meisjes aan.

'Je zult met Emma, Simone en Annelore de meeste tijd doorbrengen. Jullie eten samen, maken samen schoon... enfin, in de begeleidingsgroep doen jullie heel wat samen.' Ze wees vier andere meisjes aan. 'Debby, Femke, Suzanne en Anouk zijn naar de kamertraining.'

'Kamertraining?' vroeg Dorien.

'Ze worden voorbereid op zelfstandig wonen. Ze hebben een kleine studio met een slaapkamer en een kitchenette. Ze moeten zelf hun eten kopen en klaarmaken. Eigenlijk zou je hen niet veel in de woonkamer mogen zien, hoewel...'

'Zo dikwijls ben ik hier niet!' protesteerde Femke meteen.

'Denk je dat het leuk is om steeds met mijn dochter op mijn kamer te zitten?' reageerde Debby fel.

Lies lachte toegeeflijk.

'Misschien kunnen we eens naar jouw kamer gaan kijken', stelde ze voor. 'Jullie leren elkaar later nog goed genoeg kennen en dan kunnen we je broer eindelijk van die koffers verlossen.'

'Jouw bróér!' riep Emma verrast uit. Ze was een groot, zwaar meisje. Haar halflange, golvende haar was geblondeerd, maar het was dringend aan een nieuwe behandeling toe, want op haar kruin zag Dorien centimeters zwart haar. Ze had zware wenkbrauwen en een bleek gezicht. Maar als ze lachte, had ze kuiltjes in haar wangen. Onder de tafel zag Dorien dat ze een paar dikke kuiten had.

Enkele meisjes keken Lukas plotseling geïnteresseerd aan. Met een verlegen grijns volgde hij Lies en Dorien.

Bij de tweede deur, aan de rechterkant van de gang, bleef Lies staan.

'Hier is jouw kamer.' Ze duwde uitnodigend de deur open en deed een stap achteruit om Dorien als eerste naar binnen te laten.

Schoorvoetend liep Dorien de kamer in. Haar ogen vlogen door de ruimte. Het raam liet een grasveld met een zandbak en een houten peuterglijbaan zien. Voor het raam stond een eenpersoonsbed. Enkele kastjes, een tafeltje met een paar stoelen, een bed...

'Wat klein!' ontsnapte het uit Doriens mond.

'Dat valt best mee', zei Lies monter. 'Als je je kamer hebt aangekleed lijkt die helemaal anders. Je kunt posters aan de muur hangen en foto's of persoonlijke spulletjes op de kast zetten. Dan zal de kamer een stuk gezelliger worden en is het echt jouw plekje. Nu krijg je een vertekend beeld omdat alles zo kaal is.'

Dorien deed een stap in de richting van het raam, maar ze bleef bedrukt kijken.

'Oef', zei Lukas toen hij eindelijk de koffers op de grond kon zetten. 'Ik voel mijn armen niet meer.'

'Geen tv?' vroeg Dorien.

'Later. Als we zien dat je zelfstandig genoeg bent om naar de kamertraining door te schuiven. Je betaalt dan wel zeven euro per maand extra voor de huur.'

'En wat moet ik 's avonds doen?' Het leek Dorien bijna onmenselijk om al die maanden zonder tv te overleven.

'Met je kind bezig zijn', zei Lies meteen. 'En je kunt met de meisjes van de leefgroep in de woonkamer tv kijken.'

Dorien ging op het bed zitten, testte de vering en knikte naar Lukas.

'Misschien kun je de koffers uitpakken', stelde Lies voor. 'Dan ga ik terug naar de woonkamer om te kijken wie er het avondeten moet klaarmaken. Als Annelore aan de beurt is, moet ik vast een handje helpen. Om halfzes eten we.'

Lies trok de deur achter zich dicht. Een tijdlang keken Lukas en Dorien elkaar aan.

'Zal ik je helpen met de koffers?' stelde hij voor.

Ze sloeg met haar vlakke hand op de matras.

'Ik heb liever dat je naast me komt zitten.'

Hij liet zich naast haar op het bed zakken. Ze sloeg een arm om zijn schouders en legde haar hoofd in zijn hals. Even probeerde ze haar tranen te bedwingen, maar het lukte niet en ze begon te huilen.

Een uur later voelde de lucht veel killer aan. Dorien huiverde. De witte Mazda reed langzaam over het parkeerterrein. Aan de rand van de straat remde Lukas. Hij keek door het raampje en knikte Dorien bemoedigend toe. Ze stak haar hand op en probeerde door haar tranen heen te glimlachen. De remlichten doofden en de auto verdween in de straat. Het geraas van voorbijrijdende auto's overstemde het gefluit van een merel die ergens in een boom zat.

Dorien voelde zich verlaten. Ze streek moedeloos met een hand over haar voorhoofd. Had ze dan toch de verkeerde keuze gemaakt? Vanaf de eerste minuut dat ze besefte dat ze zwanger was, had ze voor haar kind gekozen. Haar kind! Soms had ze getwijfeld als ze haar van een abortus probeerden te overtuigen, maar toch had ze geweten dat ze het kind wilde houden. Door haar keuze had ze haar moeder en dus ook Fleur verloren. Peter zou ze ook niet meer zien, maar dat vond ze niet erg. Haar vader zag ze ook niet meer sinds hij bij hen was weggegaan. Wat nu? Ergens hoog in de lucht gleed een vliegtuig geluidloos voorbij. Ze keek het na tot het achter de bomen was verdwenen.

Als ik naar mama had geluisterd, dan ging ik gewoon naar school, dacht ze, terwijl ze een vuist balde. Dan was alles weer zoals vroeger, alsof er niks was gebeurd.

Dorien rilde en liep weer naar binnen.

Toen ze langs de woonkamer kwam, hoorde ze stemmen en het huilen van een kind.

Liever rustig op mijn kamer, besliste ze en ze wilde de gang inlopen toen de deur van de woonkamer openging. Het meisje met het geblondeerde haar droeg een kind op haar arm. Ze keek verrast op toen ze Dorien zag.

'Hé! Kom je niet binnen?'

Dorien aarzelde.

'Ik wilde nog wat uitpakken', zei ze.

'Dat kan straks ook nog', zei het meisje. 'Trouwens, we eten zo

meteen. Ik hoop maar dat het te vreten is, want Annelore kookt.'
De ogen van het meisje richtten zich op Doriens buik.

'Hoe lang moet je nog?'

'Drie weken.'

Het meisje knikte alsof Doriens antwoord klopte met wat ze in gedachten had.

'Wat was je naam ook weer?' vroeg ze over haar schouder toen ze terug naar binnen liep.

'Dorien!' riep ze naar de rug van het meisje. Ik kan straks ook uitpakken, dacht Dorien. Tenslotte was ze zo vriendelijk om me mee te vragen en ik moet toch met de andere meisjes leren leven.

'Ik ben Emma.' Met een gewoontegebaar tilde ze het kind boven haar hoofd. 'En dit is Xander.' Zonder op Dorien te wachten liep ze naar de koelkast en haalde er een glazen potje met fruitmoes uit.

'Ik geef Xander eerst te eten. Dan heb ik het straks wat rustiger.' Ze nam een lepeltje uit een lade en ging aan de tafel zitten. Ze schroefde het deksel van het potje en toen Xander de lepel met de fruitmoes zag, begon hij uitgelaten op Emma's schoot te wiebelen.

Dorien ging op de lege stoel naast Emma zitten en keek toe hoe ze haar kind te eten gaf. Lies stond voor het fornuis en tilde een deksel van een pan. Intussen loerde ze naar het meisje dat naast haar stond.

'Je moet nu het water van de boontjes afgieten, Annelore. Anders worden ze te gaar.'

'Hé! Je zit op mijn plaats!' riep een meisje terwijl ze Dorien boos aankeek. Dorien schrok op en keek het meisje niet-begrijpend aan.

'Ik zit altijd op die stoel', zei het meisje nijdig. Ze wapperde met haar hand alsof ze een vlieg van de stoel wilde verjagen.

'Waar moet ik dan zitten?' vroeg Dorien bedremmeld terwijl ze snel opstond.

Lies draaide zich van de pannen weg.

'Het maakt toch niks uit waar Dorien zit, Simone. Iedereen zit waar er plaats is.'

'Ik zit altijd hier.'

Haar gestrekte vinger wees de stoel aan.

'Nonsens', zei Emma terwijl ze met het lepeltje wat fruit van Xanders lippen schraapte.

Om ruzie te vermijden wees Lies met haar vork een stoel aan bij de hoek van de tafel.

'Je kunt daar zitten, Dorien. En dan kan Suzanne naast Emma zitten. Of wacht eens even...'

Lies boog haar hoofd een beetje opzij en keek naar een lijst die op een kastdeurtje geplakt was. 'Ik zie dat het jouw beurt is om de tafel te dekken, Emma.'

'Alweer?'

'Kijk zelf als je me niet gelooft.'

Onverstoorbaar bracht Emma nog een lepeltje naar Xanders mond.

'Xander is niet te houden als hij zijn fruitpapje niet heeft gehad.'

'Dat had je een halfuur geleden ook kunnen geven. Maar ja, je wilde per se verder met je computerspelletje.'

'Het was mijn beurt om te spelen', zei Emma nijdig.

Lies zuchtte. Ze pakte het potje en zag dat het bijna leeg was. 'Maak eerst het potje leeg en dek dan de tafel.' Meteen draaide ze zich weer naar het fornuis.

Emma schraapte het potje leeg, gaf Xander nog een laatste hapje en zette toen haar zoontje met het lepeltje in zijn hand in een kinderstoel. Xander keek even verrast rond en stak toen het lepeltje in zijn mond. Emma trok een kastdeur open.

'Ik help je een handje.'

Aan de overkant van de tafel stond een meisje op. Haar glanzende, zwarte haar was in een paardenstaart samengebonden.

'Jij, Femke?' vroeg Lies verwonderd zonder zich om te draaien. 'Je hebt toch kamertraining. Zou je niet beter naar je kamer gaan en wat te eten klaarmaken? Dan kun je Jeffrey ook te eten geven.'

'Ik stop straks een pizza in de oven', zei Femke. 'En Jeffrey kijkt net zo lekker naar de tv.' Ze liep naar de kast en haalde een paar glazen.

'Was dat écht jouw broer?' vroeg Femke terwijl ze langs de schouder van Dorien een glas op tafel zette. Het meisje droeg een te strakke broek zodat haar buik over de rand van haar jeansbroek uitpuilde.

'Ja, dat is Lukas', zei Dorien terwijl ze zichzelf beloofde dat niemand haar buik op zo'n manier zou zien.

'Hij is knap', zei Femke. 'Komt hij je nog opzoeken? Heeft hij een meisje? Je moet me straks het nummer van zijn mobieltje maar geven.'

'Dat zal jouw vriend leuk vinden', reageerde Dorien ontwijkend.

'Ik heb geen vriend', zei ze achteloos. 'Nou ja, Joeri, maar dat is niet echt een vriend. Die zie ik weleens als ik tijdens het weekend uit mag.'

'En haar vader?' Met haar hoofd wees Dorien naar het kind dat zich aan de spijlen van de box vasthield en met een paar tandjes in het plastic van de rand beet. Ze had het daarnet op de schoot van het meisje gezien.

'Cheyenne? Die is van Debby.'

'Maar vanmiddag zat ze toch op jouw schoot?'

'So *what*? Iedereen kent hier iedereen, toch?' Ze richtte zich naar het kereltje dat op de mat zat en met een vinger in zijn mond naar een tekenfilm op tv keek.

'Jeffrey, kom eens hier.'

Het ventje draaide zich even om, schudde zijn hoofd en keek weer naar de politieman die met een smak tegen de deur liep.

'Jeffrey!'

Femke klapte hard in haar handen. Iedereen keek naar haar, behalve Jeffrey.

'Gadver!' riep het meisje. Ze beende naar Jeffrey en tilde hem op haar schouder. Meteen zette hij het op een huilen en spartelde wanhopig tegen.

'Stil!' Femke schudde aan de arm van Jeffrey, maar die huilde nog harder. Cheyenne stopte met bijten en krijste met Jeffrey mee.

Dorien probeerde vergoelijkend te glimlachen, maar opeens voelde ze zich zo vreemd en verweesd dat ze met de twee kleintjes wilde meehuilen.

'Moet dat nu echt?' vroeg Lies.

'Hij moet leren luisteren', zei Femke hard. Ze liet zich naast Dorien op een stoel zakken en zette het ventje op haar schoot zodat hij het tv-scherm niet meer kon zien. Omdat hij bleef huilen, greep ze een lepeltje dat op de tafel lag en stopte het in zijn handje. 'Mooi lepeltje. Om pap te eten als we op onze kamer zijn.'

Jeffrey keek een tel verbaasd naar het lepeltje, snifte nog eens en veegde met een paar vingers het snot van zijn neus. Hij vergat de tekenfilm en sloeg enthousiast met het lepeltje op het tafelblad.

'Het is uit met mijn vriend', zei Femke alsof het gesprek nooit was onderbroken. 'Al een jaar.'

Dorien probeerde de leeftijd van Jeffrey te schatten.

'Veertien maanden', zei Femke, die haar gedachten kon raden. 'Maar zijn vader komt nooit op bezoek. Hij gaat liever naar de voetbaltraining of speelt een wedstrijd met zijn ploeg. Daarom heb ik gezegd dat het niet meer hoefde. Ik laat mijn leven niet verknoeien door zo'n vriend.'

Ze deed alsof ze het niet belangrijk vond, maar haar stem was stil geworden. 'Toen Jeffrey een jaar werd, heb ik zijn vader een sms'je gestuurd, maar hij heeft niet gereageerd.'

'Wat erg', zei Dorien.

Femke haalde haar schouders op en keek de kamer rond.

'Bijna niemand heeft nog contact met de vader van haar kind. Alleen Anouk, maar die jongen komt op zaterdag alleen om Melanie te zien. Niet voor Anouk. En dan nog omdat zijn ouders per se willen dat hij contact houdt met hun kleinkind.'

Ongelovig keek Dorien naar de meisjes aan de tafel.

'Niemand', mompelde ze ongelovig. In stilte telde ze de meisjes. Zeven.

'Vind je dat vreemd?' vroeg Emma cynisch. 'De jongens... tja, die zitten thuis heus niet braaf te wachten. Die gaan stappen, ontmoeten andere meisjes... en wij zitten in dit tehuis met ons kind. Nou ja, ik hoef er toch geen tekening bij te maken.'

'Het is toch ook hun kind!' wond Dorien zich op. Ze vond het zo oneerlijk.

Femke lachte toegeeflijk. 'In het begin wel. Maar dat vadergevoel slijt sneller dan je denkt. Hun kind is gewoon het hinderlijke gevolg van een leuk moment. Je zult het zelf ook nog wel merken. Trouwens, je vriend was er al niet om je hiernaartoe te brengen.'

Lies nam een pan van het fornuis en zette hem op een onderzetter in het midden van de tafel. Ze tilde het deksel op.

'De borden', zei ze opgewekt. Toen keek ze beurtelings naar Femke en Debby, die zwijgend aan de tafel zaten. 'Naar jullie studio, meiden. Voor het eten en de kinderen zorgen.'

De meisjes namen zwijgend hun kind op de arm en verlieten sloffend de woonkamer.

Borden soep werden doorgegeven.

'En, Dorien?' vroeg Emma. 'Wanneer zien we jouw vriend?'

Dorien blies vlug in haar lepel om niet meteen te hoeven antwoorden. Xander boog zich voorover en hij klemde Emma's arm vast.

'Zo, Xander, wil je ook wat soep?' vroeg Emma vrolijk.

Ze tilde de baby op haar schoot en bond hem een slabbetje voor dat aan de leuning van haar stoel hing. Terwijl Xander parmantig rondkeek, liet ze hem telkens van haar lepel slurpen.

Na het eten zat Dorien alleen aan de tafel. Door het raam zag ze enkele meisjes buiten bij de deur een sigaret roken. Met de ene hand hield Suzanne Lisa vast, die op de balustrade van het terrasje zat. Met de andere hand hield ze een sigaret tussen haar vingers en luisterde naar wat de meisjes vertelden. Af en toe keek iemand in Doriens richting.

Ze kletsen over mij, begreep Dorien met een schokje. Het gaf haar een onbehaaglijk gevoel. Waar ben ik aan begonnen, dacht ze. Ze klemde haar tanden op elkaar. Ze keerde haar hoofd van het raam af en keek naar Simone en Emma, die de tafel afruimden en het bestek in de vaatwasmachine stopten. Annelore liep naar buiten om het afvalbakje in de container leeg te kieperen.

'Zal ik een handje helpen?' stelde Dorien voor omdat ze zich nutteloos voelde.

'Dat had je eerder moeten voorstellen', zei Emma. 'We zijn bijna klaar.' Ze veegde met een vaatdoek de tafel schoon. 'Rook je? Als ik klaar ben, ga ik ook naar buiten.'

'Nee', zei Dorien. 'Ik ga naar mijn kamer.'

Terwijl ze naar de deur liep, keek ze weer naar de meisjes. Debby zei iets en meteen keek Suzanne over haar schouder naar Dorien. Het geroddel achter het raam maakte haar onrustig.

'Ze zullen vast niet meer over mij praten als ik naar hen toe ga', mompelde ze en in een seconde besloot ze om niet naar haar kamer te gaan. Ze trok de buitendeur open en zwijgend ging ze bij het groepje staan.

'Jullie zijn plotseling zo stil', zei Dorien sarcastisch. 'Jullie waren toch niet over mij aan het praten?'

Debby draaide haar hoofd naar het terras, waar Cheyenne met haar loopfiets bezig was. Het meisje liet zich door Timo duwen. De loopfiets botste tegen de stenen terrasafsluiting en de twee schaterden het uit. Cheyenne stuurde het fietsje telkens weer tegen de muur.

'Oppassen, Timo!' riep Debby. 'Niet zo hard duwen!'

'Het is toch maar een spel', zei Annelore, die het afvalbakje op de afsluiting zette. Met haar rechterhand liet ze speels een aansteker tussen haar vingers ronddraaien.

Dorien hoorde dat de deur achter haar rug werd geopend.

'Eindelijk', lachte Emma. Ze pulkte een pakje Marlboro uit

haar broekzak en stak een sigaret in haar mond. 'Heeft iemand een vuurtje?'

Debby gaf haar de aansteker en Emma zoog gulzig de rook naar binnen.

Een jongetje duwde de deur open en liep meteen naar Emma. Met uitgestoken armpjes bedelde hij om opgetild te worden.

'Nu niet, Xander', zei Emma verveeld. 'Mama wil eerst een sigaret roken.' Ze deed of ze niet merkte dat hij bleef bedelen. Toen hij begreep dat ze niet van plan was om hem op haar arm te nemen, begon hij te zeuren.

'Straks, Xander', herhaalde Emma en met één hand draaide ze het ventje in de richting van het grasveld. 'Kijk, daar ligt een bal.'

Onbeweeglijk bleef Xander naar de felgekleurde plastic bal kijken.

'Zullen we samen spelen?' stelde Dorien voor. Ze liep naar de bal en rolde die met haar voet in de richting van Xander. Die bukte zich en drukte de bal tegen zijn borst.

'Goed, zo, Xander! Je wordt nog een echte keeper. Gooi hem maar naar mij.'

Net toen Xander de bal een zwaai gaf, hoorde Dorien de ringtone van haar mobieltje. Met haar voet hield ze de bal tegen en ze haalde het mobieltje uit haar zak. Ze kon een glimlach niet verstoppen toen ze het berichtje las.

'Van je vriendje?' vroeg Emma.

'Nee', zei Dorien. 'Van Lukas. Mijn broer.' Ze stopte het mobieltje weer in haar zak.

'Ga weg', deed Annelore lacherig. 'Je keek alsof je de lotto had gewonnen.'

'Lukas en ik kunnen het goed met elkaar vinden.'

'Moest jij je mobieltje niet afgeven?' vroeg Anouk verbaasd.

'Moet ik dat dan afgeven?' reageerde Dorien ongerust. Ze keek alsof haar vinger werd afgesneden.

'Vanavond om acht uur mag je je mobieltje een halfuurtje vasthouden', zei Anouk. Opeens kneep ze haar ogen tot spleetjes en ze keek snel door het raam in de woonkamer.

'Mag ik je mobieltje even gebruiken? Mijn vriend zal raar opkijken als hij op dit uur iets van me hoort.'

'Jouw vriend?' vroeg Dorien verbaasd. 'Ik dacht dat je niks meer met Melanies vader te maken had.'

Anouk haalde haar schouders op.

'Wie spreekt er over de vader van Melanie? Er bestaan nog andere jongens op de wereld.'

Ze stak vragend haar hand uit.

'Je gaat toch niet te lang telefoneren?' polste Dorien. 'Ik heb bijna geen beltegoed meer.'

'Helemaal niet. Een minuutje maar.'

Dorien leende haar mobieltje niet graag uit, maar ze durfde het niet te weigeren. Tenslotte wilde ze niet de eerste dag al ruzie met de anderen.

'Het is goed', zei ze. Ze nam haar mobieltje en gaf het aan Anouk. Die liep langs de gevel een eindje de tuin in en Dorien zag dat ze een nummer intikte.

'Niet te lang!' riep Debby haar na. 'We willen ook aan de beurt komen!'

Opeens hoorden ze een doffe klap en meteen draaiden alle hoofden zich naar het terras. Cheyenne lag languit met haar hoofd op de stenen. Het loopfietsje lag gekanteld verderop. Een wiel draaide nog even verder. Enkele seconden keek Cheyenne verbaasd voor zich uit, alsof ze niet begreep wat haar was overkomen, maar toen zette ze het op een huilen.

Haastig kroop Debby over de afsluiting.

'Maar meisje toch', suste ze geschrokken terwijl ze het kind in haar armen nam en het voorzichtig over het achterhoofdje streelde. 'Mama zal een kusje geven, dan is het zo voorbij.'

Timo stond er beteuterd bij. Debby's ogen vonkten toen ze Annelore aankeek.

'Je moet je kind in het oog houden. Timo gaf Cheyenne een harde duw. Daardoor heeft ze zich pijn gedaan.'

'Daarnet vond je het nog schattig', zei Annelore nijdig. Ze legde beschermend haar hand op Timo's hoofd. 'Dan moet je nu niet zo bekakt reageren.'

Debby wiegde Cheyenne nog steeds op haar arm. Ze stak haar hand uit naar Timo om hem door elkaar te schudden, maar Annelore ging meteen tussen Debby en haar zoontje staan.

'Als Cheyenne een hersenschudding heeft opgelopen, zul je het bezuren, Annelore!' Haar stem schoot uit. 'Daar zorg ik voor!' Brutaal duwde ze Annelore opzij met haar schouder en liep naar binnen.

'*Lies!*' hoorden ze haar door het huis schreeuwen.

'Ze zou beter op Cheyenne moeten letten', reageerde Annelore. 'Maar ja, Debby denkt dat iedereen slecht bezig is, behalve zij, natuurlijk.'

Rustig kwam Anouk vanuit de tuin aangeslenterd. Schouderophalend gaf ze het mobieltje aan Dorien.

'Ik denk dat het beltegoed bijna opgebruikt is. Sorry.'

Dorien merkte dat ze er geen snars van meende. Meteen controleerde ze haar mobieltje. Nog anderhalve euro.

Kutwijf, dacht ze.

Onder haar pyjamajasje lag haar hand op haar buik. De laatste maanden wilde Dorien niet meer slapen voor ze de baby had gevoeld. Er kwam wat licht door het gordijn. Ergens hoorde ze een kind krijsen en ze probeerde te raden wie er huilde. Stil prevelde ze de namen van de meisjes en ze probeerde er de namen van hun kinderen mee te verbinden. Het zou nog wel even duren voor dat vlot zou lukken.

Dorien wilde het licht in de kamer aanknippen, maar ze bedacht zich. De kale kamer werkte deprimerend. Ze had een foto van Lukas en Fleur meegebracht, maar het lijstje stond eenzaam op haar kast. Morgen moest ze maar eens vragen wanneer ze naar het dorp mocht om een paar posters te kopen. Of nee, in zo'n gat als Kasterlee hadden ze vast geen winkels waar je posters kon kiezen. In Turnhout waren er vast betere winkels.

Dorien streelde over haar buik en hield haar hand stil toen ze beweging voelde.

'Ben je daar eindelijk?' mompelde ze. 'Ga maar weer slapen. Mama gaat haar ogen ook sluiten.'

Maar ze wist dat er nog slapeloze uren zouden volgen.

Stipt om zeven uur hoorde ze haar wekkerradio. Dorien reikte naar het nachtkastje en drukte hem uit. Ze was al minstens een uur wakker.

Een tijdlang bleef ze gewoon in bed liggen en luisterde naar de geluiden in het tehuis. In Annelores kamer, die aan haar kamer grensde, huilde Timo. Dorien begreep dat ze eraan zou moeten wennen dat er bijna altijd wel ergens een kind huilde.

'Wees nou eens stil!' hoorde ze door de muur heen. Timo zweeg niet.

Dorien legde haar hand op haar buik.

'Slaap je nog?' vroeg ze toen het stil bleef.

Ze kwam overeind. Ergens in de gang hoorde ze een deur dicht-slaan. Het geluid leek enkele seconden na te zinderen. Het leek het sein om wat leven in huis te krijgen. Dorien nam haar toilet-tas en een handdoek en een beetje huiverig liep ze de kamer uit.

'Ha, jij bent Dorien.' Een vrouw van midden in de veertig liep naar haar toe. 'Ik ben Anneke.'

Anneke! Dorien kon amper een grijns wegmoffelen. Haar moeder woog zesenzestig kilo en Anneke zou beslist willen tekenen voor dat gewicht. Toch had Anneke iets vertrouwds, joviaals. Een moeder op wie je kon rekenen.

'Als er iets is, vraag je het maar.'

Omdat Dorien niet wist wat ze moest zeggen, knikte ze alleen.

'Om halfacht is er ontbijt', zei Anneke. Ze liep naar een deur en klopte aan. Meteen deed ze de deur open.

Door de deuropening zag Dorien dat Debby nog in bed lag. Haar hoofd was verborgen onder het dekbed. Cheyenne stond in haar box.

'Mama slaapt', zei ze op een toon alsof ze ook niet begreep dat iemand op dit uur geen zin had om op te staan.

'Het is tijd, Debby', zei Anneke.

Er bewoog iets onder het dekbed. Bedekt met warrig haar kwam Debby's voorhoofd tevoorschijn.

'Ik ben nog moe', zei ze knorrig. 'Cheyenne heeft me de hele nacht wakker gehouden.'

'Ik durf te wedden dat je overdrijft, Debby.' Anneke stak streng haar vinger op naar Cheyenne terwijl ze naar haar lachte. 'Is dat zo, Cheyenne?'

Het meisje keek Anneke niet-begrijpend aan. Meteen wees haar vingertje terug naar Debby.

'Misschien dat ze vannacht een beetje in haar eigen taaltje heeft gepraat. Maar de andere meisjes hadden vast wel hun beklag gedaan als ze echt de hele nacht had gehuild.'

'Waarom zou ik liegen?' Debby's stem klonk heftiger, maar ze bleef nog steeds onbeweeglijk liggen.

'Om langer in bed te mogen blijven. Sta maar op. Straks ben je te laat voor het ontbijt.' Anneke stak een vinger in Cheyennes luier en ze schudde ongelovig haar hoofd. 'Drijfnat en toch huil je niet. Braaf meisje.' Ze richtte haar ogen op het silhouet onder het dekbed. 'Cheyenne is dringend aan een nieuwe luier toe, Debby.'

Ze streek over Cheyennes hoofdje en sloot de deur.

'Ik zal straks nog maar een keer gaan kijken', zei Anneke eerder tegen zichzelf dan tegen Dorien, die zich betrapt voelde omdat ze nog steeds naar Debby's kamerdeur keek.

'Ik ga douchen', zei ze vlug.

Warme damp sloeg in haar gezicht toen ze de deur van de doucheruimte opendeed. Onmiddellijk zwegen de meisjesstemmen en Dorien hoorde alleen nog het geluid van stromend water.

'Wie is er?'

Dorien probeerde de stem te herkennen, maar het lukte haar niet.

'Dorien!' riep ze naar een douchecel.

Er werd niet meer gereageerd. Dorien liep naar het beslagen raam. Ze legde haar handdoek en haar toilettas op de vensterbank en veegde met haar hand over het glas. Ook buiten hing er een dunne nevel en een oranje zon vocht zich een weg door de sluier. Een merel zocht met sprongetjes een ontbijt bij elkaar op het grasveld.

'Duurt het nog lang?' riep Dorien toen ze eindelijk begreep dat de meisjes met opzet onder de douche bleven staan.

'Mogen we ons wassen? Toch?'

De stem van Suzanne, hoorde ze nu. Niet reageren was de beste oplossing om Suzanne vlugger onder de douche uit te krijgen. Met haar rug tegen de muur vroeg ze zich af hoe lang het zou duren voor ze aanvaard zou worden.

Een jaar geleden stond ik rond deze tijd op. Dan fietste ik met Lotte, Anna en Kasper naar school, dacht Dorien terwijl ze gelaten naar de douchedeuren keek. Het leek al zo lang geleden. God, kon ze de klok maar terugdraaien! Ze perste haar lippen op elkaar. Ze had de verwijten, het smeken en de discussies met ma en Peter achter zich gelaten. Eerst had ze zich bevrijd gevoeld, later verloren. Maar er was het kind, haar kind. Ze legde haar hand op haar buik en hoopte dat het kleintje haar zou troosten door even te bewegen.

'Jij slaapt nog', fluisterde ze. De woorden gaven haar weer moed. Een deur ging open.

'Sta je hier nog?' vroeg Suzanne verrast.

'Ik wacht.'

De twee andere deuren gingen tegelijk open. Femke en Emma. Alsof het zo was afgesproken, grepen ze een handdoek die op de radiator hing en droogden zich af. Hun buik en hun borsten bewogen mee met hun armen.

Zo zie ik er binnenkort ook uit, dacht Dorien ongelovig. Ze

beloofde zichzelf dat ze er alles aan zou doen om zo vlug mogelijk weer een platte buik te krijgen. Een halfuurtje eerder opstaan en flink wat sit-ups. Ze trok haar pyjama uit en pakte de flacon shampoo.

'Een mooi rond buikje', zei Suzanne. 'Ik wed dat je niet veel extra gewicht hoeft te dragen.'

'Amper zeven kilo', zei Dorien een tikkeltje trots.

'Ik kwam er achttien aan', zei Suzanne. Met een paar vingers liet ze haar buik wiebelen. 'Ik vraag me af hoe lang het nog duurt voor ik weer een gewoon figuur heb. En dan die zwangerschapsstriemen. Bah!'

Dorien liep naar de douche.

'Je kunt mijn douche nemen', zei Emma vlug. Ze zwaaide uitnodigend met de sleutel van de douchedeur.

'Mijn douche is nog schoon', zei Suzanne en ze gaf haar sleutel aan Dorien.

Verward keek Dorien naar de sleutel. Zoveel hoffelijkheid? Toen begreep ze het. Dan hoefde Suzanne de douche niet schoon te maken.

'Sorry', zei ze tegen Emma en Femke. 'Ik kan niet onder drie douches staan, toch?'

Ze nam de sleutel van Suzanne aan en haastte zich naar de douche.

Zalig, dacht Dorien toen het warme water over haar huid stroomde. Ze hoorde hoe de anderen de douches schoonmaakten. De deuren klapten en daarna verdwenen de stemmen. Slechts het geluid van stromend water bleef over.

'Zo zou ik eeuwig kunnen blijven staan', zei ze tegen zichzelf.

Er was beweging in haar buik en ze keek naar de rimpeling van haar huid. Ze sloot haar ogen. Voor het eerst sinds lang voelde ze zich gelukkig. Een huilend kind bracht haar gedachten weer naar het tehuis.

'Gedaan met de pret', zei ze tegen haar buik. Ze trok de douchedeur open en droogde zich af. Op de grond lag een slordig leeggeknepen tube tandpasta.

Colgate. Net zoals mijn tandpasta, stelden haar hersenen onbewust vast. Ze nam haar toilettas om haar flacon shampoo op te bergen.

'Jakkes!' Ze voelde iets kleverigs aan haar vingers. De toilettas viel op de grond.

'Bitches!'

Iemand had de tube tandpasta in haar toilettas leeggeknepen. In een opwelling wilde ze de deur opengooien. Er waaide een storm in haar binnenste die ze maar met moeite kon bedwingen.

Toen ze naar de tafel liep, draaiden de gezichten nieuwsgierig of uitdagend in Doriens richting.

Iedereen weet vast van het tandpastagrapje, dacht ze. Met een effen gezicht wilde ze naar de stoel bij de hoek van de tafel lopen toen ze zag dat die door Annelore bezet was.

Ik kan maar beter mijn mond houden, dacht Dorien. Niemand zal de tube in mijn toilettas uitgeknepen hebben.

Naast Emma was een vrije stoel en terwijl ze verwachtte dat iemand een opmerking zou maken, liet Dorien zich op de stoel zakken. Vanaf Emma's schoot keek Xander haar aan.

'Dag Xander', zei Dorien terwijl ze speels met haar vingertop op zijn neus tikte.

Het jongetje keek van haar weg en concentreerde zich op het tafelblad.

'Mmm...' deed Xander ongeduldig terwijl hij met zijn beide handjes naar een tuitbeker reikte.

'Emma, wil je me de pot met choco even aangeven?' vroeg Annelore. Emma trok haar zoontje van de tafel weg en schoof de pot over het tafelblad. Toen nam ze het tuitbekertje en gaf het aan Xander. Terwijl die met beide handen de beker naar zijn mond bracht, beet Emma in haar boterham.

'Mag je wel choco, Annelore?' vroeg Anneke. 'Heb je al vlees of kaas gehad?'

'Twee boterhammen', reageerde Annelore meteen.

'Is Simone er niet?' vroeg Dorien. Het viel haar meteen op dat het meisje met het indiaanse uiterlijk er niet was.

'Die is al naar school. In Turnhout. Ze staat altijd om zes uur op om Diego te verzorgen en haar lunchpakket klaar te maken', zei Emma. 'Ik moet meestal ook vroeg op, maar vandaag mochten we later komen. Een klassenuitje.'

Met de hand van Suzanne op haar kruin waggelde Lisa naar de tafel.

'Hoi', deed Suzanne luchtig. Ze pakte de broodzak.

'Wat ga je doen?' vroeg Anneke wantrouwig.

'Gewoon wat brood nemen. Ik heb niks meer.'

Anneke greep de zak en keek Suzanne strak aan tot die de zak losliet. 'Als je kamertraining hebt, zorg je zelf voor je eten', zei ze streng.

'Glad vergeten. Mag ik niet een paar sneden brood meenemen? Vanavond geef ik ze terug.'

'Nee', zei Anneke onverbiddelijk. 'Je had gisteren brood moeten kopen.' Ze keek naar Lisa, die haar met een vinger in de mond aankeek. 'Ik zal Lisa een paar boterhammen geven, maar jij zult nog even honger moeten lijden.'

'Dan koop ik straks een broodje!' snauwde Suzanne nijdig. Ze liet Lisa achter en liep de kamer uit.

'Vorige week had ze ook geen brood gekocht', verdedigde Anneke zich omdat iedereen haar zwijgend aankeek. 'En gisteren bracht ze Lisa naar de speelkamer zonder luiers en schone kleertjes. Het wordt tijd dat ze wat meer verantwoordelijkheid neemt.'

'Debby', herinnerde Anneke zich opeens. 'Ik mis Debby. Die ligt vast nog in bed. En ik durf te wedden dat Cheyenne haar vuile luier nog aan heeft.' Ze stond op. 'Ik zal Lies laten weten dat Debby vanavond op haar kamer moet blijven', zei ze nijdig. 'Als ze zo moe is, kan ze best wat extra rust gebruiken.'

'En geen mobieltje om acht uur?' vroeg Emma.

'Geen mobieltje', zei Anneke beslist. 'Dat ze in haar bed blijft liggen, tot daar aan toe. Maar dat ze haar kind niet verzorgt... dat kan ik niet hebben.' Met grote stappen liep ze de woonkamer uit.

Opgelucht omdat de aandacht van haar was afgeleid, nam Dorien twee sneden wit brood en prikte in een plakje ham op haar bord.

'Goh, is het al zo laat?' Meteen maakte Emma Xanders vingers van de beker los en zette die met een klap op de tafel. Gejaagd keek ze Annelore aan. 'Straks missen we de bus. Ik moet Xander nog naar de kinderkamer brengen, maar eerst een sigaret.' Ze nam haar zoontje op de arm.

Terwijl Timo aan een korst knabbelde en het gedoe om zich heen met nieuwsgierige ogen bekeek, nam Annelore hem onder de arm.

'Kun je geloven dat Debby nog in bed lag?' vroeg Anneke hoofd-schuddend. Met één hand duwde ze Cheyenne zachtjes voor zich uit. 'Ik moest Cheyenne zelfs een droge luier aantrekken.'

'Anneke, wil jij Xander vasthouden? We gaan zo meteen naar school en ik wil eerst nog een sigaret roken.'

'Laat hem wat op het tapijt rondkruipen', zuchtte Anneke ter-wijl ze Cheyenne bij de schouder greep omdat ze dreigde om te vallen.

'En hop!' riep Emma. Met een zwaai zette ze Xander op het ta-pijt. 'En braaf zijn, Xander. Straks mag je naar de kinderkamer om met de andere kindjes te spelen.' Ze nam een pluchen beertje dat op het tapijt lag en stopte het speeltje in de handen van haar zoontje. 'Lief spelen. Mama is zo terug.' Ze vluchtte naar het ter-ras.

'Ik zal maar opruimen', zei Dorien toen ze eenzaam aan de tafel achterbleef.

'Dat is goed, Dorien.'

B.

De ringtone van het mobieltje klonk vlakbij toen Dorien zich aan een stoelrand vastgreep omdat de bus een scherpe bocht nam. Samen met Emma en Annelore zat ze op de achterbank en ze keek verbaasd naar Annelore. Het meisje greep nerveus naar een mobieltje dat in haar tas zat. Met het toestel duwde ze haar halflange, bruine haar achter haar oor en ze draaide zich een beetje van Dorien en Emma weg.

'Hallo.'

Haar felblauwe ogen bleven op de lege bank voor haar gericht en ze luisterde met ingehouden adem.

Ze heeft een mobieltje, ging het door Dorien heen. In een flits zag ze hoe Annelore ook de vorige avond haar mobieltje had teruggegeven.

Ze heeft er twee, begreep ze. Ze snapte niet waarom ze zelf niet op dat idee was gekomen. Hoewel... wie zou ze bellen? De enige met wie ze nog contact had, was Lukas.

'Je kunt pas later komen? Hoe laat?' Annelore kon de teleurstelling op haar gezicht niet verbergen.

Dorien zocht oogcontact met Emma en ze merkte dat die helemaal niet verbaasd was. Even voelde ze zich boos omdat Emma op de hoogte was en zij niet, maar meteen besefte ze dat Emma en Annelore elkaar al veel langer kenden.

'Tot straks dan. Kusje.'

Annelore drukte het gesprek weg en stopte het mobieltje weer in haar tas.

'Michaël komt later', zei ze overbodig.

'Een nieuwe vriend?' vroeg Dorien.

'Ik ontmoette hem vorige maand toen ik van school kwam. Hij wachtte op een vriend en toen we elkaar zagen...' Er speelde een glimlach om haar lippen die alles vertelde. 'Ik voelde meteen dat hij anders was dan de andere jongens. We hebben wat gepraat en het klikte gewoon. Sindsdien zien we elkaar even na schooltijd.'

'En vandaag heb je weer met hem afgesproken', zei Dorien.

'Natuurlijk. Wat dacht je? Zo'n buitenkans mag ik niet laten glippen. Alleen zou zijn voetbaltraining vandaag een halfuur langer duren. Ze oefenen nog een beetje op buitenspel of zoiets.' Annelore haalde gelaten haar schouders op.

'Speelt hij voetbal?' vroeg Dorien. 'Lukas speelt ook voetbal.'

'Hij kan die training toch eens laten vallen', mompelde Annelore voor zich uit. 'We zien elkaar al zo weinig.'

'Jongens en voetbal', zei Emma op een toon alsof ze er alles van wist.

De bus rolde langzaam over de Grote Markt. Een oudere vrouw richtte zich op en liep onvast in de richting van de deur. Telkens weer hield ze zich aan een bank vast en toen de bus stopte en ze naar achteren schokte, greep ze met beide handen naar steun.

De deuren klapten open. Achter in de bus wachtte Dorien tot Annelore en Emma in het gangpad stonden. Toen greep ze de leuning van een stoel en trok zich overeind. Rustig liep ze achter de twee aan. De oude vrouw stapte heel voorzichtig van de bustrede. Met één hand hield ze zich krampachtig aan de deur vast.

'Zo meteen rijdt de bus verder met ons', zei Emma, die ongeduldig met haar knie de rug van de vrouw raakte.

'Als je wat ouder bent, zul je merken dat het allemaal niet zo vlot meer gaat', snauwde de vrouw. Ze concentreerde zich op haar linkervoet, die nog op de begane grond moest komen. Uiteindelijk stond ze op de stoep.

'Eindelijk!' riep Emma naar Dorien en Annelore, die achter haar rug wachtten. Met een sprongetje kwam ze naast de vrouw terecht.

'Zij is toch ook niet zo vlug', zei het vrouwtje met een sneer toen Dorien met wat moeite de bus verliet. Met een duidelijk verwijt in haar ogen gleed haar blik van Doriens gezicht naar haar buik. Toen nam ze hoofdschuddend Annelore en Emma in zich op.

'Jullie hebben niet alleen haast om uit de bus te stappen', zei ze venijnig. 'Kinderen met kinderen. God toch.'

'Hebben we jou iets gevraagd?' vroeg Emma brutaal en ze draaide haar rug naar de vrouw. 'Komen jullie?'

Alsof ze zo vlug mogelijk uit de buurt van de vrouw wilde zijn, liep ze een paar meter verder en wachtte. Dorien keek gretig om zich heen. Na twee weken in het tehuis was ze bijna vergeten hoe de wereld eruitzag. Ze draaide haar hoofd naar de lucht, zag slechts een dun wolkje en ze kneep vlug haar ogen dicht toen ze in de richting van de zon keek. Miljoenen gekleurde stipjes schitterden achter haar oogleden. Ze ademde diep door haar neus alsof ze alles op deze vrije middag in Turnhout wilde ruiken.

'Dorien! Waar blijf je nou?'

De stem van Annelore deed haar een paar keer met haar ogen knipperen.

'Ik kom!' riep ze en met een slakkengangetje liep ze achter de meisjes aan. Ze probeerde niet te zien hoe een man zijn vrouw aanstootte en stiekem met zijn hoofd in Doriens richting wees.

Zouden ze proberen te raden hoe oud ik ben, vroeg Dorien zich af.

Annelore liet haar ogen gretig langs de cafeetjes en de etalages glijden.

'Zullen we eerst iets drinken?' stelde ze voor.

Haar vinger wees naar een café met een verwarmd terras. Aan het plafond gloeiden enkele straalkacheltjes.

'Ik wil liever eerst langs de winkels met babyspullen lopen', zei Emma. 'Misschien vind ik iets bijzonders voor Xander.'

'Jullie hebben nog de hele middag.'

Met de rug van haar hand zwaaide Annelore het voorstel weg. 'Zo'n prachtige dag, daar moeten we toch van genieten.' Om het protest voor te zijn, liep ze naar een tafeltje op het terras.

'Hier zitten we lekker in de zon.' Ze stak haar armen boven haar hoofd en rekte zich uit.

Dorien en Emma keken elkaar vragend aan, liepen toen naar het tafeltje en trokken een rieten leunstoel naar zich toe.

De kelner legde het kassabonnetje op het tafelblad.

'Jij betaalt, Dorien?' vroeg Emma zonder aan het antwoord te twijfelen.

'Ik? Waarom?' Dorien keek geërgerd. 'Waarom betaalt niet iedereen voor zichzelf? Dat is toch het eerlijkst.'

De kelner knipte ongeduldig met het knopje van zijn pen en gaf met zijn hand een seintje aan een man die hem wenkte.

'Omdat je nieuw bent', zei Annelore achteloos. 'Zie het als een sympathiek gebaar omdat je bij ons groepje wilt horen.'

'Moet ik daarvoor betalen?'

'Nee, dat niet, maar het zou wel vriendelijk zijn.'

'En?' vroeg de kelner ongeduldig.

Meteen zette Dorien haar schoudertas op haar schoot. Ze nam haar portemonnee en telde precies vijf euro en twintig eurocent uit.

'Merci.' De kelner raapte het geld op en liep naar de man die tegen de cafégevel zat.

'Als je pas in het tehuis bent, heb je meer geld', zei Annelore toen Dorien haar portemonnee weer in haar schoudertas stopte. 'Of heb je je spaarcenten niet meegebracht?'

'Dat betekent toch niet dat ik dat geld aan jullie moet geven', zei Dorien langs haar neus weg. Ze voelde zich bedrogen. Na twee weken dacht ze dat ze in het groepje was opgenomen. Soms hadden ze ruzie, maar als ze eerlijk was, moest ze toegeven dat het soms ook tussen de andere meisjes stormde.

'Prosit!' zei Emma en ze stak haar glas tomatensap in de lucht.

'Klinken', zei Annelore lacherig en ze tikten de glazen tegen elkaar.

Dorien bracht het glas naar haar lippen en haar ogen vingen een jong stel op dat langs de kerk wandelde. Het meisje droeg een katoenen jurk waarin haar bolle buik afgetekend stond. Met een lief gebaar legde hij een haarlok achter haar oor. Hij zei iets, waarop ze lachte en even in zijn hand kneep.

Emma en Annelore keken zwijgend met Dorien mee.

Hij legde zijn arm om haar middel en ze leunde tegen hem aan. Dorien kreeg tranen in haar ogen en kneep in haar colaglas.

'Hij is vast bang dat ze wil ontsnappen', probeerde Emma grappig te zijn, maar ze wisten dat ze alle drie jaloers waren.

'Later zal ik met Michaël en Timo zo wandelen', zei Annelore.

'Weet hij al dat je een kind hebt? Dat je in het tehuis woont?' Annelore tikte zomaar met de bodem van haar glas tegen het tafelblad.

'Nee. Wat dacht je? Dat mijn eerste woorden *Hallo, ik ben Annelore en ik heb een kind* zijn? Ik vertel het hem wel als we elkaar wat langer kennen.'

'Misschien dumpt hij jou dan meteen', zei Dorien. Hij moet wel blind zijn als hij jouw striemen niet ziet, dacht ze. Maar meteen twijfelde ze eraan of alle jongens dat zouden opmerken.

'Misschien', zei Annelore nadenkend. Ze zette haar glas met een harde tik op de tafel. 'Maar ik denk niet dat Michaël zo'n jongen is. Hij is echt wel verliefd op me.'

'Daarom dat hij niet eens de voetbaltraining wil missen nu je een middag naar de stad mag', zei Emma schamper.

Annelore slikte de opmerking moeizaam weg.

'Sommige jongens zijn nu eenmaal voetbalgek', vergoelijkte Dorien.

Alsof ze zich graag wilde laten overtuigen knikte Annelore heftig met haar hoofd.

'Daar moeten we mee leren leven', zei ze gemaakt grappig. 'En we hebben straks nog een paar uur om samen te zijn.'

'Wanneer zien we jouw vriend, Dorien? Vorige week kwam je broer op bezoek, maar we willen echt jouw vriend eens zien.'

Dorien nam bedachtzaam een slokje van haar cola.

'Je hebt toch wel een foto van hem in je tas zitten?' vroeg Emma.

'Ik heb geen vriend', zei Dorien afgemeten.

'Ik dacht al zoiets', zei Annelore. 'Omdat je nooit over een jongen praat. Maar je laat de vader toch alimentatie betalen?'

Beschaamd sloeg Dorien haar ogen neer. In een reflex legde ze beschermend haar beide handen op haar buik, alsof ze wilde laten zien dat het kind van haar alleen was.

'En?' vroeg Annelore verbaasd. 'Als hij een kind met je kan maken, dan mag hij toch ook betalen?'

'Ik weet niet wie de vader is', zei Dorien stilletjes.

Het bleef plotseling stil aan de tafel. Dorien voelde de blikken op haar branden. Verward schoof ze haar glas in kringetjes over het tafelblad.

'Je weet niet... Hoe kan dat nu?' mompelde Emma ongelovig.

'Gewoon, ik weet het niet.'

Alsof het zo was afgesproken, bogen Emma en Annelore gelijktijdig hun hoofden naar Dorien. Stiekem loerde Annelore om zich heen.

'Je lijkt me niet zo'n type, maar had je dan twee jongens in dezelfde periode?' fluisterde ze.

'Nee.'

'Drie?' reageerde Emma onthutst.

'Ik weet het niet.'

'Je weet niet of het drie jongens waren? Nog meer?'

Met open mond liet Emma zich tegen de rugleuning van haar stoel zakken.

'Vraag me niks meer', zei Dorien scherp. 'En zullen we over iets anders praten? Dank u.'

De ogen van Annelore en Emma kruisten elkaar en Emma haalde haar schouders op.

'Met een DNA-onderzoek kunnen ze gemakkelijk de vader aanwijzen', probeerde Annelore nog eens. 'Je laat aan de jongens die in aanmerking komen vragen of ze...'

Met een ruk duwde Dorien haar stoel achteruit. Er straalde onrust uit haar ogen. Zonder nog iets te zeggen stond ze op en liep ze in de richting van de Gasthuisstraat.

Er was een beetje wind opgestoken.

Dorien tilde haar armen een beetje moedeloos omhoog, zodat het leek alsof ze wilde wegvliegen. Met een zucht draaide ze zich om. Honderd meter verderop zag ze hoe Annelore haar glas cola leegdronk, opstond en op Emma wachtte.

Zouden ze naar mij komen? vroeg Dorien zich af. Hoewel ze niet wist hoe ze moest reageren, hoopte ze dat de twee meisjes in haar richting zouden lopen. Ze had geen zin in ruzie, maar waarom visten ze ook steeds naar de vader van haar kind? Begrepen ze nog steeds niet dat ze niet kon vertellen wie de vader is?

Het luchtte haar op toen Annelore ook naar de Gasthuisstraat liep. Emma keek aarzelend rond, maar volgde dan toch haar vriendin. Annelore keek Dorien verwijtend aan.

'Waarom liep je plotseling weg?' vroeg ze nijdig.

'Ik ben het gezeik zat', zei Dorien terwijl ze probeerde om Annelore in de ogen te kijken. Haar vingers schoven nerveus over het draagriempje van haar schoudertas.

'Moet je echt zo geheimzinnig doen? Ik vind het behoorlijk truttig.'

'Zullen we langs de winkels lopen?' ontweek Dorien het probleem. 'Daarvoor zijn we gekomen, toch?'

Alsof het zo afgesproken was, gingen Emma en Annelore naast Dorien lopen en ze wandelden langs de zonkant door de winkelstraat. Op een of andere manier had Dorien het idee dat alle voorbijgangers hen aankeken en om de blikken niet te zien hield ze haar ogen strak op de etalages gericht.

Toen ze voor de etalage van H&M bleven staan, loerde Dorien van opzij naar de buiken van Emma en Annelore. Buiken die opvallend zichtbaar waren onder een te kort jasje. Vooral Emma kleedde zich smakeloos, vond ze. Ze was een mag-het-een-maatje-meer-zijn-type en tussen haar jasje en haar broek leek ze zwembandjes te dragen.

Hadden ze echt niks anders kunnen aantrekken, dacht Dorien

nijdig. Ze wenste dat ze zich kon verbergen voor de nieuwsgierige blikken.

Alsof ze voelde wanneer de ringtone zou klinken, greep Annelore haar mobieltje.

'Het is Michaël', zei ze met een snelle blik op de display. 'Waar ik ergens ben? In de Gasthuisstraat...' Haar ogen flitsten over de huisgevels. 'Nummer tweeëndertig.' Haar lippen maakten een kusgeluid in het mobieltje. 'Hij komt zo meteen.'

Ze draaide zich naar een winkeletalage en liet haar handen door haar haar gaan terwijl ze haar buik introk.

Zou Michaël echt niet zien dat ze een kind gekregen heeft? vroeg Dorien zich af. Of zijn sommige jongens echt zo naïef? Of doet hij alsof het hem niks kan schelen?

Dorien was nieuwsgierig naar hem.

'Weten je ouders wie de vader is?' viste Emma toen ze voor Bart Smit stonden.

'Ik heb geen ouders meer', zei Dorien fel. Ze hoopte dat Emma haar mond zou houden.

'Nee!' zei Emma verbaasd. 'Nu je het zegt, je bent nog geen enkele keer een weekend naar huis geweest. En veel bezoek heb je ook nog niet gehad, alleen je broer heb ik een paar keer gezien.'

'Mijn natuurlijke vader heb ik in geen jaren meer ontmoet', gaf Dorien toe omdat ze besefte dat ze haar toch niet met rust zouden laten als ze niet iets prijsgaf. 'Maar ik weet niet of ik dat erg vind. Toen ik klein was, is hij er met een slons vandoor gegaan. Op een dag was hij gewoon weg. In het begin moest ik regelmatig bij hem op bezoek, maar leuk vond ik dat niet. Zijn vriendin deed wel haar best om lief te zijn, maar ja...' Ze haalde haar schouders op. 'En met mijn moeder praat ik niet meer sinds ik besloot om thuis weg te gaan.'

Meteen herinnerde ze zich de laatste ruzie. Ze was het spuugzat geweest om steeds hetzelfde te moeten horen. Ze had haar koffers gepakt en had de trein naar Leuven genomen om bij Lukas te gaan wonen. Natuurlijk hadden ma en Peter bijna meteen geraden waar ze zat, maar toen ze niet wilde zwichten, waren de bezoeken abrupt gestopt.

'Maar ik mis Fleur vooral', zei Dorien stil.

'Fleur?'

'Mijn halfzus. Ze zou me vast opzoeken, maar ze is nog te klein om in haar eentje naar Kasterlee te komen.'

'Kan ze niet met Lukas meekomen?'

Met een ruk hief Dorien haar hoofd op. Waarom besefte ze nu pas dat Fleur haar niet mocht bezoeken?

'Ze mag vast niet van Peter', zei ze met een bittere klank in haar stem.

'Peter?'

'De vriend van mijn moeder. Hij heeft thuis alles te vertellen.'

'Ik vind...'

'Zie je dat dolfijntje?' onderbrak ze Emma. Haar wijsvinger wees naar een pluchen blauw-witte dolfijn die tussen andere knuffelbeestjes in de hoek van de etalage lag.

'Bijna twintig euro', zei Annelore nuchter.

Vlug rekende Dorien uit hoeveel geld er nog in haar portemonnee zat. Het betekende een fikse aderlating en ze moest ook aan babykleertjes denken, en babyshampoo en babyolie en... En dan vergat ze vast nog een heleboel. Haar hart sloeg een slag over toen ze dacht aan wat ze allemaal nog moest kopen.

Maar kleertjes kon ze ook in het tehuiswinkeltje kopen. Daar kostten ze slechts een halve euro. Ze probeerde de rekeningen in haar hoofd van zich af te zetten. Tenslotte was het de andere meisjes ook gelukt.

Dorien schrok op uit haar gedachten toen iemand op een Aprilia de straat dwarste en recht op hen af reed. Op de passagierszit was met een snelbinder een sporttas vastgemaakt. Hij minderde vaart, stuurde handig zijn brommer op de stoep en zijn voorwiel remde op een paar centimeter van Annelores voeten. In een snelle beweging nam hij de valhelm van zijn hoofd en grijnsde naar Annelore. Die boog zich naar hem toe en kuste hem vol op de lippen. Toen liet ze hem los en richtte zich naar de meisjes.

'Dit is Michaël', zei ze met een stem waar de trots vanaf droop.

'Hallo', zei hij met een onzekere grijns. Zijn mond toonde twee rijen ongelijke tanden.

Dorien vond hem niet echt knap. Hij was tamelijk klein en had een smal gezicht. Zijn haar was in piekjes geknipt en op zijn wangen waren de sporen van acne duidelijk zichtbaar.

'Hoi', zei Dorien.

Zijn ogen bleven even op haar bolle buik hangen en hij loerde met een verwarde blik naar Annelore.

'Dat is Dorien', zei zijn meisje. 'Een vriendin zoals Emma.'

'Je bent zwanger', zei hij alsof hij het niet kon geloven.

Dorien glimlachte een beetje aarzelend.

'Dat is geen ziekte. Het kan...' Ze zag een waarschuwende flits in Annelores ogen. 'Het kan tenslotte iedereen overkomen', vulde ze aan.

'Ik wist niet dat je je vriendinnen zou meebrengen', zei hij en hij geeuwde zonder een hand voor zijn mond te houden. 'Ik wilde alleen met jou...'

'O, maar zij gaan shoppen', onderbrak Annelore hem luchtig.

Ze maakte de snelbinder los, liet zich op de passagierszit zakken, nam de sporttas op haar schoot en sloeg haar beide armen om Michaëls middel.

'Heb je geen helm nodig?' vroeg Emma.

Michaël trok de helm over zijn hoofd en draaide de gashendel open.

'Ik zie jullie bij de bushalte!' riep Annelore boven het geraas van de Aprilia uit.

Met zijn voeten duwde Michaël de motorfiets over de stoeprand en ze verdwenen in de richting van het station.

'Wat vind jij van die Michaël?'

Emma haalde haar schouders op.

'Iedereen wil Brad Pitt', zei ze terwijl ze haar schouders optrok. Ze zuchtte. 'Als je een kind hebt, mag je niet al te kieskeurig zijn.'

'Maar je hoeft niet zomaar iemand te nemen', protesteerde Dorien fel.

'Nee, dat niet.' Emma keek nadenkend in de richting van het station alsof ze Annelore en Michaël al terug verwachtte. 'Misschien valt Michaël best mee. Zelfs als hij hoort dat er ook nog een Timo bestaat.' Ze draaide zich weer naar de winkel. 'Zie je het al voor je?' veranderde Emma van onderwerp. 'Jouw kindje met die dolfijn in zijn armpjes.'

'Is zo'n knuffel niet iets voor een meisje?' vroeg Dorien onzeker.

'Ik weet niet of het een jongen of een meisje wordt.'

'Weet je dat niet?' vroeg Emma verbaasd. 'Dat kun je toch gewoon aan de gynaecoloog vragen?'

'Ik wil verrast worden.'

'Een dolfijn is zowel voor een jongen als een meisje.'

Secondenlang bleef Dorien twijfelen.

'Ga je mee?' vroeg ze opeens.

Achter in de winkel snuffelde Emma wat tussen de boeken met babytips. Af en toe nam ze een boek op en bladerde het snel door. Plotseling draaide ze zich om en stak een boek in de lucht.

'Dorien! Moet je dit zien! Duizenden voornamen voor een baby.'

Nieuwsgierig liep Dorien naar haar toe en zonder iets te vragen nam ze het boek uit Emma's handen.

'Dat moet ik hebben', zei Dorien terwijl ze gretig enkele bladzijden doorliep. 'Ik heb al een paar namen in mijn hoofd, maar waarschijnlijk ontdek ik er nog mooiere.' Haar vinger tikte op een naam. 'Diego. Net zoals het kind van Simone. Maar dat is misschien een Boliviaanse naam.'

'Simone komt uit Peru', corrigeerde Emma.

'Peru? Hoe is zij hier eigenlijk terechtgekomen?'

'Weet je dat dan niet?' reageerde Emma verbaasd. Ze streek met beide handen haar haar naar achteren. 'Je hebt vast al die Peruaanse verkopers gezien? Die de markten of dorpsfeesten afschuimen om truien, mutsen, poncho's en weet ik wat te verkopen.'

'En die cd's met panfluitmuziek?'

'Dat soms ook, ja. Maar niet alle verkopers houden er wettige praktijken op na. Zo'n drie jaar geleden, ze was toen twaalf jaar oud, werd Simone door haar ouders aan handelaars meegegeven. Ze zou in Europa handenvol geld verdienen. Op de markten moest ze helpen verkopen, een klein meisje wekt nu eenmaal meer medelijden. Wellicht moest ze ook bedelen of iets stelen als ze de kans zag. Maar uiteindelijk werd ze het speeltje van een van de verkopers, die haar dumpte toen ze een kind verwachtte. Iemand heeft haar geholpen en ervoor gezorgd dat ze als een slachtoffer van mensenhandelaars werd erkend. Zo is ze bij ons terechtgekomen.'

Dorien schudde langzaam haar hoofd, alsof ze het niet kon geloven.

'Ik heb ook een boek met voornamen.' Emma zwaaide het boek voor Doriens neus. 'Je mag het best eens lenen.'

'Die namen zijn vast al uit de mode.'

'De namen in dit boek zijn volgend jaar ook uit de mode', zei Emma met een sneer. Ze greep een namenboek dat op de tafel lag en met een misprijzende trek om haar mond liet ze het willekeurig openvallen.

'Zoveel nieuwe namen staan er vast niet in. En het kost bijna elf euro.'

Dorien keek nog eens in het boek en drukte het daarna beschermend tegen haar borst.

'Ik neem het', zei ze beslist.

Emma krulde afkeurend haar lippen.

'Nou, het is jouw geld.'

'Mmm... lekker', zei Dorien. Ze stak haar neus bijna in het bakje friet. Zoals altijd kon ze niet weerstaan aan de geur die om een snackbar hing. En dat was niet veranderd sinds ze zwanger was... integendeel. Ze hield het bakje uitnodigend voor Emma.

'Wil je er ook een?'

Door het raam van de snackbar zag Emma een klok hangen.

'Bijna halfvijf!' schrok ze. 'Ik hoop maar dat Annelore op tijd terug is.' Met haar vingertoppen nam Emma een patatje en drukte het in de mayonaise die de friet bijna helemaal bedekte. Dorien nam een hap van de frikandel die ze in haar linkerhand hield. Emma had de plastic zak met het boek en de pluchen dolfijn van haar overgenomen.

'Ik weet dat er straks avondeten wacht, maar ik kan tegenwoordig wel tien keer op een dag eten.'

'Logisch, nu moet je voor twee eten', zei Emma terwijl ze ongevraagd een tweede frietje pikte.

Achter zich hoorde Dorien het lawaai van een paar motorfietsen, maar de friet boeide haar meer.

Deze middag kost me bijna vijftig euro, rekende Dorien in stilte uit en ze schrok ervan. Nou ja, het zal nog even duren voor ik weer in de stad kom, probeerde ze haar uitgaven goed te praten.

'Dat is een knappe jongen', zei Emma.

Onwillekeurig draaide Dorien zich om. Twee jongens wachtten op een vriend die zijn motorfiets met een ketting vastmaakte. In hun hand bengelde een helm. Dorien wist meteen wie Emma bedoelde. Een jongen met verward, halflang haar en een mooi gezicht voelde nog eens aan de ketting en kwam overeind.

Hij ziet er best leuk uit, dacht Dorien.

Alsof hij voelde dat ze naar hem keek, richtte hij zijn hoofd op, maakte even oogcontact, zag haar buik en keek weer weg. Samen met zijn vrienden verdween hij in de snackbar.

'Die hoeft het me geen twee keer te vragen', zei Emma dubbelzinnig terwijl ze door het glas de snackbar in keek. 'Wat jij, Dorien?'

'Ik heb wel andere dingen aan mijn hoofd dan jongens', zei Dorien en ze likte nog wat mayonaise van haar vingers. 'Later misschien.'

Toch had het haar deugd gedaan dat hij haar had opgemerkt. Maar die buik... Even, heel even maar, haatte ze haar buik.

'Er zit wat mayonaise bij je mondhoek', merkte Dorien op. Emma keek snel in het raam van de etalage, veegde met haar wijsvinger de smurrie weg en likte haar vinger schoon.

'Het is wel een knappe jongen', mijmerde Emma terwijl ze hem door het raam zocht.

'Niet echt een jongen voor jou', zei Dorien. Ze had meteen spijt van haar woorden.

'Misschien heb je gelijk', zei Emma. Ze keek naar haar spiegelbeeld in het raam en monsterde haar buik, die bijna vormeloos overging in haar te zware borsten. Even gingen haar handen naar haar middel, maar alsof ze zichzelf niet durfde aan te raken, liet ze haar armen langs haar lichaam vallen.

'Toch moet Xander een vader hebben.'

'Moet dat? Ik denk dat ik mijn kind best in mijn eentje kan grootbrengen. Mijn echte vader heb ik bijna niet gekend en Peter... pff...' Ze blies de naam van haar stiefvader weg.

'Later zul je wel anders piepen. Toen ik zeven maanden was, heeft mijn moeder me naar een instelling gebracht omdat ze niet voor me kon zorgen.' Haar gezicht stond verdrietig toen ze haar hoofd op haar borst liet zakken. 'Voor mannen kon ze wel zorgen, maar niet voor mij. En altijd de verkeerde mannen, denk ik. Mijn hele leven heb ik in instellingen gezeten.' Nu glimlachte ze treurig. 'Ik ben een echt instellingskindje. Soms kwam mijn moeder op bezoek, maar vaak had ik het gevoel dat ze dat een verplicht nummertje vond. Dan kreeg ik te horen hoe moeilijk ze het had om de eindjes aan elkaar te knopen en dan kon ze niet vlug genoeg weer weg.'

Emma richtte haar hoofd op en legde haar hand op Doriens schouder. 'Ik weet wat het is om zonder ouders te leven. De mensen in de instellingen waren altijd goed voor me, maar ze kunnen nooit een vader of een moeder vervangen. Ik wil een beter leven voor Xander.'

'Ik zie wel', zei Dorien. 'Misschien ontmoet ik iemand met wie het klikt. Maar ik ga zeker niet wanhopig op zoek.'

Er zweefde een medelijdend lachje om Emma's lippen.

'Het wordt zo langzamerhand tijd om terug naar het tehuis te rijden', zei Emma. 'Ik hoop dat Annelore bij de bushalte staat.'

Dorien keek naar het bakje waarin op de bodem nog enkele frietjes in de mayonaise verdronken. Ze lepelde met haar middelvinger wat mayonaise op, likte haar vinger af en dropte het bakje in de vuilnisemmer die bij de deur van de snackbar stond. Nog eenmaal keek ze door het raam van de snackbar, ontdekte de jongen met het verwarde haar, die met zijn rug naar haar gekeerd stond, en schudde onmerkbaar haar hoofd.

Hij zal altijd met zijn rug naar mij staan, dacht Dorien, terwijl haar hand onbewust over haar buik ging.

Ze slenterden in de richting van de Grote Markt. Het zakje waaruit de neus van de dolfijn piepte, bengelde aan Doriens hand. Al met al was het toch een fijne middag geweest, dacht ze.

Eigenlijk deed het haar goed dat ze haar hart eens kon luchten over moeder en Fleur. En misschien hielden ze eindelijk op met naar de vader van haar kind te vragen. Vrolijk zwaaide ze met het tasje heen en weer tot het tegen de buik van Emma sloeg.

'Dorien! Kun je niet...'

Het geluid van een brommer klonk opeens heel dichtbij en Dorien deed verschrikt een stap opzij.

'Hoi, hier zijn jullie!' lachte Annelore. Ze stapte af. 'We waren op weg naar de bushalte,' ging ze vrolijk verder, 'maar toen zagen we jullie.'

Met de helm tegen zijn borst gedrukt bleef Michaël wachten.

'Ik moet er zo meteen vandoor', zei hij een tikje ongeduldig. 'Er wachten een paar vrienden op me in De Revue. We gaan even iets drinken.'

Meteen sloeg Annelore haar armen om hem heen en kuste hem.

'Wanneer zie ik je weer?' bedelde ze. 'Morgen na school?'

'Ik weet het nog niet. Misschien ga ik 's avonds met een paar jongens van mijn voetbalteam naar de film. Als je wilt, kun je ook meegaan.'

Annelore verbeet haar teleurstelling. Hij zette de helm op zijn hoofd.

'Morgen lukt het niet. Ik stuur je wel een sms'je.'

Michaël trok de helm naar beneden en knikte. Annelore tikte op de helm en keek hem na.

'Hij begrijpt vast niet waarom ik niet weg kan. Binnenkort moet ik het hem toch vertellen.' Ze schudde onmerkbaar haar hoofd. 'Maar ik ben bang dat hij verkeerd zal reageren.'

Emma sloeg haar arm rond Annelores schouder. 'Misschien valt het wel mee. Wat hebben jullie trouwens de hele tijd uitgevoerd?'

Opeens speelde er een glimlach om Annelores lippen.

'Dat hoeven jullie niet te weten.'

'Waar ben je geweest?'

'Ergens in een bos.' Ze haalde haar schouders op. 'Alleen voelden we ons nooit veilig. We snakken naar een beetje privacy. Een plaats waar we rustig van elkaar kunnen genieten.'

Opeens bleef Dorien bewegingloos staan. Ze staarde naar een rode Honda Civic die bij de bushalte fout geparkeerd stond. Onwillekeurig deinsde ze een paar meter achteruit.

'Vooruit, Dorien', zei Emma terwijl ze Dorien bij de hand wilde grijpen.

Met een ruk trok Dorien haar hand achter haar rug.

'Doe niet zo bekakt, Dorien. Straks missen we de bus.'

Dorien reageerde niet. Terwijl haar ogen op de auto gericht bleven, schuifelde ze naar de gevel van een winkel.

'Wat heb je?' vroeg Annelore. 'Het lijkt wel of je spoken ziet.' Ze volgde Doriens ogen. 'Zie je iets wat ik niet zie?'

'Ik neem de volgende bus', zei Dorien beslist. Ze keerde zich om en liep naar de achterkant van de kerk.

'Maar Dorien, om vijf uur moeten we in het tehuis zijn!' riep Emma haar na.

Met felle passen liep Dorien van de meisjes weg. Opeens voelde ze hoe een hand haar arm vasthield en met een ruk bleef ze staan.

'Wat heb je nou?' vroeg Annelore. 'Ga met ons mee naar de halte.'

Dorien leek wel bevroren.

'Heb je iemand gezien?' polste Annelore. 'Iemand die iets vervelends zal zeggen? En dan?' Ze deed alsof ze in haar handpalm spuwde en het speeksel over haar schouder gooide. 'Als iemand een grote bek heeft, dan sla ik die wel dicht.'

'Dat is het niet!'

'Nou, ga dan gewoon met ons mee.'

'Nee', zei Dorien beslist. 'Voor geen goud.'

Annelore keek Emma vragend aan. 'Er zwaait wat als we te laat in het tehuis zijn.'

'Er zwaait nog meer als we zonder Dorien aankomen', zei Emma. Ze keek Dorien niet-begrijpend aan.

C.

Op tv was een tekenfilm zonder geluid. Niemand keek. Dorien draaide de waterkraan open en liet het water weglopen tot het schuim in de afvoer verdween. Een nummer van P!nk begon net op de radio toen het laatste water in de roestvrij stalen afwasbak verdween.

'Het lijkt alsof ik altijd de aangekoekte pannen moet afwassen', zei Dorien terwijl ze een vaatdoek nam om de drie pannen af te drogen.

Xander stond op een stoel naast haar en stak zijn handjes onder de waterstraal zodat het water op Dorien spatte.

'Xander!' riep Dorien terwijl ze achteruitdeinsde. Ze nam het kind onder de oksels en zette het op de bank. 'Kijk jij maar tv.'

Meteen liet Xander zich van de bank zakken en liep snel weer naar de stoel bij het aanrecht. Even herinnerde Dorien zich hoe ze vroeger ook ma wilde helpen en ze verbeet een weemoedige grijns.

'Niet doen, Xander', zei Dorien berispend toen het ventje de waterkraan weer opendraaide. Ze zette de stoel met Xander weer bij de tafel.

'Laat dat kind toch spelen', zei Emma verwijtend. 'Het is jouw fout dat we alles moeten opruimen. Door jou waren we te laat, weet je nog?'

Dorien pakte haar T-shirt bij de zoom vast en liet het aan Emma zien. 'Zeiknat.'

Emma deed alsof ze niks merkte en zette de stoel terug bij het aanrecht. Meteen kwam Xander weer overeind. Emma liet wat water in de spoelbak lopen. Uit de vaatwasmachine haalde ze enkele koffielepeltjes en gaf ze aan Xander.

'Zo, nu mag jij die lepeltjes afwassen', zei Emma terwijl ze Dorien waarschuwend aankeek.

Dorien slikte haar ergernis weg en zweeg. Met de vaatdoek wreef ze het tafelblad schoon. Annelore keek door het raam en zag dat Timo bij de rokende meisjes rondhing. Ze pakte de fles water van het aanrecht en zette hem in de koelkast. Met een harde klap gooide ze de deur dicht.

Dorien wist dat de meisjes boos waren, maar voor geen geld had ze met die bus willen meerijden. Het was vast een andere Honda Civic die dicht bij de bushalte geparkeerd stond, maar ze wilde geen risico nemen.

'Is dat jouw boek?' vroeg Lies. Ze nam het boek van het tafeltje en keek er even in. 'Dat had je heus niet hoeven kopen. Je had net zo goed zo'n boek van ons kunnen lenen.'

'Dit is een nieuwe uitgave', zei Dorien scherp. 'Daar staan de nieuwste namen in.'

Het leek wel of iedereen iets tegen haar had.

'Ik zeg het maar', zei Lies, die deed alsof ze Doriens irritatie niet merkte. Ze legde het boekje weer op zijn plaats. 'O ja, je weet toch nog dat Moniek morgen meegaat naar de gynaecoloog?'

'Natuurlijk weet ik dat.'

'Als je wilt, kan ze er ook bij zijn als je bevalt.'

Dorien knikte. Ze had het al van de andere meisjes gehoord.

'Ik weet niet of er nog iemand anders bij de bevalling zal...'

'Ik denk het niet', brak Dorien haar meteen af.

'Misschien Lukas?'

'Lukas? Waarom zou hij...'

Dorien keek Lies verbaasd aan. Op dat ogenblik kwam Cheyenne met een loopfiets de kamer ingereden. Meteen liet Xander zich van de stoel zakken en liep naar Cheyenne toe. Met beide handen probeerde hij haar van de loopfiets te trekken. Cheyenne protesteerde met een huilbui en sloeg naar Xander.

'Nee, dat doet Lukas vast niet', mompelde Dorien in zichzelf.

Omdat ze toevallig naar het raam keek, zag ze niet hoe Annelore stiekem Emma aanstootte. Op het terras keek Debby om toen ze Cheyenne hoorde schreeuwen. Er kwam een vloek over Debby's lippen en met een sigaret tussen haar vingers snelde ze naar binnen.

'Nee, Xander! Nu mag Cheyenne met de loopfiets spelen. Straks is het jouw beurt.'

Xander loerde verontwaardigd naar Emma en hij trok nog harder aan Cheyennes arm. Debby stak de sigaret in haar mond, maakte Xanders handen los en schudde het ventje door elkaar.

'Wil je eens met je poten van mijn kind blijven!' riep Emma toen ook Xander begon te huilen.

'Hij wil Cheyennes loopfiets afnemen! En ze was net zo leuk aan het spelen... het is altijd iets met dat kind van jou!'

'Rustig, rustig', zei Lies verzoenend terwijl ze tussen de meisjes ging staan. Ze nam Cheyenne op haar arm en probeerde het kind te sussen.

'Je mag hier niet roken, Debby', merkte ze terloops op.

'Als Xander niet zo vervelend was, hoefde ik niet naar binnen te komen.' Ze pakte het fietsje bij het stuur en leidde haar dochter naar buiten.

'Alsof Cheyenne nooit vervelend doet', gromde Emma toen Debby buiten was.

Dorien knikte afwezig. Lukas! Zou hij echt bij de bevalling willen zijn? Ze wist niet of ze het een goed idee vond.

Iedereen verdrong zich bij het bureau toen Lies de mobieltjes uitdeelde. Meteen werden berichtjes opgehaald.

'Ik stuur vlug een sms'je naar Sam', zei Debby terwijl haar duim al over de toetsen schoof. 'Dan weet hij dat hij me kan bellen.'

'Sam?' vroeg Dorien.

'Dat is mijn vriend. Vorige week leerde ik hem kennen toen ik op zaterdag met een paar vrienden ging stappen.'

'O', zei Dorien. 'En heeft hij er geen probleem mee dat je een kind hebt?'

Debby haalde verveeld haar schouders op. 'Hij weet het nog niet.'

Ze bleef met gretige ogen naar de display van haar mobieltje kijken. 'Als je een jongen ontmoet, is dat toch niet het eerste wat je vertelt?'

Als ik ooit iemand ontmoet, dan vertel ik het meteen, nam Dorien zich voor. Dan weet hij precies wat hij aan me heeft en dan moet hij maar beslissen.

'Nee', zei Dorien en meteen dacht ze aan Annelore. Die had Michaël ook nog niet ingelicht.

Op dat moment ging de ringtone van Debby's mobieltje over en het meisje liep naar de hal om een beetje privacy te hebben.

Geen sms'je van Lukas, dacht Dorien teleurgesteld. Maar ik kan hem zelf toch... Net toen ze zich afvroeg wat ze zou doorsturen, ging haar mobieltje over.

'Lukas!' mompelde ze opgetogen.

Emma keek op van haar mobieltje.

'Alweer van jouw broer?'

'We kunnen het nu eenmaal goed met elkaar vinden.'

'Hij belt toch wel heel vaak', zei Emma. Haar stem had een vreemde klank.

'Wat bedoel je?'

'Nou, gewoon, dat hij erg veel belt...' Ze liet een veelbetekenende stilte vallen. 'Voor een broer.'

'Hij is de enige met wie ik nog contact heb. En dan?'

'Het is jouw leven', zei Emma.

Dorien liep de gang in.

Emma reageert wel heel raar, dacht ze. Wat is er vreemd aan dat Lukas me belt?

'Ik ben blij dat ik jouw stem nog eens hoor', zei Dorien. Vanuit een ooghoek zag ze dat Debby met haar hand gebaarde dat ze uit haar buurt moest blijven.

'Ik bel toch regelmatig', hoorde ze Lukas zeggen.

'Dat weet ik, je bent een schat. Het doet deugd om eens iemand te horen die echt om me geeft.'

'Praat je dan niet met de andere meisjes?' vroeg Lukas. 'Lukt het nog altijd niet?'

'Dat wel. In het begin behandelt de groep je als een indringster, maar ik merk dat het beter wordt. Hoewel, met Debby zal het wel nooit klikken.'

'Heb je al iets gehoord van ma?'

'Van ma? Nee, waarom zou ze contact opnemen?'

'Ik weet het niet. Het had gekund.'

'Niet eens een sms'je.' Dorien lachte treurig. Koppig zijn was een familietrekje.

Alle meisjes praatten, lazen of stuurden berichtjes toen Dorien weer het kantoortje in kwam. Emma en Annelore keken Dorien aan alsof er iets op haar gezicht te lezen stond.

'Wat?' vroeg Dorien niet-begrijpend.

'Niks', zei Annelore vlug. 'Wat zou er aan de hand zijn?'

Toch kon Dorien voelen dat er iets mis was.

'Ik heb net een berichtje gestuurd dat Xander veertien maanden is geworden', zei Emma terwijl ze haar mobieltje liet zien.

'Naar wie?' vroeg Dorien afwezig. Ze was nog in de war door de vreemde reactie van Annelore.

'De vader van Xander.'

'O', zei Dorien verbaasd. 'Ik wist niet dat je nog contact met hem had.'

'Heb ik ook niet. Maar als er iets met Xander is, laat ik het hem weten. Het is toch ook zijn kind. Hoewel...' Haar kaken bewogen. 'Hij reageert nooit.'

Dorien knikte. Ze had geen idee wie er nog zou kunnen bellen, maar toch wilde ze haar mobieltje nog niet aan Lies teruggeven. Wie weet... misschien wel een berichtje dat ze helemaal niet verwachtte.

Lies keek op haar horloge.

'Mag ik de mobieltjes terug? Het halfuur is voorbij.'

'O nee, Lies, laat me nog even', smeekte Debby. 'Ik verwacht nog een laatste berichtje van Sam.'

'Dan lees je dat morgen maar', zei Lies. Toch legde ze eerst de andere mobieltjes in haar doos.

'Nog steeds geen sms'je?' vroeg Lies terwijl ze haar hand vragend naar Debby uitstak.

'Mag ik nog een berichtje naar hem sturen? Misschien heeft hij geen beltegoed meer.'

'Debby!' zei Lies streng.

Met een boos gezicht legde Debby haar mobieltje in de hand van Lies.

'Dan kunnen jullie nu naar jullie kamer', zei Lies terwijl ze de doos met mobieltjes in de kast zette en de kastdeur op slot deed.

Dorien liep door de hal in de richting van haar kamer.

'*Ja, steeds maar naar Lukas*', hoorde ze opeens. Haar hart sloeg een slag over. '*Ze wil niet zeggen wie de vader is, maar zou jouw broer zo vaak bellen?*' Dorien herkende de stem van Annelore en ze bleef in de hal staan.

'Nee', hoorde ze Anouk antwoorden. 'Ik vind het maar vreemd. Volgens mij zou Lukas weleens de vader kunnen zijn. Het is niet gezond zoals die twee met elkaar omgaan.'

'Jakkes! Ik moet er niet aan denken', reageerde Annelore met walging in haar stem.

'Lukas', mompelde Dorien. Het leek opeens enkele graden kouder in de hal. Ze schrok op toen ze achter haar rug voetstappen hoorde.

'Dorien? Is er iets?' vroeg Lies.

Meteen zwegen ook de stemmen. Ze hoorde een paar deuren.

'Ga maar naar de woonkamer, dan kun je nog wat tv kijken. Of misschien kun je al slapen. Hoe lang is het nog voor je moet bevallen?'

'Nog tien dagen.'

'Je zult het vast heel goed doen. Volgens de gynaecoloog wordt het een fluitje van een cent', zei Lies opgeruimd. 'Nou ja, een makkie is het nooit, maar het ziet er allemaal bijzonder goed uit.'

'Ik hoop het', zei Dorien stil.

'Zeker! En als jouw baby wordt gedoopt, geven we een feestje in de woonkamer.'

Dorien voelde nog een kneepje in haar schouder.

De reportage over Shakira lag op haar schoot, maar Dorien kon zich niet concentreren. Ze zat op de rand van het bed en ademde met getuite lippen snel in en uit zoals ze met Moniek geoefend had. Na vijf minuten hield ze het voor bekeken en ze sloeg het dekbed open. Daarna schoof ze in bed en hoewel het helemaal niet koud was, trok ze het dekbed op tot aan haar kin. Zoals altijd legde ze haar hand onder haar pyjamajasje. Ze wilde niet inslapen voor ze de baby nog eens had gevoeld.

Als het maar normaal is, ging het door haar hoofd. Stel je voor dat het kind maar negen vingers heeft. Zo'n klein foutje van de natuur. Of erger, een mongooltje. Of blind geboren. Het zweet kwam op haar voorhoofd.

'Maar nee, de gynaecoloog heeft gezegd dat alles in orde is', sprak ze zichzelf hardop moed in. 'Maar als hij zich eens vergist?'

Morgen moest ze met Moniek spreken. Die moest haar overtuigen dat er niks verkeerd kon lopen.

En wat smiezen ze over Lukas? dacht ze. Op dat moment voelde ze beweging in haar buik en ze zuchtte opgelucht.

D.

Acht minuten.

Met haar ogen op de wekkerradio verbeet Dorien de snijdende pijn. De pijn was nog kort en toch duurde het steeds te lang. Dorien zat voorovergebogen op het bed en ademde snel in en uit. Zo snel als de pijn was gekomen, verdween hij ook weer en Dorien haalde opgelucht adem. Met een onderarm veegde ze het zweet van haar voorhoofd. Haar kleren plakten aan haar lijf.

'Zal ik nog vlug douchen?' mompelde ze, maar ze schudde haar hoofd.

Dan kon ze zowat elk kwartier onder de douche gaan staan. Tijdens elke wee leken de zweetdruppels zelfs uit haar voetzolen te komen. Ze liep naar het waterkraantje. Het washandje was nog nat van haar vorige wee. Ook nu hield ze het washandje onder de kraan en depte haar hoofd, haar hals, haar armen. Ze hing het washandje weer over de rand van de wastafel.

Straks zou Moniek komen om met haar naar de kraamkliniek te rijden. Moniek had beloofd dat ze haar hand zou vasthouden terwijl ze moest persen. Dat ze haar zou aanmoedigen en haar zou vertellen wanneer ze moest persen en wanneer ze met het persen moest stoppen.

Ondanks alles kon Dorien een glimlach niet inhouden. Supermoniek. Die met haar naar de gynaecoloog ging, die haar hand vasthield als ze vertelde over haar angst om een misvormd kind te baren. Moniek, die een oase van rust was tijdens haar paniekaanvallen.

Het raam stond op een kier en Dorien staarde dromerig naar het grasveld, naar de bomen en de achterzijde van het gebouw dat ze nu al zo goed kende. Het leek bijna haar thuis geworden. Een mus pikte wat weg.

Voor zo'n vogel is het allemaal eenvoudig, dacht Dorien terwijl ze de bruuske sprongetjes volgde. Een nestje maken, een paar eieren leggen, de kleintjes eten geven... meer niet. Ze keek naar haar reistas, die op het bed stond. Die had ze gisteravond al gepakt, maar de rits stond nog open, dan kon ze nog vlug iets in de tas proppen.

Ben ik niks vergeten? ging het weer door haar hoofd. Voor de zoveelste keer nam ze het lijstje, dat op de tafel lag, door. Misschien was Moniek iets op het lijstje vergeten te zetten? Eigenlijk miste ze iemand die haar zou vertellen dat ze zeker maandverband of deodorant moest meenemen. Ze duwde zomaar haar oranje nachtpon met de walvisprint in haar tas. Toen voelde ze de pijn weer aan komen rollen. Meteen kromp ze in elkaar, legde haar hand op haar buik en ademde snel in, uit, in, uit...

Acht minuten.

Een beetje teleurgesteld omdat de tijd tussen de weeën niet korter werd, richtte ze zich op. Ze drukte met één hand op het nachtponnetje en trok aan de ritssluiting.

Geboortekaartjes! Opeens hapte ze naar adem. Hoe kon ze die vergeten? Hoe moest dat nu?

In paniek liep ze haar kamer uit en klopte bij Emma aan. Zonder op een antwoord te wachten duwde ze de deur open. Emma lag op haar bed en hield Xander met beide handen boven haar hoofd. Gelijktijdig keerden ze hun hoofd naar Dorien.

'Geboortekaartjes! Emma, hoe kom ik aan geboortekaartjes?'

'Heb je die dan nog niet gekozen?'

Dorien kon zich wel voor het hoofd slaan. Moest ze dan overal aan denken?

'Shit! Shit!'

'Daarover hoef je je echt niet druk te maken', probeerde Emma haar te kalmeren. 'Voor Xander heb ik met de computer geboortekaartjes gemaakt. Dat is veel goedkoper. Weet je wat, als je wilt print ik die voor jou. Willy vindt het vast geen probleem dat ik de computer van het secretariaat gebruik. Je belt me vanuit de kraamkliniek de tekst door en ik doe de rest. Hoeveel kaartjes wil je?'

'Hoeveel kaartjes', herhaalde Dorien bedremmeld. 'Daar vraag je me wat.'

Ze sloot de deur en liep terug naar haar kamer.

Hoeveel kaartjes? Voor de deur van haar kamer bleef ze staan. Wie moest ze een kaartje sturen? Eigenlijk niemand. Of toch, Lukas. Hoewel, die kon ze bellen of een sms'je sturen. En dan... haar vroegere klas? Of toch eentje naar mama? Opeens wist ze het niet meer. Langzaam opende ze de deur en op dat moment voelde ze weer een wee komen.

Dorien pakte een speelkaart van het stapeltje in haar hand en legde die op de hartenvijf die op het laken van haar bed lag. De sobere, functionele kamer van de kraamkliniek stelde haar gerust. Alsof de mensen die er werkten alles zouden opvangen wat verkeerd kon lopen. Moniek zat op een stoel naast het bed, staarde nadenkend naar een nieuwe speelkaart en legde hartendrie op Doriens kaart.

'Nu zal ik...'

De zin haperde toen Dorien een volgende wee voelde. Terwijl ze haar speelkaarten op het bed liet vallen keek Moniek op haar horloge. Daarna legde ze haar hand bemoedigend op Doriens been terwijl die vooroverboog en weer snel pufte.

'Je doet het prima', zei Moniek.

Het leek alsof de pijn deze keer eindeloos was. Doriens vingers klauwden in het beddenlaken. Maar ook deze pijn verdween. Dorien ademde opgelucht diep door haar neus. Haar natte haar plakte glimmend tegen haar hoofd.

'Twee minuten', zei Moniek. 'Straks waarschuw ik de gynaecoloog en dan rijden we naar de kraamkamer.'

Dorien knikte. Ze snakte naar het einde van de weeën. Dan nog de geboorte en dan was het allemaal achter de rug. Een huivering trok over haar rug toen ze aan de gynaecologenstoel, aan de voetbeugels dacht. Haar benen wijd open... het was zo vernederend en pijnlijk geweest.

Deze keer zal het anders zijn, probeerde ze zichzelf gerust te stellen. Deze keer zal het anders aanvoelen.

Als ik het maar niet uitschreeuw als ik de stoel zie of mijn voeten in de beugels moet zetten, dacht ze. Niet om de pijn van de bevalling, maar om de herinnering.

'Je blijft toch bij me, Moniek?' hengelde ze nog eens naar zekerheid. 'Je houdt mijn hand toch vast?'

'Dat weet je toch. Jammer dat de vader van jouw kind er niet is. Het zou vast een steun voor je zijn.'

Dorien zag dat Moniek vanuit een ooghoek naar haar reactie keek. Ze klemde haar tanden op elkaar.

'Je kunt hem nog altijd bellen', zei Moniek. Ze duwde het mobieltje dat op het ziekenhuiskastje lag met een vinger naar haar toe. Dorien deed of ze het niet merkte.

'Als jij maar bij me bent', zei ze. 'Ik vond het fijn dat de meisjes me uitzwaaiden.' Ze glimlachte. 'Soms kunnen we elkaars ogen uitkrabben, maar als het moet klitten we toch samen.'

'Zo hoort het', zei Moniek. 'Ik zag dat Emma Xander optilde om nog een kusje op je buik te geven voor je vertrok.'

De glimlach van Dorien verdween toen ze een volgende wee voelde aankomen.

Straaltjes zweet liepen over haar gezicht in haar hals en natte lokken haar plakten tegen haar voorhoofd en haar slapen. Dorien ademde zwaar en het was een geweldige opluchting toen ze besefte dat ze de ergste pijn achter de rug had. Ze had haar ogen gesloten en lag met haar hoofd uitgeteld op het kussen.

Moniek depte met een handdoek de druppeltjes op Doriens gezicht. 'Dat heb je fantastisch gedaan, Dorien.' Monieks hand hield bemoedigend haar vingers vast, maar het meisje had alleen de fut om te knikken.

Dorien hoorde de baby huilen en nieuwsgierig richtte ze haar hoofd op om te kijken naar het kind, haar kind. De vroedvrouw tilde het wichtje een eindje op zodat Dorien het besmeurde lijfje kon zien.

'Een meisje met alles erop en eraan', zei de verpleegster. Ze legde het kind op een handdoek en veegde met routinegebaren het meeste bloed en slijm weg.

'Heb je al een naam?' vroeg Moniek.

'Aïsha. Een jongen zou Wesley heten.'

'Gelukkig is het een meisje', lachte Moniek.

'Aïsha is een mooie naam', zei de gynaecoloog, die naast haar stond en rustig toekeek. 'Straks moet ik je vagina nog hechten. Om het kind gemakkelijker te laten komen, moest ik een beetje inknippen. Daarna mag je naar je kamer.'

Met het kind in haar armen liep de verpleegster naar de gynaecologenstoel.

'Wil je het vasthouden?' vroeg ze overbodig terwijl ze het kind al op Doriens borst legde.

Dorien maakte een verbaasde beweging met haar hoofd. Pas nu zag ze hoe verrimpeld Aïsha's gezichtje was.

'Zo zien ze er allemaal uit', zei Moniek, die haar gedachten las. 'Maar dat is zo voorbij.'

Dorien bestudeerde nauwkeurig het neusje, het voorhoofd, de lippen... Even flitste een ander gezicht voor haar ogen. Aïsha heeft geen grijsgroene ogen, dacht ze opgelucht. Zonder dat ze het wilde, rolden de tranen over haar wangen.

'Ja, huil maar eens goed uit', zei Moniek terwijl ze bemoedigend over Doriens arm wreef. 'Dat kan goed doen na zo'n inspanning.'

Dorien knipperde met haar ogen.

Je bedoelt het goed, Moniek, dacht ze, maar je moest eens weten waarom ik huil...

Ze keek weer naar het kind en klemde haar tanden op elkaar. Ze wist dat de oogkleur nog kon veranderen, maar het was toch een goed voorteken.

Haar nachtpon was tot haar middel opgetrokken en met haar vingertoppen trok Dorien aan de losse huid op haar buik. Haar ogen volgden de beweging van het papperige vlees toen ze hier en daar op haar buik drukte.

Kan die nog ooit strak worden? vroeg ze zich af. Ik moet zo vlug mogelijk met oefeningen beginnen. Misschien kan ik aan de gynaecoloog vragen wat ik moet doen om dat losse vel weg te werken.

Alsof ze haar buik niet meer wilde zien, trok ze snel het nachtponnetje over haar benen. Ze draaide zich op haar zij en met haar hoofd op het kussen staarde ze naar Aïsha, die in het babybedje naast haar lag.

Dorien kon urenlang naar haar dochtertje staren en fantaseren wat ze allemaal zouden doen als Aïsha veertien, vijftien jaar zou zijn. Shoppen, elkaar sms'jes sturen, samen naar de bioscoop gaan, samen zwemmen... er was zoveel dat ze samen konden doen.

Haar hand zweefde boven de blonde haartjes, maar ze bedwong zich. Ze wilde Aïsha niet wakker maken. Opeens trok ze haar hand weg.

Wat moet ik haar vertellen als ze ooit vraagt wie haar vader is? Met open ogen bleef ze naar de baby kijken en ze was nu al bang dat ooit die vraag zou komen.

Door de deur hoorde ze stemmen in de gang die plotseling zwegen toen ze bij haar kamer kwamen.

'Ja!' riep Dorien toen er op de deur werd geklopt.

Wat bedeesd kwamen de meisjes naar binnen. Alsof ze nog nooit in een kraamkliniek waren geweest, keken ze nieuwsgierig om zich heen.

'Hoi, Dorien', zei Lies. Ze boog zich voorover om Dorien een kus op de wang te geven.

'O, wat een schatje!' zei Femke.

De meisjes verdrongen zich rond het kinderbedje.

'Ga eens even opzij', zei Emma. Met haar elleboog duwde ze Debby achteruit en Dorien zag verbaasd dat Debby zich niet eens boos maakte. 'Ik ga een foto nemen.'

Emma's mobieltje flitste en Aïsha bewoog haar hoofdje.

'Maak haar niet wakker', waarschuwde Dorien. 'Ze slaapt nog maar net.' Toch vond ze het geweldig dat de meisjes er waren.

'Is het allemaal goed verlopen?' 'Heeft de dokter je ingeknipt?' 'Heb je veel pijn gehad?' De vragen vlogen op haar af en de meisjes vergeleken de antwoorden met hun eigen ervaringen.

Uit het kinderbedje klonk een dreinerig geluid.

'Nu is ze wakker', zei Femke verwijtend, hoewel ze zelf geen seconde had gezwegen. 'Mag ik haar eens vasthouden?'

Voor Dorien iets kon zeggen, tilde Femke de baby op.

'Echt een dotje.'

'Hoe is het met Michaël?' vroeg Dorien aan Annelore terwijl haar kind werd doorgegeven.

De glimlach op Annelores lippen vertelde genoeg.

'Ik zie hem volgend weekend.' Ze boog zich naar Dorien toe. 'En ik heb hem verteld over Timo. Hij slikte wel even, maar hij houdt van me en Timo wilde hij er best bij nemen.'

Terwijl de nieuwtjes uit het tehuis werden verteld, ging Aïsha van hand tot hand.

'Slaapt ze 's nachts veel?' vroeg Lies. 'Krijg je genoeg nachtrust?'

'Nou, dat kon beter', zei Dorien schouderophalend.

'Toen ik in de kraamkliniek lag, huilde Diego hele nachten', zei Simone. 'Ik heb toen geen oog dichtgedaan.'

'Cheyenne werd niet wakker', zei Debby. 'Ik schrok soms wakker omdat ik bang was dat ze dood in haar bedje zou liggen.'

'Ik heb...' Lies zweeg toen er op de deur werd geklopt.

'Lukas!' riep Dorien. Ze ging overeind zitten.

Met een bos anjers in zijn hand keek Lukas hulpeloos rond.

'Oei, ik had niet verwacht dat je zoveel bezoek zou hebben.'

Dorien zette haar handen op de matras en duwde zich overeind. Terwijl ze zich aan het uiteinde van het bed vasthield, deed ze een paar voorzichtige stappen in de richting van haar broer. Lukas legde een hand in haar hals toen ze hem op de wang kuste.

'Is alles goed verlopen?' vroeg hij terwijl hij haar de bloemen gaf.

'Het kon niet beter', zei Dorien terwijl ze haar neus in het boeket stopte. Met de bloemen in haar hand keek ze zoekend om zich heen.

'Geef ze maar aan mij', zei Lies. Ze nam de bloemen over en pakte een vaas die op de vensterbank stond. Daarna verdween ze naar de badkamer en Dorien hoorde het water stromen.

'Wil jij haar vasthouden?' vroeg Annelore. Ze stak de baby naar hem uit. 'Tenslotte ben je toch familie.'

Dorien hoorde de vreemde toon in Annelores stem en ze keek het meisje vragend aan. Annelore deed alsof ze Dorien niet zag.

'Ik ben bang dat ik daar niet echt veel ervaring mee heb', zei Lukas lacherig. Hij stak aarzelend zijn hand onder Aïsha's ruggetje.

'Wacht even', zei Emma vlug. 'Ik doe het even voor.'

Handig nam ze het kind van Annelore over.

'Zie je? Een arm onder de rug en een hand onder het hoofdje. Voorzichtig.' Ze liet de baby in Lukas' armen glijden.

Alsof hij naar gelijkenissen zocht, bestudeerde Lukas het babygezicht. 'Het is een mooie baby', zei hij na een tijdje.

'Geef haar maar weer aan mij', zei Dorien. Ze ging op de bedrand zitten.

'Misschien moeten we maar eens gaan', zei Lies nadat ze de bloemen op de tafel bij het raam had gezet.

'Dorien is vast liever alleen met haar broer', zei Debby.

En weer dacht Dorien dat er een rare ondertoon klonk.

'Jullie mogen best nog blijven', zei ze haastig.

Lies schudde haar hoofd. 'Het is beter dat het wat rustiger wordt. Trouwens, ik kom elke dag even langs en de meisjes zullen je ook nog wel bezoeken voor je weer naar het tehuis gaat.'

Lukas zat naast Dorien op de bedrand en ze keken allebei naar Aïsha, die weer in haar bedje lag.

'Het is een mooi kindje', zei Lukas weer, om iets te zeggen.

Dorien zweeg.

'Mama zou ook graag op bezoek willen komen', peilde Lukas voorzichtig.

Dorien bewoog nadenkend haar lippen over elkaar. Het was al zo lang geleden dat ze ma nog gehoord of gezien had. Ze leek bijna een vreemde. En ze was de ruzies en de verwijten nog niet vergeten.

'Nee.'

Lukas knikte alsof hij niet anders had verwacht.

'Opa en oma willen ook graag komen.'

'Dat is goed.'

Ze draaide haar hoofd naar Lukas.

'Wil je me eens goed vasthouden? Ik heb nu Aïsha, maar een paar armen om me heen... dat mis ik toch wel.'

E.

Aarzelend stak Dorien haar hand in het badwater. Zou het te koud zijn? vroeg ze zich af terwijl ze twijfelend naar Aïsha keek, die bloot op het aankleedkussen lag en met grote ogen naar het plafond keek. 'Fuck!' Dorien vloekte hardop. Ze was al drie dagen in het tehuis en toch twijfelde ze nog steeds of het badwater te warm of te koud was. Of ze Aïsha moest laten huilen of haar moest sussen. Onzekerheid over van alles en nog wat.

Dorien draaide de warmwaterkraan open en liet wat water in het badje lopen. Weer testte ze het water met haar hand.

'Toen ik Fleur vroeger een badje gaf, lukte het prima', murmelde ze. 'Maar dan was mama steeds in de buurt.'

Nu ze alleen was, voelde ze zich heel onzeker. Ze voelde zich ook vaag angstig als Aïsha niet meteen begon te zuigen als ze haar de borst gaf.

'Waar ben ik aan begonnen?' zei ze met een zucht, maar ze knapte helemaal op toen Aïsha kirrende geluidjes maakte. 'Daarom ben ik eraan begonnen', dacht ze hardop terwijl ze haar hand op Aïsha's beentjes legde en met haar neus het voorhoofd van haar dochtertje streelde. Ze wikkelde een handdoek om de baby, nam haar in haar armen en liep de kamer uit in de richting van de woonkamer.

'Waar is Lies?' vroeg ze toen ze alleen Anneke aantrof.

'Ik weet het niet. Waarom?'

'Ik weet niet of het badwater warm genoeg is.'

'Wacht. Ik loop met je mee.'

De ruime kelder van het tehuis was volgestouwd met kleren, kinderkleertjes, pakken luiers, glazen potjes babyvoeding... Dorien droeg een grote, plastic vuilniszak met kleren naar binnen.

'O, je bent er ook', zei ze verbaasd.

Simone draaide haar hoofd om en glimlachte toen ze Dorien hoorde. Meteen boog ze zich voorover en ze maakte Diego's vingertjes los, die aan een fles badgel friemelden.

Ze tilde het ventje op haar arm en stak haar hand uit om het wisselgeld aan te nemen dat Marjan haar gaf.

'Je hebt Aïsha niet meegebracht?' vroeg ze.

'Ik heb haar in de speelkamer gelaten', zei Dorien. 'Ze heeft kleertjes nodig en het is lastig om iets te kiezen met een baby in mijn armen.'

Simone deed een stap achteruit toen Diego naar een stapel potjes graaide. 'Nee, Diego', zei ze. Diego spartelde en probeerde zich los te wurmen en toen hij merkte dat het niet lukte, protesteerde hij luid.

'We kunnen beter gaan.' Simone legde een hand op zijn wang en draaide het gezichtje naar haar toe. 'We gaan naar onze kamer. Dan spelen we met de autootjes. Vroem! Vroem!' Diego stopte met zeuren en keek naar haar mond alsof het nog even moest doordringen wat ze bedoelde. Hij sloeg zijn armen om haar schouders en drukte zich tegen haar aan.

'Tot ziens', zei Simone, en met een doos luiers in haar hand en Diego op de arm liep ze de kelder uit.

'Een fantastische moeder', zei Marjan goedkeurend. 'Ze heeft het al zo moeilijk en toch is ze zo moedig. Als je weet wat ze heeft meegemaakt! In een paar jaar tijd Nederlands geleerd, prima schoolresultaten en dan nog eens op zo'n manier voor haar kind zorgen.'

Vergeleken met Simone voelde Dorien zich opeens heel klein en stom.

'O ja', zei Dorien terwijl ze aan de plastic zak dacht die aan haar hand hing. 'Deze zak stond bij de deur en Anneke vroeg of ik hem aan jou wilde geven.'

'Kleren', zei Marjan. Ze nam de zak van Dorien over. 'Het gebeurt regelmatig dat mensen gebruikte kleren bij de deur achterlaten.' Marjan knoopte het touw los en met haar hand rommelde ze wat in de zak. 'Er zitten mooie spullen in, maar ik zal de kleren later sorteren. Of misschien kun je me straks helpen?'

'Misschien', hield Dorien de boot af. 'Ik kom eigenlijk iets voor Aïsha kopen. Die heeft echt niet veel kleertjes.'

Ze liep naar een van de planken die aan de muur hingen, tilde stapeltjes kleren op, legde ze weer terug en trok hier en daar iets uit de stapels. Opeens haalde ze een felgekleurd geel jurkje uit de stapel.

'Dit vind ik mooi.' Met haar twee handen hield ze het jurkje voor Marjans gezicht.

'Mooi. Maar is het voor Aïsha?'

'Natuurlijk. Wat had je gedacht?'

'Dan is het veel te groot.'

'Denk je dat echt?'

Dorien keek schattend naar het jurkje. Ze voelde zich heel dom. Simone zou vast meteen weten of het geschikt is, dacht ze.

'Ik ken Aïsha toch', zei Marjan. 'De eerste twee, drie maanden verzuipt ze in dit jurkje.'

'Ik kan het toch bewaren tot ze groter is', verdedigde Dorien zich zwakjes.

'Dat kun je. Maar misschien heb ik dan weer heel wat nieuwe spulletjes in mijn winkeltje. Je kunt beter nog even wachten.'

'Jammer', zei Dorien. Ze vouwde het jurkje slordig op en duwde het weer in de stapel.

'Je kunt beter dan dat', merkte Marjan verwijtend op. 'Je shopt hier niet bij c&a.'

Met tegenzin trok Dorien het jurkje uit de stapel en probeerde het op een behoorlijke manier op te vouwen.

'Dat is al beter', zei Marjan, die haar in de gaten hield.

Dorien snuffelde verder in het winkeltje.

'En dit?' vroeg ze onzeker en ze hield een oranje kruippakje omhoog dat met felgekleurde bolletjes was bezaaid.

'Ik zou het niet nemen. Over enkele weken is Aïsha eruit gegroeid.'

Ik ben een kluns, dacht Dorien. Wat moet Marjan niet denken? Ze zocht verder en vond een ander kruippakje. Stiekem legde ze het op het oranje pakje om de afmetingen te vergelijken.

'Dit is wel goed, denk ik', zei ze voorzichtig.

Marjan kwam naast haar staan en hield met enkele vingers het pakje een eindje voor zich uit.

'Hoeveel kost het?' vroeg Dorien.

'Bijna alle kledingstukken kosten vijftig eurocent.'

Dorien nam haar portemonnee. Haar spaargeld was zo goed als verdwenen. Zoals de andere meisjes leefde ze nu van de negentien euro die ze elke vrijdag kreeg. Elke maand mocht ze honderd euro aan aankopen besteden, maar die moest ze met kassabonnetjes verantwoorden.

Met het kruippakje wapperend tussen haar vingers, holde ze de kelder uit. Ze wilde meteen zien hoe Aïsha er in haar kruippakje uitzag.

F.

Het voelde vreemd aan. Een gevoel van bange verwachting. Dat moet ik ook gevoeld hebben toen ik voor het eerst naar school ging, dacht Dorien.

De vakantiedagen hadden eindeloos lang geduurd. Aïsha vroeg veel tijd, maar elke dag in het tehuis leek op de vorige. Gelukkig werden de lange dagen soms onderbroken door de bezoekjes van Lukas. Twee keer had hij opa en oma meegebracht. Soms nam hij foto's van Aïsha. Voor ma. Maar Dorien hield haar moeder op een afstand.

Haar rugtas hing met een riem over haar rechterschouder, slechts gevuld met een etui en een broodtrommel.

Vanavond zal die heel wat meer wegen, dacht ze toen ze de lichte rugtas bij elke stap tegen haar rug voelde bewegen.

Annelore en Femke liepen een eindje voor haar en Simone uit. Met zoveel andere jongeren vormden ze een lange sliert die in de richting van de Heilig Grafschool liep.

'Het is zonde om met zulk lekker weer naar school te gaan', zei Femke terwijl ze opkeek en met haar ogen tegen de zon knipperde. 'Een hele dag binnen zitten en door het raam naar de zon kijken.'

'In het tehuis ben je toch ook begraven?' zei Annelore.

'Daar kan ik tenminste in de tuin met Jeffrey spelen', zei Femke meteen.

'En steeds dezelfde gezichten... Bah.'

'Heb je gehoord hoe Emma vanochtend tegen Xander uitviel?' vroeg Annelore terwijl ze met een schouderbeweging haar rugtas wat schikte. 'Omdat het ventje een beetje tegenspartelde toen ze hem zijn neusdruppeltjes wilde geven.'

Dorien spitste de oren. Met Emma kon ze bijzonder goed opschieten. Het klopte dat Emma soms wat luidruchtig met Xander omging, maar ze bedoelde het niet slecht. Geen vader, geen moeder die naar Emma omkeek. En haar vriend had haar laten vallen toen ze in verwachting was. Toch had Dorien niet de moed om Emma te verdedigen. Ze begreep ook niet waarom ze wilde luisteren en het toch erg vond dat Annelore en Femke haar vriendin aan het kruis nagelden.

'Emma kan helemaal niet met dat kind omgaan', gaf Femke haar gelijk. 'En de woorden die ze soms tegen dat kind gebruikt. *Fuck*, rotjoch... echt ordinair.'

'En heb je al gemerkt hoe ze hem bij zich roept?' vulde Annelore giftig aan. 'Alsof ze een sergeant in het leger is.'

'Ik heb soms medelijden met dat jongetje', gaf Simone haar gelijk. 'Lies heeft al vaak gezegd dat ze zich als een moeder moet gedragen. Dan gaat het een tijdje goed tot ze het weer vergeet. Het zou me niks verbazen als Xander uiteindelijk bij pleegouders terechtkomt.'

'Gisteren had ze in Cheyennes arm geknepen omdat het meisje de melkbeker van Xander had omgestoten. Alsof dat kind dat met opzet doet.'

'Ruzie met Debby natuurlijk', hengelde Dorien naar sensatie.

Simone grinnikte. 'De vonken sprongen eraf. Debby is ook geen doetje.'

'En dik dat Emma is...' vulde Femke gretig aan.

'Hoewel, Debby mag ook wel op haar gewicht letten', zei Annelore. 'Maar ja, die propt zich vol met snoep en met chips. Binnenkort is ze zo breed als ze groot is.'

De meisjes gierden het uit. Femke keek over haar schouder. 'Hoeveel extra kilo's heb jij nog, Dorien? Niet veel, denk ik.'

'Vier', zei Dorien trots. 'Nog een paar weken en ik weeg weer vierenvijftig kilo, net als vroeger.'

'Jij bofkont', zei Annelore. Met haar platte hand sloeg ze een paar keer op haar buik, die een beetje over haar broeksband hing.

'Ben je er klaar voor om weer naar school te gaan?' vroeg Simone. 'Tenslotte zijn de anderen al meer dan twee weken bezig. Je moet al meteen heel wat lessen inhalen.'

'Ik weet het', zei Dorien met een zucht. 'Maar kan ik er iets aan doen dat Aïsha ziek werd? Ik kon mijn engel toch niet in het tehuis achterlaten? Maar vanaf vanavond wordt het studeren. Ik hoop dat Aïsha vlug in slaap valt.'

'En dan volg je ook nog zo'n moeilijke richting', zei Femke. 'Je had toch ook iets anders kunnen kiezen. Iets waarvoor je niet zoveel moeite hoeft te doen.'

'Ik moet wel', zei Dorien. 'Ik wil docent worden. Engels, Duits, Nederlands... in elk geval iets met talen. Dan ben ik thuis als Aïsha thuis is en dan ben ik naar school als Aïsha naar school is.'

Annelore trok snuivend haar neus op.

'Als je zoveel moet studeren, heb je geen tijd meer voor haar. En wat als Aïsha nog eens ziek wordt?'

'Ik weet het niet', bekende Dorien. Ze had er de laatste weken al vaak over gepiekerd. In haar hoofd had ze al tientallen werkschema's opgesteld en die telkens weer aangepast omdat Aïsha vaak getroost, verschoond of geknuffeld moest worden op andere tijdstippen dan in haar schema's stonden.

'Als ze ziek wordt, moet ik daarna maar harder werken.'

Nu had ze een beetje spijt van haar keuze. Als ze de richting kantoor had gekozen, zou haar leven een stuk eenvoudiger zijn. En dan zat ze bij Simone in de klas. Femke zat een jaar hoger en Annelore deed haarverzorging. Maar later zou ze vast blij zijn met haar keuze.

'Het wordt wennen met al die nieuwe gezichten in de klas', zei Dorien. 'Eerst wennen in het tehuis en nu op school.'

'Je kunt beter maar meteen vertellen dat je al een moeder bent', adviseerde Annelore ongevraagd.

'Zou ik dat wel doen?' vroeg Dorien twijfelend. 'Later misschien. Als ik iedereen al beter ken.'

'Toch doen', zei Femke. 'Zoiets is sneller bekend dan je denkt. Ze zullen over jou roddelen en er wordt zo al genoeg over jou geroddeld.'

Met een ruk bleef Dorien staan. Ze greep Femke ruw bij de arm.

'Roddelen?' vroeg ze nijdig.

Femke kromp wat in elkaar toen ze een harde elleboogstoot van Annelore in haar zij voelde.

'Wat vertellen ze nu weer over mij?'

'Nou ja, dat kun je toch raden, Dorien.'

'Wat?' gilde Dorien woedend.

Met ogen die om raad smeekten keek Femke naar Annelore.

'Over jouw broer natuurlijk', zei Annelore.

Stomverbaasd liet Dorien Femke los.

'Lukas? Waarom? Houdt het nooit op! Wat is er met hem?' Het raasde in haar hoofd.

'Dat is toch duidelijk', zei Annelore. 'Hij is de enige die jou opzoekt, die met Aïsha komt spelen. Vorige week zijn jullie nog samen gaan wandelen.'

'Hij is toch mijn broer!'

'Alleen maar jouw broer?' vroeg Annelore geniepig.

'Jullie zijn gek!'

Woest greep ze Annelores schouders en schudde haar door elkaar.

'Ik wil niet dat jullie zo over...'

Met beide handen duwde Annelore haar van zich af. Meteen klauwde Dorien in Annelores haar en rukte aan een haarlok zodat die gillend haar hoofd voorover moest buigen.

'Ben je gek geworden!'

Samen met Simone trok Femke aan Doriens armen. Dorien liet de haarlok los en trillend over haar hele lichaam liet ze zich in bedwang houden. Ze bleef Annelore vals aankijken. Ze hijgde na van de vechtpartij. Aan haar vingers zat bruin haar.

'Loser!' gromde Annelore terwijl ze aan haar hoofd voelde.

'Ben je rustig, Dorien?' vroeg Femke. 'Kunnen we je loslaten?'

Dorien knikte.

Groepjes jongeren waren blijven staan en hadden nieuwsgierig of opgewonden de vechtpartij gevolgd. Enkele jongens kwamen aangerend.

'Houden jullie al op?' probeerde een van hen de meisjes op te hitsen. 'Ik wilde met mijn mobieltje een paar foto's nemen.'

'Rot op, eikel!' snauwde Femke hem toe. 'Maak liever foto's van je vriendjes. Ze zijn lelijk genoeg.'

Hij haalde grijnzend zijn schouders op.

'Dan valt er eens wat te beleven', grapte hij tegen zijn vrienden. Lacherig liepen ze verder en toen ze merkten dat er echt niks meer te zien was, verdween iedereen naar school.

'Als de directeur dit te horen krijgt... dan worden het eenzame dagen en avonden op je kamertje.'

Het leek alsof Doriens keel werd dichtgeschroefd. Het was toch niet haar schuld!

'Annelore hoeft Lukas niet door het slijk te halen', snikte ze.

'Ik zeg toch alleen wat er verteld wordt', snauwde Annelore.

Zal ik het vertellen, ging het door Doriens hoofd. Ze kneep haar lippen op elkaar.

'Je moet toch toegeven dat het allemaal heel vreemd is', zei Simone rustig.

'Lukas heeft er niks mee te maken', zei Dorien zwak.

'Wie dan wel? Je kunt het geroddel laten ophouden door gewoon te vertellen wie de vader is, Dorien.'

'Ik kan het niet.'

'Dus toch Lukas', probeerde Femke haar een naam te ontfutselen.

Zwijgend liepen ze verder tot ze bij de straathoek kwamen.

'Ik zie jullie vanavond bij de bus?' vroeg Dorien. Ze smeekte bijna om een reactie.

'Tot vanavond', zei Simone.

Femke en Annelore zeiden niks toen ze om de straathoek verdwenen.

'Shit!' gromde Dorien terwijl ze in haar eentje naar de Paterstraat liep.

De meisjes zouden vast een tijdje doen alsof ze er niet meer was. Gewoon niets zeggen, niet naar haar kijken, haar doodzwijgen.

En ze zouden misschien aan de directeur of aan Willy vertellen dat ze gevochten had. In het tehuis regelde Willy allerlei praktische dingen. Hun zakgeld, hun papieren, de relatie met thuis of een instelling... Dorien had hem meteen duidelijk gemaakt dat ze geen contact met haar moeder wilde.

'Alsof het allemaal nog niet moeilijk genoeg is!'

Ze schopte woedend tegen een prop papier die op de stoep lag en met hangende schouders liep ze naar de schoolpoort.

De drukte op het schoolplein deed vreemd aan. Met de riemen van haar rugtas aan haar rechterhand dwaalde Dorien rond. Om zeker op tijd te zijn, had Dorien haar wekkerradio om halfzes laten aflopen. Ze moest douchen, zich aankleden, Aïsha wassen en aankleden, haar een flesje geven, zelf eten, Aïsha naar de kinderkamer brengen... Als ze erop terugkeek vond ze dat ze er best trots op mocht zijn dat het haar allemaal gelukt was en ze nog tien minuten te vroeg was om met de andere meisjes de bus van twintig voor acht naar Turnhout te nemen.

Dorien ademde opgelucht toen de schoolbel rinkelde en ze ging naar de rij die een docent haar had aangewezen. Onwennig sloot ze bij de rij aan, maar ze zorgde ervoor dat ze wat afstand hield. Ze zag dat gezichten onderzoekend in haar richting keken en sommigen elkaar aanstootten om haar aan te wijzen.

Ze zien natuurlijk dat ik nieuw ben, dacht Dorien. Meteen dacht ze terug aan de eerste dagen in het tehuis. Je moest altijd je plaats vinden en zorgen dat je aanvaard werd. Toen ze voelde dat de anderen haar bekeken, was ze blij dat ze een truitje had aangetrokken dat lang en ruim over haar jeansbroek hing. Meteen toen ze na de bevalling weer in het tehuis was, was ze met oefeningen begonnen en ze voelde zich goed omdat haar buik weer bijna net zo plat was als vroeger. Zelfs de zwangerschapsstriemen waren bijna niet meer te zien.

Nog een paar weken en ik kan weer zonder problemen een kort

truitje dragen, dacht Dorien tevreden.

Ze vroeg zich af hoe het met Aïsha zou zijn. Natuurlijk was het niet de eerste keer dat ze naar de speelkamer ging, maar nu zou ze er een hele dag blijven. De leidster daar zou haar vandaag in haar armen houden, een flesje geven en Aïsha over haar schouder leggen om een boertje te laten.

Zou ze me missen? dacht Dorien. Zou ze huilen?

Ze herinnerde zich hoe ze vanochtend minutenlang naar Aïsha had gezwaaid voor ze de deur van de speelkamer achter zich kon sluiten. Uit elk oog liep een traan over haar wangen. Vlug haalde ze de rug van haar hand over haar gezicht.

'Wat heb je?' vroeg een meisje dat naast haar naar de deur liep.

'Niks', zei Dorien een beetje beschaamd. 'Ik keek toevallig in het zonlicht.'

Het meisje keek haar ongelovig aan.

'Ik heb je nog nooit gezien. Waarom kom je nu pas?'

Dorien merkte dat gesprekken verstomden.

Ik kan het maar beter gewoon vertellen, dacht ze. Uiteindelijk komen ze het toch te weten. Liever de korte pijn.

'Mijn dochtertje is een half jaar oud en vandaag blijft ze voor het eerst in haar eentje in het tehuis.'

'O... jouw dochtertje?' klonk het verbaasd. Het meisje staarde Dorien met verbaasde ogen aan. 'Dat is fijn', herstelde ze zich vlug. 'Hoe heet ze?'

'Aïsha.'

'Een mooie naam. Ik heb maar een heel gewone naam, Sylvia.'

Toen ze de klas inliepen, bleef Dorien afwachtend bij de deur staan. De docente liep naar het bureau dat vooraan in de klas stond.

'Mevrouw,' vroeg Sylvia, 'is het goed dat Dorien naast me komt zitten?' Meteen schoof ze twee tafeltjes naast elkaar.

Dorien vond het ontzettend lief dat Sylvia het meteen voor haar opnam.

'Ha, een nieuw gezicht', zei de docente vrolijk.

'Ik ben Dorien.'

'Nou, ga dan maar zitten, Dorien.'

Samen met Anka liepen Dorien en Sylvia over het speelplein. Terwijl ze rondjes liepen, at Dorien een boterham uit het vuistje. 'Ik ben vanochtend vroeg opgestaan', verduidelijkte ze. 'Ik heb honger.'

'Waar woón je dan?'

'In Kasterlee.'

Anka keek Sylvia met een snelle oogopslag aan.

'In het tehuis?'

'Mmm', murmelde Dorien terwijl ze een hap doorslikte.

'Een baby is vast heel leuk', zei Anka dromerig.

'Ja en nee', zei Dorien na een aarzeling. 'Natuurlijk geeft het een fantastisch gevoel om Aïsha vast te houden. En ik droomde er sinds mijn kinderjaren van om voor een kindje te zorgen. Maar dat had over tien jaar ook gekund.'

Ze schrok toen ze besefte wat ze had gezegd. Eigenlijk had ze altijd verlangd naar een kindje dat ze kon knuffelen, verzorgen, in slaap wiegen... En nu... soms leek het leven zonder Aïsha veel aantrekkelijker.

'Hoe oud ben je nu?'

'Zestien.'

'Waarom woon je niet bij je ouders?' vroeg Sylvia. 'Dat zou toch veel eenvoudiger zijn. Dan konden zij ook op Aïsha letten.'

Dorien staarde een tijdlang naar de gevel achter Sylvia's rug terwijl ze zich afvroeg of ze alles aan de twee meisjes kon vertellen. Op haar vroegere school had ze ondervonden dat anderen zich moeilijk in haar situatie konden inleven. Sinds ze het verteld had, reageerden ze opeens anders. De een bezorgd, de ander nieuwsgierig, een derde verwijtend en een vierde ontweek haar. Door haar zwangerschap was ze Anna, Lotte en Kasper ontgroeid. Misschien omdat ze steeds meer met verschillende dingen bezig waren. Misschien omdat ze ook hen niet wilde vertellen wie Aïsha's vader was. Elke dag was de kloof breder geworden.

'Met mijn stiefvader klikte het niet zo goed en hij heeft veel invloed op mama. Ik denk dat ze bang is dat hij haar in de steek zal laten. Ze wilden dat ik me zou laten aborteren.'

'Aborteren?' riep Sylvia ongelovig uit. 'Hoe durven ze! Je eigen kind laten doden.'

Dorien lachte wrang. Wat ze nu ging vertellen zou als een bliksem door de klas gaan, maar misschien was het maar beter zo. In het begin zou er vast geroddeld worden, maar dat zou slijten.

'Als je in mijn schoenen stond, zou je dat idee niet zomaar wegwuiven. Ik zou vroeger ook gedacht hebben: nooit een abortus! Maar plotseling verandert alles. Je denkt niet meer zwart-wit. Ik heb soms getwijfeld. Het leek zo eenvoudig: na een abortus zou ik mijn vroegere leventje weer kunnen opnemen. Kon ik gewoon naar school gaan, kon ik op scoutskamp, kon ik met mijn vrienden naar Rock Werchter...' Dorien zweeg even. 'Ik heb ook op het punt gestaan om voor een abortus te kiezen. Maar daar heeft zo'n kleintje toch niet om gevraagd?'

Opeens had ze geen trek meer. Een paar meter verderop was een houten zitbank en ze liet de boterham in de vuilnisbak vallen die aan de bank vastzat.

'Ik ben thuis weggegaan', vervolgde ze emotieloos. 'Naar mijn broer. Hij woont op een kamer in Leuven. De school kon me gestolen worden. Ik had wel andere dingen aan mijn hoofd.'

'En jouw vriend? Kon je niet bij hem terecht?'

'Het is uit met mijn vriend', reageerde ze kort.

Snel flitsten de beelden van die nacht weer voor haar ogen en ze balde met een verbeten gezicht haar vuisten.

'Dat is laf', zei Anka, die haar gebaar verkeerd begreep.

'Het is beter zo', zei Dorien. 'Aïsha draagt ook zijn naam niet. Maar ik zou nu liever over iets anders praten.'

Bang wachtte Dorien bij de bushalte. Ze had de rugtas tussen haar voeten op de stenen gezet en keek steeds weer in de richting van de Otterstraat. Ze zag er als een berg tegenop, maar ze besefte dat ze Annelore en Femke niet kon ontwijken. Opeens zag ze hoe Simone naar haar zwaaide en dansend als een schoolkind naar haar toe kwam gerend. Haar rugtas zwaaide koddig op haar rug heen en weer.

'Hoe was het?' vroeg Simone meteen.

'Goed', zei Dorien.

'Ik had een negen voor Frans', zei Simone opgetogen. 'En ik was zo bang voor die toets. Er was iemand die een tien had, maar ik...'

Annelore en Femke kwamen aangeslenterd. Dorien hoorde Simone niet meer. Alsof Dorien lucht was, bleven de meisjes op een paar meter afstand staan en ze keken met opzet een andere richting uit.

'Ze zijn nog steeds boos', zei Dorien tegen Simone.

'Wat had je gedacht?'

'Ik had toch reden om boos te zijn. Je hebt hen toch ook gehoord.'

'Waarom doe je dan zo geheimzinnig? Als je gewoon vertelt wie de vader is, dan houdt dat roddelen meteen op.'

'Ik kan het niet', zuchtte Dorien gelaten. 'Ik heb mijn redenen om te zwijgen.'

'Tja', zei Simone en ze haalde haar schouders op.

Dorien tilde haar rugtas op en schoof stapje voor stapje naar de meisjes. Koortsachtig dacht ze na over een openingszin. Alsof ze in diep water ging duiken snoof ze door haar neus lucht naar binnen en met een grote stap ging ze voor de meisjes staan.

'Ben je nog boos, Annelore?'

Annelore zweeg, maar er zat niet veel goeds in haar ogen.

'Sorry voor vanochtend', zei Dorien zwakjes. 'Als je wilt, zal ik een schoonmaakbeurt van je overnemen.'

Ze vond haar voorstel vernederend, maar wat zou de directeur of Willy zeggen als ze hoorden dat ze met Annelore gevochten had?

'En een schoonmaakbeurt van mij', stelde Femke voor.

Dorien klampte zich snel vast aan deze strohalm.

'Goed.'

'Kom nou, Annelore', pleitte Femke. 'Je kunt toch niet boos blijven?'

'Ik ben nog niet vergeten dat ze mijn haar er bijna uitrukte', zei Annelore. 'Ik wil straks met Willy praten.'

'Ik ook', zei Dorien.

Annelore keek haar argwanend aan.

'Ga jij hem dan vertellen waarover we ruzie hadden?' vroeg Dorien. 'Ga je hem vertellen dat je in mijn gezicht gooide dat Aïsha een incestkind is?'

Annelores tanden schuurden onrustig over haar lippen. Er kwam een aarzeling op haar gezicht.

'Drie schoonmaakbeurten', zei ze uiteindelijk.

Dorien keek in Annelores ogen tot die als eerste knipperde.

'Goed', zei Dorien.

'Je vergeet mijn schoonmaakbeurt niet', zei Femke vlug.

Dorien kon het niet laten om te glimlachen. De bus naderde de halte en opeens begon iedereen te duwen.

'Ik wil graag weten hoe Aïsha's dag geweest is', zei Dorien terwijl ze zich liet meeslepen naar de deur van de bus.

Een fles water, een pak melk, drie potjes babyvoeding, een Marsreep... Terwijl ze op de pen knabbelde dacht Dorien na, maar het lukte niet omdat Aïsha bleef huilen.

'Wees toch eens stil, Aïsha', zei ze.

Dorien had een grote handdoek op het kleed uitgespreid en Aïsha op haar buikje gelegd.

'Waarom speel je niet met je hondje?' zei Dorien moedeloos. Ze bukte zich, nam een felblauw, plastic hondje en bewoog het voor Aïsha's ogen heen en weer. 'Kijk eens wat een lief hondje!'

Het huilen werd minder en Aïsha bleef het bewegende hondje met haar ogen volgen.

'Nu ga jij lief spelen', zei Dorien en ze stopte het hondje in een handje van haar dochter. Meteen grepen de vingertjes het speeltje. Terwijl Dorien zich oprichtte, liet Aïsha het hondje vallen en ze zette het opnieuw op een huilen.

'Je doet maar!' snauwde Dorien, maar het huilen sneed haar door de ziel. Ze nam nog eens haar lijstje door en schreef er nog babyshampoo bij. Uit haar portemonnee pakte ze een briefje van vijf euro.

Zou dat genoeg zijn? vroeg ze zich af. Ze stopte het bankbiljet weg en pakte toch een briefje van tien euro. Straks zou ze het geld en het lijstje aan Lies geven.

Dorien leunde achterover en trok de rugtas naar zich toe. Ze nam het studieboek Engels en legde het op tafel.

Morgen zeg ik tegen Lies dat ik een vertalend woordenboek nodig heb, ging het door haar heen. Ze legde het handboek open. 'Maar ik moet er wel op letten dat ik in de winkel een bonnetje vraag', zei ze hardop.

Ze zette haar ellebogen op het tafelblad en probeerde met haar handen tegen haar oren Aïsha's gehuil te negeren, maar het geluid sijpelde tussen haar vingers door.

'Stil toch eens, Aïsha! Mama moet grammatica leren, maar zo lukt het echt niet.'

Dorien raapte de fopspeen op die naast Aïsha op de handdoek lag en duwde die tussen de lippen van haar baby. Aïsha sabbelde even op de fopspeen en liet hem toen uit haar mond floepen.

O nee, daar gaan we weer, dacht Dorien verslagen. Ze stond op en tilde Aïsha van de handdoek. Het huilen hield op. Een tijdlang probeerde Dorien met de baby op haar arm de Engelse werkwoorden in haar geheugen te prenten, maar het lukte niet.

'Misschien wil je naar je bedje?' vroeg Dorien. 'Ik zal je eerst wassen, je verschonen, je pyjama aantrekken en dan naar bed. Wie weet heb ik dan eindelijk een beetje rust.'

In een sneltreinvaart had Dorien haar dochtertje voor de nacht klaargemaakt.

'Lekker slapen.'

Ze gaf Aïsha een smakkerd op de wang en legde haar voorzichtig in haar bedje. Ze lette erop dat haar armpjes boven het laken lagen.

'Alleen een laken is wel genoeg', zei Dorien meer tegen zichzelf dan tegen Aïsha. 'Zo koud is het niet.' Ze prikte speels met haar vinger in Aïsha's buikje. 'Stil zijn. Mama moet studeren.' Dorien dook weer in haar boeken. Onregelmatige werkwoorden. Het deed haar aan Lotte denken. Die had onwaarschijnlijke problemen met de Engelse grammatica.

Lotte, dacht Dorien. Die heeft nog niks van zich laten horen. Anna en Kasper ook niet. Zelfs niet eens een sms'je. Zouden ze niet weten dat ik een kind heb?

'Nonsens', zei ze binnensmonds terwijl ze wat geërgerd het boek een eindje van zich af schoof. 'Zo'n nieuwtje gaat vlug rond. En Fleur gaat naar dezelfde school. Het kan niet anders of ze hebben haar al gevraagd hoe het met mij gaat.'

Dorien liet gelaten wat lucht door haar neus ontsnappen. Vroeger dacht ze dat hun vriendschap eeuwig was, maar sinds ze van haar vroegere school was weggegaan, had ze alleen van Anna een keer een banaal sms'je gekregen om te vragen hoe het met haar was. Misschien voelden ze zich verraden omdat ze nooit had willen vertellen wat er gebeurd was.

Dorien tikte nadenkend met een pen tegen haar tanden. Zou ze zelf een berichtje sturen? Nee, het was beter om dat hoofdstuk af te sluiten.

'Nee, toch', kreunde Dorien toen ze een klagerig gezeur hoorde.

Ze kende haar dochtertje al goed genoeg om te weten dat er een nieuwe huilbui op komst was.

Zou ze soms ziek zijn? Dorien raakte opeens in paniek. Meteen verweet ze zichzelf dat ze niet eens aan die mogelijkheid had gedacht. Beschaamd haalde ze Aïsha uit haar bedje en liep met haar naar de woonkamer.

Lies haalde net enkele borden uit de vaatwasmachine en ze keek verrast op toen ze Dorien zag.

'Het is toch het knuffeluurtje, Dorien. Je moet met Aïsha op de kamer blijven en met je kind bezig zijn.'

'Ze huilt steeds', zei Dorien ongelukkig. 'Ik doe mijn best om haar stil te krijgen, maar ze begint telkens opnieuw. Zou ze soms ziek zijn?'

'Ze is nu toch stil', zei Lies terwijl ze naar Dorien liep. 'En eergisteren is ze nog door de kinderarts onderzocht.' Ze bekeek Aïsha wat nauwkeuriger en legde haar hand op het voorhoofdje. 'Ik geloof niet dat er iets aan de hand is. Misschien buikkrampjes? Of misschien heeft ze gewoon zin om wat te huilen.'

'Maar ik moet studeren!' riep Dorien wanhopig uit. 'Ik kan me niet concentreren. Kan ik haar niet bij jou laten tot ze slaapt?'

Lies keek Dorien nadenkend aan.

'Soms maak ik me zorgen om jou, meisje.'

Dorien keek haar begeleidster verwonderd aan.

'Waarom?'

'Over de manier waarop je met Aïsha omgaat.'

Dorien begreep het niet. 'Maar ik zorg toch goed voor haar', zei ze fel.

Lies keek haar een tijdlang aan, alsof ze haar woorden moest afwegen.

'Ik merk ook dat je goed voor Aïsha zorgt, maar ik mis blijheid als je met haar bezig bent.' Ze wachtte even. 'Komt het soms door Lukas?' vroeg ze zacht.

'Lukas?'

'Als je wilt, kunnen we erover praten.'

'Er valt niet over Lukas te praten', zei Dorien hard. 'Maar nu zou ik willen studeren. Mag ik Aïsha bij jou laten?'

'Neem haar maar mee naar je kamer. Straks hebben jullie een

halfuur om te bellen. Als ze daarna nog niet slaapt, dan breng je haar maar.'

Dat betekent een uur minder studeren, dacht Dorien, maar ze knikte. Ze liep met haar kind naar haar kamer. Aïsha huilde niet meer en ze greep zich aan een handvol haar vast.

'Aïsha!' riep Dorien streng. 'Niet doen. Dat doet pijn!' Ruw haalde ze het handje weg en ze merkte hoe Aïsha haar verward aankeek.

Misschien heeft Lies toch gelijk, ging het door Doriens hoofd. Misschien zie ik telkens die nacht weer als ik naar Aïsha kijk.

5.

Met fijne druppels viel de regen op mijn regenjasje en bleef op het plastic kleven. Fietsend trok ik de capuchon met een hand over mijn hoofd. Hier en daar stapte iemand van zijn fiets om een regenjas aan te trekken. Zoals alle andere ochtenden reed een lange rij van fietsers naar school. Met twee naast elkaar, met drie naast elkaar. De wind dolde onrustig over de weg en de meesten bogen hun hoofd over het stuur.

Lotte had haar hand op Kaspers schouder gelegd en liet haar fiets door zijn Suzuki meeslepen. Ze draaide haar hoofd om me wat toe te roepen, maar daardoor week ze een metertje uit. Iemand toeterde en ze greep snel haar stuur met beide handen vast.

'Waarom hebben mensen met een auto altijd zo'n haast!' riep ze me over haar schouder toe. Ze bleef pesterig op het autovak rijden en deed alsof ze het getoeter niet hoorde. Toen er geen tegenligger meer kwam, haalde de auto haar in en ik zag dat de chauffeur zijn middelvinger opstak. Met een brede glimlach zwaaide Lotte de auto na.

'Eikel!' schreeuwde ze, al kon de chauffeur het niet horen. Toch schoof ze terug naar het fietspad. 'Vooruit, Dorien, grijp ook een schouder van Kasper. Dan hoef je niet te trappen.'

Ik wuifde met mijn hand om haar duidelijk te maken dat ze met mij geen rekening hoefde te houden. Langzaam reden ze van me weg en ik peddelde rustig achter hen aan.

Ik was opgebrand. Avond na avond had ma op me ingepraat, hadden we ruzie gemaakt, was ik naar mijn kamer gevlucht. En in het weekend moest ik tegen ma en Peter opboksen. Soms had ik de indruk dat ma desnoods een kind zou aanvaarden, maar Peter...

Hij is tenslotte mijn vader niet, dacht ik nijdig terwijl ik Lotte en Kasper steeds verder zag wegrijden.

Nu kan het nog, Dorien, had ma gisteren gezegd. Ze had al meteen uitgevlooid dat ik me tot de veertiende week probleemloos kon laten aborteren.

'Probleemloos', spuwde ik uit. 'Voor haar, ja.'

Ik zag dat Lotte de schouder van Kasper losliet en zich liet afzakken.

'Wat heb jij toch? Kasper kan ons best allebei op sleeptouw nemen.'
Ik keek onder mijn capuchon vandaan recht voor me uit.
'Doe jij maar. Ik zie je wel op school.'
'Ik vind dat je al weken echt raar doet', reageerde Lotte geprikkeld. 'Vroeger zou je de eerste zijn om je door Kasper te laten voorttrekken.'
'Gewoon een slechte dag', snauwde ik venijniger dan ik bedoelde. 'Dat overkomt iedereen weleens, toch?' Niemand hoefde te weten wat er gebeurd was. Ik wilde niet dat iedereen me zielig zou nakijken. En misschien zouden ze zelfs denken dat het mijn stomme fout was omdat ik die nacht niet met hen naar huis was gereden. En als ik het aan Lotte vertelde... ik kon net zo goed een krant bellen.
'Een slechte dag? Slechte weken, bedoel je. Problemen thuis?' vroeg ze plotseling geïnteresseerd.
'Nee, hoor.'
Om van haar verlost te zijn hield ik op met trappen tot ik in een groepje eerstejaars verzeild raakte.
'Goh, je kunt soms zo'n fucking etter zijn.'
Boos reed ze weg, naar Kasper, die haar opwachtte. Ik zag dat ze wat tegen zijn valhelm schreeuwde en dat hij zijn hoofd schudde.

Bijna zwarte wolken werden door de westenwind opgestuwd en de regen zorgde voor plassen op het schoolplein. Hortensia's die het plein moesten opvrolijken, lagen plat in de zware, stenen potten.
Tijdens de pauze zorgde ik ervoor dat ik als laatste de klas verliet. Zonder iemand aan te kijken haalde ik mijn K-Way van de kapstok.
'Ga je naar buiten?' vroeg Anna. 'Ben je gek?'
'Ach, mens, bemoei je met je eigen zaken.'
'Ja, zeg. Sorry dat ik besta.' Met twee vingers voelde Anna aan haar neus. 'Gelukkig, ik heb hem nog. Ik vroeg het toch gewoon.'
Mevrouw Koene bleef met de sleutel in haar hand luisteren. Ze wilde naar de docentenkamer lopen, maar toen bedacht ze zich.
'Ga je naar buiten, Dorien? Met dit weer?'
Ik keek naar het venster. Tegen de donkere lucht gleden regendruppels van het glas.

'Waarom niet, mevrouw? Ik zal echt niet oplossen in het water.'

Vanuit een ooghoek zag ik dat Anna, samen met Lotte en Kasper, naar het overdekte plein liep. Ik wachtte tot ze een eindje in de gang waren en liep toen langzaam achter hen aan. Opeens voelde ik een hand die me tegenhield.

'Wil je ergens over praten?' vroeg mevrouw Koene.

'Nee.'

Waarom laat je me niet met rust, dacht ik en ik friemelde onrustig aan het koordje van mijn K-Way.

'Misschien moeten we dat toch maar eens doen. Kom tijdens de middag- pauze naar de klas. Rond halfeen. Ik zal er ook zijn.'

'Goed. Maar ik heb niks te vertellen.'

'Mooi. Dan praten we gezellig wat, toch?'

Ze kneep me bemoedigend in de arm en liep verder.

'Ook dat nog', mompelde ik.

De wind sloeg de regen in mijn gezicht toen ik de deur achter me liet dicht- klappen en de druppels priemden als dunne naalden op mijn huid. Het deed me goed.

Om tijd te winnen vouwde ik de aluminiumfolie waarin mijn boterhammen gewikkeld waren, in steeds kleinere stukjes. De klassieke drukte in de kan- tine, het gegons van stemmen, het gerammel van bestek... alles gleed van me af.

Hoewel Lotte gewoonlijk naast me zat, had ze er deze keer voor gezorgd dat Kasper als een buffer tussen ons zijn boterhammen opat.

Alsof ik aids heb, dacht ik. Lotte heeft iedereen vast al verteld dat er met mij niet te leven valt.

'Au!' Lotte tastte naar haar wang en ze zag een elastiekje op tafel vallen. Boos keek ze op. De jongelui bij het raam lachten hardop.

'Hé, Lotte!' riep een van hen. 'Heb je mijn elastiekje toevallig gezien?'

'Omdat ze in het laatste jaar zitten, denken ze dat ze alles mogen', gromde Lotte. Ze mikte het elastiekje op een van hen.

'Laat maar komen!' riep hij enthousiast terwijl hij uitdagend met zijn vingers wenkte.

Het elastiekje vloog door de kantine. De jongen pikte het handig uit de lucht en zonder te mikken schoot hij het meteen terug. Het elastiekje bleef in mijn haar hangen. Ik nam de gevouwen folie en stond op.

'Je laat je toch niet verjagen door zo'n stelletje eikels', zei Kasper.

'Dat kleutergedoe laat me koud', zei ik nijdig. 'Ik moet bij Koene zijn.'

'Bij Koene? Waarom?'

'Dat hoor ik daar wel.'

Ik kon niet snel genoeg uit de kantine zijn. Het regende nog steeds. Besluiteloos bleef ik staan. Ik had geen zin in een praatje met de docente, maar ik besefte dat ontsnappen niet mogelijk was. Ik keek naar de folie in mijn hand en liet het propje in een plas vallen.

De deur van de klas was nog dicht en ik zag 12.33 op mijn mobieltje. Ik hing mijn K-Way aan het haakje en keek de lege gang in.

Misschien was mevrouw Koene de afspraak vergeten. Ik kon weggaan en aan het gesprek ontsnappen. Ik greep naar mijn K-Way toen ik haastige voetstappen op de trap hoorde.

'Fuck!' vloekte ik binnensmonds.

Met wapperende jaspanden liep mevrouw Koene door de gang. Een beetje schuin door de zware boekentas in haar hand.

'Ha, Dorien, je bent er al.'

Ze klonk opgelucht. Ze knikte me toe en haalde met haar linkerhand een sleutelbos uit haar zak. Met een routinegebaar koos ze de juiste sleutel.

'Zo', zei ze toen de deur openzwaaide en ze me liet voorgaan.

Verweesd keek ik naar de lege tafeltjes. Het geluid van rennende voeten en het botsen van een basketbal op het speelplein drong door het raam.

'Waar moet ik...'

'Ga maar op je vaste plaats zitten.'

Mevrouw Koene zette haar boekentas op de grond, trok haar jas uit en legde die over een stoel. Ze zoog lucht door haar neus en haar mond.

Ik had een hand op het tafelblad gelegd en trok die vlug weg toen ze aanstalten maakte om op de tafelrand te zitten. Omdat ze blijkbaar niet wist hoe ze moest beginnen, bleef ze me secondenlang aankijken. Ik voelde de blik op mijn kruin, maar ik bleef naar het tafelblad staren. Op het formica stonden duizenden vervaagde penstreepjes kriskras door elkaar.

Raar dat me dat nog nooit is opgevallen, dacht ik. Ik begreep niet dat zoiets banaals door mijn hoofd kon gaan.

Mevrouw Koene schraapte haar keel.

'Ik hoorde toevallig dat je woorden had met Anna', klonk het zoekend.

'En?' vroeg ik zonder opkijken. 'Is dat zo vreemd?'

'Natuurlijk niet', zei ze. 'Het zou raar zijn als je nooit eens ruzie zou hebben. Maar...'

Er volgde een pauze. Ik keek vragend op, maar sloeg mijn ogen neer toen ik merkte dat ze me aankeek.

'Je bent anders geworden, Dorien', ging ze uiteindelijk verder. 'Vroeger was je meestal vrolijk, lacherig. Maar nu? Ik zie je soms in je eentje op het schoolplein rondhangen. En tijdens de lessen kun je zo afwezig zijn.'

Ik haalde mijn schouders op.

'En je schoolresultaten... Het schooljaar is nog niet lang bezig, maar ik heb de resultaten van je toetsen gezien. Bijna telkens onvoldoendes, en vroeger had je zulke fraaie cijfers. Ik weet dat je geen meisje bent dat zonder reden haar studie verwaarloost.'

Ze wachtte op mijn reactie, maar ik ging met het topje van mijn wijsvinger over de pennenstreepjes. Ik schrok op toen ik haar hand op mijn schouder voelde.

'Lukt het thuis allemaal wel? Heb je soms problemen met je moeder? Of met je stiefvader?'

'Nee, thuis is alles prima.' Ik hoorde mezelf liegen. 'Trouwens, ik zie mijn stiefvader alleen in het weekend.'

'Of is er iets anders? Je kunt het me gerust vertellen. Ik wil alleen helpen.'

Ik beet beverig op mijn onderlip.

'Wat is er dan, Dorien? Heb je ruzie met een vriendje?'

Ik schudde mijn hoofd. Het vocht in me. Misschien was het een opluchting als ik het iemand kon vertellen. Iemand die vond dat ik het kind zeker moest houden. En bij mevrouw Koene had ik altijd een goed gevoel gehad.

Ik haalde mijn hand van het tafelblad. Omdat ik de woorden niet over mijn lippen kreeg, streek ik over mijn buik.

Nee, het wordt vast nog moeilijker, ging het door mijn hoofd. Ik legde snel mijn hand weer op het tafelblad. Ik sloeg mijn ogen op en ze knikte me bemoedigend toe. Met haar wijsvinger tilde ze mijn kin omhoog.

'Kijk me eens in de ogen, Dorien.'

Ik richtte mijn blik op haar neus.

'Wanneer ben je voor het laatst ongesteld geweest?'

Ik voelde de prikkeling van tranen en mijn blik vluchtte weg. Ze legde een haarlok achter mijn oor.

'Hoe lang ben je al in verwachting?'

'Elf weken en twee dagen.'

'Weet je moeder het al?'

'Zoiets kun je niet blijven verbergen!' riep ik harder dan ik wilde. Ze knikte.

'Ze wil dat ik me laat aborteren. En Peter ook. Maar ik wil geen dode baby!'

'O', kon ze alleen zeggen.

G.

Er was een zacht windje en boven de daken hing het oranje schijnsel van de ondergaande zon. Hier en daar dreef een dunne wolk onmerkbaar verder.

Zaterdagavond.

Het was dezelfde bus, hetzelfde marktplein, dezelfde straten en toch leek de stad heel anders toen Dorien met een sprongetje van de onderste bustrede op de stenen terechtkwam. Ze voelde zich vreemd opgewonden. Alsof ze voor de eerste keer in Turnhout was, keek ze nieuwsgierig om zich heen. Op een zaterdagavond liepen er geen drommen jongeren naar de scholen, hing er geen rugtas op haar schouder. Vrolijke, uitgelaten jonge mensen waren gekleed om uit te gaan, droegen make-up of hadden met meer dan de gewone zorg gel in hun haar gewreven.

'En nu meteen naar De Revue', zei Annelore terwijl Emma als laatste uit de bus stapte.

Hoe lang is het geleden dat ik ging stappen, dacht Dorien.

'Heeft Michaël geen vriendje voor me?' vroeg Emma half grappend, half ernstig.

'Denk je dat we daarover praten tijdens het halfuurtje dat we elkaar berichtjes sturen?'

'Och, laat maar', zei Emma. 'Jongens zat. Misschien vind ik wel iemand die het met mij en Xander ziet zitten.' Ze werd opeens bloedernstig. 'Xander vraagt soms naar zijn papa, maar die etter wil ik nooit meer zien.' Haar ogen werden glazig terwijl ze verderging. 'Maar Xander heeft echt wel een papa nodig. Iemand die hem op zijn schouders tilt en huppelend met hem door de kamer loopt. Die later langs de zijlijn van het voetbalveld staat en juicht als hij heeft gescoord. Iemand die met mij naar ouderavonden op school gaat.' Emma wreef met haar handen over haar wangen. 'En ik heb ook een vader nodig', zei ze amper hoorbaar.

Vanuit een ooghoek loerde Dorien naar het meisje. Emma's achterste spande in een te smalle jeansbroek en het topje deed ook niet veel goeds voor haar figuur. Terwijl ze langs een winkel liep, bekeek Dorien zichzelf stiekem in de etalage. Haar rokje kwam tot halverwege haar dijen en ze zag tevreden hoe haar truitje over haar platte buik spande. Ze was er trots op dat er na zeven maanden niks meer te merken viel. Toch had ze geen kort truitje gekozen. In de spiegel had ze nog een paar vage striemsporen gezien, bijna onzichtbaar, maar toch wilde Dorien nog even wachten voor ze haar buik bloot liet. Het truitje liet wel haar schouders en rode behabandjes zien.

'Vanavond wil ik alles vergeten!' riep Emma uitbundig en ze lachte hardop. 'Vanavond wil ik een feest.'

Wie niet, dacht Dorien.

Haar dochter sliep toen ze de deur van haar kamer achter zich had dichtgetrokken.

Zorg voor een leuke avond, had Trudi, die nachtdienst had, gezegd, ik zal wel controleren of alles in orde is. En omdat ze haar kamer opgeruimd en schoon had achtergelaten, had ze zelfs haar mobieltje mogen meenemen.

Morgen wordt het weer studeren en met Aïsha bezig zijn, dacht Dorien. Ze beloofde zichzelf om van het avondje uit te genieten.

Aan beide zijden van de gevel waren kleine en grote spiegels als een glasraam in hoge, houten raamwerken geplaatst. In het voorbijlopen boog Dorien snel haar gezicht naar een spiegel en duwde overbodig tegen haar haar.

'Kom nou, Dorien!' riep Emma ongeduldig terwijl ze de deur openhield.

Aan het plafond hingen spots die het donker uit het café verdreven. Toch was het café niet licht, eerder schemerig. Een paar meter voorbij de deur speelden vier jongens verbeten een partijtje tafelvoetbal. Aan de linkerkant zag Dorien een lange bar, die eindigde in een ruimte waar de discobar opgesteld stond. Aan de rechterkant stonden houten barkrukken aan hoge tafeltjes. Een nummer van Bloc Party, het geluid van lachen en praten zorgden voor een gezellig, uitgelaten gevoel.

Dorien volgde Emma over de plankenvloer. Annelore was al doorgelopen en ze rekte haar hals om Michaël te vinden. 'Hij is er vast nog niet', zei ze teleurgesteld. Ze nam haar mobieltje uit haar tas. 'Tien over acht. We hadden om acht uur afgesproken.'

'Acht uur is natuurlijk waanzinnig vroeg als je gaat stappen', merkte Emma op.

'Als je om twaalf uur terug moet zijn in het tehuis heb je weinig keuze', zei Annelore wrevelig.

'Hij komt straks wel', probeerde Dorien haar op te beuren. Alsof ze wist dat Emma en Annelore haar zouden volgen, liep ze naar een vrijstaand tafeltje bij de houten lambrisering.

'Je kunt hier de deur goed in de gaten houden', zei Dorien toen Annelore haar schoorvoetend volgde. Ze legde haar ellebogen op de tafel en liet haar ogen over de gezichten in het café dwalen. Even verderop lag de dansvloer. Een parachutezeil was aan het plafond bevestigd. Hoewel het nog vroeg was, bewogen een paar meisjes op de muziek.

'Over een uurtje staat de dansvloer vol', voorspelde Annelore, die haar blik volgde.

Het was zalig om nog eens onbezorgd onder andere jongeren te zijn en Dorien nam gretig de omgeving in zich op. Aan de bar zaten wat jongens in een kringetje op barkrukken. Ze praatten en lachten soms uitbundig.

Een van hen droeg een T-shirt met een Pearl Jam-print. Hij nipte van een flesje Budweiser en veegde met de rug van zijn hand zijn lippen droog. Hij had lang, donker haar dat zijn schouders raakte en waarvan de helft over zijn gezicht viel. De jongen keek ernstig, maar toen hij om iets lachte vond Dorien hem meteen sympathiek. Hij had een lach die een straat vol mensen kon opvrolijken. Alsof hij voelde dat ze naar hem keek, draaide hij zijn hoofd in haar richting en ze keek meteen naar Annelores vingers, die ongeduldig op het tafelblad piano speelden.

'*Ik heb gehoord dat Cheyenne naar een pleeggezin moet*', ving Dorien op en ze was opgelucht dat ze zich op Emma kon concentreren.

'Naar een pleeggezin? Waarom?'

'Heb je soms prut in je ogen, Dorien?' zei Emma ongelovig. 'Je ziet toch ook dat Debby helemaal niet met dat kind kan omgaan. Trouwens, Debby vindt ook dat Cheyenne beter naar een pleeggezin kan gaan. Ze wil weer vrij zijn.'

Dorien schudde bijna onmerkbaar haar hoofd en keek Annelore vragend aan. Die deed alsof ze zomaar wat rondkeek, maar telkens als de deur openging, flitsten haar ogen naar de binnenkomers.

'Ik kan me niet voorstellen dat ik Aïsha zou afgeven.'

'Debby kijkt amper naar Cheyenne om. Lies moet haar steeds weer berispen.'

Dorien kon met moeite een glimlach verbergen toen ze zich herinnerde dat Annelore en Femke vonden dat Emma niet met Xander kon omgaan.

Zouden ze dat over mij ook vertellen? vroeg ze zich opeens af. Ze schudde bijna onmerkbaar haar hoofd. Niemand kon haar verwijten dat ze haar best niet deed.

Boven hun hoofd hing een schoolbord waarop met krijt *Bacardi Breezer Lemon – vier euro* geschreven stond.

'Dat ga ik nemen', zei Emma beslist terwijl ze naar het bord wees.

'Vier euro', zei Dorien. 'Ben je gek?'

'Vanavond wil ik eens écht leven!' riep Emma uitbundig. 'Vanaf morgen moet ik weer krenterig zijn.' Ze wenkte een vrouw die van een naburig tafeltje een paar lege glazen weghaalde.

'Wat mag het zijn?'

'Bacardi lemon', zei Emma meteen.

'Cola', zei Dorien.

'Een Bud. Zonder glas', zei Annelore zonder aarzelen.

Dorien keek haar vreemd aan.

'Dat drink ik altijd als ik hier met Michäel ben.'

'Kom je hier vaker? Wanneer dan?'

'Er bestaat zoiets als een middagpauze op school', zei Annelore met een triomfantelijke grijns.

'Dan moet je toch op school blijven!'

'Je moet zoveel.'

Dorien keek naar Emma, maar die leek helemaal niet verrast. Ze kon het niet helpen, maar bijna automatisch ging haar blik weer naar de jongen met het Pearl Jam-T-shirt. Hij zette zijn biertje op de bar, zei wat tegen zijn vrienden, liet zich van de barkruk glijden en liep naar de achterkant van het café. Omdat hij een paar dansers moest ontwijken, liep hij rakelings langs Dorien. Er verscheen een zweem van een glimlach op zijn gezicht en ze glimlachte terug. Ze draaide haar bovenlijf om en zag dat hij langs de dansvloer naar het toilet verdween.

Omdat ze bang was dat Emma of Annelore iets plagends zou zeggen, draaide ze haar hoofd meteen terug naar het café. Door het raam zag ze dat een paar motorfietsen bij het café stopten. Ze dacht het silhouet van Michaël te herkennen. Annelore had haar blik gevolgd en leek helemaal op te knappen. Ze rechtte haar rug en streek vlug met een hand door haar lokken. Even later ging de deur open.

'Michaël!' riep Annelore opgelucht en ze wenkte hem met haar arm.

Drie jongens volgden in zijn spoor toen Michaël naar hun tafeltje kwam. Hij legde zijn valhelm tegen de muur en sloeg zijn armen rond Annelores middel.

'Je bent zo laat', verweet Annelore hem goedmoedig tussen twee stevige kussen door.

'Ken moest zijn zus op zijn motorfiets meenemen en je kent meisjes...' Hij grijnsde en gaf Dorien een samenzweerderig knipoogje. 'Voor die opgetut was.'

Hij knikte met zijn hoofd naar een jongen die achter een meisje aanliep. Toen het meisje haar terloops aankeek, knikte Dorien haar toe. Ze zag het meisje weleens op het schoolplein.

'Dat is zijn zus?' vroeg Emma en ze bekeek de jongen plotseling met heel wat meer interesse.

'Wat drink je, Michaël?' vroeg Ken.

'Zoals altijd', antwoordde Michaël.

Ken legde zijn helm onder de tafel en liep naar de bar om te bestellen. Dorien nipte van haar cola.

'Ik heb een afspraak met een paar vrienden uit mijn klas', zei Kens zus tegen niemand in het bijzonder. 'Vertel jij Ken dat hij me niet vergeet als hij straks naar huis rijdt?'

'Zou hij dat durven?' vroeg Michaël plagerig.

'Zeker weten.'

Ze liep naar achter in het café. Met het glas cola aan haar mond draaide Dorien zich om te zien wie haar vrienden waren, toen iemand in haar rug stootte. De cola spatte in haar gezicht en op haar truitje.

'Verdomme!' Met een ruk keerde ze zich om. De jongen met het Pearl Jam-shirt stond voor haar en hij keek bedremmeld naar haar natte gezicht en de vlekken op haar truitje.

'Kon je niet uitkijken, lul!' riep Emma verontwaardigd.

'Ssst...' siste Dorien, maar Emma hoorde haar niet.

'Sorry', zei hij, helemaal in de war. 'Ik wilde naar de bar lopen en een danser duwde tegen me aan. Maar je draaide je ook onverwachts om', voegde hij er een tikkeltje verwijtend aan toe.

'Ja, geef Dorien maar de schuld', snauwde Emma, maar Dorien dwong haar met haar ogen om te zwijgen.

'Ik haal een andere cola voor je', zei hij vlug en hij baande zich een weg naar de bar.

Dorien voelde dat ze werd bekeken en ze legde haar ellebogen op het tafeltje om de vlekken te verstoppen. Ze kon wel door de grond zinken van schaamte.

'Wat is er gebeurd?' vroeg Ken toen hij met twee flesjes Bud terugkwam.

'Heb je het dan niet gezien?' vroeg Emma. 'Zowat iedereen zag hoe die loser Dorien aanstootte zodat de cola over haar heen spatte.' Hij volgde haar blik naar de bar. 'Die jongen met zijn zwarte T-shirt.'

'O, Martin', zei Ken. 'Die zit bij ons op school. Een jaartje hoger. Dan was het vast een ongelukje. Martin zou zoiets nooit met opzet doen.'

Seconden later bracht Martin een cola. Zijn gezicht stond bedrukt, maar hij fleurde op toen hij zag dat Dorien even lachte.

'Je cola', zei hij. 'Ik vind het echt vervelend. Hoe is het met je truitje?'

'Dat valt wel mee', deed Dorien luchtig.

Martin bleef onhandig dralen.

'Mijn moeder zou het kunnen wassen, maar ik kan moeilijk vragen om je truitje uit te trekken', zei hij een beetje slungelachtig.

'Nee, dat zou nogal gênant zijn', zei Dorien vrolijk.

Er kwam een bedenkelijke trek op zijn gezicht.

'Is het een duur truitje?'

'Niet echt', zei ze terwijl ze bedacht dat ze het voor een halve euro had gekocht in het kelderwinkeltje van het tehuis. 'Als ik er de vlekken niet kan uitwassen, laat ik het je weten.'

'Hoe?' vroeg hij gretig.

'Geef me het nummer van je mobieltje.'

Dorien haalde haar toestel uit haar tas. Ze prees zich ontzettend gelukkig dat ze haar mobieltje had mogen meenemen. Terwijl Martin de cijfers opnoemde, toetste ze het nummer in het geheugen.

'Laat je nog iets horen?' bedelde hij wat overdreven. 'Ook als de vlekken verdwijnen?'

Dorien zei niks, maar haar mondhoeken krulden vrolijk omhoog.

Rond halfelf was het café aardig volgelopen. Annelore en Michaël waren in het gewriemel op de dansvloer verdwenen. Alsof het allemaal toevallig gebeurde had Emma haar hand op Kens arm gelegd terwijl ze honderduit tegen hem kwebbelde. Soms schurkte ze met haar schouder tegen hem aan als ze moest lachen.

Dorien had binnenpretjes toen ze merkte dat de jongen vast te verlegen was om aan Emma's opdringerigheid te ontsnappen. Hij knikte bij alles wat ze vertelde en soms keek hij Dorien aan met ogen die smeekten om hem van Emma te verlossen.

Af en toe loerde Dorien naar Martin, die weer bij zijn vrienden aan de bar zat en toen hij een keertje in haar richting keek, glimlachte ze.

Als hij nu eens naar de dansvloer ging, dan zou ik naast hem kunnen dansen, hoopte Dorien toen hun blikken elkaar weer raakten. Al leek hij haar een jongen die pas na een reeks biertjes durfde te dansen.

'O, *Sexyback* van Justin Timberlake!' riep Emma opgewonden toen ze het liedje herkende. 'Je moet melk in je aders hebben om dan op je barkruk te blijven. Nu moeten we dansen, toch?'

Zonder op een antwoord te wachten, greep ze Kens hand en sleepte de onthutste jongen naar de dansvloer. Daar legde ze een hand om zijn middel en begon heupwiegend tegen hem aan te dansen.

Zou ze echt denken dat hij een vader voor Xander kan zijn, dacht Dorien.

Met belangstellende ogen keek ze naar de jongens en de meisjes die zich op de muziek lieten gaan. Ze vond het heerlijk om gewoon eens zorgeloos in een jongerencafé te zijn. Met één been bewoog ze op de muziek en ze deinde onwillekeurig met haar hoofd.

Hoe zou het met Aïsha zijn? flitste het opeens door haar hoofd. Ach, die slaapt en als er iets aan de hand was, zou Trudi vast bellen.

Ze keek nog eens naar de bar en voelde zich fantastisch toen zijn ogen haar net op hetzelfde moment zochten. Ze verwenste zichzelf omdat ze niet het lef van Emma had.

Ze nipte nog eens van haar cola en verslikte zich bijna toen ze merkte dat Martin met een flesje bier in zijn hand naar haar tafeltje liep.

Samen met de jongens aan de bar had Martin een rockgroepje opgericht. Hij speelde basgitaar. *'We spelen vooral covers van Nirvana, dEUS, Pearl Jam en The Pixies, maar zelfs in onze straat zijn we nog niet bekend'*, had hij er met een onschuldige grimas aan toegevoegd.

Dorien had vooral geluisterd en ze kon nog uren naar hem luisteren.

'Jouw vriendin is Ken aan het versieren', zei Martin. Met een knikje wees hij naar de dansvloer, waar Emma haar armen rond Kens schouders had geslagen en ze overdreven heftig haar buik tegen hem aan drukte.

Zou het passie of berekening zijn? vroeg Dorien zich af toen Emma schijnbaar spontaan met haar hand zijn hoofd vasthield boven haar borsten.

Opeens voelde Dorien haar hart samenkrimpen. Ken was een bekende van Martin en misschien zou die hem vertellen dat ze met Aïsha in het tehuis woonde.

'Is hij een vriend? Ken, bedoel ik?' vroeg ze voorzichtig.

'Geen vriend', zei Martin. 'We woonden vroeger in dezelfde straat, maar sinds zijn ouders gescheiden zijn, woont hij in een andere wijk. Ik weet zelfs niet eens waar hij woont. En we hebben trouwens onze eigen vrienden.'

Dorien knikte tevreden. Ze kon Martin nu niets over Aïsha vertellen. Door aan haar dochtertje te denken, greep ze automatisch haar mobieltje. Misschien had Trudi een sms'je gestuurd?

'Oei, is het al zo laat!' schrok ze.

'Laat?' vroeg Martin verbaasd. Hij greep haar hand en keek op haar mobieltje.

'Tien over elf? Dat is toch niet laat? Het feest moet nog beginnen.'

'We mogen de bus niet missen', zei Dorien. De teleurstelling droop van haar gezicht.

'Moet je al weg? Je lijkt wel Assepoester.'

'Wie weet?' probeerde ze luchtig te klinken. 'Maar we moeten de laatste bus echt halen.'

'De laatste? Op dit uur?'

Ze wist niet of het wel de laatste bus was, maar gelukkig was het iets dat hij ook niet wist.

'Waar woon je dan?'

'In Kasterlee.'

Ze was opgelucht omdat hij niet vreemd reageerde. Tenslotte wonen er ook andere mensen in Kasterlee, dacht ze. En misschien kent hij het tehuis niet eens.

'Bel je me nog?' vroeg hij met een intense blik.

'Misschien', zei ze terwijl ze haar mobieltje in haar schoudertas stopte. Maar met een vluchtig kusje op zijn wang wilde ze hem geruststellen. 'Ik moet nu Emma en Annelore vinden', zei ze opeens haastig.

Ze draaide zich naar de dansvloer en rekte haar hals om de twee meisjes te zoeken. Ze zag hoe Emma met heftige bewegingen op de beat bewoog. Dorien slalomde tussen de dansers door en greep Emma bij de arm.

'We moeten vertrekken. We hebben nog maar een paar minuten.'

Emma glom van het zweet en ze keek boos naar Dorien alsof het haar fout was dat ze De Revue moest verlaten.

'Het was net zo gezellig.' Ze bewoog uitgelaten in de richting van Ken, die wat verderop danste. Haar gezicht betrok toen ze merkte dat hij al dansend wat naar een ander meisje riep en lachte.

'We moeten gaan!' riep Emma boven de muziek uit. Het was een afknapper toen hij alleen maar knikte. Somber keerde ze terug naar Dorien.

'Ik kan Annelore nergens vinden', zei Dorien nerveus.

'O ja, die vertelde me dat Michaël haar met zijn Aprilia zou brengen.'

Ze liepen naar de uitgang en toen ze langs de bar liep ontmoetten haar ogen die van Martin en haar lippen vormden een kus.

Het was fris buiten en Dorien rilde toen ze in haar truitje naar de bushalte liep.

'Ik denk wel dat Ken me zal bellen', zei Emma. Haar stem klonk vol twijfels.

'Ik denk het ook', zei Dorien. Ze begreep niet dat Emma niet inzag dat Ken veel te knap was voor haar.

Zou Emma zo wanhopig op zoek zijn naar een vader voor Xander? Dan zal ze toch haar verwachtingen wat bij moeten stellen. Iedereen zegt wel dat het innerlijke belangrijker is dan het uiterlijke, dacht ze, maar in werkelijkheid is het anders.

'Misschien botste die jongen met opzet tegen je aan', zei Emma opeens.

'Denk je?' vroeg Dorien verrast. Ze schudde haar hoofd. 'Zo'n type is Martin niet.'

Dorien trok aan de zoom van haar truitje. De cola had donkere, bruine vlekken op haar truitje achtergelaten. Toch zat er een vrolijk, zweverig gevoel in haar hoofd. Door die vlekken had ze Martin leren kennen en ze kon niet wachten om hem te bellen. Op zondag mocht ze de hele dag haar mobieltje bij zich hebben.

'Ik hoop maar dat Annelore om vijf voor twaalf in het tehuis is', zei Emma.

Dorien reageerde niet.

Ik stuur Martin straks al een berichtje, beloofde ze zichzelf. En pas toen dacht ze aan Aïsha.

Anders duurden de weekends in het tehuis eindeloos lang, maar met Martin in haar hoofd leek de zondag helemaal niet saai. Zeker nu een felle oktoberzon ervoor zorgde dat het een mooie septemberdag leek.

Zalig, dacht Dorien terwijl ze onder het zonnescherm languit op haar zij in het gras lag. Haar hoofd lag op haar arm en geboeid keek ze hoe Aïsha het grasveld ontdekte. Terwijl Femke, Suzanne en Anouk bij de deur een sigaret rookten, speelden hun kinderen in de zandbak, die midden in het grasveld was aangelegd. Annelore had Timo halverwege de plastic glijbaan neergezet en terwijl ze hem aan de hand vasthield, liet ze hem naar beneden schuiven.

In de open deur zag Dorien dat Emma en Simone in de wasruimte bezig waren. Emma kwam met een emmer naar buiten en ze trok een zuur gezicht. Dorien lachte.

Vanuit een ooghoek zag ze dat Aïsha wat grassprietjes naar haar mond bracht. Meteen ging ze rechtop zitten.

'Aïsha! Niet doen! Vies!' Ze opende Aïsha's vingertjes en veegde de grassprietjes weg.

'Dorien! Pas op!' hoorde ze opeens.

Dorien keek op en zag hoe Femke met een emmer in haar richting liep. In een oogwenk kwam ze overeind en ze holde op haar blote voeten naar de deur. Binnen was ze veilig, maar dan moest ze in een boog om Femke heen lopen. Femke begreep meteen wat ze van plan was. Ze sneed Dorien de weg af, bleef staan en kieperde het water over Dorien. Het water spatte op Doriens rug. Als bevroren bleef ze staan en ze rekte haar lijf uit.

'Brr... Koud. IJskoud!' riep ze rillerig. Ze draaide zich om haar as en zag hoe Femke het uitschaterde.

'Hier, Dorien!' riep Emma, die in de deuropening stond en een emmer uitnodigend naar Dorien uitstak.

Zonder na te denken snelde Dorien naar haar toe, griste de emmer uit haar handen en achtervolgde Femke, die gillend over het grasveld wegvluchtte. In een grote bocht liep Dorien om het meisje heen en drong haar naar een hoek van het gebouw waar geen ontsnappen meer mogelijk was.

'Niet doen!' riep Femke terwijl ze haar handen verdedigend voor zich uitstak.

Dorien grijnsde en zwierde het water over het meisje heen.

'Dat zet ik je betaald!' lachte Femke en meteen holde ze naar de deur van de wasruimte, waar Emma emmers op de drempel had gezet. Naast de deur was een waterkraantje in de muur bevestigd en Femke vulde een emmer.

Het spelletje werkte aanstekelijk. Lacherig drukten de meisjes hun sigaretten uit en even later holden ze zigzaggend met emmers water achter elkaar aan.

Iedereen was kleddernat toen Femke als eerste bleef staan, haar emmer liet vallen en hijgend haar armen in de lucht stak. Berustend liet ze door Emma nog een laatste golf water over zich heen kieperen.

'Jezus, dat was leuk!' riep Dorien. Ze liet zich uitgeput naast Aïsha in het gras vallen. 'Heb je gezien hoe mama's soms spelende meisjes zijn?' vroeg ze en ze haalde weer grassprietjes uit Aïsha's mond.

Een na een verdwenen de meisjes naar binnen om droge kleren aan te trekken.

Dorien sloeg met haar hand op haar natte T-shirt. 'Mama moet ook naar haar kamer. Blijf jij mooi wachten tot ik terug ben?'

Haar dochter keek haar vragend aan.

'Of nee, je zult toch weer grassprietjes in je mond stoppen.'

Ze tilde Aïsha op en met beide handen hield ze het meisje een eindje voor zich uit om haar kleren niet nat te maken.

In een zomers, mouwloos jurkje trok Dorien de deur achter zich dicht. Speels droeg ze Aïsha onder haar arm en toen ze langs Emma's kamer kwam, ging de deur open.

'Ga je naar het grasveld?' vroeg Emma.

'Nee hoor. Ik ga de buggy halen en dan gaan we nog een eindje wandelen. Ik wil nog genieten met haar van de laatste mooie dagen van het jaar.'

'Ik ga mee', zei Emma meteen.

'Goed', zei Dorien wat futloos, maar Emma merkte het niet. Dorien had liever in haar eentje gewandeld, gewoon met haar gedachten bij Martin.

Ze liepen door de hal. Emma bleef opeens staan toen ze een man en een vrouw op de bank zag zitten. Debby stond stijf als een plank naast de bank en alsof Cheyenne voelde dat er iets met haar zou gebeuren, klemde ze met beide armen Debby's been vast. Willy zat ook in een fauteuil en hij praatte met het koppel.

'Dat zijn de pleegouders van Cheyenne', fluisterde Emma.

Dorien knikte. Ze had het koppel al in het tehuis gezien voor een kennismakingsgesprek met Debby.

'Shit! Hoe kon ik vergeten dat Cheyenne vandaag weggaat?' fluisterde ze.

Een kwartiertje geleden had ze gelachen en zich vermaakt met het waterspelletje, ze had geen ogenblik aan Debby en Cheyenne gedacht. Ze voelde zich schuldig. Haar ogen bleven gefixeerd op het beeld van de vrouw met de vrolijke kinderen. Zoals bijna alle meisjes had Debby zich vast een toekomst als een gelukkige moeder met leuke kinderen voorgesteld. En nu...

'Zullen we dan maar?' stelde de man voor. Hij stond op en reikte naar Cheyenne. Het meisje klampte zich nog steviger vast aan Debby's been.

'Kom, Cheyenne', zei de vrouw zacht. 'We gaan naar jouw nieuwe thuis.'

Debby haalde diep adem en maakte de handjes los.

'Ga maar met Ella mee.'

Dorien hoorde dat haar stem vreemd klonk. Opeens had ze medelijden met Debby. Ze hadden elkaar nooit kunnen luchten, maar dit vond ze verschrikkelijk.

'Beter de korte pijn', zei de man.

Ook Willy stond op.

'Je kunt haar altijd bezoeken, Debby', probeerde hij het afscheid draaglijk te maken.

Mechanisch als een pop knikte Debby. Met doffe ogen zag ze hoe de vrouw Cheyenne op haar arm nam en haar met sussende woordjes probeerde gerust te stellen. Haar man tilde de koffer van de vloer en liep naar de voordeur.

Met een snik nam Debby Cheyennes hoofd tussen haar handen, kuste haar voorhoofd en holde weg. In de deuropening duwde ze Dorien ruw opzij en verdween naar haar kamer. Iedereen keek haar met een bezorgd gezicht na.

'Afscheid nemen is altijd moeilijk', zei de vrouw hoofdschuddend.

'Ze weet ook dat het beter is voor Cheyenne, maar ja... het is toch een stuk van jezelf dat je afgeeft. Ik zal straks wel met haar praten', zei Willy en hij zuchtte.

H.

Met een hand sloeg Aïsha het lepeltje met spinaziepuree weg zodat het goedje op het shirt van Dorien terechtkwam.

'Aïsha!' zei Dorien streng, maar het had geen effect op haar dochter. Aïsha rekte zich uit en probeerde met gestrekte arm Simones soepbord te grijpen. Om haar mond, haar kin en haar neus zaten klodders puree.

'Niet doen', zuchtte Dorien. Ze had er genoeg van Aïsha op schoot te houden.

Simone glimlachte.

'Aïsha zit vanavond vol leven', zei ze vergoelijkend terwijl ze Diego wat soep gaf. Haar zoontje zat naast haar in een kinderstoel en keek geïnteresseerd om zich heen naar de meisjes en de kinderen die om de tafel zaten.

'Ik hoop dat ze straks wat rustiger is. Ik moet echt studeren.'

'Als ze zo actief is, zal ze straks moe zijn en vlug in slaap vallen', probeerde Emma haar op te monteren.

'Misschien', zei Dorien terwijl ze met de punt van het slabbetje de aangekoekte puree van Aïsha's gezicht wreef.

'Hallo', zei Anouk terwijl ze wat bij de koelkast draalde.

'Waar is Melanie?' vroeg Lies. Ze keek naar de deur alsof het meisje elk ogenblik kon verschijnen.

'Op mijn kamer.'

'Moet je niet koken?'

Anouk deed of ze Lies niet hoorde en nam het lepeltje dat naast Doriens bord lag. Ze schepte wat lasagne op. 'Lekker', zei ze terwijl ze het lepeltje aflikte.

'Heeft Melanie al gegeten?' vroeg Lies.

'Ik heb geen zin om te koken', zei Anouk verveeld. 'Mag ik geen bord lasagne meenemen? Dan deel ik het met Melanie.'

'Je mag geen eten meenemen', zei Lies streng. 'Vooruit! Naar je studio!'

'Ik weet niet wat ik moet klaarmaken', probeerde Anouk zwakjes.

'Trek de deur van de koelkast open en dan vind je vast iets. En anders loop je nog vlug naar de winkel.'

Anouk zuchtte en slofte naar haar studio.

Silvana, die aan het eind van de tafel zat, had het tafereel verbaasd gevolgd. Het meisje was stil en ze bracht met lange tussenpozen haar vork met lasagne naar haar mond. Haar andere hand liet ze op haar bolle buik liggen alsof ze haar kindje wilde afschermen van de drukte.

Dorien herkende het schuwe gedrag van een nieuwkomer. Ook Silvana moest haar plaats in de groep nog vinden. Kort nadat Cheyenne met haar pleegouders was weggegaan, had ook Debby het tehuis verlaten. Ze woonde nu bij haar grootmoeder in Brussel.

Dorien kon zich niet voorstellen dat ze ooit bij haar grootouders zou wonen, maar ja... Debby had niemand bij wie ze terechtkon en de jeugdrechter vond haar niet rijp om alleen te wonen.

'Voor wanneer is het?' vroeg Simone.

'Nog achttien dagen', zei Silvana stilletjes. Automatisch streek ze over haar buik.

'Kon je niet thuis blijven?'

'Met mijn moeder heb ik al jaren geen contact meer en met mijn vader klikt het niet meer omdat ik mijn kind wil houden.'

Dorien keek op. Ze herkende de situatie en ze vond Silvana plotseling sympathiek.

'En jouw vriendje?' hengelde ze.

Sylvana grijnsde zuur. 'Eerst zei hij dat het welkom was, maar dat het ongelegen kwam. Later wilde hij...' Ze zweeg even. 'Later wilde hij dat ik me liet aborteren omdat hij nog naar school gaat en in zijn vrije tijd liever met zijn vrienden uitgaat. Hij wilde zijn jonge leven niet laten verknoeien door een kind.' Ze streelde weer over haar buik.

'Ben je het al een beetje gewend?' vroeg Lies.

'Dat lukt wel', zei ze. 'Ik ken jullie namen al. Het meest vervelende is dat ik nog zo weinig kan uitrichten. Het niksen, het wachten...' Haar lippen maakten een pruttelgeluid en iedereen moest lachen. Ze wisten precies wat Silvana bedoelde.

'Als het kind er eenmaal is, zullen de dagen vlugger voorbijgaan.' Lies draaide zich om en legde een vinger op de takenlijst. 'Emma en Dorien zijn vanavond aan de beurt om de tafel af te ruimen.'

'Kan ik niet een keertje ruilen?' vroeg Dorien terwijl ze vragend de tafel rondkeek. 'Ik moet Aïsha's kleertjes nog wassen. Anders heeft ze morgen niks om aan te trekken en ik moet nog heel wat aan mijn huiswerk doen.'

Iedereen zweeg.

'Ik zal dan morgen de tafel afruimen', probeerde Dorien. 'Simone?'

'Ik heb vorige week met jou geruild', zei Simone. 'Je bent me die beurt nog altijd schuldig en ik moet Duits studeren. Sorry.'

Om een verdere discussie te vermijden stond Simone op en tilde Diego uit zijn stoel.

'Iemand anders?' smeekte Dorien.

De meisjes antwoordden niet. Met hun kind op hun arm of achter zich aan dribbelend verdwenen ze naar hun kamers of gingen ze naar buiten om een sigaret op te steken.

'Ik zal wel afruimen', zei Silvana spontaan.

Een echte nieuweling, dacht Dorien.

'Prima. Dan heb je wat te doen', ging ze meteen akkoord.

Silvana stond op en raapte het bestek bij elkaar.

'Ik zal helpen', zei Lies.

'Ik moet altijd afruimen als er aangekoekte pannen zijn', zeurde Emma.

'Tja, die kunnen niet in de vaatwasmachine', zei Lies.

Met een zucht draaide Emma de kraan open. Dorien nam Aïsha op en verdween zwijgend naar haar kamer.

De handjes van Aïsha kriebelden tegen haar been terwijl Dorien probeerde om de kenmerken van een Ionische zuil in haar hoofd te prenten. Zonder haar ogen van de tekst te halen, duwde ze met haar hand de vingertjes van haar been weg. Meteen voelde ze een handje aan haar enkel.

'Nee, zo kan het echt niet, Aïsha.'

Dorien stond op. Ze pakte Aïsha onder de oksels.

'Hopla!' deed ze opgewekt en met een grote zwaai belandde het meisje een paar meter verder op het kleed. Ze bleef enkele seconden verbaasd rondkijken alsof ze niet begreep wat er gebeurd was.

'God, nee', mompelde Dorien geërgerd toen ze het gezeur herkende dat meestal aan een huilbui voorafging. Ze stopte haar vingers in haar oren en probeerde zich weer op de tekening van de Ionische zuil te concentreren.

Aïsha zette het op een huilen en kroop weer naar Dorien toe.

'Nee, zo lukt het echt niet!' wond Dorien zich op. 'Ik word gek van dat kind.' Ze keek naar Aïsha, die rood aanliep van het brullen. En opeens zag Dorien weer de beelden van die zaterdagnacht.

'Hou je kop, rotkind!' schreeuwde ze. Ze duwde haar stoel achteruit, nam het meisje op en schudde het door elkaar. 'Door jou ben ik in deze ellende terechtgekomen!'

Meteen had ze spijt van haar woede-uitval. Ze legde het kind met het hoofd tegen haar schouder en ze huilden allebei. Met haar schouder probeerde Dorien haar tranen weg te vegen. Uiteindelijk zweeg Aïsha.

'We kunnen het misschien op deze manier proberen', stelde Dorien voor. Ze schoof op haar stoel en zette haar dochter op haar schoot.

'Als je stil bent mag je hier blijven zitten, dan kan mama nog wat over die zuilen leren. Kijk maar goed, later moet je dat ook allemaal in je hoofdje prenten.'

Even bleef Aïsha zitten, maar toen gleden haar vingertjes over de tafel. Een stapeltje papier fladderde op de vloer.

'Aïsha! Ik heb morgen een toets, weet je! Als je niet rustig kunt zijn, dan moet je maar naar je bed.'

Ze hielp haar dochtertje overeind en met een vinger voelde ze in de luier.

Zal ik haar eerst wassen? vroeg Dorien zich af.

Ze zag de papieren die op de vloer lagen. Ze trok het dekentje achteruit, legde Aïsha op haar rug in bed en stopte het dekentje onder haar oksels. Ontmoedigd raapte ze de papieren op, legde ze weer op volgorde en maakte er met een paar tikjes tegen de tafel een nette stapel van.

'Nu terug naar mijn boek', mompelde ze.

Er werd op de deur geklopt en meteen ging de klink naar beneden. Met een plastic mand onder haar arm verscheen Lies in de kamer.

'Ik begrijp niet hoe de meisjes erin slagen om elke dag zoveel spullen te laten rondslingeren', zei ze ongelovig. 'Wil je eens kijken of er iets van jou bij is?'

Lies zette de mand op de grond en hield sokjes, hemdjes, fopspenen... omhoog.

'Nee, niks', zei Dorien.

'Aïsha huilt', merkte Lies op terwijl ze het laatste hemdje in de mand liet vallen.

'Al sinds we in de kamer zijn', zei Dorien op een klaagtoon. 'En ik moet studeren.'

'Het is nu het knuffeluurtje', zei Lies. 'Je moet nu met je kind bezig zijn.'

Dorien stak protesterend haar handen in de lucht. 'Maar ik heb nog onwijs veel schoolwerk. Ik haal het nooit op deze manier.'

'Tja.' Lies liep naar het bedje en streelde over Aïsha's armpjes. Daarna nam ze het meisje uit het bed en suste haar. Na een tijdje hield het huilen op.

'Misschien krijgt ze een tandje. Jammer dat ze ons niet kan vertellen wat er aan de hand is.' Met het topje van haar wijsvinger peuterde ze Aïsha's lippen een eindje open en probeerde in haar mondje te kijken. 'Ik zie nog niks.'

'Als je haar neerlegt, begint het weer', voorspelde Dorien somber. Opeens keek ze Lies vragend aan. 'Kun jij niet een tijdje op haar letten? Dan kan ik tenminste studeren.'

Lies zette Aïsha wat comfortabeler op haar arm en keek beurtelings van Aïsha naar Dorien.

'Jij hoort eigenlijk met jouw kind bezig te zijn. Maar voor een keer kan het wel. Ik zal haar mee naar de woonkamer nemen. Maar over een halfuurtje moet je haar verzorgen en haar in bed leggen.'

Dorien knikte opgelucht. Ze wilde alles beloven om even rust te hebben.

Iedereen schaterde het uit toen Anouk met een wc-borstel als een microfoon de kamer inliep en met overdreven gebaren 'lief klein konijntje had een vliegje op zijn neus' zong. Het klonk onwaarschijnlijk vals, maar dat deed hen nog harder lachen.

'Nee, niet doen!' riep Lies toen Anouk hen na haar liedje met de borstel zegende.

Iedereen dook weg voor de rondvliegende druppels.

'Eruit!' riep Femke.

Terwijl ze hun hoofden met hun armen beschermden, duwden Femke en Dorien het meisje de deur uit.

'En nu mobieltjestijd', zei Lies. Met een sleutel opende ze de kast en ze pakte het bakje met de toestellen eruit.

Terwijl de meisjes zich om haar schaarden en elkaar wegduwden, zette ze het bakje op het bureaublad. Tussen de grabbelende handen pikte Dorien haar mobieltje eruit.

'Sms'jes van Martin en Lukas', mompelde ze opgetogen. En net als de andere meisjes verdween ze uit de kamer om in de hal een rustig hoekje te zoeken. Het liefst was ze naar haar kamer gegaan, maar Aïsha was eindelijk in slaap gevallen en ze wilde haar echt niet wakker maken.

Het was meer dan een week geleden dat ze nog iets van Martin had gehoord en eigenlijk was ze bang dat hij uit haar leven zou verdwijnen. Misschien had hij van iemand gehoord dat ze een kind had. Of misschien hield hij het na een avond wel voor bekeken. Dorien had dikwijls op het punt gestaan om hem een berichtje te sturen, maar ze wilde ook niet dat hij zou denken dat ze heel gemakkelijk te krijgen was. Ze was Emma niet. Ze vond het zielig zoals die achter jongens aan zat.

'Nog steeds niets van Ken', zei Emma teleurgesteld toen ze langs Dorien liep.

Waarom verbaast me dat niet, dacht Dorien.

'Misschien is hij je nummer kwijt', probeerde ze Emma te troosten. 'Of misschien heeft hij geen beltegoed meer?'

'Misschien', herhaalde Emma zacht. 'Zal ik hem zelf bellen?' vroeg ze aarzelend.

'Waarom niet?' zei Dorien. Om van Emma verlost te zijn, haastte ze zich naar de hal. Ze drukte meteen op 'berichten'.

Wanneer kan ik je bellen?

Martin

Ze drukte het mobieltje nadenkend tegen haar voorhoofd. Hoe kon ze hem uitleggen dat ze alleen tussen acht en halfnegen haar mobieltje mocht gebruiken? Kon ze hem wijsmaken dat ze van haar moeder maar een halfuurtje per dag mocht bellen?

'Nee, dat is belachelijk', zei ze in zichzelf. Ze voelde dat ze in leugens verstrikt zou raken als ze verzweeg dat ze met een kind in een tehuis woonde. Haar hand trilde toen ze het groene knopje indrukte.

Hij verwacht me vast niet, ging het door haar hoofd toen het signaal een paar keer overging.

'Met Martin', klonk het toch onverwachts. Ze herkende meteen zijn stem.

'Hoi, met Dorien', zei ze en ze hoorde zelf hoe nerveus ze klonk. 'Ik heb al enkele keren geprobeerd om je te bellen, maar het lukte me niet om je te bereiken.'

Ze zag zijn gezicht haarscherp voor zich alsof hij naast haar stond.

'Mijn batterij was leeg en ik had het niet gemerkt', gooide ze er vlug uit. Ze haatte zichzelf omdat ze met een leugen begon.

'Zitten er nog vlekken op je truitje?'

Ze kon een zenuwachtig giecheltje niet bedwingen.

'Maak je daar maar geen zorgen over.'

'Je moest die zaterdag al zo vroeg weg.' Het klonk een beetje verwijtend.

'Sorry, maar we moesten nu eenmaal die bus halen.'

'Jammer. Ik vond het best gezellig. Wanneer zie ik je weer?'

Haar hersenen draaiden op volle toeren. Na school? Nee, dan moest ze de bus halen. Volgend weekend mocht ze niet weg.

'Misschien volgende week tijdens de middagpauze? Dinsdag?' stelde ze benepen voor. Dorien hoorde hem aarzelen.

'In De Revue?'

'Prima. Tot dan.' Ze zette haar mobiel uit.

Volgende week zie ik hem weer, dacht ze en ze had zin om te dansen, om aan iedereen te vertellen dat ze Martin zou terugzien.

'Lukas', dacht ze opeens hardop. 'Hij moet me aan een tweede mobieltje helpen.'

Ze haalde het bericht van haar broer op het scherm.

Dag, zus. Alles in orde? Hoe is het met Aïsha? In het weekend kom ik langs.

Haar duimen vlogen over de knopjes.

Alles oké. Maar ik heb dringend een mobieltje nodig. Ik kom wel naar Leuven.

Ze verstuurde het berichtje en vroeg zich af wat hij zou denken. Ze rekende in haar hoofd. Ze had nog een beetje zakgeld en de rest moest Lukas maar bijleggen.

Zaterdag, dacht ze. Ik moet zaterdag een mobieltje hebben, dan kan ik Martin bereiken wanneer ik maar wil.

'*Yes!*' riep ze omdat alles veel eenvoudiger zou worden. Ze balde opgewonden haar vuist en stak hem met een overwinningsgebaar in de lucht. Opeens viel haar hand slap naar beneden.

Dit weekend mag ik het tehuis niet verlaten, besefte ze plotseling. Dorien knabbelde nadenkend op haar onderlip. De ideeën raasden en borrelden door haar hoofd.

Als Lukas eens naar Willy belde? Om te zeggen dat hij niet naar Kasterlee kon komen, maar dat zijn zus welkom was. Willy zou voor een keertje wel een uitzondering maken.

Opeens lichtte de display van haar toestel weer op.

Kan bijna niet wachten. Tot dinsdag. Martin.

Ik ook niet, stuurde ze terug. Meteen belde ze haar broer.

Annelore leunde met haar rug tegen de muur en hield constant haar ogen op het mobieltje in haar hand gericht. Haar gezicht stond somber.

'Michaël heeft me niet gebeld. Ik heb hem een sms'je gestuurd, maar hij laat niets van zich horen.'

De meeste meisjes stuurden een sms'je zodra ze hun mobieltje in handen hadden. Om geld te sparen werden ze liever opgebeld.

'Waarom bel je hem zelf niet?'

'Ik heb bijna geen beltegoed meer.' Ze keek Dorien wanhopig aan. 'Mag ik jouw mobieltje niet gebruiken?'

'Ik heb zelf ook bijna niks meer.'

Annelore liep naar het bureau. Ze pakte de telefoon.

'Lies, mag ik even telefoneren? Het is echt heel belangrijk.'

'Nee, dat weet je toch.'

Met een woedend gebaar schoof Annelore de telefoon over het bureau tot die tegen een bakje met formulieren botste. Meteen beende ze naar de deur en duwde met haar schouder Femke, die net haar mobieltje terugbracht, opzij.

'Wat zijn we weer lief vanavond!' riep Femke haar na.

'Michaël heeft niks van zich laten horen', legde Dorien uit.

'Dat is mijn schuld toch niet.'

'Je kent haar', zei Lies terwijl Femke haar mobieltje terug in het bakje legde. 'Maar ik begrijp het wel. Het is vast een tegenvaller. Ze hoopte dat ze met Michaël echt iets kon opbouwen, dat hij een vader voor Timo zou zijn. En nu...' Ze schudde haar hoofd.

'Maar wie weet is er niks bijzonders aan de hand. Misschien heeft hij zijn mobieltje niet bij zich of zo.'

Dorien gaf haar mobieltje af.

'Je ogen tintelen, Dorien. Ik zie dat hij gebeld heeft.'

'Wie?' vroeg Dorien opeens wantrouwig.

'Nou, de jongen die je zaterdag ontmoette.'

'Hoe weet jij...'

Emma, besefte ze meteen. Emma of misschien Annelore. Nee, het was vast Emma.

'Zo erg is dat toch niet', zei Lies, die haar gedachten kon raden. 'Als hij een goede jongen is, vind ik het fijn voor jou. Weet hij al dat je hier woont?'

Dorien merkte dat een paar meisjes nieuwsgierig in de kamer bleven rondhangen.

'Nee', zei ze even later.

'Zou je het hem niet vertellen? Het kan je later een enorme teleurstelling besparen. Ik kan natuurlijk niet in jouw plaats beslissen, maar je moet er maar eens over nadenken.'

Dorien wreef een tijdlang nadenkend over haar oorlelletje. Ze keek van Lies naar Femke, maar ze zag slechts nieuwsgierige gezichten.

'Mag ik mijn mobieltje terug?'

Lies schudde langzaam haar hoofd.

'Ik zou het niet met een telefoontje vertellen. Denk je niet dat je beter zijn gezicht kunt zien als je het hem vertelt?'

'Ja', zei Dorien zacht. Met een hoofd vol twijfels liep ze naar haar kamer. Hoe zou Martin reageren? Ze was doodsbang.

'Ken heeft niet opgenomen', zei Emma terwijl ze Dorien in de gang voorbijliep.

'Wat had je verwacht?' zei Dorien scherper dan ze bedoelde.

Ze zag dat Emma schrok.

'Sorry, ik heb andere dingen aan mijn hoofd.'

Langzaam liep ze verder. Ze luisterde even aan de deur voor ze haar hand op de klink legde. Het was stil in haar kamer.

Gelukkig slaapt ze nog, dacht Dorien. Ze had helemaal geen zin in een huilende Aïsha. Ze duwde de deur open en het licht van de gang viel in haar kamer. De fopspeen lag tegen de hals van het meisje. Aïsha bewoog toen Dorien de fopsteen weghaalde en die in een hoek van het bedje legde.

Ik moet dinsdag aan Martin zeggen dat je bestaat, dacht ze terwijl ze naar haar dochter bleef kijken. En in een flits zag ze de rode Honda Civic. Nee, dat mag ik Martin zeker niet vertellen.

In het duister zag ze haar boek liggen en ze bleef besluiteloos dralen. Ze had ook helemaal geen zin om te studeren.

Ik kan maar beter gaan slapen, dacht Dorien, en morgen vroeger opstaan.

Stilletjes liet ze zich op de rand van haar bed zakken en zette de wekkerradio op vijf uur. Ze tastte onder het hoofdkussen en trok haar kunstzijden pyjama tevoorschijn. Dorien spreidde het vest en de broek op het bed uit. Haar vingers gleden over de gladde stof van haar vestje.

'Zo'n pyjama is nu te duur geworden.' Ze kwam van het bed en sloot de deur. Met twee stappen stond ze weer bij het bed en in het donker kleedde ze zich uit. Ze stapte in haar pyjamabroek en knoopte haar jasje dicht. Op de tast sloeg ze het dekbed weg en ze schoof eronder.

Dorien draaide zich op haar zij en trok het dekbed tot aan haar schouder. Zoals altijd probeerde ze naar de ademhaling van Aïsha te luisteren, want ze vond dat ze pas mocht slapen als ze nog een zucht of een kik van haar dochtertje had gehoord. Met gespitste oren liet ze een paar vingers over de zachte kilte van het dekbed glijden.

4.

Mijn vingers graaiden in het dekbed, dat ik tot mijn middel had losgewroet. Ze knepen in de gladde stof tot mijn hand pijn deed. Toch liet ik het dekbed niet los. De pijn was een opluchting. Het verdreef de beklemming uit mijn borst. Ik concentreerde me op mijn vingers en probeerde nog harder te knijpen alsof ik mijn nagels door het dekbed wilde drukken. De pijn verdreef de hel uit mijn hoofd.

Door de dunne muur hoorde ik het bed kraken.

Lukas woelt in zijn bed, dacht ik en er vloog een glimlach over mijn gezicht. Lukas, mijn grote broer die alles voor me betekende. Als hij echt zou weten wat ik die zaterdag had meegemaakt, hoe ik me voelde...

Ik draaide mijn hoofd naar de wekkerradio.

'Is het echt nog maar kwart over vier?' mompelde ik. 'Het lijkt alsof ik al eeuwen in mijn bed lig.'

De greep van mijn hand verslapte. Liggend op mijn rug, starend naar een onzichtbaar plafond. En weer zag ik wat er die nacht gebeurde, zoals ik het al weken zag.

Vierentwintig dagen geleden had ik ongesteld moeten worden en ik twijfelde niet meer. Ik had de morning-afterpil gehaald om ma gerust te stellen, maar ik had 'm doorgespoeld in het toilet. Gelukkig had ik haar kunnen overhalen om me half juli vijf dagen op scoutskamp te laten gaan.

Een paar dagen aan andere dingen denken, had ik gezegd. Zo kon ik verdoezelen dat ik niet ongesteld werd.

Bijna dagelijks polste ma hoe het met me was en ik slaagde erin om telkens luchtig te liegen.

Het zou beter zijn als ik niet zwanger was, besefte ik. Maar toch wilde ik het kind. Een kind dat alleen van mij was. Een kleintje dat ik kon verzorgen, knuffelen... Alleen bad ik dat het geen bruin haar of grijsgroene ogen zou hebben.

Regelmatig overwoog ik een abortus, maar een vrouw die weet dat ze een gehandicapt kind krijgt, ondergaat toch ook geen abortus omdat ze niet het kind krijgt waarvan ze droomde.

Toch leefde ik in een bijtende angst over hoe het nu verder moest.

Een radiospot over een girorekening scheurde de stilte in de kamer kapot. Met een ruk kwam ik overeind. Het dekbed was op de grond gegleden en automatisch trok ik het over mijn benen.

'Heb ik dan toch nog geslapen?'

Ongelovig streek ik met een hand een haarlok weg die voor mijn ogen viel. Ik zuchtte en sloot mijn ogen omdat ik bang was om terug in de dagelijkse wereld te belanden.

'Ik moet Lukas vertellen dat ik zwanger ben', mompelde ik. 'Of is het beter om te zwijgen?' Ik wist niet hoe hij zou reageren. Zou hij blij zijn of vond hij me stom omdat ik de morning-afterpil niet had gebruikt? Alles kon ik aan Lukas kwijt, maar dit?

Roerloos bleef ik op bed zitten.

'Wat doe je nog in bed?'

Verrast draaide ik mijn hoofd naar de deuropening. Beschaamd, alsof ik op bedplassen betrapt was, keek ik Fleur aan. Het meisje had haar hand nog op de deurklink liggen en ze was duidelijk verbaasd.

'We rijden vandaag naar Bobbejaanland, toch?'

'Dat klopt', beaamde ik. Natuurlijk was ik vergeten dat we naar het pretpark zouden gaan.

'Ik hoorde jouw wekkerradio beneden en je bent nog steeds niet opgestaan. Lukas is allang naar zijn werk.'

'Lukas moet vroeg beginnen', zei ik. 'Hij verdient wat bij met het afsnijden van slakroppen om zijn kamer in Leuven te kunnen betalen.'

En bier te drinken, dacht ik, maar dat vertelde ik niet.

'Ik was nog heel moe', verdedigde ik me zwakjes.

'Ik heb al melk op de cornflakes gegoten', zei Fleur. Ze heeft de vervelende gewoonte om van het ene onderwerp naar het andere te buitelen. 'En niks gemorst.'

Hou je mond, dacht ik.

Haar woorden bereikten mijn hersenen niet. Ik had wel andere dingen aan mijn hoofd.

'Je luistert niet, Dorien!' riep Fleur met een pruilmondje. 'Straks is het middag voor we in Bobbejaanland zijn.'

Ze wees nadrukkelijk naar de wekkerradio.

'Ik kom er zo aan', zei ik gelaten. 'Maar je hebt weer dat truitje met de vlinders aangetrokken. Dat droeg je gisteren en eergisteren ook al.'

'Ik vind het een megamooi truitje', verdedigde Fleur zich fel. Met beide handen trok ze de zoom voor zich uit.

'Ik moet het eerst wassen voor je het weer kunt aantrekken.'

In plaats van een vakantiebaantje deed ik het huishouden en lette ik op Fleur. Voor een loon van honderdvijftig euro per week.

'Straks zullen we iets zoeken. Of kies zelf maar iets uit de kast dat je graag wilt aantrekken.'

'Oké!' klonk het opgewekt. Fleur dartelde de kamer uit en liet de deur wagenwijd openstaan.

Loom kwam ik uit bed. In Fleurs kamer hoorde ik het pletsen van haastige blote voeten. Een kast werd opengetrokken en even later hoorde ik de blote voeten naar mijn kamer lopen.

'Dit vind ik mooi.'

Opeens voelde ik me misselijk worden en ik hield mijn adem in alsof ik zo het braaksel kon tegenhouden.

Met beide handen hield Fleur een wollen trui voor zich uit.

Dat is een wintertrui, wilde ik zeggen, maar ik knikte alleen.

'Nu moet je je echt haasten', zei Fleur en ze holde de kamer uit.

Ik voelde het braaksel naar boven komen en met mijn hand voor mijn mond sprintte ik naar het toilet.

Op de keukentafel stond een bord naast een glas melk en een gezinspot choco. Ik kon geen hap door mijn keel krijgen. Het zou al fraai zijn als ik niet naar het toilet hoefde te rennen.

'Mama wil niet dat je 's morgens niet eet', zei Fleur, hoewel ze al met haar heuptasje in de deuropening stond.

'Ik heb geen honger.'

Ze protesteerde niet meer toen ik de tafel afruimde.

De boter smolt in de pan. Haastig sneed ik de braadworst in stukken. Toen de aardappelen kookten en het deksel van de pan daardoor rammelde, vloekte ik en ik draaide vlug het vuur lager.

'Hoi, zusje. Wat eten we vanavond?'

Met een brede glimlach liep Lukas de keuken in. Hij sloeg zijn arm om mijn middel en keek over mijn schouder.

'Worst? Met?'

'Appelmoes', reageerde ik wrevelig. 'En laat me een beetje met rust, wil je.'

'Stressy?' grinnikte hij.

Hij pookte plagerig met zijn duimen in mijn heupen. Ik gilde en duwde hem met mijn achterwerk achteruit.

'Ik heb geen tijd voor spelletjes', zei ik zonder om te kijken. Ik hoorde dat hij naar de woonkamer liep.

De hele dag had ik met een hoofd vol doemscenario's rondgelopen. Gelukkig was de misselijkheid vlug verdwenen, want Fleur sleepte me van hot naar haar. De dag was kort en het pretpark groot.

Een kind, dacht ik. Van mij, van mij alleen. Het zou een balsem zijn voor mijn schaamte en mijn schuldgevoel.

Met gelukkige weemoed herinnerde ik me hoe ik Fleur had bemoederd toen ze klein was. Later zou ze beseffen dat ik meer dan alleen een grote zus was. Als salesmanager maakte ma onmogelijk veel uren en Peter hielp een bedrijf in de buurt van Hamburg opstarten. Die vertrok op maandag en we zagen hem pas op vrijdagavond terug.

'Shit! De boter verbrandt bijna!'

Ik legde snel de stukjes worst in de pan, deinsde achteruit toen er wat boter spetterde en strooide peper en zout op het vlees. Ik pakte een handdoek om het deksel van de pan te lichten en voelde met een vork dat de aardappelen nog niet gaar waren.

'Blikopener!' Ik haastte me naar de ladekast en keek op de wandklok. Bijna halfzeven.

Ik begreep niet hoe we het tijdens het schooljaar klaarspeelden. De pizzaboer, de frituur, de afhaalchinees en kant-en-klare maaltijden losten veel op.

'Lukas! Kun jij de tafel dekken?'

'Lukt niet! Ik ben net naar Lost op dvd aan het kijken!' klonk het vanuit de woonkamer.

Ik kon hem wurgen. Maar ja, hij had een vakantiebaantje. Mijn vakantiebaantje was het huishouden runnen en mijn stiefzusje.

Fleur dook in de keuken op. Zonder iets te zeggen haalde ze borden uit de kast en zette ze op de keukentafel.

'Blik appelmoes', mompelde ik.

De voordeur werd geopend. Seconden later verscheen ma in de keuken.

'Wat eten we?' vroeg ze en ze drukte een kus op mijn slaap.

'Appelmoes. En toen we van het pretpark terugkwamen heb ik bij de slager braadworst gekocht.'

'En jij dekt de tafel, Fleur?' Haar hand drukte even op het hoofd van mijn zusje.

'Lukas bleef liever tv kijken', zei Fleur verwijtend terwijl ze ijverig messen en vorken naast de borden legde.

'Tja, zo is Lukas nu eenmaal.'

'Hoi, Lukas!' riep ma in de richting van de deuropening. Ze richtte zich weer naar Fleur. 'Was Bobbejaanland leuk?'

'Ja, heel leuk. We waren heel laat daar want Dorien moest vanochtend overgeven. Maar toch hebben we bijna alle attracties gedaan', liet ze er meteen op volgen.

Het was dom van me om te denken dat Fleur niets had gezien. Fleur merkte alles. Alleen verbaasde het me dat ze niks had gezegd, maar misschien had het uitstapje mijn misselijkheid naar de achtergrond verdrongen.

Het leek alsof ma een klap in haar gezicht kreeg. Haar hoofd schokte omhoog en ze kneep met een gekwetste trek op haar gezicht haar ogen even dicht. Ze herstelde zich meteen. Snel schoof ze de pannen van het vuur. Ze keek naar Fleur, die met het zoutvaatje in haar hand onbeweeglijk toekeek.

'Ga naar de woonkamer en doe de deur dicht.'

'Maar ik wilde net...'

'Naar de woonkamer, Fleur!' Opeens was de stem niet meer vragend.

Zodra de deur dicht was, drukte ma me op een stoel.

'Dus toch', mompelde ze geslagen. 'Je vertelde toch dat je tijdens het scoutskamp ongesteld was.' Haar ogen peilden plotseling wantrouwend mijn ogen. 'Je had de morning-afterpil toch? Heb je die niet genomen?'

Ik antwoordde niet en ze begreep het.

'Waarom?'

'Het is mijn kind.' Als om het te beschermen vouwde ik mijn handen over mijn buik. 'Het is niet omdat het niet gewenst is dat het niet mag leven. Tenslotte kan dat kind het ook niet helpen.'

'Je bent nog zo jong. Vijftien.'

Haar stem was zacht.

'Ik kan het aan', zei ik. 'Ik heb meer voor Fleur gezorgd dan jij.'

Er verscheen een trieste glans in haar ogen.

'Ik had, heb het druk. Maar je kunt toch niet...'

Ze sloeg haar handen voor haar gezicht en ik dacht dat ze in tranen zou uitbarsten, maar ze wreef vermoeid in haar ogen. Eigenlijk voelde ik me teleurgesteld.

'Ik zie maar één oplossing', zei ze plotseling heel zakelijk. 'Nu kan het nog.'

I.

Zonder na te denken had Dorien haar arm in zijn arm gehaakt en ze slenterde met Lukas mee. Omdat een druilregen als een vochtige mist over de Bruul hing, hield ze haar hoofd wat gebogen. Haar broer duwde de buggy voor zich uit. Aïsha was dik ingeduffeld en een doorzichtig plastic scherm hield de regen tegen. Van onder haar wollen muts keek ze met verwonderde ogen naar de beweging om haar heen.

'*We kunnen toch geen hele middag op je kamer zitten*', had Dorien gezegd toen ze door het raam naar het miezerige weer keek. '*Aïsha zit zo dikwijls tussen vier muren.*'

'We lijken wel een echt koppel', zei ze terwijl ze lacherig haar hoofd tegen zijn schouder drukte. 'Jammer dat ik niet met je kan trouwen.'

Hij lachte met haar mee. Toen Aïsha's mutsje wat afzakte, deed hij het scherm even naar beneden en trok de muts weer op zijn plaats.

'Het is een mooi kind', zei hij. 'Het lijkt ontstellend veel op jou.'

'Ik vind dat ze meer van jou heeft', zei ze. 'Maar we hebben dan ook dezelfde genen. Femke vertelde me dat Aïsha dezelfde wipneus heeft als jij.'

'Jij hebt ook een wipneus.'

'Dat weet ik. Maar Femke vond het meer jouw neus.'

Een druppel viel tussen haar hals en de kraag van haar jas en Dorien huiverde. Alsof het toevallig was, leidde ze haar broer naar een winkel waar mobieltjes in de etalage lagen.

'Ik zou nog een mobieltje moeten hebben', zei ze.

'Een tweede? Waarom?'

'Je weet dat ik 's avonds maar een halfuurtje mag bellen. Een tweede mobieltje kan ik dan stiekem bij me hebben.'

Hij nam haar onderzoekend op. 'Wie moet je dan bellen?'

'Het maakt niet uit wie', deed ze luchtig. 'Jij gebruikt je mobieltje toch ook niet alleen maar tussen acht en halfnegen.'

Ze voelde dat het beter was om niet over Martin te vertellen. Met Lukas had ze zoveel meegemaakt, die band wilde ze niet verbreken. Maar misschien zou hij wel op een verkeerde manier jaloers zijn.

'Niet eens vijftig euro', zei ze terwijl ze een Nokia aanwees. 'Alleen... ik heb maar dertig euro.'

Ze liet een stilte vallen. Haar ogen flitsten tussen het mobieltje en haar broer. Als hij haar twintig euro gaf, kon ze Martin zo veel bellen als ze wilde.

'Ma zou zo graag haar kleinkind zien', hield hij de boot een beetje af.

'Nee.'

'Het is toch ook jouw moeder', pleitte hij. 'Je ziet het niet, maar ik merk dat ze somber is geworden. Ze is ook veranderd. Geloof me, wat er tussen jullie gebeurd is, heeft zijn sporen nagelaten. Een keertje Aïsha zien zou haar vast deugd doen. Als ma Aïsha eens mag vasthouden, pas ik die twintig euro bij', zei Lukas.

Beelden tolden en buitelden door Doriens hoofd. In een flits hoorde ze weer de ruzies, het getier, de verwijten... Toen kon ze soms kotsen op haar moeder. En dan... de afspraak die ma heimelijk in de abortuskliniek had gemaakt... Hoe kon ze Aïsha thuis laten groot worden terwijl ze wist dat ze bij ma niet welkom was. Toen had ze besloten dat ze thuis zou weggaan.

'Toe nou', drong Lukas aan.

'In het begin zijn we misschien wel lief voor elkaar, maar na een tijdje wordt de vete vast weer opgerakeld. Het is wellicht beter dat we elkaar niet meer zien.'

Ze staarde naar het mobieltje. Het zou Martin zo dicht bij haar brengen.

'En financieel zou het voor jou ook een stuk gemakkelijker worden', voegde hij er met een knipoog aan toe.

Het mobieltje sprong in haar oog. Martin... ze moest het hebben.

'Misschien... maar nog niet meteen.'

Lukas knikte opgelucht.

'En dan kan ik Fleur nog eens zien. Ze moet intussen al een echt meisje zijn.'

Het gedonder van treinen in de hal naar de perrons deed Aïsha opschrikken. Haar lip begon te trillen. Dorien tilde haar vlug uit de buggy en wiegde haar op haar arm. 'Het zijn maar treinen', suste ze. Ze wist wel dat Aïsha geen flauw idee had wat een trein kon zijn, maar ze hoopte dat haar stem het kind rustig zou maken. Ze pakte de fopspeen uit de buggy en stopte hem in Aïsha's mond.

Lukas bukte zich en greep de wielen van de buggy. Zonder woorden begreep Dorien wat de bedoeling was en ze droegen de buggy de trap op naar het perron.

Het werd al wat donker en Dorien zuchtte toen ze aan de terugreis met trein en bus dacht. Een trein reed het station binnen en stopte met veel kabaal op het spoor achter haar rug. Ze voelde hoe Aïsha beefde en automatisch begon ze het kind weer te wiegen.

'Er is nog iets dat ik je moet vertellen', zei ze moeilijk. In het tehuis roddelt iedereen over ons, wilde ze hem zeggen. Ze had de hele middag geaarzeld of ze het hem zou vertellen.

'Ja?' Hij keek haar met vragende ogen aan.

'Die afspraak met ma kan nog even wachten', zei ze. 'Maar je mag het haar wel vertellen.'

'O, dat', zei hij schouderophalend. 'Je stem klonk alsof je iets vervelends moest vertellen.'

De laatste woorden gingen verloren omdat de trein kwam aangereden. De deuren schoven open en lieten een sliert reizigers uit.

'We moeten gaan', zei ze.

Zwijgend tilde hij de buggy in de trein en zette hem in de hoek van het balkon.

'Hier staat ie niet in de weg. Zorg voor jezelf en Aïsha', zei hij terwijl hij zich oprichtte.

Dorien sloeg een arm om zijn schouder, drukte haar hoofd tegen hem aan en kuste hem. Er stonden tranen in haar ogen. Bij Lukas kon ze tot rust komen, maar straks wachtte haar weer de oneindige sleur van studeren, Aïsha verzorgen, schoonmaken in het tehuis... Ze voelde zich soms zo moedeloos.

Maar nu ik Martin ken, zal het anders worden, vermande ze zich.

'Ik moet nu echt gaan. Straks neemt de trein me nog mee naar Turnhout.' Lukas maakte zich van haar los en belandde met een sprong terug op het perron.

In de coupé ging Dorien bij het raam zitten en ze nam Aïsha op schoot. Ze greep Aïsha's pols en terwijl de trein vertrok liet ze haar dochter naar Lukas wuiven tot ze hem niet meer zag. Aïsha keek verbaasd naar de lichten die steeds sneller voorbijschoven. Dorien bracht haar mond heel dicht tegen Aïsha's oor.

'Had ik dan toch moeten vertellen dat ze roddelen over Lukas en mij?' fluisterde ze in Aïsha's oor alsof ze toch haar twijfels aan iemand kwijt moest. 'Maar dan komt Lukas ons mischien niet meer bezoeken. Of maakt hij zich boos. Dan knipt hij misschien alle draden die ons verbinden door.' Ze keek met Aïsha mee naar de huizen die voorbijschoten.

'Lukas en ik hebben nog nooit geheimen voor elkaar gehad, maar nu kan ik beter zwijgen.'

Ze liet haar hoofd tegen de bank rusten en ze had zich nog nooit zo eenzaam gevoeld.

Om halfzes liep de wekker af. Dorien had hem op de tafel gezet zodat ze verplicht was om uit bed te komen.

Aïsha slaapt nog, besefte ze slaapdronken en ze haastte zich uit bed om de wekker uit te zetten. Ze rekte zich met uitgestoken armen uit en geeuwde luid. Het raam stond open en door de kieren in het rolluik drong de kilte. Dorien huiverde. Ze boog haar knieën en ging languit op het tapijt liggen.

'Zeventien vandaag', mompelde ze en meteen begon ze aan de dagelijkse sit-ups.

Het water liep maar langzaam weg en met een vies gezicht haalde Dorien een plukje haar uit het afvoerputje. Met een heftige beweging van haar hand zwiepte ze het haar in de vuilnisbak. Ze wreef met een velletje toiletpapier de laatste haartjes van haar hand. Ze droogde zich af en trok haar badjas om zich heen. Terwijl ze met de handdoek haar natte haar depte, liep ze naar het kantoortje om de sleutel van het douchehokje aan het haakje te hangen.

Emma was de laatste die gisteravond de douche had gebruikt, zag ze op het lijstje. Ze was van plan geweest om zich bij Lies te beklagen, maar omdat het Emma was besloot ze haar mond te houden. Emma kon soms brutaal zijn, maar eigenlijk mocht ze haar wel. Dorien liep naar haar kamer en duwde de deur open.

Vreemd, dacht ze. Ze haastte zich naar het bedje en zag opgelucht dat Aïsha nog ademde.

'Het is bijna zes uur en je bent nog niet wakker geweest', fluisterde ze tegen het kind. 'Was je gisteren zo moe van het huilen? Met een beetje geluk kan mama nog een kwartiertje in de Griekse cultuur neuzen.'

Ze hoefde niet na te denken over de kleren die ze zou aantrekken. Dat had ze vannacht al gedaan.

Alsof er een geest binnenkwam, staarde iedereen Dorien aan. Zelfs Jeffrey, die geen melk wilde drinken, voelde dat de sfeer veranderd was en hield op met zeuren.

'Ga jij zo naar school?' riep Annelore uit.

Nadine, die nachtdienst had, bleef met de koffiekan in haar hand staan.

'Het is maar een gewone dinsdag, hoor', zei ze. 'Moet je met de klas ergens heen?'

'Nee.' Gegeneerd trok Dorien met haar hand aan de boord van haar lage broek, die de paarse rand van haar slipje liet zien.

'Is het niet te koud om zo'n truitje te dragen?' ging Nadine verder.

'Ik trek toch een jas aan', verdedigde Dorien zich bits. 'En in de klas is het warm.'

Gelukkig heb ik maar een heel klein beetje mascara aangebracht, dacht ze. Dan kunnen ze daar tenminste geen opmerkingen over maken.

Om van het gezeur verlost te zijn, schoof ze Aïsha in een kinderstoel. Uit de kast pakte ze een tuitbeker en vulde die met melk. Ze ging naast Aïsha zitten en haalde een snee brood uit de zak. Die belegde ze met ham en ze sneed de korsten eraf.

'Kijk eens, Aïsha. Boterhammetje met hamhamham...' zei ze speels terwijl ze de boterham voor de neus van haar dochter heen en weer bewoog. Ze legde de boterham op het tafeltje van de kinderstoel. Meteen pulkte Aïsha de ham van het brood en ze wreef het vlees heen en weer over het tafeltje.

'Zo sexy?' vroeg Annelore stekelig.

Dorien antwoordde niet. De blikken maakten haar nerveus en ze had helemaal geen trek meer. Toch nam ze nog een snee brood en ze greep naar de pot choco.

'Je weet dat je eerst een boterham met kaas of ham moet beleggen. Daarna mag je choco of jam nemen', merkte Nadine op.

'Tatoeëer het op je voorhoofd, dan hoef je het niet telkens te herhalen.' Nijdig schoof Dorien de pot van zich af.

'Zo hoef je nu ook weer niet te reageren', zei Nadine. 'Doe eens niet zo opgefokt.'

'Heb je met iemand afgesproken?' vroeg Emma langs haar neus weg. Haar koffiebeker bleef voor haar lippen hangen.

'Gaat je niets aan', snauwde Dorien.

Annelore boog zich naar Timo om met een papieren zakdoek wat snot onder zijn neus weg te vegen.

'Ik denk niet dat haar broer gelukkig zal zijn als ze een ander liefje heeft.'

Ze richtte zich tot Simone, maar sprak zo hard dat iedereen het moest horen. Dorien deed of ze niks gemerkt had. Ze voelde de blik van Nadine op zich en raapte het plakje ham op dat Aïsha had laten vallen.

'Je gaat toch naar school?' vroeg Nadine argwanend.

'Natuurlijk. Het is niet omdat ik dit truitje aangetrokken heb dat jullie iets verkeerds van me hoeven te denken.' Ze propte zo snel mogelijk de boterham achter haar kiezen en slikte de prop met koffie weg.

'Ik zal Aïsha verschonen en dan breng ik haar naar de kinderkamer.'

'Nu al?' zei Nadine. 'Je hebt amper iets in je maag. En je moet je lunchpakket nog klaarmaken.'

'Voor een lunchpakket heb ik geen tijd meer. Ik moet nog wat aan mijn algebraopdracht wijzigen. Straks koop ik wel iets in een broodjeszaak.'

Hoofdschuddend keek Nadine haar na.

'Er is iets met haar, maar ik weet niet wat.'

'Echt niet?' hoorde Dorien Suzanne op een cynisch toontje vragen. Ze kon die bitch wel in de fik steken! Ze trok de deur van de woonkamer achter zich dicht.

Hoewel ze niet rende, vlogen haar schoenen over de stenen. Een eind voor haar uit liep Annelore.

Het was gemakkelijker dan ze had verwacht om tijdens de middagpauze ervandoor te gaan. Ze had zich gewoon bij de sliert aangesloten die thuis ging eten en niemand had iets gezegd.

Zou Martin er al zijn? Het gonsde bij elke stap in haar hoofd. Of zou hij zich bedacht hebben? Of zou hij van iemand gehoord hebben dat hij een date had met een tienermoeder?

Ineens voelde ze dat het een geweldige teleurstelling zou zijn als hij niet zou komen opdagen. Opnieuw alleen met Aïsha? Nu ze Martin had leren kennen, leek het haar onmogelijk om zonder hem verder te leven.

In de verte vloog Annelore om de hals van Michaël en ze verdwenen in De Revue.

Toen ze de deur naderde, minderde Dorien vaart. Ze was buiten adem. Haar hart sloeg razendsnel en ze voelde dat haar gezicht verhit was. Ze ademde een paar keer diep door haar neus en duwde de deur open. Haar ogen gingen meteen naar de bar alsof ze verwachtte dat ze hem op dezelfde plaats zou aantreffen. Het viel haar op dat de muziek een stuk rustiger en de verlichting minder blits was dan in het weekend. Schijnbaar rustig liep ze een eindje verder en liet haar blik langs de tafeltjes gaan. In de hoek achteraan zag ze Annelore met Michaël. Hij zat op een barkruk en zij had zich op zijn schoot genesteld. Dorien stak haar hand op, maar Annelore reageerde niet.

Ze heeft het te druk met hem af te lebberen, dacht ze nijdig omdat ze ook achterin Martin niet zag.

Hij komt niet, dacht ze. En opeens voelde ze zich stom omdat ze toch naar het café was gekomen. Omdat ze niet zonder iets te bestellen het café wilde uitlopen, liep ze naar de bar.

'Een cola.'

Ze zoog aan het rietje terwijl ze met het flesje naar het tafeltje liep waar ze hem die zaterdag had ontmoet. Om een reden die ze zelf niet begreep, hoopte ze dat Martin aan dat tafeltje zou opduiken.

Al is het maar om cola op mijn truitje te morsen, dacht ze wrang. Ze trok haar jas uit en hing die over een kruk.

Ze keek rond en het verbaasde haar dat er zoveel jongeren tijdens de middagpauze naar het café kwamen. De deur ging open en met een ruk draaide ze haar hoofd naar de deur. Twee meisjes die ze niet kende.

Zonder te kijken staarde ze door het raam en ze vond zichzelf maar een sukkel. Alleen met een kind. O, ze snakte soms naar een woordje van steun, naar een hand op haar schouder. Niet van Emma, Simone of een begeleidster, maar van een jongen die altijd naast haar zou staan. Lukas steunde haar wel, maar ja, Lukas...

Ze begreep Emma nu heel goed. Hoewel, ze zou nooit op jacht gaan zoals Emma. Ze zou nooit een neukpartij als een wortel voor de neus van een jongen hangen. Alsof het niet uitmaakte wie. Dorien dronk weer wat cola en ze keek op haar mobieltje. Bijna halfeen. Hoewel ze wist wat er stond, haalde ze zijn berichtje tevoorschijn. *Kwart over twaalf*. Haar simkaart verhuisde regelmatig van het mobieltje in het tehuis naar het toestelletje dat ze in Mechelen had gekocht. Misschien kan ik hem bellen, dacht ze. Of een berichtje sturen. Ze hield haar mobieltje een tijdje in haar hand en legde het dan terug op het tafeltje. Zo wanhopig wilde ze ook niet lijken. Ze ging met haar handen over haar gezicht en een beetje gelaten keek ze op toen ze de deur hoorde.

Martin!

Alsof hij wist waar ze zou zitten, keek hij meteen in haar richting. Ze stak haar hand op en ging wat meer rechtop zitten. Zijn gezicht deed haar teleurstelling in één klap verdwijnen en zorgde ervoor dat ze zich opeens vrolijk voelde.

Ik hou van hem en ik weet niet eens waarom, drong het ineens heel duidelijk tot haar door.

'Sorry dat ik je liet wachten', zei Martin en hij liet zijn handen zien, die besmeurd waren. 'De ketting zat geklemd en het duurde een hele tijd voor ik dat weer in orde had.'

'Het maakt niet uit. Je bent er, dat is het belangrijkste.'

Fuck, nee, ik begin te blozen, dacht ze.

Hij lachte bedeesd en hield wat onhandig zijn handen op schouderhoogte.

'Ik kan je geen hand geven', zei hij. Opeens boog hij zich naar haar toe en kuste haar wang.

Het was alsof ze die kus over haar hele lichaam voelde.

'Zo heb ik het liever', zei ze met een glimlach.

'Het lijkt wel alsof alles verkeerd loopt als je me ontmoet. Eerst mors ik cola op je truitje en nu dit. Ik ga eerst mijn handen wassen.' Achter haar rug verdween hij in het toilet.

De hals van het bierflesje draaide tussen zijn duim en wijsvinger.

'Het is de eerste keer dat ik hier tijdens de middagpauze kom', zei hij nadat ze een tijdje herinneringen aan zaterdagavond hadden opgehaald.

'Ik ook.'

Ze vond het leuk dat zijn ogen stiekem naar haar decolleté gingen en ze wist dat de aanzet van haar borsten goed zichtbaar was in de laag uitgesneden hals van haar truitje. En ze had niet voor niets haar zwarte strapless beha aangetrokken.

'Wanneer moet je terug naar school?' vroeg ze toen ze even niet wisten wat ze moesten zeggen.

'Een uur.'

Ze keek snel naar haar mobieltje dat op de tafel lag. Nog tien minuten.

'Weet je', zei hij. 'Als ik een foto van je had, dan zou ik je telkens weer kunnen zien. Mag ik?'

Meteen haalde hij het mobieltje uit zijn zak en richtte het op haar. Ze wist niet welke houding ze moest aannemen en zonder nadenken hield ze haar hoofd een beetje schuin zodat haar haar langs één kant over haar oog viel.

'Zo zie je er fantastisch uit', zei hij.

Het licht flitste een paar keer in haar ogen. Hij liet haar het resultaat zien. Hoewel ze meestal niet trots was als ze een foto van zichzelf zag, vond ze dat ze dit keer bijna als een fotomodel poseerde. Hij klikte naar een volgende foto en ze zag dat hij zijn mobieltje in de lucht had gehouden om de inkijk van haar truitje te fotograferen.

'Ik kon me even niet bedwingen', zei hij spontaan. 'Sorry, ik zal de foto wissen.'

'Zo erg is dat nu ook weer niet', lachte ze. Ze voelde zowel schaamte als trots. 'Zolang je die foto niet op het internet zet.'

'Nee, die is voor mij alleen. Trouwens, de werkelijkheid is nog mooier dan de foto.'

Zijn blik viel op het mobieltje.

'Shit, ik moet nu echt wel gaan.'

Hij zocht haar ogen. 'Kan ik je na school zien?'

'Nee, ik vind het jammer, maar dan moet ik meteen naar de bushalte.'

'Kan ik je dan bellen?'

Wanhopig zocht Dorien naar een oplossing. Ze had nu een tweede mobieltje, maar dat betekende niet dat ze steeds bereikbaar was.

Als ik met Aïsha op mijn kamer ben, kan ik hem bellen, dacht ze. Maar elke avond... nee, dat kan ik niet betalen. Maar een keertje...

'Vanavond bel ik jou. Mijn moeder wil niet dat ik steeds met mijn mobieltje bezig ben', liet ze er vlug op volgen. 'Maar je kunt me wel bellen als ik op weg ben naar de bus.'

Dorien voelde een hand op haar schouder.

'Hoi, Dorien. Ben je hier ook?' Annelore knipoogde samenzweerderig naar Martin.

Als ze nu maar haar mond houdt, schoot het door Doriens hoofd.

'Ze ziet er geweldig uit, toch?' zei Annelore. Ze draaide zich weer naar Dorien. 'Kom je ook? Zo meteen zijn we te laat.'

'Ja ja', zei Dorien en ze ontspande zich toen Annelore naar de deur liep.

'Ze heeft gelijk', zei Martin. 'Het is nu echt wel tijd.'

Dorien nam haar jas. Alsof het nooit anders geweest was, legde ze haar hand in Martins nek en kuste zijn mond.

'Tot gauw', riep ze terwijl ze al lopend een arm in haar jas stak.

Ze zweefde terwijl ze achter Annelore aanrende. Ze zag zijn glimlach, zijn zwarte handen, zijn ondeugende blik toen hij de foto van haar decolleté liet zien. En ook al moest ze hijgen van het rennen, ze kon lachen. Opeens trok een bezorgde rimpel in haar voorhoofd.

Haar moeder, had ze gezegd. Ze moest oppassen dat ze niet in haar leugens verstrikt raakte.

J.

Kwam het door de regen die nijdig tegen het raam tikte? Dorien wist het niet, maar ze was zomaar wakker geworden en het lukte haar niet om weer in slaap te raken. Even meende ze dat ze ergens een vreemd geluid hoorde. Een gerucht dat ze niet herkende. Hoewel het geluid niet uit haar kamer kwam, richtte ze zich op om naar Aïsha te kijken.

'Nee, jij ligt lief te slapen', mompelde ze geluidloos.

1.47, zag ze op haar wekkerradio en ze liet haar hoofd terug op het kussen zakken. Ze sloot haar ogen, zocht haar vaste slaaphouding op haar zij en stak zoals altijd een hand onder het hoofdkussen. Ze luisterde naar de regen en probeerde het ademen van Aïsha te horen.

Ze zag de kamer van Lukas weer voor zich. Ondanks de ellende en problemen die ze achter de rug had, had die kamer iets vertrouwds. Net zoals haar kamer vroeger. En ze zag de knuffels die op haar bed lagen, de posters aan de muur, de rieten schommelstoel, zelfs de papiermand die naast haar bureaustoel stond. Ze kon zich bijna niet meer herinneren hoe speels en zorgeloos ze anderhalf jaar geleden was.

Ik moet vast plassen, dacht ze toen het niet lukte om de slaap te vinden.

Dorien aarzelde om het warme nest van haar bed te verlaten, maar trappelde toch het dekbed weg en stond op. In het donker liet ze haar voeten in haar slippers glijden, die naast het bed stonden. Omdat ze Aïsha zeker niet wakker wilde maken, schoof ze voetje voor voetje naar de deur. Een waaklampje verlichtte de gang. Het was onwaarschijnlijk stil in het tehuis.

Zelfs de begeleidster met nachtdienst slaapt, dacht Dorien.

Toen ze voorbij Annelores kamer kwam, meende ze weer iets te horen en ze bleef staan.

Haar matras kraakt, merkte Dorien op. Ze verbeet een lach omdat het vreemde geluid van Annelore kwam die zich in haar slaap omdraaide.

Stilletjes trok Dorien de deur achter zich dicht en dempte zo het lawaai van het toilet dat doorgespoeld werd. Op haar tenen liep ze door de gang. Ze wilde de deurklink van haar kamer grijpen toen ze weer iets hoorde. Nu was het alsof iemand zachtjes praatte. Nieuwsgierig liep ze terug. De stem kwam uit Annelores kamer. Ongelovig legde ze haar oor tegen het hout van de deur. Weer hoorde ze de matras kraken.

'Annelore?' vroeg ze zacht.

Ze wachtte even.

'Annelore? Is er iets?'

Meteen duwde ze de deurklink naar beneden en opende de deur op een kiertje.

'Oei!' schrok ze hardop. Een nachtlampje verspreidde een wazig licht in de kamer. Annelore zat op Michaëls buik terwijl zijn handen op haar borsten lagen. Hun gezichten draaiden verschrikt naar Dorien.

'Sorry, ik wist niet dat...' stamelde Dorien verward. Meteen trok ze de deur achter zich dicht en ze haastte zich naar haar kamer. Ze wilde haar kamer binnengaan toen ze hoorde dat achter haar rug de deur opnieuw openging. Dorien bleef staan toen ze Annelore poedelnaakt zag.

'Ik wilde echt niet...' Annelore legde haar vinger waarschuwend op Doriens lippen.

'Naar binnen!' fluisterde ze op een toon die geen tegenspraak duldde.

Dorien verdween in haar kamer en Annelore schoof met haar mee naar binnen.

'Wacht even', zei Dorien zacht. Op de tast duwde ze het nachtlampje aan.

'Je houdt toch wel je mond, hé!'

Zelfs in het schemerduister zag Dorien de paniek op Annelores gezicht.

'Natuurlijk', zei Dorien zacht en onwillekeurig keek ze of Aïsha nog sliep.

'Ik dacht dat ik de sleutel had omgedraaid', zei Annelore. 'En we probeerden zo stil mogelijk te vrijen, maar...' Haar hoofd ging glimlachend heen en weer. 'Op zo'n ogenblik denk je niet aan een krakende matras.'

'En Timo?' vroeg Dorien.

'Die slaapt overal doorheen', zei Annelore nuchter. 'En als hij wat zou merken, dan begrijpt hij toch niet waarmee we bezig zijn.'

'Hoe...'

'Via het raam, wat dacht je? Ik kan hem heus niet door de voordeur binnenlaten.'

Natuurlijk, dacht Dorien. Alle kamers bevonden zich op de begane grond en het gebouw stond tussen het groen. Het was een makkie om ongemerkt binnen te komen.

'Maar je houdt je mond toch?' drong Annelore nog eens aan. 'Ik heb Martin ook niks over jou verteld', liet ze er dreigend op volgen.

'Je weet toch dat ik kan zwijgen.'

'Mooi. Michaël zal al aangekleed zijn.'

'Voor mij hoeft hij niet weg te lopen', zei Dorien verzoenend.

In het duister zag ze dat Annelore grijnsde.

'De lol om te vrijen is er voorlopig wel af. Ik ga hem vlug een afscheidskusje geven.'

Ze kneep nog even in Doriens arm. Dan opende ze de deur, stak haar hoofd in de gang en meteen daarna was ze verdwenen. Wat overdonderd sloot Dorien de deur.

'Had jij dat gedacht, Aïsha?' zei ze toen ze naar haar bed sloop. 'Nu, ik ook niet. Of wel...'

Misschien dat ik later met Martin... Met een brede glimlach kroop ze onder het dekbed. Een paar minuten later meende ze ergens in de verte het geluid van een motorfiets te horen.

Nou ja, dacht ze, hij zal zijn Aprilia vast niet voor de deur parkeren.

Ze draaide zich op haar zij, maar de opwinding belette haar om te slapen.

Het leek alsof Diego en Xander elkaar wilden overtreffen met huilen. Diego draaide wild zijn hoofd in alle richtingen terwijl Simone hem met een pipetje wat neusdruppels wilde toedienen. 'Diego! Blijf toch even rustig!'

Uiteindelijk legde Simone hem op haar dijen, hield zijn hoofd achterover en deed een paar druppels in zijn neusgaten. Diego hoestte toen enkele druppels in zijn keel terechtkwamen en Simone zette hem vlug overeind.

'Ik hoop maar dat hij toch wat van het medicijn binnen heeft', zei Simone bezorgd. 'Die verkoudheid maakt hem behoorlijk lastig en ik moet steeds het snot onder zijn neus wegwrijven.'

Alsof het kabaal haar niet interesseerde, sneed Dorien de korsten van een boterham en verdeelde die in stukjes.

'Kijk eens, Aïsha, een lekkere boterham met kersenjam.'

Dwars door het lawaai heen betastte Aïsha met beide handen het stukje brood en stak het in haar mond. Een streepje jam bleef tussen haar onderlip en haar kin hangen. Als een koningin op haar troon keek ze naar het gedoe aan de ontbijttafel.

'Wat een herrie', zei Annelore toen ze in de woonkamer kwam. Timo liep met snelle pasjes naar een lege stoel bij de tafel en klom op de zitting. Annelore nam de koffiekan.

'Nog iemand koffie?' vroeg ze nadat ze een mok had gevuld. 'Jij, Dorien?' Met een duidelijke waarschuwing in haar ogen keek ze Dorien aan.

'Nee. Dank je.' Ze legde haar hand op haar kopje.

'Ik wil wel', zei Emma en ze stak haar mok naar Annelore uit.

Nadat Annelore haar had bediend, zette ze vlug de kan in het koffiezetapparaat. Ze nam Timo op, zette haar zoontje op haar schoot en nam de broodzak. Met een hand hield ze Timo's handjes in bedwang terwijl ze een boterham smeerde. Ze geeuwde.

'Nog moe?' vroeg Dorien plagerig.

'Ik heb niet zo goed geslapen', zei Annelore achteloos terwijl ze Dorien staalhard aankeek. 'Gewoon een slechte nacht gehad.'

'Slecht?' kon Dorien zich niet bedwingen.

Lies keek met een niet-begrijpende blik beurtelings naar de meisjes.

'Enkele meisjes uit mijn klas willen Aïsha eens zien', gaf Dorien het gesprek een andere wending. Ze zag Annelore opgelucht ademhalen. 'Zou ik eens met Aïsha naar school mogen?'

Lies dacht na terwijl ze met een lepeltje in haar kop koffie roerde.

'Aïsha kan geen hele dag op school blijven', zei ze. 'Maar als je wilt, kan ik op een keer met haar langskomen.'

'Dat zou fijn zijn.'

'Maar voorlopig kan het niet. Hoewel, over enkele weken heb je examens.' Ze nam een agenda uit haar handtas, die op het aanrecht lag. 'Weet je wat... ik probeer nog voor de examens een dag vrij te maken. Dat moet lukken.'

'Mooi.'

Emma deed het deksel op haar broodtrommel en legde haar bestek op het aanrecht.

'Mogen we een sigaret roken?' vroeg ze terwijl ze zonder op een antwoord te wachten in de richting van de deur liep. Femke volgde haar op de voet. Annelore greep naar het pakje L&M dat naast haar op tafel lag.

'Is het al zo laat?' riep Dorien uit. 'Ik moet mijn lunchpakket nog klaarmaken en een paar boeken zoeken.'

'Ga jij maar naar je kamer', zei Annelore meteen. 'Ik zal je lunchpakket wel klaarzetten en jouw bestek opruimen. Hoeveel boterhammen?' Ze legde de sigaretten weer neer.

Lies keek stomverbaasd op en Dorien grijnsde.

'Twee met ham en een met choco.'

K.

Onafgebroken kwamen hoge, kunstmatige golven aangerold en net toen een golf over haar hoofd zou spoelen, sprong Dorien overeind. De stroming sleepte haar een eindje mee en ze viel achterover. Meteen grepen handen haar middel vast en hesen haar overeind. Het lachende gezicht van Martin was vlak voor haar. Ze wreef het water uit haar ogen en keek hem aan.

'Die golven hebben echt veel kracht. Mijn voet slipte weg toen ik neerkwam', zei ze alsof ze zich wilde verontschuldigen omdat ze gevallen was.

'Gelukkig heb je mij nog om je te redden', grijnsde hij. Martin verplaatste zich zodat hij de golven voor haar opving. Enkele sliertjes haar kleefden tegen zijn wangen en druppels vielen van zijn neus en kin. Alsof hij het vergeten was, lagen zijn handen nog steeds op haar huid. Ze volgde zijn blik naar het bovenstukje van haar bikini en toen pas merkte ze dat het bandje van haar beha over haar schouder was geschoven zodat haar linkerborst bijna tot de tepel bloot was. Snel wilde ze het schouderbandje terugduwen, maar hij hield haar hand tegen.

'Nu zie ik zoveel meer', zei hij ondeugend. Toch schoof hij langzaam het bandje terug op zijn plaats.

Schichtig loerde Dorien om zich heen, zag dat niemand iets had opgemerkt en ze lachte. Ze deed een stap opzij zodat ze naast hem stond en met hun handen in elkaar verstrengeld sprongen ze op als een golf over hun hoofd dreigde te spoelen.

In het ondiepe gedeelte van het golfslagbad hield een vader zijn dochtertje vast en stoeide met haar in de golven.

Hoe zou het met Aïsha zijn? vroeg Dorien zich plotseling af. Kort na het ontbijt was haar meisje met haar hoofd tegen de deur gevallen. Het was niet erg, hopelijk bleef het bij een flinke bult, maar ze huilde nog toen Dorien haar achterliet in de kinderkamer omdat ze de bus moest halen.

'Waar denk je aan?' vroeg Martin. 'Vind je het niet meer leuk?' Pas nu besefte ze dat de golven waren verdwenen en dat ze zomaar voor zich uit staarde.

'Ja, toch wel.' Ze toverde een glimlach tevoorschijn. 'Ik vind het alleen jammer dat deze dag te snel voorbij zal zijn.' 'We hebben nog anderhalf uur voor we naar de bus moeten.' Hij keek naar de mensen die na de golven het bad verlieten. 'Buiten is het vast lekker.' Zonder haar reactie af te wachten trok hij haar mee.

Dorien kon het niet helpen, maar terwijl ze door het water waadde, bleef de huilende Aïsha door haar hoofd spoken. Ze voelde zich schuldig omdat zij zich met Martin in het subtropische zwembad vermaakte, terwijl haar dochter haar misschien miste.

Opeens draaide Martin zich om en sloot haar in zijn armen op. Terwijl het water tegen hun knieën kabbelde, kuste hij haar. Ze probeerde in de kus te verdrinken, maar het lukte niet.

Het zou een stuk gemakkelijker zijn als Aïsha er niet zou zijn, speelde het door haar hoofd. En ze schrok dat ze zoiets durfde te denken.

Martin hield de plastic flap galant omhoog. Het was al donker en op de bodem van het zwembad brandden lichten. De verlichting en de nevel boven het water gaven het bad een sprookjesachtig uitzicht.

'Brr, koud', huiverde Dorien terwijl ze de buitenlucht als een ijzige douche op haar huid voelde. Meteen liep ze met gebogen knieën verder zodat enkel haar hoofd boven het warme water uitstak.

'Watje', verweet Martin haar met een glimlach.

Hanerig rekte hij zijn lichaam uit en stak zijn armen in de lucht, maar Dorien zag het kippenvel op zijn rug en ze lachte. Meteen stootte hij zich met zijn voeten af en liet het water opspatten toen hij dook. Soepel als een aal draaide hij zich onder water in Doriens richting en tastte naar haar benen.

'Laat dat!' gilde Dorien toen ze voelde dat hij haar benen onderuit trok. Snel hapte ze naar adem en verdween onder het wateroppervlak. Proestend kwam ze boven.

Martin stond al overeind en keek haar grijnzend aan. Ze kneep haar neus dicht en zwiepte haar haar naar achter. Ze rilde in de dunne nevel die boven het warme water hing. Met een vinger raakte hij even haar tepel aan die door de dunne stof van haar bikini heel duidelijk te zien was.

'Deugniet', zei ze niet gemeend en ze liet haar schouders onder het wateroppervlak zakken. Als een eend waggelde ze met gebogen benen naar de kant van het zwembad. Ze ging op de richel zitten die een eindje onder het wateroppervlak zat en liet haar hoofd tegen de stenen rand leunen. Ze tuitte haar lippen en blies rooksignalen in de lucht. Het was eenzaam in het zwembad, alleen aan de overkant trok een oudere man met een witte badmuts korte baantjes. Telkens als zijn hoofd boven het water uitkwam, blies hij water voor zich uit.

Met een paar krachtige crawlslagen zwom Martin naar haar toe. Hij zocht naast haar een plaatsje op de richel. Alsof het toevallig was, raakte zijn dij haar been en bleef zijn hand onder de rand van haar beha liggen. Hij knabbelde speels aan haar oorlel en ze giechelde een beetje. Na een paar seconden schoven zijn vingers bijna onmerkbaar in de richting van haar borst. Ze gluurde naar de zwemmer en ze legde haar hand op Martins hand.

'Het is fantastisch om in het warme water te zwemmen terwijl de lucht koud en donker is', zei hij. 'Vind je ook niet?'

'Super', beaamde ze terwijl ze aan Aïsha dacht.

Boven zijn hoofd grepen zijn handen naar de rand van het zwembad. Hij trok zich wat omhoog en strekte zijn benen zodat zijn bovenlichaam boven op het water dreef. Er kleefden druppeltjes op zijn natte huid.

'Wat doen we morgen?' vroeg hij.

Met haar wijsvinger depte ze de druppels bij zijn navel weg. In haar hoofd bleef Aïsha ronddwalen. Straks zou ze stiekem de begeleidster bellen om te vragen hoe het met haar was.

'Morgen?' herhaalde Martin terwijl hij haar vinger met zijn ogen volgde.

'Morgen?' zei ze alsof ze uit een droom kwam.

'Het is morgen zondag. Dan hoef je niet naar school, toch.' Ze lachte beschaamd omdat ze met haar gedachten bij haar dochtertje was.

'Weet je', zei hij opgewekt terwijl hij tegen haar aankroop. 'We kunnen in De Revue iets drinken. Het maakt niet uit wat we doen, als we maar samen zijn.'

Morgen komt Lukas op bezoek, dacht ze. Met ma en Fleur.

Ze voelde zich bang en onzeker voor morgen. Eergisteren was Lukas aan de telefoon blijven aandringen. En ze kon het niet blijven uitstellen. Ze had trouwens geen geld meer om morgen met Martin ergens heen te gaan.

Voor dit uitje had ze zelfs bij Emma tien euro moeten lenen. Voor Martin was geld geen probleem. Hij hoefde zijn hand maar open te houden en zijn ouders legden er geld in. Maar zij zou de komende weken zuinig moeten zijn.

Met haar vinger streek ze zijn natte haar naar achter.

'Ik zou niets liever doen', zei ze zacht. 'Maar dat pikt mijn moeder niet.'

'Jouw moeder is streng', merkte hij op. 'We zien elkaar bijna nooit.'

Ze legde haar hoofd op zijn schouder en tippelde met haar vingers over zijn borst.

'Je overdrijft. We zien elkaar toch op dinsdag, tijdens de middagpauze.'

'En dat is bijna alles', zei hij nukkig. 'Ik mag je niet eens bellen als ik je stem wil horen. Wat doet je moeder? Is zij een gevangenisbewaker?'

'Helemaal niet', grinnikte Dorien. 'Maar ze vindt dat mijn vrijheid grenzen heeft.' Ze sloot haar ogen. Als hij ooit haar leugens zou ontdekken... Ze had haar leugens als een net over zich heen getrokken en ze raakte er steeds meer in verward. 'Trouwens, ik moet morgen studeren', voegde ze er vlug aan toe.

Hij liet zijn hoofd een beetje zakken tot zijn mond het wateroppervlak raakte en hij blies bellen in het water.

Doriens blik dreef naar de man met de witte badmuts die naar de uitgang zwom.

'Het is vast al laat', zei Martin terwijl hij haar ogen volgde. 'Straks moeten we gaan. Het duurt een hele tijd om van Mol in Turnhout te komen. En daarna moet jij nog naar Kasterlee.'

Hij kwam overeind. 'Maar eerst nog van het zwembad genieten.' Dorien gilde toen zijn twee handen haar schouders grepen en haar naar het midden van het zwembad trokken.

'Spreid je benen', zei hij bevelend.

Dorien keek hem vreemd aan.

'Waarom?'

Hij lachte hardop en wat argwanend zette Dorien haar benen uit elkaar. Martin dook in het water en ze gaf een schreeuw toen ze zijn hoofd tussen haar dijen voelde. Meteen greep hij haar benen vast en terwijl ze op zijn schouders zat, stond hij op.

'Geef me je handen en ga op mijn schouders staan.'

Terwijl ze zich aan zijn handen vastklemde, zette ze voorzichtig een voet op zijn schouder, daarna haar andere voet tot ze voorovergebogen op hem stond.

'Nu springen!' Met een lendenslag gaf hij haar een wipje, liet haar handen los en terwijl ze schreeuwde, viel ze met een plons in het water.

'Nog eens?' vroeg hij toen ze weer overeind kwam.

Hij zou vast een geweldige vader zijn, dacht ze terwijl ze haar benen spreidde. Ze beeldde zich in hoe Aïsha later op zijn schouders zou staan en juichend in het water zou springen.

In de loop van de avond was een nijdige oostenwind opgestoken. Voor een volle maan pakten wolken zich samen.

'Straks regent het', voorspelde Dorien. Ze rilde en nestelde zich dicht tegen Martin aan toen ze naar het bushokje liepen. Ze stopte haar hand in zijn achterzak en spon bijna toen zijn warme hand onder haar jas en haar trui naar haar blote huid zocht. Aan haar linkerhand bengelde een linnen zak met haar handdoek, shampoo en bikini.

Regen of geen regen, zo zou ik nog uren naast hem kunnen lopen, dacht ze. Zeker nu Aïsha slaapt.

Haar bezorgdheid was weggesmolten na een stiekem telefoontje in het toilet van De Revue.

'Ik vind het zielig om je in je eentje naar Kasterlee te laten rijden', verbrak Martin de stilte. 'Waarom wilde je niet eerder weg? Dan kon ik vanuit Kasterlee terugrijden naar Turnhout.'

'Ik bleef liever met jou nog wat in Turnhout ronddwalen', zei ze en ze drukte haar vingers wat steviger tegen zijn bips.

Hij kuste haar wang. Ze voelde dat ze zich steeds meer in haar net van leugens verstrikte. Op een keer moest ze het hem vertellen, maar dan... Ze kon niet met de gedachte leven dat hij haar zou dumpen, dat ze opnieuw alleen met Aïsha zou zijn. En Lukas natuurlijk, maar ja, hij was haar broer.

Toen ze het bushokje naderden, liet Dorien wantrouwig haar ogen over de omgeving gaan. Sinds die dag had ze de rode Honda Civic niet meer gezien, maar ze was wel op haar hoede. Ze versteende toen ze bij de halte een meisje ontdekte dat ook elke dag bij het tehuis de bus nam. Ongemerkt leidde ze Martin naar de achterkant van het bushokje. Ze sloeg haar armen om zijn hals en kuste hem tot ze de bus hoorde.

De ruitenwissers zwiepten de druppels weg. In het schijnsel van de straatlampen vielen regenstrepen schuin op het asfalt van de Lichtaartsebaan. De bus minderde vaart toen de halte in zicht kwam. Dorien richtte zich op. Ze bleef bij de deur wachten tot de bus stopte.

'Is Martin jouw vriend?' vroeg een stem achter haar rug.

Dorien draaide zich met een ruk om en ze keek in het gezicht van het meisje dat ook in Turnhout opgestapt was.

'Ken jij Martin?' vroeg Dorien beduusd.

'We zitten op dezelfde school', zei het meisje. 'Maar ik zit een jaar hoger.'

Meteen was Dorien op haar hoede.

'We kennen elkaar al een tijdje', zei ze voorzichtig.

'Dat dacht ik al.'

Ze heeft vast gezien dat we elkaar kusten, dacht Dorien plotseling. Ze sloeg haar ogen neer. Tot haar opluchting stopte de bus en ging de deur open. De regen pletste op haar neer, maar toch bleef ze staan. Niet dat ze contact wilde met het meisje, maar ze kon haar niet zomaar links laten liggen. Zeker niet omdat ze Martin kende.

'Woon je ook in de buurt?' vroeg ze toen het meisje naast haar stond en beschermend een hand boven haar hoofd hield.

'In de Holle Weg', zei het meisje. 'Maar ik heb mijn vader gebeld. Hij komt me met de auto ophalen. 'En jij woont...?'

Haar gezicht draaide in de richting van het tehuis. Dorien zweeg beschaamd.

'Ik had nooit gedacht dat een jongen als Martin... maar ja, het is zijn keuze.'

De bus vertrok.

'Tot maandagochtend... bij de bushalte', zei het meisje en ze liep naar een auto die aan de overkant van de straat met draaiende motor wachtte.

'Shit!' vloekte Dorien zachtjes. En met een hoofd vol muizenissen liep ze het voorplein van het tehuis op. Ze belde aan en ongeduldig trappelde ze met haar voeten terwijl ze wachtte tot Anneke de deur zou openen.

Die bitch zal toch niet... dacht ze. Ze voelde de regen niet eens. Maar nee, pepte ze zichzelf op. Ze zit niet eens in Martins klas.

Somber haalde ze haar schouders op. Misschien kon ze het meisje maandagochtend vragen om niets te zeggen? Wie weet sprak ze nooit een woord met Martin. Maar toch... Dorien merkte niet eens dat ze het koud had.

In de hal werd het licht aangeknipt en door het glas in de deur zag Dorien dat Anneke kwam aanlopen.

'Is Annelore er niet?' vroeg Anneke meteen.

'Nee. Moest zij ook met de bus komen?' vroeg Dorien.

'Goh, dat kun jij natuurlijk niet weten. Je bent al sinds vanmiddag weg. Was het leuk?'

'Geweldig', zei Dorien overdreven enthousiast. Het meisje dat in de Holle Weg woonde, zat nog in haar hoofd. 'We hebben gezwommen en daarna nog iets gedronken in Turnhout.'

'Mooi', zei Anneke. 'Ga je mee naar de woonkamer of ga je eerst naar Aïsha kijken?'

'Slaapt ze?'

'Als een roos', zei Anneke.

'En de valpartij?'

'Och, dat valt wel mee. Een bult en wat blauwe plekken. Maar het lijkt erger dan het is.'

In de woonkamer lag Emma languit op de bank. Een opengescheurde zak chips en een blikje Fanta stonden binnen handbereik op het lage tafeltje. Simone zat op de andere bank met haar voeten onder haar billen geschoven. Omdat ze in België geen familie had, bleef Simone tijdens de weekends in het tehuis. Een enkele maal gebeurde het dat ze met Diego het weekend doorbracht bij een schoolvriendin.

Een weekend uit medelijden, dacht Dorien, maar dat zou ze voor geen geld hardop durven te zeggen.

Op tv overstemde een of andere romantische film met Cameron Diaz de gewone geluiden uit de babyfoon die naast de chips op het tafeltje stond.

'Hoi! Dorien!' riep Emma luid alsof ze haar in geen tijden had gezien. Met een luie hand grabbelde ze in de zak en ze stak wat chips in haar mond. 'Hoe lukt het met Martin?' brabbelde ze terwijl wat kruimels uit haar mond vielen.

'Super.' Dorien gooide haar jas over een stoel en liet de tas met haar zwemspullen op de vloer vallen. 'Ik hang ze zo meteen te drogen als ik op mijn kamer ben', zei ze voor Anneke de kans had om te reageren. 'Is er nog koffie?'

Ze schudde met de thermoskan en voelde de koffie klotsen. Ze nam een mok uit de kast en vulde die half. Met de mok aan haar lippen liet ze zich naast Simone vallen.

'En met de liefde?' vroeg Emma. Haar ogen schoten van het tvscherm naar Dorien en terug.

'Geweldig. Het was veel te vroeg om afscheid te nemen. Morgen zie ik hem ook niet. Dan moet ik studeren. En Lukas komt met ma en Fleur.' Haar stem daalde en ze zuchtte. 'Ik hoop dat het meevalt.'

'O ja, Lukas', deed Emma vervelend.

'Hij is mijn broer', zei Dorien kort.

'Hoe lang ken je die jongen al?' vroeg Anneke om het delicate onderwerp te vermijden.

'Nou, toch al enkele weken.'

'Misschien kan hij eens voor een gesprek komen', stelde Anneke voor. 'Als het een goede jongen is, kan hij soms op bezoek komen.'

'Een goede jongen', deed Dorien lacherig omdat ze dat een typische uitdrukking van een oudere vrouw vond.

'Ja, dan kunnen jullie elkaar zien in de bezoekerskamer.'

Elk op een stoel tegenover elkaar aan een tafel! Dorien wuifde het aanbod in gedachten weg.

Alsof ze zich iets herinnerde, keek Anneke plotseling op haar polshorloge.

'Annelore! Verdomme!' snauwde ze hardop. 'Ze weet toch dat ze om twaalf uur in het tehuis moet zijn. Ik zal maandag eens met Willy over haar praten.'

Dorien fronste haar wenkbrauwen terwijl ze in de warme koffie blies. Ze had Anneke nog nooit horen vloeken.

En dan weet je nog niet eens dat Annelore haar vriend soms 's nachts haar kamer binnensmokkelt, dacht ze vrolijk.

Omdat ze blijkbaar allebei hetzelfde dachten, grijnsden Emma en Dorien naar elkaar. Simone stootte Dorien aan, maar die deed alsof ze tv keek. Intussen wist iedereen het, behalve degenen die het niet mochten weten. Ze roddelden veel over elkaar, maar vreemd genoeg bleven sommige dingen een goed bewaard geheim. Misschien zouden ze zelf ooit...

'Heeft Ken nog gebeld, Emma?' vroeg Dorien.

'Nee, wel een sms'je gestuurd nadat ik hem gebeld had.'

'En?'

'Fuck off, schreef hij.' Nijdig reikte ze weer naar de chips en propte haar mond vol.

Dorien stond op en schoof naast Emma op de bank. 'Laat hem toch los.' Ze masseerde met één hand Emma's schouder. 'Hij is gewoon jouw type niet.'

'Ik ben zijn type niet, bedoel je', zei ze gelaten. Ze had tranen in haar ogen. 'Ik ben het type van niemand. Ik zou zo graag een goede vader voor Xander ontmoeten en ik heb ook gevoelens, weet je. Ik snak naar iemand die er voor mij is, die me eens knuffelt.' Ze zweeg, peuterde een zakdoek uit haar broekzak en veegde haar gezicht droog.

Geschrokken kwam Anneke naast Emma zitten. 'Je vindt vast wel iemand', probeerde ze het meisje te troosten.

'Met een lijf zoals ik heb!' snauwde Emma.

'Op ieder potje past een dekseltje. Op een dag klikt het en dan zul je denken aan wat ik je nu voorspeld heb.'

Treurig haalde Emma haar schouders op en bijna automatisch reikte ze weer naar de chips.

'Als je eens wat minder snoep en hapjes at', zei Anneke, die haar hand volgde. 'En wat meer beweging nam.'

'En dan is alles opgelost', zei Emma venijnig.

'Je kunt het tenminste proberen.'

Boos hield Emma haar ogen op het tv-scherm gericht.

'Ik ga naar Aïsha kijken en daarna slapen', zei Dorien. Ze hield haar hand voor haar mond en deed alsof ze moest geeuwen. Ze kneep nog eens bemoedigend in Emma's schouder. Daarna pakte ze de mok van de tafel en terwijl ze naar de vaatwasmachine liep, slikte ze nog een bodempje koffie door. Ze zette de mok in de machine en pikte haar jas en haar zwemzak op.

'O ja', zei Anneke terwijl ze haar hoofd naar Dorien keerde. 'Lies heeft vanmiddag gebeld. Dinsdag komt ze met Aïsha naar school. Tijdens de middagpauze kunnen jullie in Turnhout samen een broodje eten.'

'Dinsdag!' riep Dorien uit.

'Ja. Waarom? Wat is er mis met dinsdag?'

Dorien dacht razendsnel na. Dan kon ze Martin niet zien. En op maandag had hij pas om halfeen middagpauze. Morgen zou ze hem bellen om te zeggen dat ze dinsdag voor een groepswerk in school moest blijven, maar dat het donderdag wel lukte.

'Ik dacht maar even...' zei Dorien toen Anneke haar verbaasd aankeek. 'Nee, dinsdag is prima', zei ze zonder met haar ogen te knipperen.

Met snelle duwtjes van haar linkerbeen kroop Aïsha naar Fleur, die languit op het tapijt lag en het kind met wiebelende vingers lokte. Aïsha steunde voorovergebogen op haar handen en op haar eigen, rare manier raakte ze verbazend vlug bij het meisje.

Drie paar ogen zagen dat Fleur zich op haar rug draaide en Aïsha op haar buik tilde. Met beide handen hield Fleur het meisje bij haar middel vast.

'Doet het nog pijn?' vroeg ze met een flauw stemmetje. Ze wees naar een bult op Aïsha's voorhoofd.

'Spelen', zei Aïsha alleen.

Fleur begon een k3-liedje te zingen dat Dorien zich nog vaag herinnerde en ze bewoog Aïsha heen en weer. Aïsha lachte opgetogen en haar ogen vroegen om meer.

'Ze kunnen goed met elkaar opschieten', zei ma, die tegenover

Dorien aan de tafel in de bezoekerskamer zat.

'Ja', was Lukas zijn zus voor. Hij had een stoel gekozen die als een buffer tussen ma en Dorien diende.

Onder het tafelblad friemelde Dorien aan een nagelrand en ze vroeg zich af wat ze zou zeggen. Ze had stiekem gehoopt dat Lukas haar belofte nooit zou hard maken, dat hij ook zou inzien dat een ontmoeting met ma moeilijk en schurend zou zijn. Weer zochten haar ogen het mobieltje dat op de tafel lag. Over een kwartier zou ze niet hoeven te liegen als ze zei dat Aïsha een dutje moest doen.

'Ze beseft dat Fleur familie is', zei ma.

'Ze lacht naar iedereen die met haar wil spelen', zei Dorien en ze dacht dat Aïsha vooral de bewoners van het tehuis als familie beschouwde.

Ma had een nieuwe rok met noppen erop aangetrokken en een zwarte, mouwloze bloes. Dorien wist dat haar moeder een goede smaak had, maar toch vond ze dat haar moeder, ondanks de nieuwe kleren, jaren ouder leek. Er zaten meer rimpels rond haar ogen, er ontsnapte grijs aan de bruine kleurshampoo en ma leek wat uitgezakt op de stoel te zitten. Dorien herinnerde zich ma als iemand die wist wat ze moest zeggen, wat ze moest doen. En nu leek het alsof ze nerveuzer was dan zij.

'Aïsha is een mooi kind', zei ma.

Snel keek ze Dorien aan en toen hun ogen elkaar ontmoetten, vluchtten ze weer naar het kind.

'Lukt het een beetje? Vallen de andere meisjes mee?' vroeg ma en ze dwong zich om naar Dorien te kijken.

'Dat gaat wel. We voelen ons een kleine familie. En zoals in alle families kun je met de een beter opschieten dan met de ander.'

Ma begreep de sneer. 'Ik bedoelde het goed.'

'Ook toen je een afspraak voor me regelde in een abortuskliniek?' reageerde Dorien meteen.

'Toe nou. Fleur hoort het ook.'

'Fleur mag weten dat Aïsha niet welkom was. Dat ze niet zou hebben geleefd als ik me door jou had laten overhalen.' Meteen had ze spijt van haar woorden en ze liet gelaten haar hand op haar dij vallen.

Wat maakt het uit, dacht ze. De situatie is nu eenmaal zoals het is.

'Bah! Vies!' riep Fleur gesmoord.

Dorien lachte toen ze zag dat er kwijl uit Aïsha's mond droop en op Fleurs arm viel. Ze bukte zich om met het slabbetje Aïsha's mondje af te vegen.

'Misschien krijgt ze een tandje', zei ma. Ze klonk opgelucht omdat het netelige onderwerp achter de rug leek. Ze klapte in haar handen. 'Komt Aïsha eens bij oma?'

Zonder naar Fleurs protest te luisteren, tilde ze Aïsha op en zette het kind op haar schoot. Met kinderlijk gebrabbel probeerde ze Aïsha aan het lachen te krijgen. Fleur kwam overeind.

'Wat is dat met die abortus?' vroeg ze.

Ze hoort nog altijd alles, dacht Dorien.

Ma sloeg onrustig haar ogen op.

'Niks', zei Dorien. Ze merkte dat ma opgelucht uitademde.

'Heb je genoeg geld?' vroeg ma meteen.

'Ja.'

Lukas keek Dorien vreemd aan.

'Het is soms wat scharrelen om het einde van de week te halen, maar het lukt wel.'

'Ik kan je anders…' Ma maakte haar zin niet af, maar terwijl ze met één hand Aïsha vasthield, knipte ze haar handtas open.

'Nee!' Dorien wilde op geen enkele manier bij haar moeder in de schuld staan.

'Maar het geld is voor Aïsha. Dan kun je iets moois voor haar kopen.'

'Is ze dan niet mooi gekleed?'

'Dat wel.' Ma stak verzoenend een hand op. 'Maar het kan altijd beter.'

Dorien kneep haar lippen tot een dunne spleet toen ma vijf briefjes van vijftig euro over het tafelblad naar haar toe schoof.

'Toe nou', spoorde Lukas haar aan.

Dorien kneep nadenkend haar ogen samen en keek van het geld naar Aïsha. Met die euro's zou ze het een tijdje gemakkelijker hebben. 'Goed, maar het is alleen voor Aïsha.' Ze trok de bankbiljetten naar zich toe. Ma deed of ze het niet zag en met twee handen probeerde ze Aïsha op haar schoot rechtop te laten staan. 'Mag ik haar nog eens vasthouden?' vroeg Fleur.

'Straks', zei ma.

'Straks moet ze slapen', zei Dorien. 'Ze is vast al moe.'

'Toe nou', zeurde Fleur en ze hield een hand onder Aïsha's hoofdje.

Met duidelijke tegenzin liet ma Aïsha van haar schoot nemen. 'Voorzichtig. Laat haar niet vallen.'

Als een klein moedertje nam Fleur Aïsha op haar arm. Zonder iets te zeggen keken ze alle drie naar Fleur, die wandelingetjes om de tafel maakte. Dorien voelde dat ze uitgepraat waren.

'Hoe is het met Peter?' vroeg ze voor de vorm.

'Goed', antwoordde ma zonder nadenken.

Dorien knikte alsof ze de leugen geloofde. Lukas had haar verteld dat de hele situatie hun relatie geen goed had gedaan. Maar ja... zij waren Peters kinderen niet.

'Misschien kun je met Aïsha terug naar huis komen...' stelde ma voorzichtig voor. 'Later', voegde ze er vlug aan toe.

Nee, wilde Dorien meteen zeggen. Ze wist dat ze nooit meer naar huis zou gaan. Het zou niet lukken. Misschien nog gewoon op bezoek als Peter er niet was. Ze dacht aan het geld dat ze had aangenomen en ze had al spijt dat ze de euro's in haar zak had gestopt.

'Misschien later.'

L.

Met Anka op haar hielen snelde Dorien naar het lage hek dat het schoolplein van de straat scheidde. Haar voeten raakten de stenen bijna niet omdat ze Aïsha zo vlug mogelijk aan Anka wilde laten zien.

'Hoi, Lies', zei ze en ze deed het hek open. Ze boog zich meteen naar de buggy en klapte uitbundig in haar handen. 'Kom jij bij mama?'

Aïsha trappelde uitgelaten met haar voetjes en stak haar armpjes uit. In een oogwenk had Dorien de riempjes losgemaakt en drukte Aïsha tegen zich aan. Lies had haar goed ingepakt en Dorien maakte haar muts los zodat Anka haar dochter beter kon zien.

'Het is een schatje', zei Anka nog wat nahijgend. 'Mag ik haar ook eens vasthouden?' Ze hield uitnodigend haar open handen voor Aïsha.

'Wil je even bij Anka?' vroeg Dorien en ze zette het meisje voorzichtig op Anka's arm.

'Zo, nu ben je bij tante Anka', zei Anka op een kleutertoontje en met het topje van haar wijsvinger gaf ze zachte tikjes tegen Aïsha's wang.

'Ik mocht van mevrouw van Yssel vanmiddag met jou gaan eten', zei Dorien tegen Lies.

Anka keek verbaasd op.

Die weet natuurlijk dat ik er in de middagpauze soms niet ben, besefte Dorien meteen en met haar ogen waarschuwde ze het meisje.

Meteen keek Anka naar Aïsha.

'Prima', zei Lies. 'Vanmiddag ga ik met Aïsha shoppen om de tijd te doden.'

'Kom je niet met Aïsha naar de klas?' vroeg Anka smekend. 'De anderen willen haar vast ook zien. Een kwartiertje moet toch kunnen.'

'Doe ik ook', zei Lies. 'Ik kom met Aïsha naar de klas om Dorien op te halen en dan gaan we samen met de bus naar Kasterlee.'

Enkele meisjes liepen met Dorien en Lies naar het hek. Alsof ze de trotse moeder was, droeg Anka Aïsha op haar arm. 'Ze lacht steeds naar mij', zei ze opgewekt en ze drukte opgetogen haar neus tegen Aïsha's neus. 'Goh, wat zou ik graag zo'n leuke baby hebben.'

'Jij houdt haar maar even vast', zei Dorien. 'Maar vanavond mag ik haar kleren wassen, moet ik haar in bad stoppen, eten geven... Je beseft niet hoeveel tijd ik in dat kind stop. En niet alleen vanavond, elke dag.'

'Tja', zei Anka. 'Maar het was toch jouw keuze?'

Nee, dacht Dorien wrevelig. Het was helemaal niet mijn keuze. In een flits zag ze die nacht weer en het leek in één klap een paar graden kouder.

Toen ze bij het hek waren, gaf Anka Aïsha nog een kusje, zette haar voorzichtig in de buggy en maakte de riempjes vast.

'Je moet vlug nog eens langskomen', zei ze alsof het kind haar zou begrijpen.

'Tot morgen, Anka', zei Dorien terwijl ze de handvatten greep. Samen met Lies liep ze in de richting van de Grote Markt.

'Aïsha stal de show in de klas', zei Lies.

'En of.'

Dorien dacht opgeruimd aan Aïsha, die naar iedereen lachte, die op handen en voeten door de klas op ontdekkingsreis ging, die mevrouw Ten Bank in de neus kneep...

Het rinkelen van een fietsbel deed haar opzij kijken.

'Martin!'

Het leek alsof de lucht op haar viel. Ze voelde dat ze wit wegtrok.

'Heb ik je laten schrikken?' vroeg Martin toen hij haar onthutste gezicht zag. Hij stuurde zijn fiets de stoep op en greep haar schouder om zich in evenwicht te houden.

'Omdat ik je vanmiddag niet kon ontmoeten, wilde ik je verrassen.' Hij grijnsde. 'Het laatste lesuur heb ik gespijbeld, anders lukte het niet om je bij de bus uit te zwaaien.' Hij trok zijn wenkbrauwen op toen hij met zijn hoofd naar de buggy wees.

'Is dat jouw kindje?' vroeg hij aan Lies. 'Ben je familie van Dorien?'

Doriens ogen vlogen waarschuwend naar Lies, maar die keek geïnteresseerd naar Martin.

'Vind je niet dat ik een beetje te oud ben voor zo een jong kind?' vroeg ze geamuseerd. 'Aïsha is Doriens dochtertje.'

Dorien kneep met haar knokkels in de handvatten van de buggy tot ze wit werden. Martin blikte beduusd van Aïsha naar Lies en terug naar Aïsha.

Nu zie ik hem nooit meer terug, besefte Dorien. Ze leek in een eindeloze diepte te tuimelen en ze voelde zich zo machteloos.

'Van Dorien?' mompelde Martin. Het leek maar langzaam tot hem door te dringen. 'Dat kan toch niet.'

Helemaal in de war keek hij Dorien aan. Om zijn blik te ontvluchten richtte ze haar ogen naar een punt ergens ver in de straat. Ze voelde dat zijn hand haar schouder losliet.

'God, wat nu?' murmelde Martin verdwaasd. Zijn fiets reed van de stoep af en hij zette vlug een voet op de grond om rechtop te blijven.

'Ik dacht gewoon dat je het wist', zei Lies terwijl ze nerveus met haar ogen knipperde. 'Jullie kennen elkaar toch al een hele tijd. Laatst zijn jullie nog samen gaan zwemmen.'

'Ik zou het al eerder verteld hebben...' zei Dorien. Haar handen beefden en de tranen prikten in haar ogen. Ze besefte dat al de mooie momenten met Martin voorbij waren. Het zou nooit meer worden zoals vroeger. 'Maar ik kon het niet', ging ze stil verder. 'Ik had zo'n angst om je te verliezen.'

Martin bewoog zijn hoofd langzaam heen en weer alsof hij het nog steeds niet kon geloven. Zijn ogen waren een venster waarin ze onbegrip zag.

'Je hebt me voorgelogen', kreeg hij uiteindelijk over zijn lippen. 'En je hebt een kind... Dat moet ik toch laten bezinken.'

Met een ruk draaide hij zijn fiets om en met woeste trappen zag Dorien hem van haar wegrijden.

'Waarom kon je ook je mond niet houden!' beet ze Lies toe.

Jongeren die ook in de richting van de Grote Markt liepen, keken haar nieuwsgierig aan, maar ze merkte het niet. Ze huilde hardop.

Lies legde haar arm over haar schouder, maar met een ruwe beweging schudde Dorien de arm weg.

'Laat hem gewoon eens rustig nadenken', zei Lies bemoedigend. 'Misschien denkt hij er over enkele dagen anders over.'

'Het is voorbij', snikte Dorien heftig. 'Uit!' Het woord bleef in haar hoofd nazinderen. Ze duwde radeloos de buggy een eind van zich af.

'Wat doe je nu?' riep Lies terwijl ze naar de buggy rende.

'Duw jij hem maar. Ik heb geen zin meer.'

De bus naar Kasterlee was op dat uur altijd gevuld met gelach, geroep, schuivende voeten, alle mogelijke geluiden van mobieltjes... Maar Dorien hoorde niets. Met een treurig gezicht zag ze de velden, huizen en bomen voorbijflitsen. De opgevouwen buggy leunde tegen haar been.

In het gangpad stond het meisje dat in de Holle Weg woonde en ze keek aandachtig naar Aïsha, die op schoot zat bij Lies en de drukte met een geïnteresseerde snoet aankeek.

'Je hebt een mooi kindje', probeerde het meisje contact te maken. 'Ze vindt het vast prettig om...'

Dorien draaide haar hoofd om. Haar doffe ogen smeekten om met rust gelaten te worden. Het meisje klapte dicht en keek naar een jongen die met zijn hoofd heftig meedeinde op het geluid van een iPod.

Lies keek medelijdend naar het achterhoofd van Dorien.

'Je kunt misschien...' wilde ze zeggen, maar ze stopte midden in de zin toen ze besefte dat het meisje in het gangpad in haar richting keek en de oren spitste.

'We praten er straks over', zei Lies. Ze porde bemoedigend haar elleboog in Doriens zij, maar die reageerde niet.

Eindelijk, dacht Dorien toen de bus de Lichtaartsebaan opreed. Dadelijk was ze alleen.

De bus remde af.

'Neem jij Aïsha?' vroeg Lies. Ze draaide het kind naar Dorien toe. 'Dan neem ik de buggy mee.'

Onwillig nam Dorien het kind op haar arm en toen Aïsha haar handjes tegen Doriens wang legde, duwde ze die weg. Ze kon het niet verdragen dat Aïsha lief wilde zijn.

Hoofdschuddend nam Lies de buggy en ze baande voor Dorien een weg tussen de jongeren in het gangpad.

'Zo, daar zijn we dan', zei Lies toen ze uit de bus was.

Zwijgend was Dorien haar gevolgd en zonder op Lies te wachten liep ze met Aïsha naar het tehuis.

'Ik moet studeren', zei Dorien kort toen Lies haar naar haar kamer volgde. Ze zat op het bed en trok met heftige bewegingen Aïsha's jasje uit.

'Zou je niet eerst wat tijd voor Aïsha maken?' stelde Lies voor. 'Tenslotte kan zij het toch niet helpen.'

'Nee', deed Dorien nijdig. 'Zij is de oorzaak van al mijn ellende.'

'Het is toch niet de fout van Aïsha dat ze bestaat.'

Dorien stond op en legde Aïsha op het aankleedkussen om haar een luier om te doen.

'Maar ze heeft wel mijn toekomst verknald.'

Het klonk zo bitter dat Lies verstijfde.

'Wat zeg je nu? Aïsha is jouw toekomst. Wie weet neemt Martin opnieuw contact op. Hij houdt toch van jou? Dat gevoel kan toch niet in één klap weg zijn. Misschien moet hij het gewoon eerst verwerken.'

Dorien haalde haar schouders op en zette Aïsha gevoelloos in de box.

'Ook dat nog', reageerde ze moedeloos toen Aïsha begon te huilen.

'Weet je wat?' zei Lies. 'Ik neem Aïsha mee naar de woonkamer. Dan kun jij even tot rust komen.'

Het leek alsof Xander en Diego weer een wedstrijdje huilen hielden toen Dorien de woonkamer in kwam.

'Kan iemand die twee hun mond laten houden!' snauwde ze. Het liefst was ze gewoon op haar bed blijven liggen, maar Lies had haar gedwongen te komen eten.

'Zeg eens', reageerde Simone scherp. 'Doen wij zo vervelend als Aïsha huilt?' Toch boog ze zich over haar zoontje heen en probeerde zijn aandacht met een lepel groentesoep af te leiden.

'Dorien, kom eens.' Emma trok de stoel naast zich uitnodigend achteruit en ze had een brede grijns op haar gezicht.

Hoe kan dat nu? vroeg Dorien zich af. Lies moet de meisjes vast al ingelicht hebben.

'Vrijdag na school gaan David en ik samen iets drinken.' De opwinding straalde van Emma's gezicht.

'Who the fuck is David nou weer?' vroeg Dorien gemelijk.

'Hij zit in de parallelklas. Ik ken hem al een jaar, maar toevallig zaten we tijdens de middagpauze naast elkaar en je raadt het nooit. Opeens klikte het tussen ons...' Ze knipte met haar vingers. 'Zomaar!' Emma draaide zich naar Lies, die Silvana met de spaghettisaus hielp.

'Ik mag vrijdag toch later naar het tehuis komen?' hengelde Emma naar zekerheid.

'Acht uur', zei Lies.

'Hoe is het met jou, Dorien?' vroeg ze in één adem.

'Slecht.'

'Je hebt nog niet eens naar Aïsha gekeken', verweet Lies haar voorzichtig.

Haar dochtertje zat in de kinderstoel. Ze hield met beide handjes een koek vast en knabbelde er als een muisje aan.

Het verwijt gleed van Dorien af.

'Ik heb geen trek.'

'Probeer toch maar een beetje te eten', zei Lies gemoedelijk.

Dorien schepte wat soep op, maar ze voelde dat ze geen hap door haar keel zou krijgen.

Tijdens het wekelijkse groepsgesprek verzamelde iedereen zich op de banken rond het lage tafeltje. Met slepende voeten liep Dorien naar een vrije plaats naast Emma.

'Slaapt Aïsha?' vroeg Lies. De begeleidster had erop toegezien dat Dorien haar dochter had gewassen en haar een pyjama had aangetrokken.

'Ja', zei Dorien. Ze zette de babyfoon op het tafeltje.

'Ik had je toch gezegd dat je eerlijk moest zijn', zei Annelore. 'Je kunt het een tijdje voor je uit schuiven, maar op een dag moet je het toch vertellen. Het maakt alles alleen maar ingewikkelder.'

'Ach mens, laat me met rust.' Ze had de pest aan goedbedoelde troostwoorden en adviezen.

'Zo', zei Lies. 'We zijn er allemaal. Heeft er iemand opmerkingen?'

Dorien was opgelucht omdat ze met haar gedachten alleen kon zijn.

'De verwarming op mijn kamer doet het maar half', hoorde ze Simone in de verte zeggen. 'Het is er echt te koud. Ik moet Diego telkens snel snel een badje geven.'

'Ik zal het noteren', zei Lies terwijl ze op haar blad een aantekening maakte. 'Als het morgen niet opgelost is, kun je Diego voorlopig in de woonkamer wassen.'

'Of je kunt mijn kamer gebruiken', stelde Annelore voor.

'Het toilet was vanochtend niet doorgespoeld', zei Suzanne.

Lies keek de kring rond.

'Wie...' Maar ze wist dat niemand zou reageren.

Wat een futiliteiten, dacht Dorien. Als ze eraan dacht dat ze door Aïsha Martin nooit meer...

'Het toilet doorspoelen is helemaal niet moeilijk', zei Lies. 'Als het nog een keer gebeurt, moeten we misschien sloten aan de deuren laten aanbrengen zoals bij de douches.'

'God, nee', zei Femke. 'Als ik nodig moet, dan loop ik dus eerst naar het kantoortje om de sleutel op te halen, mijn naam op de lijst te noteren... Intussen heb ik al in mijn broek gedaan.'

De meisjes giechelden.

'Ik wil dat iedereen het toilet schoon achterlaat', besliste Lies. 'Is dat afgesproken?'

Ze knikten.

'Wie heeft er...'

Opeens kwam er een klagend geluid uit de babyfoon. Iedereen keek naar Dorien.

'Zou je niet gaan kijken?' vroeg Lies.

'Mag ik daarna op mijn kamer blijven? Ik zou graag naar bed willen gaan.'

Het gezicht van Lies stond bezorgd terwijl ze knikte.

Het huilen van Aïsha hing in de gang.

'Kun je echt niet eens stil zijn?' zei Dorien zodra de deur open was. Ze knipte het licht aan en zag dat Aïsha zich bloot had getrapt. Hoewel ze het niet van plan was, nam ze het kleintje uit het bed en hield haar tegen haar borst aangedrukt.

'Ssst', suste ze. 'Ik kan Martin toch niet bellen als jij op de achtergrond huilt. Het is zo al moeilijk genoeg.'

Ze streelde Aïsha over haar rug tot ze stil was. Daarna raapte ze de fopspeen op uit het bedje en stopte die tussen Aïsha's lippen.

'Zo, nu gaan we weer slapen', zei Dorien toen Aïsha even rustig was. Voorzichtig legde ze het kind neer en stopte het in. Ze wachtte nog even en greep toen naar haar mobieltje. Haar hand beefde toen ze zijn nummer opzocht.

'Hij heeft zijn mobieltje uitgeschakeld', zei ze tegen Aïsha, die vanuit haar bedje toekeek. Ze schakelde de belfunctie uit en legde het mobieltje grijpklaar op het nachtkastje. Toen kleedde ze zich met trage bewegingen uit en trok haar pyjama aan. Het dekbed voelde killer aan dan anders toen ze het licht uitknipte. In het donker hoorde ze Martins lach, zag ze zijn vertederende hulpeloosheid nadat hij cola op haar truitje morste, de te korte middagpauzes in De Revue...

Ze kon een glimlach niet bedwingen toen ze aan zijn machogedrag in het zwembad dacht, alleen om haar te imponeren.

Het had zo mooi kunnen zijn, dacht ze en ze voelde hoe de tranen moeiteloos in haar ogen kwamen. Met de punt van het dekbed depte ze de tranen weg. In het bedje hoorde ze Aïsha bewegen.

'Jij beseft het niet,' zei Dorien zacht, 'maar je hangt als een loden bal aan mijn been.'

In het donker leek haar leven één grote leegte. Ze trok het dekbed over haar hoofd en huilde zich in slaap.

M.

Donkere wolken pakten samen en elk ogenblik konden de eerste regendruppels vallen. Auto's rolden langzaam door de straat en zochten een plaatsje in de buurt van de schoolpoort waar andere auto's al met draaiende motor stonden te wachten. Zonder aarzelen werd een Jeep dubbel voor de poort geparkeerd.

Een gordijn werd een paar centimeter weggeschoven en een verweerd, rimpelig mannengezicht loerde wantrouwig naar Dorien, die al een kwartier voor het raam stond. Toen ze oogcontact kreeg, wist Dorien niks anders te bedenken dan een hoofdknikje en snel schoof ze een stukje op, uit het zicht van de man. Alsof niemand haar mocht zien had ze de kraag van haar jas rechtop gezet zodat haar kin en haar mond verstopt waren.

Vijftig meter verderop was de school en haar ogen zagen iedereen die uit de poort kwam. Zonder de uitgang uit het oog te verliezen, haalde ze haar mobieltje uit haar zak en wierp een snelle blik op de display. 16.40. De les moest al voorbij zijn en waarschijnlijk haastte Martin zich ergens in het schoolgebouw naar de poort.

Ze zou vandaag te laat in Kasterlee zijn, maar dat was niet zo belangrijk. Dorien voelde zich zo zenuwachtig dat ze wel kon janken. In haar oren hoorde ze geruis en haar mond leek droog. Ze slikte. Weer herhaalde ze de zinnetjes waarmee ze hem zou aanspreken en weer twijfelde ze. Ze dagdroomde dat hij haar zou vasthouden en zijn hand door haar haar zou laten gaan. Ze was als de dood dat hij haar zou wegsturen. Of nog erger... haar zou uitlachen. Nerveus friemelde ze in haar jaszak aan een verloren muntstuk van tien eurocent.

Eerst herkende ze de rode O'Neilljas en toen zag ze dat hij zijn haar met een elastiekje op zijn achterhoofd had samengebonden. Samen met een jongen die ze niet kende, liep Martin aan de overkant van de straat. Hij hield zijn fiets aan de hand. Hij stak zijn hand op naar de jongen en sloeg zijn been over het zadel. Hij keek of er geen auto's kwamen aanrijden en langzaam duwde hij de fiets in gang.

Nu, dacht Dorien. Haar hart leek te barsten onder haar jas. Haastig stak ze de straat over.

'Martin!' riep ze. 'Wacht!'

Met een ruk draaide Martin zijn hoofd om. Even leek hij te aarzelen of hij al dan niet zou wegrijden, maar Dorien ging pal voor zijn fiets staan. Om te beletten dat hij zou ontsnappen, hield ze met één hand het stuur krampachtig vast. Zijn ogen ontweken haar en ze bleven op een plek in de lucht boven haar hoofd gericht.

'Minstens elk kwartier probeer ik je te bellen of stuur ik een berichtje, Martin, maar je reageert niet. Waarom wil je niet met me praten?'

'Kun je dat niet raden?' vroeg hij vijandig.

Ze klemde haar tanden op elkaar. Alle woorden die ze had gerepeteerd om het uit te leggen, om hem te overhalen was ze in één klap vergeten.

'We houden toch van elkaar?'

'Hielden', corrigeerde hij meteen. 'Tot ik merkte dat je me voorgelogen had.'

'Ik heb niet gelogen.'

'Of verzwegen. Dat is hetzelfde.'

Haar ogen gingen verslagen naar zijn voorwiel. Ze was zo gespannen dat haar maag akelig samentrok.

'Ik was bang dat ik je zou verliezen', zei ze stil.

'Wanneer zou je het me dan verteld hebben? Over een jaar? Over twee jaar?'

Tranen prikten in haar ogen en ze vond geen woorden meer.

'Ik ben zestien jaar', ging hij ongenadig verder. 'En ik zie het echt niet zitten om al de vader te zijn van een kind dat niet eens van mij is. Iedereen zou denken dat ik gek ben geworden.'

'En als Aïsha er niet was?'

Nu keek hij haar in de ogen en ze durfde niet te ademen. Even leek zijn hand haar wang te willen strelen. Het kostte haar moeite om niet zijn hand te pakken en naar haar gezicht te leiden. Ze verlangde zo naar zijn aanraking dat het pijn deed in haar borst. 'Zonder kind had het mooi kunnen worden. Als...' Hij slikte omdat hij het er ook moeilijk mee had.

Gelaten voelde ze hoe hij haar hand van het stuur losmaakte. Hij draaide zijn voorwiel van haar weg en zonder om te kijken reed hij de straat uit.

Het is voorbij, dacht ze verdrietig. Opeens gutste de regen naar beneden en iedereen vluchtte weg. Ze keek hem na, voor het laatst, voor altijd. Ze zag een eenzaam leven voor zich. Druppels druipten van haar neus en haar kin, maar ze merkte het niet.

Met een forse zwaai knalde de deur van de woonkamer dicht. Meteen gingen alle hoofden in de richting van Dorien. Lies keek boos op. Aïsha zat op haar schoot en wachtte met open mond op het lepeltje wortelpuree dat de begeleidster haar voorhield.

'Kan het een beetje rustiger?' zei Lies streng. Aïsha schrok van haar stem en keek Lies sip aan. 'Weet je wel hoe laat het is? Ik hoop dat je een goede uitleg...' Toen merkte Lies hoe ellendig Dorien eruitzag en ze begreep het meteen.

'Kijk eens, Aïsha, mama is er.' Haar strenge toon was omgeslagen. Ze legde de lepel terug in het bord. 'Mama zal het nu wel overnemen.'

Dorien plofte op de bank en woelde met haar vingers door haar haar. Als verdoofd bleef ze met haar hoofd in haar handen naar de vloer staren.

'Zou je niet naar je dochter kijken?' zei Lies. Ze stond op en reikte Aïsha met uitgestrekte armen naar Dorien.

'Ik heb geen zin om haar vast te houden', zei Dorien. 'Voer haar de worteltjes maar.'

'Doe niet zo vervelend', zei Lies. Ze plantte Aïsha naast Dorien, maar die keek niet opzij.

'Zou je geen andere kleren aantrekken? Het lijkt alsof er een tsunami over je is heen gegaan', probeerde ze vrolijk te klinken.

'Alsof dat belangrijk is', zei Dorien met een schokje van haar schouders.

Lies wachtte af, maar uiteindelijk pakte ze Aïsha weer op en ging aan de andere kant van het tafeltje zitten.

'Kijk eens wat Aïsha vandaag heeft geleerd!' Ze zette het kind met de voetjes op de grond en duwde twee wijsvingers tegen Aïsha's handen. Meteen greep het meisje de twee vingers vast. 'Aïsha kan al flink rechtop staan.' Dan maakte Lies een vinger los. Even bleef Aïsha zich aan een vinger vastklampen, maar dan liet ze zich veiligheidshalve op haar kontje vallen.

'Oeps!' lachte Lies. Ze keek naar Dorien. 'Heb je gezien hoe goed ze al kan staan?'

'Al kon ze als een kolibrie door de kamer vliegen, het interesseert me niet', zei Dorien vijandig. Steeds als ze naar Aïsha keek, herinnerde ze zich die vervloekte nacht, herinnerde ze zich dat Aïsha haar Martin had afgenomen.

Ongelovig schudde Lies haar hoofd. Ze nam Aïsha weer op schoot. 'Het komt wel goed', zei ze tegen het meisje. 'Mama heeft wat tijd nodig.' Ze keek de kamer in alsof ze wat zocht om over te praten. 'O ja, Dorien, ik was vergeten dat je nog moet eten. Simone en Annelore hebben heel lekkere witlofrolletjes met ham klaargemaakt. Zal ik die voor jou opwarmen?'

'Ik heb geen honger', zei Dorien nijdiger dan ze wilde.

Emma nam Xander van zijn stoel en liet hem naar Diego waggelen. Ze kwam naast Dorien zitten en streelde haar rug.

'Ik ben waardeloos', zei Dorien.

'Dat mag je niet zeggen. Voor Aïsha ben je heel belangrijk. Het belangrijkste wat ze heeft.'

'Alsof ik alleen voor haar moet leven.' Dorien haalde haar schouders op.

'Het komt wel goed', troostte Emma. Ze liet haar vingers langs Doriens haar gaan.

'Je bent drijfnat.'

'Martin wil me niet meer zien', zei Dorien.

Emma stond op en greep met beide handen Doriens polsen. 'Vooruit, naar je kamer', zei ze gemaakt streng. 'En droge spullen aantrekken.'

Lijdzaam liet Dorien zich overeind trekken en zich door Emma in de richting van haar kamer slepen.

Het raam stond open en door de kieren van het rolluik kwam koude lucht naar binnen. Rillerig trok Dorien het truitje over haar hoofd. De kou was lekker, omdat het even haar gedachten afleidde. Ze sloot het raam en hing haar jas over een stoel. Terwijl ze uit haar broek stapte, zag ze Martin weer van haar wegrijden. Ze voelde zich overspoeld door onmacht en ze dacht dat ze zich nog nooit zo ellendig had gevoeld.

Kon ik het maar eens stil krijgen in mijn hoofd, dacht ze. Ze hing haar broek over de radiator en opende de kast. Aan een kleerhanger hing het topje met de opgedroogde colavlekken. Ze haakte het topje van de hanger en hield het met uitgestrekte armen voor zich uit. In een dwaze bui had ze gedacht om later het topje te laten inlijsten en het boven haar bed te hangen. Er liepen tranen over haar gezicht toen ze zich die eerste ontmoeting voor de geest haalde. Haar handen werden vuisten. Ze boog zich voorover, zette een voet op het truitje en scheurde, scheurde, scheurde... Ze opende de pedaalemmer en liet de repen textiel op een vuile luier vallen.

Nu begreep ze heel goed waarom Debby in haar bed bleef liggen en Cheyenne liet huilen. Toen had ze het ongelooflijk gevonden dat een moeder zo lusteloos en ongeïnteresseerd in haar kind kon zijn. Dat een moeder haar kind aan pleegouders afstond. Nu zag ze in hoe dat kon.

Misschien kon ze zonder Aïsha aan een toekomst denken. Dorien kneep haar ogen flink dicht. Miljoenen sterretjes dansten achter haar oogleden.

3.

De geur van een ziekenhuis had me altijd al draaierig gemaakt. Het werd pas beter nadat ik een paar keer diep in en uit had geademd. Chris en ik staarden zomaar naar de witte muur van de wachtkamer. De politie-inspecteur leek me in die korte tijd zo vertrouwd dat ik hem in gedachten al bij zijn voornaam noemde. De sporttas met mijn kleren stond aan mijn voeten. Ma had een tijdschrift van het lage tafeltje gepakt, maar ik wist dat ze niet las. Minstens tien minuten lag het artikel over prinses Maxima al op haar knieën.

Ik had het nog nooit gedaan, maar nu zaten een paar vingers in mijn mond en ik knabbelde aan de nagels.

Het is geen leuk onderzoek, had Chris nog een keer gezegd. Maar na een halfuurtje is het voorbij.

Het wachten duurde afschuwelijk lang. Eigenlijk wilde ik niets liever dan naar huis gaan, urenlang met mijn kleren onder de douche staan en misschien met Lukas praten over wat er gebeurd was. Hij zou mijn schaamte, mijn schuldgevoel en mijn angst begrijpen, hij zou luisteren en de juiste vragen stellen.

Onder mijn wimpers vandaan loerde ik naar Chris. Er lag spanning op zijn gezicht. Waarschijnlijk had hij nog andere dingen te doen of misschien was hij bang dat ik me zou bedenken en het onderzoek zou weigeren.

Ik hoorde voetstappen in de gang. Gelijktijdig gingen onze gezichten in de richting van de open deur. Een veertiger met een open, witte doktersjas draaide tijdens het voorbijlopen zijn hoofd in onze richting. Hij gaf een beleefdheidsknikje en liep verder. Ik blies teleurgesteld lucht door mijn neusgaten.

'Al veertig minuten', zei Chris nadat hij op zijn horloge had gekeken. 'De verpleegster had toch gezegd dat ze bijna klaar waren met de bevalling.'

De klotearts, dacht ik. Het liefst was ik weggelopen, maar ik nam ook een tijdschrift en ik bladerde er snel door.

Zelfs zijn naam is vals, dacht ik. Het was griezelig. Tot het telefoontje was hij nog iemand geweest die ik een beetje kende, nu leek hij een geest. Een geest die telkens onverwacht kon opduiken.

'Ha, daar is de gynaecoloog', zei Chris opgelucht toen die in een wit ziekenhuispak in de deuropening verscheen.

De arts kwam binnen en gaf ons allemaal een hand.

'Nog even', zei Chris. 'Ik moet meneer nog de eed afnemen. Anders is alles wat hij doet waardeloos voor de rechtbank.'

Met de sporttas in mijn hand keek ik onwennig rond toen de dokter de deur achter me sloot. Centraal stond een gynaecologische stoel en ik huiverde. 'Na wat je hebt meegemaakt komt dit er nog eens bij', zei hij met een zachte, begrijpende stem. 'Maar ik doe mijn best om het zo snel mogelijk af te handelen.' Hij glimlachte bemoedigend en liep naar een grote, grijze kartonnen doos die op zijn bureau stond. De dokter scheurde het blauwe plakband weg waarmee de doos verzegeld was.

Ik deed een stap in de richting van het bureau en rekte mijn hals om in de doos te kijken. Die was gevuld met zakjes, plastic potjes, plastic lepeltjes, staafjes...

Hij voelde dat ik achter hem stond, maar toch keek hij niet om en nam een zakje met latex handschoenen. Hij trok de handschoenen nauwgezet over zijn vingers. Met een kletsend geluid liet hij de rand van de handschoenen tegen zijn polsen schieten.

'Ik probeer DNA-materiaal te verzamelen', legde hij intussen uit. 'Weet je wat dat is?'

'Ja', zei ik ademloos.

Hij vouwde een groot, wit vel papier open en legde het op de vloer.

'Nu moet je midden op dat papier gaan staan en dan rustig je kleren een voor een uittrekken. Zal dat lukken, denk je?'

Ik knikte, maar ik schaamde me oneindig toen ik besefte wat ik moest doen.

'Op die manier kunnen ze misschien haartjes, stukjes huid of nagelfragmenten van hem vinden', verduidelijkte hij toen hij mijn verlegenheid zag.

Het papier knisperde onder mijn voeten terwijl ik mijn topje over mijn hoofd trok. Intussen had hij uit de doos een bundel papieren zakken gepakt en die op zijn bureau gelegd. Hij nam mijn topje aan en stopte het in een zak. Hij nam een volgende zak en keek me afwachtend aan. Onbewust draaide ik me een beetje weg terwijl ik mijn handen naar mijn rug bracht om mijn beha los te haken. Ook de beha verdween in een zak.

Bij elke beweging hoorde ik het papier onder mijn voeten knisperen. Elk kledingstuk zat in een zak. Hij reikte me een lichtblauw operatiehemd aan met een open achterkant. 'Trek dit maar aan', zei hij. 'Dan voel je je toch een beetje bedekt.' Snel knoopte ik het hemd in mijn nek vast. 'Wil je op die stoel gaan liggen?' Nu wordt het pas echt akelig, dacht ik terwijl ik op de stoel schoof. Ik draaide mijn hoofd en zag dat hij voorzichtig het witte papier opvouwde en het bij de zakken legde. Toen trok hij andere handschoenen aan. 'Wil je je voeten in de beugels zetten?' Naakt en machteloos, zo voelde ik me, zoals een weerloos, jong vogeltje. Ik sloot mijn ogen en beet op mijn tanden. 'Een paar uitstrijkjes', zei hij. 'Het doet geen pijn, maar het voelt waarschijnlijk vervelend aan.' Fuck you! 'We zullen ook testen of je geen overdraagbare aandoeningen hebt opgelopen', legde hij uit toen hij weer een staafje in een plastic potje deed en het potje sloot.

Met een soort luizenkam ging hij door mijn schaamhaar en stopte ook die in een potje.

Vernederd en machteloos voelde ik me toen hij zijn gezicht tussen mijn geopende benen bracht en naar wondjes zocht.

'Zo, het ergste is achter de rug', zei hij toen hij zich oprichtte en ik kreunde van opluchting. Hij nam een soort tandenstoker en liet die onder mijn vingernagels gaan.

'Heb je zijn penis in je mond gehad?' vroeg hij stil.

Meteen zag ik weer hoe de kerel die zich Thomas noemde mijn hoofd tussen zijn benen had geduwd en ik huiverde.

'Wil je dan je mond openen?'

Willoos deed ik mijn mond open en toen ik aan die nacht dacht, moest ik slikken.

Met een ander stokje schraapte hij tussen mijn tanden en het stokje verdween in een ander potje.

'Zo, het is achter de rug. Je mag je aankleden.'

Haastig haalde ik mijn voeten uit de beugels en kwam van de stoel. 'Daar is een kleedhokje', wees hij me aan. 'Ik zal intussen de politieman waarschuwen.'

Terwijl hij een nummer intoetste, greep ik de sporttas en sloot me op in het hokje. Omdat ik het niet langer kon verdragen om naakt te zijn, trok ik gejaagd mijn operatiehemd uit en andere kleren aan. Net toen ik de deur van het kleedhokje opende, kwam ook Chris het kabinet binnen.

'Het is achter de rug?' Het klonk niet als een vraag.

'Gelukkig wel.'

Hij moest vast de opluchting in mijn stem gehoord hebben, want hij kon een begrijpende glimlach niet verbergen. Intussen stopte de dokter de papieren zakken met mijn kleren in een grote, bruine zak.

'Goed', zei Chris toen alles in de zak zat. 'Dan kunnen we die verzegelen en in de doos stoppen.'

Nieuwe blauwe tape ging uiteindelijk om de doos en de politieman keerde zich weer naar mij.

'Ik hoef die kleren niet meer terug', zei ik.

Chris knipperde even met zijn ogen, en knikte.

'Ik begrijp het. Eindelijk kun je terug naar huis', zei hij bemoedigend. 'Je zult vast wel moe zijn.'

'Ja', zei ik, maar het klopte niet. De adrenaline pompte nog steeds. Er was te veel gebeurd om moe te zijn.

'Er zal nog een psycholoog langskomen. En je mag altijd bellen of me opzoeken als je je nog iets herinnert.'

De dokter hield me tegen toen ik de kamer wilde verlaten. 'Je hebt je flink gedragen', zei hij prijzend. 'Ik ken heel wat meisjes die dit alles niet zo moedig hadden doorstaan.'

Je moest eens weten hoe ik me voelde, dacht ik, maar ik knikte.

'O, wacht nog even', zei hij toen ik al in de deuropening stond. 'Ik schrijf ook een briefje. Daarmee ga je naar een apotheker. Je weet maar nooit. Is het lang geleden dat je ongesteld was?'

Ik klemde mijn tanden op elkaar.

N.

De stoelen hingen ondersteboven op het tafelblad. Dorien nam de emmer en het zeepsop spatte op toen ze met een zwaai de emmer over de vloer van de woonkamer kieperde. Ze nam de borstel die met de steel tegen het aanrecht stond en met felle halen schrobde ze de tegels.

'Ik haat dit!' gromde ze tussen haar tanden. 'En dat op een vrije schooldag.'

Emma stond met een emmer en een dweil klaar om in actie te komen.

'Ik vind het niet erg om mijn kamer schoon te houden', ging Emma snibbig akkoord, 'maar dit... ik maak het niet vuil en toch moet ik het schoonmaken.'

Ze boog zich voorover en sleepte de dweil over de natte vloer. Steeds weer wrong ze de dweil met het vuile water in de emmer uit. Intussen schoof Dorien het bankstel en de boxen bij elkaar en vouwde de randen van het tapijt om.

'*By the way*, hoe is het met die jongen uit je school afgelopen? Ik hoor je niks meer over hem vertellen', zei Dorien terwijl ze een gedeelte van de woonkamer schrobde.

Emma kwam overeind en gooide van op een afstand de dweil in de emmer zodat die omviel en het vuile water over de vloer liep.

'Verdomme!' snauwde ze en ze trapte de emmer tegen de muur.

'Hé! Rustig!' zei Dorien. 'Nu moet je dat nog eens dweilen.'

'Dat poetsgedoe kan me gestolen worden', snauwde Emma. Ze zette een stoel op de natte vloer en ging met één bil op de tafelrand zitten.

'Het gaat dus niet goed met die jongen', stelde Dorien vast. Ze keek Emma afwachtend aan.

'Het lukt me nooit', zei Emma droevig. Door de stof van haar truitje duwde ze met een hand over het losse vel van haar buik en liet het heen en weer wiebelen. 'Niemand wil me met mijn lijf en mijn kind. Het gaat altijd goed zolang ik seks met hen wil hebben, maar als ik praat over later, dan dumpen ze me met een smoesje.' Ze zuchtte gelaten. 'Of zelfs zonder smoesje, dan zeggen ze in mijn gezicht dat ze niet gek zijn.'

Emma ademde diep in en liet de lucht langzaam door haar getuite lippen ontsnappen.

'Ik word soms zo moedeloos als ik denk dat ik altijd alleen met Xander zal blijven. Zo'n kind maakt me gewoon kansloos.'

'Waarom probeer je niet wat aan die buik te doen?' probeerde Dorien voorzichtig. 'Als je wat slanker was, zou het vast gemakkelijker lukken om een jongen te vinden.'

Emma liet haar blik veelbetekenend over Doriens lijf gaan.

'Jij hebt het gemakkelijk. Met zo'n figuur kun je iedereen krijgen.'

De mond van Dorien werd een streepje toen ze aan Martin dacht. Twee maanden was het al geleden en geen minuut was hij uit haar hoofd geweest.

'Ik doe dan ook elke dag sit-ups', zei ze scherp. 'Zou je beter ook kunnen doen in plaats van te zeuren.'

Emma's ogen verhardden.

'Jij bent zo *fucking* stom, Dorien!' Ze kwam van de tafel. 'Ik ga een sigaret roken.'

Zonder Dorien nog aan te kijken trok ze een doosje Marlboro uit haar broekzak en beende naar de deur.

Op het tv-scherm dronk Samantha iets met een man aan een bar, maar het huilen van Aïsha overstemde wat ze zei. Het meisje zat met een knuffel op het tapijt. De tranen stroomden over haar wangen en het leek alsof ze kon huilen zonder adem te halen. Met een zakje chips op het dekbed lag Dorien op haar zij op het bed en keek naar Sex and the City. Ze was al een tijdje op kamertraining en huurde een tv-toestel. Het beeldscherm vertroebelde en ze zag weer Martin die op het barkrukje zat. En ongewild verbeeldde ze zich dat ze naast hem zat en zijn haar, dat zijn gezicht half verborg, opzij streek. Hij legde zijn hand op haar dij en ze kon zijn aanraking bijna echt voelen. De fantasie verdween toen Aïsha zich aan het dekbed optrok en met beide handjes vroeg of ze op het bed mocht komen.

'Van jou mag ik zelfs niet meer over Martin dromen', zei Dorien nijdig en ze deed alsof ze de smekende armpjes niet zag en geconcentreerd tv keek.

Aïsha huilde nog harder en sloeg woedend met een hand tegen Doriens buik.

'Is het nu genoeg!' snauwde Dorien. Ze kwam uit het bed, greep Aïsha onder de armen en schudde haar woedend door elkaar zodat het hoofdje heen en weer schudde. 'Ga daar nu maar huilen!' Met een zwaai zette ze het kind in de box. Terwijl ze op haar achterste bleef zitten, liepen de tranen over Aïsha's gezicht.

'Hier!' Dorien grabbelde een paar stukjes chips uit het zakje en stak er een in Aïsha's mond. 'Sabbel een beetje op de chips, dan word je misschien rustiger.'

Even proefde Aïsha snikkend van de chips, spuwde ze uit en begon opnieuw te krijsen.

'Ik word nog gek van jouw gejank!' schreeuwde Dorien over haar toeren. Ze gooide het zakje chips in de box. 'Zo kun je chips eten zoveel je wilt.'

Woedend gooide ze zich op het bed, probeerde zich af te sluiten voor Aïsha's gehuil en terwijl haar ogen op het scherm gericht bleven, probeerde ze de fantasie met Martin weer op te pikken. Zo hoorde ze niet dat iemand op de deur klopte en meteen naar binnen kwam.

'Zou je niet naar Aïsha kijken?' zei Lies geërgerd.

Meteen draaide Dorien zich om.

'Zelfs in de woonkamer kan ik haar horen.'

'Ze wil niet zwijgen', zei Dorien en ze snoof vijandig. 'Ik wil even tv kijken. Mag dat?'

'Wat is er, kleine meid?' zei Lies sussend terwijl ze het kind uit de box tilde. 'Er liggen zelfs chips in de box', zei ze streng.

'Ik dacht dat ze zou ophouden met huilen als ze iets at', zei Dorien en ze loerde weer naar het tv-scherm.

'Chips? Een kind dat negen maanden oud is? Dat twee tandjes heeft?' Het ongeloof droop van Lies' gezicht. Ze liep om het bed heen en drukte het tv-toestel uit. 'Waarom neem je haar niet bij je en probeer je haar te troosten?'

'Ik wil naar *Sex and the City* kijken', antwoordde Dorien. Hoofdschuddend ging Lies op een stoel aan de tafel zitten en zette Aïsha op haar rechterdij. Met een zakdoek droogde ze het gezicht van het meisje.

'Zie je, Dorien, als je een beetje lief voor haar bent dan huilt ze niet.'

'Bij jou misschien', zei Dorien verveeld.

Lies bewoog haar been langzaam op en neer. Aïsha kirde uitgelaten en liet haar lichaam bewegen op het ritme van Lies' been.

'Zou mama weten dat je dol bent op paardjerijden?' vroeg Lies terwijl Aïsha haar met kreetjes aanmoedigde om verder te gaan. Lies richtte haar hoofd naar Dorien. 'We moeten eens praten, Dorien. Sinds je niet meer met Martin bent, kijk je nog amper naar Aïsha om.'

Boos ging Dorien rechtop zitten. 'Ik zorg heel goed voor haar.'

'Luiers verschonen, haar eten geven, wassen en strijken... dat soort dingen. Maar ik zie je niet meer echt met je dochter bezig. Aïsha heeft meer nodig dan dat. Ze wil vertroeteld worden, ze wil dat je met haar speelt... nou ja, dat je liefde aan haar geeft.'

'Het komt door Aïsha dat Martin en ik nooit samen zullen zijn. Ze heeft mijn toekomst verknoeid.'

Zoekend naar woorden streelde Lies met een vinger Aïsha's handpalm. Het kind bewoog op het been van Lies om duidelijk te maken dat ze nog wilde paardjerijden.

'Hoe kan het de fout van jouw kind zijn? Ze heeft er toch niet om gevraagd om op de wereld te komen. Dat heb jij toch zo gewild?'

'Toen dacht ik anders. Ik was toen nog zo naïef om te denken dat het zou lukken. Dat ik best voor een kind kon zorgen, dat ik met Aïsha alleen mijn leven kon vullen. Nu weet ik dat ik het verkeerd had. Dat ik beter voor een abortus had kunnen kiezen.'

'En dan had dit lieve meisje nooit bestaan...' vulde Lies zwakjes aan. 'Maar jouw kind leeft nu eenmaal, ze rekent op jou.'

Dorien zuchtte moedeloos.

'Ik heb je altijd goede evaluaties gegeven, Dorien, zodat je op kamertraining kon. Maar nu...' Ze kwam van de stoel. 'Het is bedtijd, kleine meid.' Ze stak Aïsha hoog boven haar hoofd. Ze keek Dorien aan. 'Ga jij haar pyjamaatje aantrekken en in bed leggen?'

'Dat moet wel, niet?' zei Dorien gelaten.

'Ja ja, mama heeft het moeilijk', zei Lies. En ze gaf het kind aan Dorien. 'Druk haar eens tegen je aan.'

'Dat kan ik niet op bevel', zei Dorien, maar toch nam ze het kind op haar arm en ze wilde ermee naar het aankleedkussen lopen, maar Lies hield haar tegen.

'Ik heb je al vaker gewaarschuwd dat het anders moest worden. De directeur en Willy zijn al op de hoogte, maar ik wil ook nog met een paar andere begeleiders praten.'

'Met begeleiders praten? Wat bedoel je?'

'Als je jezelf niet aanpakt, is het misschien beter dat ze door een paar goede pleegouders wordt opgevoed.'

Het bleef even stil.

'Misschien wel', zei Dorien toonloos.

'Ik denk dat je een geweldige moeder voor Aïsha kunt zijn, maar je moet het willen.' Lies gaf een kneepje in haar arm. Zodra de deur dicht was, ging Dorien op de bedrand zitten met Aïsha op haar schoot en ze zette de tv weer aan.

De woorden van Lies raasden door haar hoofd. Hoe zou ze zich voelen als ze Aïsha moest afgeven? Ze zou vast huilen, heel hard huilen, maar misschien was het beter, voor hen allebei.

Vreemd, dacht Dorien. Vroeger waren Lukas en ik altijd zo close en nu lijkt hij bijna een vreemde. Sinds Martin had ze nog amper contact met hem gezocht. Wat sms'jes om hem te vertellen dat Aïsha een tandje had gekregen, voor het eerst rechtop had gestaan, dat Aïsha's haar snel groeide... En alsof hij aanvoelde dat ze van elkaar vervreemdden, was hij steeds minder op bezoek gekomen. De studie aan de universiteit was een goede drogreden om steeds meer met de rug naar elkaar te leven.

Lukas zat aan de tafel in de bezoekerskamer en hij hielp Aïsha om een autootje over het tafelblad heen en weer te laten rijden.

'Willy heeft me gebeld', zei hij zonder zijn ogen van het autootje te halen.

'Willy?' schrok Dorien. Ze wrong haar vingers opeens nerveus in elkaar. 'Waarom?'

Willy moest vast de roddels kennen die over haar en Lukas gingen. Het was wel een tijd geleden dat ze nog iets van die onzin had gemerkt.

Alles slijt, dacht Dorien. Misschien zelfs dat.

'Hij heeft me verteld dat je het moeilijk hebt en hij vroeg me of ik wilde langskomen om te praten. Het lukt ook niet zo goed op school?'

Dorien haalde opgelucht adem. Was het dat maar?

'Op mijn laatste rapport had ik drie onvoldoendes, maar die kan ik gemakkelijk ophalen.'

Hij knikte.

Hij weet dat ik verstandig ben, dacht ze. 'Maar het is niet eenvoudig om te studeren met een kind. Het zou gemakkelijker zijn als Aïsha...' Ze zweeg.

'Bij pleegouders zou wonen', vulde Lukas aan. 'Denk je daar soms aan?'

'Waarom denk jij...' zei ze verbijsterd. Hij kent me door en door, dacht ze.

'Tuut! Tuut!' zei Lukas toen Aïsha even ophield en met een grote boog liet hij het autootje over het tafelblad gaan. 'Aïsha, meisje, als je eens zou begrijpen wat er allemaal met jou gaat gebeuren.' Hij sloeg zijn ogen op. 'Pleegouders? Heb ik je daarvoor gesteund toen ma en Peter je tot een abortus wilden dwingen? Heb ik je daarvoor opgevangen toen je niet meer wist waar naartoe?'

'Ik kan het niet meer aan, Lukas. Ik wil niet dat Aïsha mijn toekomst...' Dorien sloeg radeloos met haar vlakke hand op het tafelblad zodat Aïsha verschrikt haar hoofd oprichtte en Dorien met beverige lippen aankeek.

Meteen duwde Lukas zijn wang tegen haar achterhoofd. 'Het is niks', suste hij. 'Mama is een beetje over haar toeren.' Om te beletten dat ze zou huilen, liet hij haar in de lucht rondjes maken tot ze lachte. Ze belandde op zijn schoot en weer liet hij het autootje heen en weer rijden. 'Zie je wel, mama is al rustiger.'

Dorien snoof.

'Ik ben zestien jaar, Lukas. Ik heb nog een leven voor mij. Begrijp je dat niet?'

'Daar had je eerder aan moeten denken.'

'Mag ik niet van mening veranderen? Ik ben niet meer de Dorien van een jaar geleden. En als je het dan toch zielig vindt voor Aïsha, waarom vang jij haar dan niet op? Waarom kan ze niet bij jou wonen?'

Aïsha probeerde vruchteloos het autootje los te maken dat tussen zijn vingers geklemd zat.

'Hè?' deed ze met haar ogen op hem gericht. Alsof hij uit een droom ontwaakte liet hij het autootje los.

'Studeren en een kind? Belachelijk. Maar ik ben er zeker van dat ma voor haar wil zorgen.'

'Ma!' Dorien klemde haar ogen toe en balde haar vuisten. 'Sinds ik zwanger was, heeft ma me tegengewerkt. Herinner je je die smerige ruzies niet meer? De verwijten... alsof ik gevraagd had verkracht te worden.'

'Ma is ook anders geworden', zei hij rustig. 'Net als jij.'

'Nog liever pleegouders', zei Dorien koppig.

2.

De rode Honda Civic stopte in een stille straat in de buurt van het Mechelse station. Aan de linkerkant stonden auto's geparkeerd en ergens zag ik nog lichtschijnsel tussen de kieren van een gesloten gordijn. Thomas zag het ook en hij reed nog verder de straat in. Tussen twee auto's parkeerde hij slordig, een meter van de stoep.

De hele rit had ik met doffe ogen naast hem gezeten, angstig om iets te zeggen, angstig om te bewegen. In mijn hoofd speelde onafgebroken de herhaling van wat er gebeurd was. Omdat ik niet wilde nadenken over wat hij deed, had ik mezelf gedwongen om de boomtoppen te tellen die ik over zijn schouder zag. Ik wist zelfs nog hoeveel boomtoppen ik geteld had: negentien.

'Stap maar uit!' Het was een bevel.

Automatisch tastte ik naar het kliksysteem van de veiligheidsgordel en toen besefte ik dat ik die niet meer droeg. Als in een droom reikte ik naar de hendel om het autoportier te openen en toen ik tegen de deur duwde, leek die ontzettend zwaar.

Hij greep mijn haar en dwong me om hem aan te kijken. Thomas bracht zijn gezicht heel dicht bij mijn ogen.

'Je weet wat er gebeurt als je je mond voorbij praat.'

Ik staarde hem verschrikt aan, bang om iets verkeerd te zeggen.

'Ik hoor niks', zei hij en hij draaide een haarlok rond zijn hand.

Ik kreunde en automatisch tastte ik naar mijn hoofd.

'Ik zal niks zeggen', kreeg ik over mijn lippen.

'Of… je zus… ik weet waar je woont. Je mag al blij zijn dat ik je nog naar Mechelen heb gebracht.'

Ik kon slechts knikken. Terwijl ik uitstapte, reikte hij naar de achterbank en graaide naar mijn rugtas.

'Niet vergeten', zei hij en liet de rugtas op het asfalt vallen. Daarna boog hij zich voorover en trok het portier dicht. De rode Honda schoot weg.

Pas toen ik de rode lichten van de auto zag verdwijnen, durfde ik de schouderband van mijn rugtas te pakken en ik sleepte hem achter me aan naar de stoep. Omdat mijn benen met pap gevuld leken, liet ik me midden op de stoep neerzakken. De straat leek onschuldig rustig. Slechts op de achtergrond hoorde ik het gerij van auto's. Het leek alsof er niks was gebeurd, de stad was net zoals altijd op dit uur.

Als een foetus trok ik mijn benen op en sloeg mijn armen om mijn benen. Ik legde mijn hoofd op mijn knieën en zonder te snikken rolden de tranen over mijn wangen. Ik voelde me vuil. Niet het vuil van stof, modder of een stinkend toilet, het was vuil dat niet met het douchewater zou wegspoelen.

Ik voelde me vooral verraden. Hij leek uniek, zo anders dan de jongens die ik kende, een droom en toch... waarom? Ik besefte dat ik het antwoord nooit zou weten.

De deur zwaaide open toen ik de sleutel in het slot wilde steken. Ma had haar badjas aan en haar haar piekte alle kanten uit omdat ze vast urenlang in haar bed had gewoeld.

'Weet je wel hoe laat het is!' foeterde ze. 'Ik heb...'

Opeens zag ze hoe ellendig en schuw ik me voelde en vielen de huilsporen op mijn gezicht haar op.

'Dorien! Wat is er gebeurd?'

Ze pakte me bij mijn schouder vast en trok me naar binnen. In het licht van de hal bekeek ze me beter.

'Wat betekenen die vlekken in je hals?' vroeg ze. Ze raakte voorzichtig de plaats aan waar Thomas de veiligheidsgordel om mijn hals had gespannen.

Ik schudde mijn hoofd omdat ik niks wilde zeggen. Het was te pijnlijk. Misschien later...

'Ik heb naar de vader van Kasper gebeld. Die was al een uur thuis en hij vertelde dat een jongen je naar huis zou brengen.'

Opeens ging ze op een afstandje voor me staan en liet haar ogen over me heen gaan.

'Hij heeft toch niet...' vroeg ze ontsteld.

Ik zweeg en ze begreep het.

Het was licht en stil in het politiebureau. Op een bank zat een kerel die hooghartig om zich heen keek. Hij droeg een vuil T-shirt en hij keek telkens op zijn horloge alsof hij zijn tijd in het politiebureau verspilde.

Ma liep meteen naar de politieman die achter de balie een of ander formulier invulde. Ik bleef met gebogen hoofd bij de deur staan. De kerel keek me nieuwsgierig aan en ik kon door de grond zakken van schaamte omdat hij vast raadde wat er met mij gebeurd was. Ma had me haastig een jas aangetrokken die helemaal niet kon in deze zomernacht. Ik wilde veel liever een douche en een bed om in mijn eentje alles over me heen te laten komen en ongestoord alles weg te kunnen huilen. Maar 'die kerel moet in de cel' had ma gezegd. Ze had genoeg tv-series gezien om te weten dat er geen tijd verloren mocht gaan. Fluisterend sprak ze met de politieman. Daarna draaide ze zich naar mij om.

'Hij zal een inspecteur roepen. We moeten nog even wachten.'

Alsof ik ziek was, legde ze haar arm om mijn schouders en leidde me naar de zitbank. De kerel met het vuile T-shirt tastte met zijn blik onbeschaamd mijn lichaam af en ik had het gevoel dat hij dwars door mijn kleren keek. Ik ging op de rand van de bank zitten en vouwde mezelf op. Beschaamd staarde ik naar een gele vloertegel waarvan een randje was afgebroken.

Waarom laten ze me niet met rust? dacht ik. Is het zo al niet erg genoeg?

Een echte flik, dacht ik toen een stevig gebouwde man op ons toeliep. Hij was kalend, maar compenseerde dat verlies met een zware snor. Hij droeg een klassieke jeansbroek en een lichtblauw zomerhemd met korte mouwen.

De kerel naast ons kwam overeind, maar met een handgebaar wuifde de politieman hem terug.

'Straks.'

'Maar ik was voor die...'

'Straks komt er iemand uw verklaring noteren, meneer.' Hij vlocht zijn vingers in elkaar alsof hij wilde bidden en knikte me toe. Ma stond op, maar hij schudde zijn hoofd.

'Ik zou eerst met uw dochter willen praten', zei hij rustig, maar toch dwingend.

'Maar Dorien is al zo...' Ze zocht naar een woord dat ze niet kon vinden.

'Straks, mevrouw. Tenzij uw dochter er zelf om vraagt, maar dan nog mag u absoluut niet tussenbeide komen als we praten. Zelfs niet om haar te troosten als dat nodig zou zijn.'

543

Ik was intussen ook opgestaan.

'Maar...' deed ma nog een poging om hem te overtuigen.

'Het lukt me wel, ma', zei ik. Eigenlijk was ik opgelucht dat ik weg kon van de kerel, die me nu pas echt aangaapte. Nu wist hij vast wel wat er met mij aan de hand was.

'Goed', zei de politieman. 'Kom je mee?'

'Dit is de regiekamer.' De politieman deed een deur open. Een vriendelijk gezicht keek me aan en zei 'hallo'. In de kamer zag ik enkele tv-schermen en allerlei apparaten. 'Hij houdt zich bezig met de opnames.' Dan sloot hij de deur en we liepen naar de verhoorkamer.

De muren waren betimmerd met zachtgroene latten. Er stond een tafel met vier stoelen. Er lag niks op het tafelblad, er hingen geen posters of foto's aan de muur.

De politieman trok een stoel achteruit zodat hij me zonder woorden uitnodigde om te zitten.

De kamer was echt heel sober ingericht, alsof niets de aandacht mocht afleiden. De politie-inspecteur ging aan de andere kant van de tafel zitten.

'Het is beter dat we eerst alleen praten', zei hij. Met een vinger wees hij naar de muur. 'Je ziet ze niet, maar er hangen camera's en microfoons in deze kamer. Alles wat we vertellen wordt dubbel opgenomen. Maar dat is omdat je dan later niet nog eens alles hoeft te vertellen.'

Ik knikte dat ik het begrepen had.

'Weet je', ging hij verder. 'Je hebt politiemannen die met een motor rijden, je hebt politiemannen die het verkeer regelen of die inbraken proberen op te lossen. Nu, ik ben een politieman die met jongeren mag praten.'

Ik knikte.

'Ik ben Chris Wauters', zei hij en hij keek me rustig aan. 'Stel jezelf ook even voor. Gewoon, wie je bent, naar welke school je gaat... dat soort dingen. Misschien heb je ook hobby's?'

Dat waren vragen die ik gemakkelijk kon beantwoorden. Toch kwam ik maar langzaam op dreef, maar voor ik het besefte vertelde ik over de scouts, over computerspelletjes...

'En muziek downloaden doe ik ook graag', zei ik spontaan en ik sloeg mijn hand voor mijn mond omdat ik opeens besefte dat zoiets verboden was.

'Mijn jongste dochter doet dat ook', zei hij samenzweerderig.

Ik keek verrast op. De dochter van een politieman die illegaal muziek downloadde?

'Hoe komt het dat je hier bent, Dorien?' vroeg hij rustig.

Ik kromp weer in elkaar en beet op mijn tanden.

'Je mag het me gerust vertellen.'

Ik zweeg.

'Je bent vandaag met je vrienden naar Werchter geweest', probeerde hij me op weg te helpen. 'Was dat voor de eerste keer?'

'Ja', zei ik. 'Omdat ik een mooi schoolrapport had.'

Hij knikte bemoedigend.

'En ik wilde zo graag Green Day en dEUS zien.'

'Zijn dat je favoriete zangers?'

'Dat zijn geen zangers, dat zijn bands', verbeterde ik hem alsof ik niet kon geloven dat iemand dat niet wist. 'Lotte ging vooral voor Arctic Monkeys...'

Voor ik het wist kwam ik op wat er die nacht gebeurd was en mijn antwoorden werden chaotischer.

'Wat voor een auto was het?'

Ik bevroor. Nu moest ik opletten. Ik voelde weer de veiligheidsgordel om mijn hals en ik dacht aan Fleur.

'Een zwarte Golf', loog ik.

'Heb je iets van zijn nummerplaat kunnen zien?'

'Nee', zei ik snel. 'Op de nummerplaat heb ik niet gelet.'

En zelfs al had ik die gezien, dan zou ik een nummer verzonnen hebben.

'En die Thomas, hoe zag hij eruit?'

Onbewust had ik zijn naam laten vallen, maar er woonden vast honderden Thomassen in de omgeving van Mechelen. Intussen had ik me al voorgenomen dat ik Kenneth zou beschrijven. Ik concentreerde me op de jongen die in de klas schuin tegenover me zat.

'Niet groot, zelfs iets kleiner dan ik. Zwart, sluik haar, blauwe ogen en

nogal mager. Hij droeg een oranje T-shirt en een lange jeansbroek.'
Hoewel ik verwachtte dat hij mijn leugen zou ontdekken, bleef hij luisteren.
'Wat zei hij?'
'Wat bedoel je?'
'Zijn er dingen die hij vertelde in de auto?'
'Hij zei niks, hij deed alleen maar', zei ik slap omdat ik het weer zag gebeuren.
De poltieman zweeg een hele tijd. Dat had hij tijdens mijn verhaal ook gedaan. Het leek soms alsof hij in stilte tot tien telde en dan mijn laatste woorden weer oppikte om me weer op weg te helpen.
'Noemde hij jouw naam? Slet? Of liefste? Of schatje? Of iets anders...'
'Nee, vuile sloerie', reageerde ik aangedaan.
Meteen ging hij wat rechter zitten. Ik kon mijn tong wel afbijten.
'Mag ik je mobieltje zien?'
'Mijn mobieltje? Waarom?'
'Je was een beetje verliefd op hem. Dan lijkt het me niet onlogisch dat je zijn nummer hebt.'
Ik vergat even te ademen. Ontkennen dat ik een mobieltje had, was belachelijk, ik had al verteld dat ik naar Lotte had gebeld. En Thomas had me zijn nummer gegeven terwijl ik het intikte.
Chris strekte zijn hand uit met de handpalm vragend naar boven gericht.
'Het is nog thuis, in mijn rugtas. Ma heeft me zomaar deze jas aangetrokken.'
Hij fronste zijn wenkbrauwen. 'Dat kunnen we dan straks ophalen.' *Hij kwam overeind.*

'We kunnen naar het ziekenhuis gaan', stelde hij voor toen ik later op een stoel in zijn bureau zat.
'Het ziekenhuis?'
Hij kwam dichterbij en leunde met één bil op de tafelrand.
'Ik zou graag hebben dat je je laat onderzoeken.' *Met zijn wijsvinger tikte hij bemoedigend op mijn schouder.* 'Ik wil je wel vertellen dat het geen prettig onderzoek is... maar als je wilt, kun je ook de huisarts laten komen om bij het onderzoek aanwezig te zijn.'

Ik voelde me uitgewrongen en moe. *Maar ik wilde hem ook niet de indruk geven dat ik niet wilde meewerken. Een zwarte Golf, een oranje T-shirt, klein, mager... ze konden Thomas toch nooit vinden.* Hij zou niets uitrichten als ik hem niet verklikte, had hij gezegd.

'Het is goed.'

'Je bent een flinke meid', probeerde hij me op te monteren. 'Als je bang bent dat je het niet aankunt, dan kunnen we het onderzoek ook onder narcose laten uitvoeren.'

'En als ik het toch liever niet doe?' vroeg ik benepen omdat het opeens wel heel griezelig leek.

'Ik kan je niet verplichten. Maar je wilt toch ook dat we de dader vinden, niet?'

'Ja', zei ik gelaten.

Hij legde zijn hand op de deurklink.

'Maar eerst ga ik een vrouwelijke collega opsnorren. Dan kan zij een paar foto's nemen.'

Ik zuchtte. Er kwam blijkbaar geen eind aan de ellendige ochtend.

De verkrachting had me op een gruwelijke manier door elkaar geschud en nu werd deze lijdensweg daar nog eens aan vastgeknoopt. Hij leek mijn gedachten te kunnen lezen.

'Ik weet het. Misschien heb je het gevoel dat je een tweede keer wordt verkracht', zei hij. 'Maar het kan echt niet anders als we hem willen vinden.' Hij keek me vragend in de ogen alsof hij mijn hulp vroeg. 'Misschien zal hij ook nog andere meisjes aanranden. En jij kunt ons helpen om dat te vermijden. Misschien geeft dat je de moed om nog even door te bijten.'

Chris opende de deur en hij wachtte tot ik voorging.

'Het zijn maar een paar foto's van de verwondingen in je hals', zei hij. 'Intussen praat ik met je moeder.'

Peter, Fleur en Lukas waren in de woonkamer toen we thuiskwamen. Ze waren stil en nerveus. Peter stond met zijn rug naar het raam en sloot zijn ogen alsof hij moest nadenken. Lukas probeerde me met een geforceerde glimlach op te monteren. Fleur stond in haar pyjama naast de tafel en gaapte me verward aan. Niemand had haar verteld wat er gebeurd was, maar ze voelde vast aan de akelige sfeer dat ik iets ergs had meegemaakt.

'Ik denk dat zij beter naar haar kamer kan gaan', zei Chris met een knikje naar Fleur.

Peter gaf haar een hand en Fleur volgde hem gedwee. Mijn hand beefde toen ik het mobieltje uit mijn rugtas haalde en het aan Chris gaf. Hij bekeek mijn adresboek en drukte meteen op de knopjes.

Nu zal Thomas weten dat ik hem verklikt heb, besefte ik. Ik zag weer die vreemde blik in zijn ogen en de angst maakte mijn hoofd ijl. Vlug liet ik me op een stoel zakken.

'Gaat het?' vroeg Chris bezorgd toen hij merkte dat ik wit wegtrok. 'Geef haar een glas water.'

Snel pakte Lukas een glas uit de kast en vulde het onder de kraan. Van het water knapte ik een beetje op, maar de angst verdween er niet door.

Het duurde verschrikkelijk lang voor er opgenomen werd, maar uiteindelijk kwam het hoofd van de politieman met een schokje omhoog toen iemand reageerde.

'Goedemorgen, mevrouw. Chris Wauters van de politie Mechelen. Het spijt me dat ik u zo vroeg lastig moet vallen. Zou ik Thomas kunnen spreken?'

Zijn gezicht kreeg een verbaasde uitdrukking terwijl hij luisterde.

'Dank u wel, mevrouw.'

Hij deed het mobieltje uit en bleef even voor zich uit staren.

'En?' vroeg ma nieuwsgierig.

'Ze heeft nog nooit van een Thomas gehoord. Ze heeft geen vriend of geen kinderen.'

Mijn mond viel een beetje open. Eigenlijk voelde ik me opgelucht, maar ik begreep het niet.

Chris tikte nadenkend met de nagel van zijn middelvinger tegen zijn tanden en afwezig gaf hij het mobieltje terug. Verbijsterd keek ik naar het apparaat. Hoe kon dat nu?

'Ik denk dat hij je een vals nummer heeft gegeven', zei Chris. 'Jammer. Ik had gehoopt dat het nummer ons enorm vooruit zou helpen.'

Ik bleef nog steeds naar het mobieltje staren. Een verkeerd nummer? Dan was zijn naam misschien ook verzonnen. Misschien woonde hij niet eens in de buurt van Mechelen? Het tolde in mijn hoofd. Als hij me al die leugens had verteld, dan was hij al de hele dag van plan geweest om me te verkrachten. Voor de zoveelste keer voelde ik me door hem bedrogen.

'Zullen we dan maar naar het ziekenhuis rijden?' stelde Chris voor.

'Ja', zei ik murw. Ik had het gevoel dat ik meegesleept werd in een draaikolk en dat ik enkel nog door de adrenaline overeind bleef.

'Ga je een ander stel kleren halen?' vroeg Chris. 'Alles. Ondergoed, schoenen...'

Het drong amper tot me door.

'Misschien kan je moeder je helpen', stelde hij voor. 'Ik loop vast naar de auto en intussen bel ik de gynaecoloog van dienst.'

Ik keek op mijn mobieltje. 6.25.

0.

Nog negentien dagen! Dan zouden Simon en Griet Aïsha ophalen. Elke dag, elke minuut had Dorien gepiekerd. Ze had met Lies erover gesproken, met Willy, met nog andere mensen in het tehuis... Dorien wilde niet meer van het ene goedbedoelde voorstel naar het andere buitelen, ze had de knoop doorgehakt. Het was verdomme toch háár leven.

Aïsha zal het goed hebben, dacht ze terwijl de akkers achter het raam van de bus voorbijgleden. Beter dan bij mij.

Griet en Simon waren al eens in het tehuis op bezoek geweest en zij was bij hen thuis geweest. Ze had naar de kinderkamer gekeken die Simon en Griet hadden ingericht. Het waren lieve dertigers die vast heel goed met haar dochter zouden omgaan.

Dorien kneep haar vuisten tot haar knokkels wit werden toen ze dacht dat ze Aïsha haast nooit meer zou zien lachen, dat ze bijna nooit meer vragend haar armpjes zou uitstrekken om gepakt te worden. Ze zou haar dochter regelmatig bezoeken. En toch... de afgelopen weken had ze soms het gevoel dat ze maar beter nooit had kunnen leven. Dat ze nooit die pijnlijke keuze had hoeven te maken.

De bus remde. Dorien kwam overeind en pakte de rugtas uit het bagagerek. Ze voelde dat achter haar rug iemand in het gangpad wachtte.

'Ik zie Martin niet meer bij de bushalte om afscheid te nemen.' Er klonk iets van spot in de stem.

Dorien keek over haar schouder. Het meisje dat in de Holle Weg woonde, nam haar met een onderzoekende blik in haar ogen op.

'We hebben het uitgemaakt', zei Dorien en ze zette haar stekels op. 'Uiteindelijk merkten we dat we niet bij elkaar pasten.'

'O ja?' deed het meisje verwonderd met een giftige glimlach. 'Ik heb iets anders gehoord.'

'Ach, mens, val dood!' snauwde Dorien pissig.

De deuren klapten open. Het motregende en het was kil. Donkere wolken trokken gejaagd over. Dorien haastte zich naar buiten. Met de rugtas in haar armen sprintte ze naar de achteringang van het tehuis. Ze gooide haar rugtas op een wasmachine in de wasruimte en zoals gewoonlijk liep ze naar de speelkamer om Aïsha op te halen.

Vanuit de hal hoorde ze een stem die haar vaag bekend in de oren klonk. Iemand sprak met de directeur en toen Dorien haar naam hoorde, bleef ze als bevroren staan. Op haar tippen sloop ze in de richting van de hal.

De politieman!

Hij was er blijkbaar nog maar net. Hij stond van de bank op en schudde de directeur de hand.

'Kom je in verband met Lukas?' vroeg de directeur.

'Lukas?' De politieman trok verbaasd zijn wenkbrauwen op.

'Haar broer', verduidelijkte de directeur.

'Haar broer? Wat is er met haar broer?'

De directeur wreef onrustig zijn haar naar achter.

'Er gaan geruchten dat Lukas...' Hij brak zijn zin af en keek snel om zich heen. 'Ik denk dat we daarover discreet moeten zijn. Misschien kunnen we in mijn kantoor praten.'

Meteen ging hij de politieman voor naar de openstaande deur. Wat wil die van me? vroeg Dorien zich af. Ze voelde zich opgejaagd toen ze de deur van de speelkamer opendeed. Aïsha zat met Melanie op het tapijt en ze trokken allebei aan hetzelfde pluchen paardje.

'Aïsha! Mama is terug!'

Dorien klapte uitnodigend in haar handen, maar haar dochter keek amper op en bleef met het paardje bezig.

'Ze is zo fijn aan het spelen', zei de begeleidster. 'En vandaag heeft ze zelfs niet gehuild, de flinke meid.'

De begeleidster richtte zich naar Dorien en ze was blijkbaar van plan om nog meer over Aïsha's dag te vertellen, maar alsof de vrouw lucht was, pakte Dorien haar dochtertje op en vluchtte ermee naar haar kamer. Met Aïsha op schoot bleef ze door het raam naar het grasveld turen.

Waarom is die politieman er? hamerde het in haar hoofd. Komt er dan nooit een einde aan de ellende? Het liet haar zelfs even vergeten dat ze Aïsha nog amper negentien dagen in haar armen kon houden. Haar hart sloeg een slag over toen er zachtjes op de deur werd geklopt.

'Ja', riep ze gesmoord.

Willy kwam met een zorgelijke blik naar binnen. 'Kun je meegaan naar de directeur? Het is belangrijk.'

Dorien knikte. Het leek alsof een koord om haar nek haar verstikte.

'En Aïsha?'

'Die kan nog wel in de speelkamer blijven.'

Dorien prutste onrustig aan een vingernagel toen Willy de deur van het kantoor voor haar openhield.

'Ha, Dorien', zei de politieman terwijl hij opstond en zijn hand naar haar uitstak. 'Ken je me nog?'

'Ja', antwoordde ze automatisch. Alsof ze hem ooit zou vergeten. Zelfs zijn naam kende ze nog, Chris. Als een brandmerk was die hele nacht in haar geheugen gegrift.

'Hij wil jou spreken', zei de directeur. Op een vreemde manier leek hij zowel opgelucht als somber. 'Nu weet ik tenminste wat er gebeurd is. Dat je broer niet...' Met de rug van zijn hand maakte hij een zwaaibeweging alsof hij zijn vroegere vermoedens wegwuifde. 'Maar je had Willy of mij toch in vertrouwen kunnen nemen', voegde hij er een tikkeltje verwijtend aan toe.

De politieman trok de mouw van zijn jas een beetje op en keek veelbetekenend op zijn horloge.

'Ja, natuurlijk', begreep de directeur meteen. Hij kwam uit zijn bureaustoel en ging hen voor naar de bezoekerskamer. Als verdoofd liep Dorien hen achterna.

Wat wil hij van me? Is die akelige nacht nog altijd niet voorbij?

Terwijl hij bijna onhoorbaar met een paar vingers op het tafelblad roffelde, wachtte de politieman tot de directeur de bezoekerskamer verliet. Dorien zat tegenover hem aan de tafel en ze hoorde de deur dichtgaan.

'Ik heb goed nieuws', zei Chris. Zijn stem had een joviale, luchtige klank. Toch lette hij met grote aandacht op haar reactie. 'We hebben hem.'

Ze friemelde onrustig aan een paar gesplitste haarpunten. Ik zou eens naar de kapper moeten, ging het door haar heen en ze was verrast dat ze aan zo'n futiliteit kon denken.

'Drie weken geleden verkrachtte hij een meisje. Maar dit meisje herinnerde zich een deel van zijn nummerplaat. En ze wist dat hij met een rode Honda Civic reed. Niet met een zwarte Golf.' Zijn ogen keken haar bemoedigend aan alsof hij begreep waarom ze had gelogen. 'Hij heeft nooit een zwarte Golf gehad. Trouwens, hij leek helemaal niet op de kerel die je me beschreef.'

'Waarom denk je dan dat hij dezelfde kerel is?' vroeg ze beklemd.

Chris leunde comfortabel achterover en masseerde zijn slapen. 'Weet je nog dat ik vroeg om te vertellen wat hij allemaal gezegd had?'

Ze knikte niet-begrijpend.

'Hij noemde het meisje een vuile sloerie.'

Dorien huiverde. Het leek zelfs alsof ze Thomas die twee woorden in haar oor hoorde herhalen.

'We hebben behoorlijk wat dossiers doorgenomen. Ook dat van jou. Toen ik las dat hij precies dezelfde woorden had gebruikt, hebben we zijn DNA vergeleken met dat van de kerel die jij Thomas noemde.'

Dorien had geen uitleg meer nodig. Ze liet haar hoofd op haar borst zakken en ze sloot haar ogen. Ze voelde zich oneindig laf. Had ze toen niet gelogen, dan had dat meisje niet hetzelfde hoeven mee te maken.

'Zo hebben we vier meisjes ontdekt die hij heeft aangerand', zei Chris alsof hij raadde hoe ze zich voelde. Hij snoof vermoeid door zijn neus. 'En mogelijks is dat maar het topje van de ijsberg. Veel meisjes durven niet naar de politie te gaan om een aanranding aan te geven.'

'Hij zou me vermoorden als ik hem durfde te verklikken en hij zou Fleur...' Ze kreeg de woorden niet uit haar keel.

Ongemerkt was ze zachtjes gaan huilen. De politieman kwam overeind en kneedde bemoedigend haar schouder.

'Ik begrijp het wel, hoor. Het is allemaal zo moeilijk. Alleen moet je me nog een keer helpen.'

Haar gezicht keek verschrikt naar hem op.

'Ik zou willen dat je met me meegaat om hem in een line-up te herkennen.'

'Line-up?'

'Hij zal tussen andere jonge mensen staan en als je hem herkent, moet je hem gewoon aanwijzen.'

'Ik durf het niet.'

'Jij kunt hem door het glas zien, maar hij ziet jou niet.'

'En Aïsha dan?' probeerde ze nog een uitvlucht.

'Voor Aïsha wordt gezorgd. Dat heb ik met Willy al besproken.'

Hij kneep nog eens opbeurend in haar arm.

De rillingen kropen over haar rug toen ze de inrichting van het politiebureau herkende. De bank waarop ze met haar moeder had gewacht, de tafel, de brochures in de metalen houders... Alleen was de politieagent achter de balie iemand anders. Chris bracht haar naar een kamer waar alleen een tafel en een paar stoelen stonden. In de muur was een donkere, glazen wand ingebouwd.

'Kijk goed', zei Chris. Hij drukte op een knop en opeens kon ze door het glas kijken. In een reflex deinsde Doriens bovenlichaam achteruit. Hij stond zo akelig dichtbij dat ze een slap gevoel in haar benen kreeg. Zijn haar krulde nog steeds tot op zijn schouders, maar nu was zijn huid niet gebruind. Het leek alsof zijn gezicht zich afvroeg waarom hij in godsnaam tussen de anderen stond.

Hij ziet me echt niet, dacht Dorien en ze ademde rustiger.

Nu begreep ze niet waarom ze toen in een vingerknip op hem verliefd was geworden. Misschien omdat hij haar bij de biertent niet als een kind behandelde? Misschien was het de zon die haar in een verliefde roes dompelde? Of misschien was ze gewoon te onervaren en was ze heel gemakkelijk te versieren door iemand zoals hij.

Dorien hoorde een vage stem achter het glas en meteen keken alle gezichten recht voor zich uit.

Nu is hij bang, zag ze toen zijn oogleden nerveus knipperden. En plots haatte ze hem. Hij had haar droom van een toekomst zoals iedereen die droomde, verbrijzeld. Gewoon jong zijn, verliefd worden, samenwonen, een kindje krijgen... gewoon gelukkig zijn. Die eenvoudige wens had hij aan diggelen gegooid.

Dorien keek naar Chris, die haar reactie in de gaten hield.

'Nummer vier', zei ze snel. Ze wilde zo vlug mogelijk uit de kamer weg.

'Dat is 'm, zei Chris tevreden. Hij drukte terug op de knop.

'Nummer vier', zei hij door de intercom. 'Ze mogen weg.'

Dorien bleef naar het glas kijken. Thomas stond nog steeds op haar netvlies gebrand.

'Hoeveel jaar gevangenisstraf zal hij krijgen?'

'Dat weet ik niet', zei Chris. 'Dat zal de rechter beslissen. Misschien twee jaar, of drie.'

'Zo weinig!' riep Dorien ongelovig. 'Hij maar een paar jaar, ik mijn hele leven.'

'Tja', zei Chris en hij stak machteloos zijn handen in de lucht. 'Maar je hoeft echt niet ongerust te zijn. In het dossier zal hij lezen dat je hem niet verklikt hebt.'

De mond van Dorien bleef open.

'Daar heeft hij recht op', zei de politieman. Hij deed de deur open en keek in de hal. 'Kom maar. Voor jou is het nu echt voorbij.'

Toen ze langs een raam liep, zag ze in de weerspiegeling hoe bleek ze was.

Nog negentien dagen, dacht ze.

1.

In de buurt van de controletoren ontdekte ik een plek van een paar vierkante meter die nog onbezet was. Enkele kartonnen frietbakjes met resten mayonaise en ketchup lagen samen met een meloenschil in het stoffige gras. Ik vond het smerig, maar…

'Dat is een mooi plekje', zei Anna. Ze rekte haar hals en keek opgewonden naar het podium in de verte.

'Voor mij is het prima', zei Kasper. Hij liet het plastic zeil dat hij onder zijn arm droeg, vallen en samen met Lotte vouwde hij het open.

Anna en ik dropten onze tassen in het gras. Mijn eerste Rock Werchter benevelde me, ik had te weinig ogen om alles te zien. Maandenlang had ik gezeurd en gevleid om deze dag te mogen meemaken. Ik dacht dat een subliem schoolrapport mama overtuigd had. Wist ik veel dat ze al stiekem een kaartje had besteld. Overdonderd keek ik naar de zee van jongeren op de weide, naar de enorme ring van eet- en drankkraampjes die om het grasveld heen stonden, naar de grote beeldschermen die naast het podium opgesteld waren. Met een arm bewegend in de lucht bewoog Lotte op muziek die ik niet kende.

Alsof we ons territorium wilden afbakenen, gingen we op het zeil liggen en zetten onze tassen tussen ons in. Met de zonnebril op mijn neus lag ik op mijn rug en keek om me heen. Onze dichtste buren waren twee vijftigers die op een opengevouwen festivalkrant zaten. Ze hadden allebei hun T-shirt uitgetrokken. Hun buik was te dik, hun vel te bleek, maar dat leken ze niet belangrijk te vinden.

Omdat ik wat kleur op mijn huid wilde, had ik mijn bikinitopje tot onder mijn beha opgerold en schortte ik mijn rokje tot net onder mijn short op.

'Die ouwe ziet vast liever nog wat meer', fluisterde Lotte.

Ik keek naar de man, die vlug zijn hoofd wegdraaide.

'Misschien krijgt hij zo nog eens een erectie', grijnsde ik naar Lotte. 'Of zou hij zich niet meer herinneren wat dat is?'

We lachten allebei en de twee mannen deden alsof ze niks hadden gehoord.

Ik reikte achter mijn hoofd en voelde met mijn hand tussen het rommeltje dat in mijn rugtas zat. Uiteindelijk vond ik het flesje zonnebrandolie en gaf het aan Lotte.

'Wees eens lief en smeer mijn rug in.'

'Zij willen dat vast ook wel voor jou doen', zei Lotte met een hoofdknikje naar de twee vijftigers.

'Die ouwe viespeuken? Ben je gek?'

Ik stak mijn wijsvinger in mijn mond en deed alsof ik kotste.

Nadat Lotte me had ingesmeerd, ging ik languit op het zeil liggen met mijn hoofd op mijn armen. Ik sloot mijn ogen en genoot van de zon op mijn rug, de muziek die de geluiden op de weide overstemde en ik voelde me zalig wegsoezen.

Ik had vast geslapen, want toen ik mijn ogen opende, lag ik alleen op het zeil. Verbaasd duwde ik mijn zonnebril op mijn haar en richtte me op. Op enkele meters afstand zag ik mijn vrienden rondkijken alsof ze hopeloos verdwaald waren. Anna en Lotte hadden een bekertje cola in hun hand. Kasper een biertje.

'Hier!' riep ik terwijl ik wild met mijn arm zwaaide.

Anna zag het en voorzichtig liepen ze tussen de lijven die op de weide lagen, naar me toe.

'Waarom hebben jullie niks voor mij meegebracht?' vroeg ik een beetje nijdig aan Anna.

'Ik heb gevraagd of je wat wilde hebben, maar je sliep. Ik wilde je niet wakker maken.'

Ik gromde wat, maar ik besefte ook wel dat ze gelijk had.

'Dan haal ik zelf cola.'

Ik nam mijn heuptasje met mijn geld en de drankbonnetjes uit mijn rugtas en verdween in de richting van de dranktent.

Er was net een optreden achter de rug en het was dringen bij de dranktent. Ik liet me door de meute opslorpen en voetje voor voetje kwam ik in de buurt van de lange bar, vanwaar onmogelijk veel biertjes en cola's werden meegenomen. Warme, zweterige lijven drukten tegen me aan en ik liet hen lijdzaam begaan. Ik verwenste mezelf omdat ik niet had gewacht tot de volgende groep optrad, dan zou het vast een stuk rustiger zijn. Stukje bij beetje naderde ik de bar. Uiteindelijk stond er alleen nog een jongen voor me. In het gedrang drukte iemand me tegen de jongen aan terwijl hij met zijn drankbonnetje in de lucht om een pilsje schreeuwde. Hij kreeg zijn biertje en draaide zich om.

'Sorry', zei ik omdat ik tegen zijn borst werd gedrukt en ondanks een elleboog die in mijn rug porde, probeerde ik verontschuldigend te grijnzen.

'Wat drink je?' vroeg hij.

'Doe me ook maar een pilsje', zei ik meteen hoewel ik van plan was om een cola te nemen.

Meteen draaide hij zich weer naar een kerel die met een handvol bekers van de tapkast naar de bar liep.

'Nog een pils!' riep de jongen terwijl hij een drankbonnetje in de hand van de kerel duwde.

Met twee bekertjes in zijn hand baande hij zich als een ijsbreker een weg voor mij tussen de opstuwende bende.

'Cheers', zei hij toen we even later de drukte achter ons hadden.

'Gezondheid.' Ik nipte even van het bier en het verbaasde me dat het zo koel was. We dronken zwijgend en toen hij om zich heen keek, loerde ik naar hem. Hij was lang, maar toch gespierd alsof hij aan powertraining deed. Zijn haar krulde tot over zijn schouders en een groen, linnen hemd was slordig met de mouwen om zijn middel geknoopt. Onder een wijde kuitbroek staken zijn voeten in een paar afgetrapte Puma's. Ik schatte hem een jaar of twintig, maar ik vond het fijn dat hij niet deed alsof ik een stuk jonger was.

'Het is steeds druk tussen twee optredens, maar ik wil absoluut Arctic Monkeys zien. Ken je die?'

'Ze zijn echt wel heel goed', zei ik hoewel ik alleen 'I bet you look good on the dancefloor' een paar keer op de radio had gehoord.

'Ben je hier in je eentje?' vroeg hij. Zijn grijsgroene ogen keken me met een vrolijke interesse aan.

'Nee, met een paar vrienden uit mijn klas. Ze zitten verderop.'

Met mijn kin wees ik in de richting van de controletoren.

'Nu ben ik je nog een biertje schuldig', zei ik.

Hij lachte en ik vond het leuk om zijn lach te horen.

'Moet je al meteen terug naar je vrienden?'

'Waarom zou ik? Eigenlijk hoef ik hen pas vanavond weer te zien. Dan komt Kaspers vader ons met de auto oppikken.'

'Ik ben alleen. Wat denk je ervan om samen wat rond te hangen?'

Ik weet niet of ik me al verliefd voelde, ik voelde me toch door hem aangetrokken. Het leek me boeiender om samen met hem Rock Werchter te beleven dan met Lotte, Anna en Kasper... lui die ik elke dag in de klas zag.

'Weet je wat', zei ik. 'Ik haal mijn spullen.'

Er liep een heerlijke rilling over me toen hij zomaar zijn hand op mijn rug legde. Zijn wijsvinger bewoog langzaam over mijn huid en ik voelde me fantastisch. Hoewel ik voortdurend naar het podium keek, genoot ik van zijn strelingen. In de verte zag ik Placebo, maar ik keek zonder te zien, ik hoorde zonder te luisteren. Ik voelde alleen zijn hand.

Ondanks de zonnebrandolie merkte ik dat mijn huid verbrand was. Ik keek lachend naar hem op en legde mijn hand op zijn schouder. Heup tegen heup bewogen we op 'Running up that hill'. Thomas en ik leefden op een eilandje in een zee van mensen. De ringtone van mijn mobieltje haalde me uit mijn roes.

Lotte, zag ik op de display.

'Waar ben je?' vroeg Lotte.

'Ergens op het veld.'

'Kasper en Anna gaan pitta shoarma halen. Wil je ook iets hebben?'

'Nee.' Ik klikte het gesprek weg.

'Wie was dat?'

'Lotte. Ze gaan iets te eten halen. Maar ik laat geen shoarma tussen ons komen', lachte ik.

'Zullen we straks naar de pittatent gaan?' stelde hij voor. 'Of als je liever Thai hebt...'

'Na Placebo.'

Ik legde mijn hoofd tegen zijn schouder en ik dacht hoe grenzeloos gelukkig ik was omdat het toeval ons had samengebracht. Misschien was het de zon die alles op een onvergetelijke droom deed lijken. Op een regendag in de modder zou het vast niet zo mooi zijn.

Bijna zonder dat ik het gemerkt had, was het donker geworden. De hele middag en avond hadden Thomas en ik rondgewandeld, vlak voor het podium gedanst, ik had op zijn schouders gezeten en nu hadden we achteraan een plaatsje gezocht waar we rustig zaten. Het werd al een beetje frisser, maar ik wilde mijn trui niet uit mijn rugtas halen. Hij had ook zijn hemd niet aangetrokken en ik warmde me aan zijn huid. Alsof het niet anders kon, nam hij mijn kin tussen zijn vingers, draaide mijn gezicht naar hem toe en hij kuste me. Ik had nog nooit iemand gekust, maar toen hij een opening tussen mijn lippen maakte, liet ik mijn tong een spelletje spelen met zijn tong. Ik hoorde niks meer van dEUS en ik bad dat dit gevoel nooit voorbij zou gaan. Zonder dat hij met onze kus stopte, drukte Thomas me langzaam achterover in het gras. Het maakte me niks uit dat de grond smerig was, het leek te onbelangrijk als ik zijn tong voelde.

Het duurde even voor ik besefte dat ik mijn mobieltje hoorde.

Lotte, wist ik meteen en ik verwenste haar omdat ze me stoorde. Zo meteen heeft ze er genoeg van, dacht ik, maar de ringtone hield niet op. Pissig duwde ik Thomas van me af en pakte het mobieltje uit mijn rugtas.

'Ja', zei ik kort.

'Weet je hoe laat het is?' klonk Lotte wrevelig. 'Ben je soms vergeten dat we na het concert meteen naar huis moeten? We zitten nog steeds bij de controletoren, haast je maar een beetje.'

'Ik kom zo.'

Met een somber gevoel duwde ik het mobieltje in een zakje van mijn rugtas.

'Ik moet gaan', zei ik flets. 'Maar ik zie je toch nog wel een keer?'

Ik voelde dat ik gek zou worden als ik Thomas nooit meer zou ontmoeten. Er was niemand die ik met hem kon vergelijken. Hij was uniek.

'Je kunt ook met me meerijden', stelde hij meteen voor. 'Ik woon in de buurt van Mechelen. Dat is echt geen probleem.'

'Woon jij zo dichtbij?' riep ik verbaasd. 'Waarom heb je dat niet verteld?'

'Je hebt het me niet gevraagd', zei hij eenvoudig.

En toen besefte ik dat ik vooral over mezelf, over mijn klas, over Lukas en Fleur en over alles waar ik mee bezig was, had verteld.

'En je vindt het niet erg om straks al op te krassen?' vroeg ik, hoewel ik verdrietig zou zijn als hij liever nog bleef.

'Nee. Helemaal niet. Ik ben liever bij jou.'

Ik vond het zo geweldig lief dat ik hem hard op de mond kuste. Als de bliksem haalde ik mijn mobieltje uit mijn rugtas en zocht haastig het nummer van Lotte op.

'Hé, Lotte. Jullie hoeven niet op mij te wachten. Thomas brengt me naar huis.'

Het bleef even stil en ik kon me het verbijsterde gezicht van Lotte indenken.

'Wat bedoel je?' klonk het ongelovig.

'Nou, zoals ik zei. Ik word thuisgebracht.'

Ik hoorde hoe ze met de anderen overlegde.

'Kasper zegt dat zijn vader het nooit goed zal vinden als hij zonder jou moet vertrekken.'

'Kaspers vader hoeft zich geen zorgen te maken. Misschien ben ik nog voor jullie in Mechelen. Tot morgen.'

Om van hun bemoeienissen verlost te zijn, schakelde ik het mobieltje uit.

'Als je wilt, kunnen we nu al weggaan', zei Thomas. 'Dan ben je zeker voor hen thuis en dan krijg je geen gedonder.'

'Prima', zei ik meteen.

Dan hebben we meer tijd om uitgebreid afscheid te nemen, dacht ik. Terwijl ik mijn mobieltje terug in mijn rugtas stopte, kwam hij achter me, stak zijn handen onder mijn oksels en hielp me zo overeind. Hij trok zijn hemd aan, maar maakte de knoopjes niet dicht.

De lichtkegels van zijn rode Honda Civic boorden door het duister. Ik lag met mijn hoofd lui tegen de hoofdsteun. Ondeugend had ik de rechterpijp van zijn broek opgetrokken en mijn hand lag warm op zijn dij. Zijn ogen waren op het asfalt gericht en in het donker zag ik dat zijn lippen onrustig bewogen.

'Heb je spijt omdat je door mij eerder weg moest?' vroeg ik een tikkeltje bezorgd.

'Nee, helemaal niet', probeerde hij een glimlach op zijn gezicht te halen. 'Maar 's nachts kan ik maar beter geconcentreerd rijden.'

Thomas sloeg een zijstraat in. Ik kwam verrast overeind.

'Heb je het niet mis? Moeten we de hoofdweg niet volgen?'

'Ik ken een kortere weg. Dan zijn we vlugger in Mechelen en dan hebben we meer tijd om afscheid te nemen.'

Ik glimlachte, kneep in zijn dij en liet mijn hoofd weer tegen de steun zakken. We reden door smalle straatjes, landwegen waar amper het silhouet van een boerderij te bespeuren was. Ik kreeg de indruk dat hij het zelf ook niet meer wist. Ik speurde door het raam naar een wegwijzer die ons weer op weg zou kunnen helpen.

'Kunnen we niet beter omkeren en naar de hoofdweg teruggaan?' stelde ik voor.

'Nee, het lukt wel.'

In het duister schoven weiden met paarden en koeien voorbij en ik zag dat de landweg op een splitsing eindigde. Links in de verte zag ik lichtpuntjes van de straatverlichting, rechts staken de schimmen van bossen tegen de nachtlucht af.

'Kunnen we niet beter die kant op?' stelde ik voor terwijl ik met mijn vinger naar de straatverlichting wees.

'Ik zoek liever een plaats waar we rustig afscheid kunnen nemen.' Er was een vreemde trilling in zijn stem.

Ik begreep het niet. De hele dag was hij zo vlotjes geweest en nu reageerde hij zo gespannen. Er sloop angst in mijn binnenste. Zijn schorre stem, zijn hoekige gebaren waren vreemd. Het voelde aan als een waarschuwing, zoals gedonder in de verte. Het dreigende gerommel dat later uitbarst tot een hels onweer.

De betonweg ging over in een verharde zandweg toen we door het bos reden. Na enkele honderden meters remde hij af, deed de koplampen uit en zette de motor uit.

Thomas boog zich over me heen en kuste me. Ik voelde hoe zijn hand aan een knop van de passagiersstoel draaide en dat de rugleuning naar beneden zakte. Ik had mijn ogen gesloten en probeerde van zijn kus te genieten zoals zijn kussen me op het veld hadden betoverd. Ik verstrakte toen zijn hand onder mijn topje kroop en naar mijn borst ging. Ik greep zijn hand om ze te stoppen.

'We gaan deze dag toch niet verknallen door preuts te worden?' zei hij terwijl zijn hand onhoudbaar mijn beha omhoogtrok.

Ik draaide mijn hoofd weg.

'Ik ben niet preuts, maar het is nog te vroeg. Later. Het is niet omdat ik een zomers topje en een rokje draag, dat ik meteen...'

Ik probeerde zijn hand onder mijn topje vandaan te halen, maar opeens liet hij me los. *Verlamd bleef ik liggen.* Hij rukte aan de veiligheidsgordel, maar toen die blokkeerde moest hij de gordel langzaam uit de wand van de auto trekken. Terwijl hij mijn hoofd vastklemde, draaide hij de gordel om mijn hals.

'Wat doe je? Laat me los!' gilde ik.

'Nu hou je je mond en blijf je rustig, vuile sloerie.' Hij keek me strak aan en ik kreeg het koud toen ik zijn wilde ogen zag.

'En luister goed', siste hij. 'Als je ooit iemand hierover vertelt, dan maak ik je kapot. Maar eerst pak ik je zusje zodat je goed beseft dat je niet met mij moet sollen.'

Hij spande de gordel aan en ik verstijfde.

'Heb... je... dat... goed... begrepen?' Na elk woord liet hij een stilte vallen. Ik was zo bang dat ik amper durfde te knikken.

Zijn ogen gingen naar mijn kruis en mijn hart ging als een razende tekeer.

EPILOOG

De rit naar Mol leek eindeloos. De snelheidswijzer wees bijna negentig aan. Het raam van de auto stond op een kier en toch voelde Dorien haar jurkje aan haar huid kleven van het zweet. Het is niet de warmte van een hete julidag, wist ze. Ze had zin om het raam volledig open te draaien, maar het kon niet want dan zou Jens in de tocht zitten. Achter haar klonken pruttelgeluidjes. Ze keek over haar schouder en zag hoe Jens in zijn autostoeltje met getuite lippen speekselbelletjes blies.

Op de hoek van de straat stond een wegwijzer.

'Nog zeven kilometer', zei Dorien om iets te zeggen. Ze nam een papieren zakdoekje uit de doos die op het dashboard stond en depte haar gezicht en haar handpalmen. Ze kneedde het zakdoekje tot een prop en deed het in het vuilnisbakje dat in het autoportier was uitgespaard. Ze legde een hand op haar dij en ook die voelde warm aan.

'Zenuwachtig?' vroeg Cedric terwijl hij van de voorruit wegkeek.

'En nog geen beetje ook', zei ze met een geforceerde glimlach.

'Logisch. Ik zou ook zenuwachtig zijn.'

Ze pakte een tweede zakdoek, reikte naar achter en veegde de mond en de kin van Jens schoon. Op de vloer lag een felgekleurde enveloppe. 'Hoe is dat kaartje daar nu weer terechtgekomen?' mompelde Dorien. Ze strekte haar arm uit en raapte het op. 'We mogen niet vergeten om een cadeautje voor Fleurs verjaardagsfeestje te kopen.' Ze legde het kaartje goed zichtbaar op het dashboard.

'Pas op!' riep ze toen een tractor gevaarlijk dicht voor hen reed. Cedric richtte zijn aandacht weer op de weg, schakelde, duwde zijn richtingaanwijzer naar beneden en haalde de tractor in. Dorien legde haar kruin weer tegen de hoofdsteun.

Sinds haar zeventiende woonde ze in Antwerpen op een kamer.

Al die tijd had ze van haar uitkering en een deeltijdse baan in een restaurant geleefd. En gestudeerd. Nog twee maanden en dan was ze tweeëntwintig. Als haar studie vlot verliep, zou ze les mogen geven en dan kon ze ook haar steentje bijdragen om samen met Cedric iets van hun leven te maken. Met zijn Jens, met haar Aïsha.

Een half jaar geleden had ze Cedric voor het eerst gezien in een Antwerps danscafé. Daarvoor had ze al enkele jongens ontmoet en twee van hen had ze voor een vrijblijvende nacht op haar kamer meegenomen. Het was telkens niks geworden. Misschien had ze te veel een tweede Martin verwacht.

Zonder haar aan te kijken legde Cedric zijn hand op haar hand. Zijn hand voelde zo vertrouwd aan dat ze het gevoel had dat hij al haar hele leven haar hand had vastgehouden. Hij was geen knapperd, maar dat maakte haar niks uit. Cedric was twaalf jaar ouder en dat vond ze goed. Misschien had ze onbewust gewacht op iemand die een vader voor haar was, een vader voor haar kind kon zijn en ook een begripvolle minnaar die voorzichtig met de letsels van haar ziel omging.

Haar lichaam verkrampte een beetje toen ze een bord zag dat naar het tropische zwembad wees.

'Is er iets?' vroeg Cedric, die haar reactie voelde en hij peilde vragend haar ogen.

'Nee, het was maar een zenuwschokje.'

'Zoals iemand in zijn slaap opeens het gevoel heeft dat hij in een afgrond valt', probeerde hij het voor zichzelf duidelijk te maken.

'Zoiets, ja.'

Ze voelde zich ontrouw omdat ze soms nog aan Martin moest denken en dan glimlachte. Het afscheid was hard geweest, maar Martin was haar eerste échte liefde geweest.

Misschien heb ik nu te veel meegemaakt om nog zoals vroeger te zweven, dacht ze.

Ze hoorde het sms-signaal van haar mobieltje.

Emma, zag ze terwijl ze het mobieltje even uit het borstzakje van haar jurk tilde.

'Emma. Vanavond bel ik haar', zei Dorien toen Cedric haar vragend aankeek.

Met Emma en Simone had ze soms nog contact, maar sinds ze Cedric kende, werd dat steeds minder. De anderen waren over het hele land uitgezwermd. Toch wist ze dat Emma al enkele maanden een knipperlichtrelatie had met een jongen. Dorien had hem een keer gezien, maar hij leek haar te veel een hanerige klojo om echt wat met Emma te beginnen. Waarschijnlijk was seks de reden dat hij haar nog opzocht. Die keer had Emma zich boos gemaakt omdat hij vond dat zij zijn biertjes moest betalen. Toen hij zijn hand als een kommetje onder haar kin had gelegd en haar kuste, was ze weer gesmolten.

Trap hem uit je kamer, had Dorien gedacht. Hij is het niet waard.

Misschien zou Emma ooit weleens iemand ontmoeten, maar... het liep te dikwijls met een sisser af.

Emma heeft ook nooit geluk, dacht Dorien. Met Xander op die kamer in Brussel. Ze leefde ook van een uitkering en ze hoopte om volgende maand in een kapsalon te beginnen. Hoewel, Dorien kende eigenlijk alleen maar slanke kapsters. Simone woonde met een gescheiden dertiger in Antwerpen en hielp hem in zijn slagerszaak. En de anderen... Dorien wist het niet. Ze hadden elkaar vaak genoeg beloofd dat ze contact zouden houden, maar het verwaterde.

Het tuinpad kronkelde naar de voordeur van de kleine cottage en het was omzoomd met witte rozen. In de voortuin waren perkjes aangelegd met planten en bloemen die Dorien niet kende. Door de zon leek het allemaal een beetje op een schilderij van Van Gogh.

Nu is het eindelijk zover, dacht Dorien terwijl ze op het tuinpad bleef staan. Vijf jaar geleden had ze afscheid genomen van

Aïsha. De herinnering had zich als een bloedzuiger in haar hersenen binnengedrongen. Elke dag had ze gezien hoe Aïsha tussen Simon en Griet door de open deur van het tehuis wegging. Nog eenmaal naar haar keek, niet verdrietig, maar vrolijk alsof ze naar een pretpark mocht. Toen had het Dorien ongelooflijk geleken, nu begreep ze dat zo'n peuter niet besefte wat er gebeurde. En Dorien had zich sterk gehouden. Niet gehuild, omdat Aïsha dan misschien niet met Simon en Griet wilde meegaan. Als in een film had Dorien haar dochtertje zien verdwijnen, alsof ze er zelf niet bij was, alsof ze ergens vanuit de ruimte toekeek. Ze was in de hal blijven staan omdat ze niet wilde zien hoe ze in de auto stapten.

En daarna hadden het verdriet en het schuldgevoel het gewonnen van de opluchting omdat ze weer vrij was. Ze had gesnikt, gehuild, geschreeuwd en gelukkig was Emma bij haar om haar vast te pakken.

'Aïsha woont hier mooi', zei Cedric, die Jens op zijn arm droeg. Het was de eerste keer dat hij bij Simon en Griet kwam.

Dorien knipperde met haar ogen om de herinnering aan het afscheid te verdringen.

Dorien kwam bijna maandelijks bij Aïsha op bezoek. Altijd weer was het moeilijk om afscheid te nemen, maar school en haar baan in het restaurant maakten het onmogelijk om Aïsha mee te nemen. Een enkele keer kwam Lukas mee, maar hij had nu al een jaar een vriendin. Ze hadden nu allebei hun eigen leven en het was logisch dat ze elkaar minder zagen.

'Heel mooi', beaamde Dorien. Het zou vast een hele tijd duren voor ze Aïsha zo'n mooi thuis kon geven. Ze belde aan en bijna meteen hoorde ze gerommel in de hal achter de deur.

'Dag Dorien', zei Simon toen hij de deur opende. Aïsha stond achter hem.

Ze wordt later een ongelooflijk mooi meisje, dacht Dorien. Met leuke, donkere krullen, maar gelukkig geen grijsgroene ogen.

Even flitste het beeld van Thomas bij de biertent door haar hoofd. Hij was ook knap. Ze duwde het beeld van zich af, zelfs dat ging gemakkelijker dan vroeger.

'Kom eens bij mama!' Er was een vreemde tinteling in haar stem. Ze drukte Aïsha tegen zich aan en kuste haar voorhoofd.

Simon trok de deur uitnodigend open. In de woonkamer stonden enkele reistassen bij de tafel en allerhande speelgoed was in plastic tassen gestopt. Aan de muur hingen kindertekeningen, vastgeplakt met doorzichtig plakband. Griet stond naast de tafel en ze knipperde nerveus met haar ogen.

'Ga nog even zitten', zei Simon en hij wees naar de bank. Hij deed alsof hij opgeruimd was, maar Griet had tranen in haar ogen.

'Even dan', zei Dorien.

Cedric kwam naast haar op de bank zitten. Aïsha ging vlak voor Jens staan en bekeek hem onderzoekend.

'Is dat mijn nieuwe broertje?' vroeg ze.

Voor Dorien klonk haar stem als een zilveren belletje. Ze vond het nog altijd jammer dat ze niet had meegemaakt hoe Aïsha beetje bij beetje zinnetjes had leren vormen. Toen ze naar Simon en Griet ging, kon ze een paar woordjes zeggen, zoals koek, paard en mama. En natuurlijk vreemde versies van Lies, Xander en de andere namen in het tehuis. Maar Aïsha's eerste *ik vind mama lief* was voor Griet bestemd, niet voor haar.

'Ja. Vind je Jens leuk? Geef hem eens een kusje.'

Cedric stak Jens naar Aïsha toe en ze drukte een natte smakkerd op zijn wang.

'Ik vind het erg dat Aïsha weggaat', zei Griet snuffend. 'Het voelde alsof Aïsha onze dochter was… maar ja…'

Dorien voelde medelijden met hen. Na al die jaren beschouwden ze Aïsha vast als hun kind. Dorien kon het hen niet verwijten. Haar meisje was lief, vrolijk en mooi.

Of denk ik dat omdat het mijn kind is, dacht ze vertederd terwijl ze haar hand over Aïsha's haar liet glijden.

Zij had zich ook rot gevoeld toen Griet en Simon haar dochtertje uit het tehuis meenamen. Nu was de situatie volledig anders. Wellicht hoopten ze stiekem dat ik Aïsha nooit zou ophalen, dacht Dorien, maar het is wel mijn kind.

'Pleegouders zijn geen adoptieouders', zei Dorien alsof ze wilde duidelijk maken dat Simon en Griet zich geen illusies moesten maken. 'Zodra ik voor Aïsha zou kunnen zorgen, zou ik haar meenemen. Dat wisten jullie toch?'

'We weten het', zei Simon. 'Maar het blijft hard om haar terug te geven. Maar je komt toch nog op bezoek?'

Twee paar ogen keken Dorien smekend aan.

'Natuurlijk', zei Cedric in Doriens plaats.

Daarmee leek alles gezegd.

'Ik denk dat we maar beter kunnen gaan', stelde Dorien voor toen de stilte verstikkend werd.

Zwijgend droegen Simon en Griet de reistassen naar de auto. Cedric zette Jens in zijn autostoeltje vast en hielp daarna de tassen in te laden. Griet liep naar Dorien.

'Laat me haar nog even vasthouden.'

Griet klapte in haar handen. Meteen liet Aïsha Dorien los en ze stak haar armpjes uit. Griet drukte het hoofd van Aïsha tegen haar schouder en ze huilde zacht in Aïsha's haar. Dorien beet op haar tanden. Ze voelde dat het beter was om zo snel mogelijk te vertrekken.

'Kom.'

Ze maakte Aïsha van Griet los en ging met haar achter in de auto zitten. Ze nam Aïsha's armpje en terwijl Cedric de motor startte, liet ze Aïsha wuiven.

'Dat moet vast pijnlijk zijn voor die mensen', zei Cedric terwijl hij in de achteruitkijkspiegel keek.

'Het was voor mij ook hard', zei Dorien. 'Maar nu zal het anders worden.'

Ze rook de shampoo in Aïsha's haar en ze legde een hand op haar buik. Het was bijna een maand geleden dat ze ongesteld was. Misschien... Cedric wist het nog niet.

Het wordt fantastisch, dacht ze terwijl ze haar rug tegen de leuning van de achterbank liet rusten. Met Cedric wordt het anders. Ze voelde zich opeens vrolijk en ze had zin om Aïsha heel stevig tegen zich aan te drukken.

Dorien sloot haar ogen en voelde door het raam het licht en de warmte op haar huid. Na alles wat er gebeurd was, begreep ze niet waarom ze zich zo volmaakt gelukkig kon voelen.

NAWOORD

Jaarlijks worden in België ongeveer 5000 tienermeisjes zwanger. Dat is ongeveer 0,8% van de tienermeisjes. Meer dan de helft van deze groep is ouder dan 18 jaar. Een kleine minderheid is jonger dan 15 jaar.

Iets meer dan de helft van de tienermeisjes die zwanger worden, kiest ervoor de baby te houden. Het grootste deel van die groep jonge moeders kan thuis, binnen de familie of in een bekende omgeving worden opgevangen. Gelukkig maar. Dat is echter geen garantie dat het leven van deze tienermoeders probleemloos verloopt. Bij een kleine groep jonge tienermoeders zijn de problemen zo omvattend en complex, dat de meisjes moeten worden opgevangen in een welzijnsvoorziening. Meestal gebeurt dat met tussenkomst van het Comité Bijzondere Jeugdzorg of de Jeugdrechtbank.

Het Centrum voor Integrale Gezinszorg (CIG) de Merode in Kasterlee is een opvangcentrum dat sinds 1968 tienermoeders opvangt en begeleidt. Dorien, Annelore, Emma en de anderen over wie Dirk Bracke schrijft, staan model voor de honderden meisjes die hier de afgelopen veertig jaar als jonge moeder in wording een deel van hun jeugd doorbrachten. In die tijd is er echter veel veranderd. In de jaren zeventig werd een zwangerschap buiten het huwelijk maatschappelijk niet aanvaard. Men sprak toen nog van 'ongehuwde moeders'. Ook meisjes uit gegoede milieus kwamen toen in het opvangcentrum terecht, vaak om hun kind voor adoptie af te staan. Niet zelden was het motief dat de schande moest worden toegedekt. Die tijd is nu wel voorbij. Of een meisje met haar kindje thuis kan blijven dan wel in een opvangcentrum als CIG de Merode moet worden opgevangen, hangt in deze tijd veel meer af van de sociale omgeving waarin het meisje vertoeft.

Zijn er ernstige spanningen of breuken in de onderlinge gezins-relaties of heerst er een ongunstig klimaat voor de opvoeding van de kinderen in het gezin, dan kan een opname in een CIG nood-zakelijk zijn.

Zo is het Dorien vergaan. Het gezinsklimaat en de spanningen met haar moeder en stiefvader lieten niet toe dat zij haar kind-je thuis kon verwachten en opvoeden. Aïsha kon of mocht geen plaats krijgen in hun midden. Hierin speelt ook de manier waar-op Dorien zwanger werd een belangrijke rol. Maar de aanleiding tot de zwangerschap bij Dorien is bij de tienermoeders die in CIG de Merode worden opgevangen hoogst uitzonderlijk. Bij veel meisjes is er een min of meer bewust verlangen naar een kind. Vaak kregen ze tijdens hun kinder- en tienerjaren zelf weinig liefde en aandacht. Daardoor verlangen ze naar iemand die hen onvoorwaardelijk die liefde zal schenken die ze zelf niet mee-kregen. Ze stellen zich het leven van een jonge moeder vaak te rooskleurig voor. Dat alles leidt tot een nonchalant gebruik van anticonceptiemiddelen en dus ook tot een zwangerschap. Dik-wijls ongepland, maar niet helemaal ongewenst. 'In een land van melk en honing werd jij de beloning, per ongeluk expres', zingt Herman van Veen in een liedje over het kind van een jong koppel dat zich de toekomst met een kind te rooskleurig droomde.

Als de baby er is, begint het verhaal pas echt. Ondanks alle goede voornemens, ondanks alle dromen die ze graag werkelijkheid wil zien worden, ontstaat er bij de jonge moeder vaak een conflict tussen het tiener-zijn en het moeder-zijn. Dirk Bracke beschrijft dat conflict zeer realistisch, tot en met de pijnlijke gevolgen van een opname van het kind in een pleeggezin. Ook de moeilijke relatie met de eigen ouders is voor de tienermoeder (én tienerva-der) vaak een belemmering om op jonge leeftijd het ouderschap volwaardig op te nemen.

Moet het altijd zo somber aflopen? Zeker niet. Maar Dirk Bracke legt in dit boek wel vaak de vinger op de wond. Het is een verdienste dat hij in de eerste plaats een realistisch verhaal brengt over de tienermoeders in Kasterlee. Dit verhaal biedt een gezond tegengewicht voor dat van jonge BV's die in de media worden opgevoerd als 'probleemloze' tienermoeders, maar die wél het geluk hebben om te mogen leven in de geborgenheid van een warm nest waarin iedereen voor elkaar opkomt. Misschien staat het verhaal van Dorien veel dichter bij de realiteit van de meerderheid van de tienermoeders, ook van deze die nog thuis wonen. Het conflict tussen de verlangens van een tiener en de verantwoordelijkheden van een moeder is maar zelden te ontlopen.

Dirk Bracke vertelt het verhaal vanuit het standpunt van de hoofdpersoon Dorien. Het is het verhaal van al haar goede voornemens en van haar hoop en verlangens op een mooie toekomst met Aïsha. Maar het is ook het verhaal van haar twijfels, onzekerheden en teleurstellingen. En ten slotte, maar veel later, van haar uitzicht op een betere toekomst... Toch is er ook een ander verhaal waarover dit boek maar weinig kan vertellen: het verhaal van het personeel van CIG de Merode, dat dag in, dag uit mee op zoek gaat naar antwoorden op de vragen en problemen waarmee de jonge tienermoeders geconfronteerd worden. Er zijn de kinderbegeleidsters die dagelijks klaarstaan om de baby's of peuters op te vangen tijdens de schooluren van de tienermoeders, en die hen na de schooluren de nodige verzorgings- en opvoedingsvaardigheden bijbrengen. Er zijn de begeleidsters, die met de moeders figuurlijk 'op pad gaan' zodat ze los kunnen komen uit het kluwen van problemen, die hen helpen zoeken naar een zo stabiel mogelijke toekomst en die daarnaast ook de moeilijke en soms ondankbare opvoedende taak hebben om de meisjes te leren omgaan met regels en afspraken. Er is de medische verantwoordelijke, die meegaat naar de bevalling als de moeder niemand heeft op wie ze in dat belangrijke uur kan rekenen en die voor alle medische perikelen haar steun en toeverlaat is.

Er is de gezinsbegeleider, die samen met de jonge moeder – en vaak met vallen en opstaan – relaties probeert te verbeteren of te herstellen en die de ouders van het meisje, en de vader van het kindje zoveel mogelijk in de begeleiding betrekt. Dit verhaal vertelt Dirk Bracke om begrijpelijke redenen niet of maar zeer terzijde: het is zo complex en veelzijdig, dat het voortdurend de aandacht zou afleiden van het verhaal van de hoofdpersoon zelf. Maar het verhaal dat we niet gelezen hebben, zou in minstens één opzicht gelijklopen met het verhaal van Dorien en de andere meisjes. Het zou laten zien dat zij, net als zoveel tienermoeders, moedige meisjes zijn. Ondanks alle momenten waarop het hen nog niet (helemaal) lukt om hun verantwoordelijkheid als moeder volledig op te nemen. Want deze meisjes hebben in moeilijke omstandigheden een keuze gemaakt die hun leven grondig en onomkeerbaar veranderde. Zij wilden – om welke reden ook – het broze en kwetsbare leven aanvaarden en er zorg voor dragen, met de harde consequentie dat zij hun eigen jeugd en zoveel mooie en onbezorgde momenten die daarin te genieten zijn, opzij moesten schuiven. Dat vraagt moed. Veel moed. Maar ook... veel ondersteuning van ouders, familie, vrienden of hulpverleners die begaan zijn met het lot van de tienermoeder en haar kindje.

ANDRÉ GIELIS
Directeur CIG de Merode – Kasterlee

DANKWOORD

Er zijn heel wat mensen bij dit boek betrokken. En ik wil hen dan ook op deze manier bedanken.

Natuurlijk de mensen van het CIG de Merode in Kasterlee: Willy Cockx, André Gielis, Lutgard Van de Perre en de begeleidsters Carinne, Marjan, Peggy, Veronique, Liesbeth en Monique. Liesbeth Verlinden (die me tijdens een gesprek op het idee bracht om over dit onderwerp te schrijven), Koen Wouters (ondervragingstechnieken) en Marjan Dhollander (schoondochter en arts die het manuscript op eventuele foutjes controleerde).

En natuurlijk mag ik ook de belangrijkste helpers niet vergeten: de moeders in Kasterlee met wie ik praatte, die me dikwijls heel open vertelden over hun ervaringen en/of verwachtingen. Over hun wereld die ze me leerden kennen.

NUTTIGE ADRESSEN IN BELGIË

VRAGEN EN ADVIES

cRZ
Centrum voor Relatievorming en Zwangerschapsproblematiek
Geldenaaksebaan 277
3001 Heverlee
Tel.: 016 - 38 69 50

Luistertelefoon: 078 - 15 30 45
info@crz.be
www.crz.be
www.tienermoeders.be

Het cRZ heeft een hulpaanbod met een luistertelefoon bij ongeplande zwangerschap en met Jong & Moederweekends.

Het centrum werkt ook als studiecentrum rond relatie en seksualiteit, (ongeplande) zwangerschap, tienerzwangerschap, abortus en prenatale diagnose.

NUTTIGE ADRESSEN IN NEDERLAND

Kijk voor meer uitleg op www.fiom.nl. Ze hebben regionale bureaus in Groningen, Leeuwarden, Zwolle, Eindhoven, Nijmegen, Maastricht, Leiden, Alkmaar en Breda.

RESIDENTIËLE OPVANG EN BEGELEIDING
IS MOGELIJK IN VOLGENDE CENTRA:

PROVINCIE ANTWERPEN
CIG **de Merode**
Lichtaartsebaan 102
2460 KASTERLEE
Tel.: 014 - 85 25 36
cig.demerode@terloke.be
www.terloke.be

PROVINCIE BRABANT
CIG **De Vogelzang**
Vogelzanglaan 44
1150 Brussel
Tel.: 02 - 660 58 70
vogelzangadm@pro.tiscali.be

PROVINCIE LIMBURG
CIG **Huize Tamar**
Vlasstraat 51
3920 Lommel
Tel.: 011 - 54 04 20
tamar@skynet.be

PROVINCIE WEST-VLAANDEREN
CIG **Ten Anker**
Dorpsstraat 70
8420 Den Haan (Klemskerke)
Tel.: 059 - 23 46 78
tenanker@skynet.be

CIG **Huis Ter Leye**
Doorniksesteenweg 207-209
8500 Kortrijk
Tel.: 056 - 22 20 51
info@huisterleye.be

CATWALK
EEN FRAGMENT

85. *Geen spaghettibandjes dragen.*
86. *Niet met de lepel in het bord schrapen.*
87. *Geen chips eten als we naar tv kijken omdat het te veel lawaai maakt.*
88. *Om tien uur gaan slapen, ook in het weekend.*
89. *Je haar niet kleuren.*
90. *Geen nagellak gebruiken.*
91. *Als je zestien bent, mag je tot twaalf uur uitgaan.*

Polly knabbelde op het topje van haar pen. Drie bladzijden had ze gevuld met regeltjes die Rob haar oplegde. Steeds weer waren er regeltjes bijgekomen, telkens vond hij dingen die hem irriteerden.

Ze had zich dikwijls afgevraagd waarom ma met Rob moest trouwen, waarom ze dat stuk dictator in huis had genomen. Was het omdat ma dringend een vader nodig had voor haar en Emelie? Of was ze toen écht verliefd op Rob? Polly kon zich niet inbeelden dat je uitgerekend op hem verliefd kon worden.

Dat pa veertien jaar geleden was weggegaan, herinnerde Polly zich niet meer. Nu ja, ze was toen twee jaar. Zelfs dat Rob een jaar later met ma trouwde wist ze alleen van foto's.

Wel wist ze dat pa en ma elkaar al die jaren het licht in de ogen niet meer gunden en dat Emelie en zij een pion waren in de vechtscheiding. Alsof pa en ma elk aan een arm trokken.

1.

De hitte leek bijna tastbaar en hing broeierig over de Meir. Zelfs de lucht leek te schroeien. Toch, of juist daarom, was de winkelstraat vol met mensen die loom en zweterig langs de etalages flaneerden.

'Deze hitte is niet te overleven', zuchtte Polly.

Daarnet had een promotiemeisje een reclamefolder voor Palmbier in haar handen gestopt en die gebruikte ze als waaier om haar gezicht koelte toe te wuiven. Zita en Anna hadden haar voorbeeld gevolgd. Zo slenterden ze naast elkaar in het midden van de straat.

Hoewel de hitte woog als lood, wilden ze op zaterdagmiddag naar buiten. Wilden ze naar mensen kunnen kijken, gewoon samen rondhangen.

Ondanks het verbod van Rob droeg ze een mouwloos topje. Daarnet had ze het in een grabbelbak van Zara gevonden. Ze had geaarzeld omdat het een deel van haar rug liet zien en de rand van haar cups toonde, maar toen Anna zei dat het haar supertof stond, had ze het toch gekocht en meteen aangetrokken. Net geen zes euro.

'Als ik straks naar huis ga, kleed ik me ergens in een toilet om', zei Polly.

'Je moeder moet toch dringend van je stiefvader scheiden', zei Anna. 'Ik zou gek worden als ik met zo'n kwal moest leven.'

'Tja', zuchtte Polly. 'Een tweede scheiding is wel het laatste wat ze wil. Ook al voor haar ouders. Die zijn geloviger dan de paus. Zij zouden het besterven als ma nog eens zou scheiden. Ook nu nog zouden ze pa kunnen wurgen.'

'En dat voor christelijke mensen', zei Anna en ze bedoelde het niet als een grap.

'Ideaal weer om een terrasje te doen', veranderde Zita van onderwerp. Met een ruk van haar hoofd wees ze naar de Wapper. De cafés hadden tafels en stoelen buiten gezet zodat het plein aan de Meir één groot terras leek.

Aan de rand van een vijvertje met een fontein zat een dikke man met gespreide benen alsof hij zo wat koelte door de pijpen van zijn kuitbroek kon laten waaien. Met een witte zakdoek depte hij steeds weer zijn kale, roodverbrande schedel. Ook al bewoog hij niet, het zweet liep in beekjes van zijn gezicht. Toen ze hem passeerden, keek hij even op, maar de hitte deed alle interesse voor de luchtig geklede meisjes meteen smelten.

'Een koele cola zou deugddoen', gaf Anna haar gelijk.

Polly aarzelde. Natuurlijk had ze zin om in de schaduw van een parasol iets te drinken, maar drankjes waren duur op de Wapper. Het was niet eens drie uur en wellicht zouden ze straks nog iets willen drinken of een ijsje kopen.

Polly dacht aan het briefje van vijf euro in haar portefeuille. Nu had ze spijt dat ze zich vorige week had laten verleiden om tijdens de middagpauze in het winkeltje naast school koeken, chips en twee keer een blikje cola als middagmaal te gebruiken. En nu dat topje... Maar het was echt een koopje, dat kon ze toch niet laten liggen!

'Ik heb nog geen dorst', loog ze, hoewel een koude cola hemels zou zijn. 'Het is nog vroeg. Straks.'

Ze voelde zich een tikkeltje beschaamd omdat ze zich geen extra terrasje kon veroorloven. Het was vervelend om zo op je centen te moeten letten. Eigenlijk begreep ze het wel, maar toch vond ze het niet eerlijk. Ma zou haar wel meer geld geven, maar Rob vond dat ze genoeg geld kreeg.

Ma betaalde kleren, school en dat soort dingen, dus vond Rob drie euro weekgeld wel voldoende. Enkel voor een zeldzaam feestje kreeg ze tien euro extra. Eens per drie maanden of zo. Soms stopte pa haar stiekem wat toe. Die begreep tenminste dat ze met drie euro een kneusje was bij haar vriendinnen. Rob mocht niet weten dat pa dat deed. Ook ma zou het niet leuk vinden. Over pa werd gezwegen, tenzij om hem te bekladden.

'Shit! Er is nergens plaats', zei Anna, die deed alsof ze Polly niet had gehoord.

Als een gier die boven het terras cirkelde liet Zita haar blik over de mensen gaan.

'Er komt een tafeltje vrij', zei Zita en ze stootte met haar elleboog tegen Anna's heup.

Alle drie zagen ze een koppel opstaan. 'Als we snel zijn, dan...' Opgewonden maakte Zita haar zin niet af, maar ze greep Polly bij de arm om haar mee te slepen. Polly bleef onwillig staan. 'We zouden toch wachten om iets te drinken', protesteerde ze zwak.

'Met dit weer is er toch niets leukers dan een terrasje', zei Zita zonder Polly's arm los te laten. 'Haast je!'

Onmerkbaar gleed een zucht tussen Polly's tanden. Omdat haar protest niet opgewassen was tegen Zita's enthousiasme liet ze zich meeslepen.

Ze slalomden tussen de stoeltjes. Toen ze nog enkele meters van het vrije tafeltje verwijderd waren, dook vanuit het niets een vrouw op. Triomfantelijk legde ze haar handtas op een rieten stoel. Met een triomfantelijke glimlach keek ze naar een man en een vrouw die haastig tussen de tafeltjes laveerden.

'Zie je wel dat er nog plaats is', zei de vrouw opgetogen.

'Verdomme. Net te laat', gromde Anna luid.

De vrouw draaide zich om. Ze keek Anna aan en begreep meteen waarom ze gevloekt had.

'Te laat, meisje', zei ze met een goedige grijns. 'Is er nergens anders...' Haar ogen zochten behulpzaam over het terras. 'Nee, toch niet. Jammer.' Ze draaide zich weer naar de meisjes en trok een wenkbrauw op toen ze Polly zag. Polly voelde zich ongemakkelijk onder de blik die keurend van haar gezicht naar haar benen ging.

Het koppel had intussen het tafeltje bereikt.

'Eindelijk rust', zei de man en hij liet zich opgelucht op een stoel ploffen.

'Even maar', zei zijn vrouw. 'We moeten zo meteen verder.'

Hij knikte gelaten. Zijn blik zocht een kelner. Zijn ogen smeekten om een biertje.

'Wat denk je?' vroeg de vrouw aan haar vriendin. Ook zij keek Polly met meer dan gewone interesse aan.

'Dat meisje heeft wel iets.'

'Ik wil hier weg', zei Polly, die zich onbehaaglijk voelde onder de blikken, en ze draaide zich om.

Anna en Zita hadden het hele gedoe met vraagtekens in hun ogen gevolgd en gingen met Polly mee terug naar de Meir.

'Wacht even!' riep de vrouw en ze wrong zich tussen de stoeltjes achter hen aan.

De belangstelling maakte Polly onrustig, maar toch was ze ook benieuwd wat de vrouwen van haar wilden. Ze bleef staan en keek de vrouw een tikkeltje uitdagend aan.

'Heb je ooit al eens aan modellenwerk gedacht?' vroeg de vrouw terwijl ze Polly bekeek. Het was alsof ze wilde controleren of haar eerste indruk niet fout was.

'Ik?' vroeg Polly stomverbaasd. 'Aan modellenwerk gedacht?' herkauwde ze de vraag. Ze schudde langzaam het hoofd. 'Geen seconde.'

'Ik denk dat je kans maakt voor de catwalk of voor de lens.' Haar blik ging weer bestuderend over Polly. 'Hoe groot ben je?'

Polly voelde zich rood worden. Ze had zichzelf altijd veel te lang gevonden. In haar klas stak ze boven alle meisjes uit.

'Bijna een meter tachtig', zei ze schuchter.

'Ze heeft een symmetrisch gezicht', zei de vrouw hardop tegen zichzelf, alsof ze een inventaris opstelde. 'Hoge jukbeenderen, rood haar, groene ogen.'

'Haar figuur is ook prima', vulde de andere vrouw van op het terras aan.

'Nee, toch niet', zei Polly. Ze vond de opsomming gênant. Zeker met Anna en Zita erbij. 'Kom', zei ze. 'We moeten verder.'

Omdat ze wist dat de meisjes haar zouden volgen, zocht ze de anonimiteit op tussen de mensen op de Meir. Haar hoofd was in de war. Aan de ene kant voelde ze zich best trots omdat de vrouwen haar een knappe verschijning vonden, aan de andere kant vond ze het niet leuk om als een prijskoe bekeken te worden. En daarbij, ze vond zichzelf maar heel gewoon. Eerder lelijk zelfs, met haar lange, magere lijf. Zita en Anna zouden haar straks vast jennen.

'Hé! Ben je gek geworden?' vroeg Anna toen ze Polly had ingehaald. 'Misschien kun je fotomodel worden! Stel je voor!'

'Zegt die vrouw', zei Polly terwijl ze verder liep zonder te weten waar ze naartoe ging. 'Misschien spreekt ze elke dag twintig meisjes aan en denken die allemaal dat ze binnenkort voor de camera mogen staan. Niet met mij.'

Polly schudde haar hoofd zo heftig dat haar haar van links naar rechts zwiepte.

'Maar als je nu echt...'Anna stootte Zita aan. 'Dan worden wij de vriendinnen van een beroemdheid. Wie weet mogen we mee naar Parijs en Milaan!'

De twee meisjes gingen voor Polly staan zodat ze niet verder kon.

'Je zou bergen geld verdienen.'

'En het met ons delen', vulde Zita giechelend aan.

Polly duwde hen opzij en liep verder in de richting van het station. Een jongen botste tegen haar aan. Hij mompelde 'sorry', maar ze merkte het amper. Anna en Zita haalden haar in.

'Je had op zijn minst haar naam of haar nummer kunnen vragen', zei Anna een tikkeltje verwijtend.

Polly aarzelde. Misschien had ze te impulsief gereageerd. Ze had toch wat meer informatie kunnen vragen. Dan kon ze later nog beslissen. En werd het uiteindelijk niks, so what? Het had best een leuke ervaring kunnen zijn en wie weet kon ze er ook nog wat mee verdienen. Ze streek twijfelend haar handpalmen over elkaar. Rob zou het haar sowieso verbieden. Hoewel... dat was een goede reden om het zeker te doen.

'Willen we teruggaan?' vroeg Polly omdat ze haar vriendinnen wilde laten beslissen.

'Natuurlijk', riep Anna opgelucht. 'Zo'n kans krijg je maar één keer in je leven.' Ze greep Polly bij de arm en sleurde haar door de mensenzee terug naar de Wapper. Aan het tafeltje zaten drie oudere mannen met een biertje.

'Ze zijn weg!' riep Anna. De teleurstelling droop van haar gezicht. 'Hoe kan dat nu?'

'Dat is jammer', zei Zita.

Polly rekte haar hals en probeerde de twee vrouwen nog te ontdekken.

'Nou, dan niet', zei ze gelaten. Het shoppen leek opeens niet meer zo'n leuk vooruitzicht.

Een waas verborg haar spiegelbeeld. Met een handdoek haalde Polly de neergeslagen damp weg. Haar ogen gingen kritisch naar de spiegel. Ze begreep niet waar de vrouwen zich druk over maakten. Ma had gelijk, ze was te lang, te mager en haar borsten mochten ook wel voller zijn. Voor een model moest je toch ideale maten hebben? Maar waarom was die vrouw haar dan achternagelopen? Waarom had ze Zita niet aangesproken? Die was heel wat kleiner, dat wel, maar ze had toch een leuk gezicht. En met haar rode haar werd Polly op school weleens gepest. Vroeger was ze meer dan eens met tranen in haar ogen naar huis gefietst. Gelukkig was dat nu voorbij.

Haar ogen waren wel bijzonder. Zoveel meisjes met groene ogen kende ze niet.

'Misschien kan ik reclamefoto's voor brillen laten nemen', spotte ze met zichzelf.

Ze wierp nog een laatste blik in de spiegel, zag niets wat ze vroeger niet gezien had en nam haar beha.

'Broccoli.' Met haar onderlip wat gekruld ademde ze teleurgesteld uit. Ze had het al geroken toen ze de kamer inliep.

'Lekker', zei ma. Ze zette de borden op de keukentafel, die naast het kookeiland stond. Gemaakt boos stak Polly haar tong uit en ma lachte geforceerd.

Er is weer iets met pa geweest, dacht Polly meteen, maar ze wilde het nu niet weten. Telkens als pa naar ma belde kon ze het aan haar zien. Ma deed altijd alsof er niets aan de hand was, maar haar lichaamstaal verraadde dat het haar kwetste of boos maakte. Wellicht had hij weer gebeld om te zeggen dat hij zijn dochters te weinig zag, dat hij naar de rechter zou gaan.

'Rob is er nog niet?' vroeg ze.

Het gebeurde nog dat haar stiefvader er op zaterdag niet was. Hij was treinbestuurder en moest geregeld in het weekend werken.

'Hij stuurde een sms'je dat hij wat langer wegblijft. Ik zal straks zijn eten opwarmen.'

Polly zuchtte opgelucht. Elke minuut dat ze niet naar Rob hoefde te kijken was gewonnen.

'Wil jij spirelli uit de kast nemen?' vroeg ma terwijl ze onafgebroken met een klopper in de bechamelsaus roerde.

Polly opende het verkeerde kastdeurtje.

'Links! Hoe lang woon je hier al?' zei ma.

Ze heeft ogen op haar rug, dacht Polly, omdat ma niet eens omkeek.

Emelie lachte terwijl ze languit op de bank in een meidenblad bladerde. Ze was twee jaar jonger dan Polly. Vorig jaar had ma in een moedeloze bui aan Polly verteld dat Emelie een krampachtige poging was om haar huwelijk met pa te redden. Maar hij was bijna meteen na haar geboorte weggegaan. Het was een van ma's geheimen. Emelie? Een nutteloze poging om het tussen pa en ma goed te maken? Polly wenste dat ze het niet had gehoord. Toen ma aan Polly's bedrukte gezicht merkte dat ze te pijnlijk openhartig was geweest, had Polly moeten beloven dat ze het nooit aan Emelie of Rob zou vertellen.

'Jij zou het pak spirelli ook niet vinden', zei Polly. Ze kon best opschieten met haar zus. De tijd dat ze elkaar om het minste in de haren vlogen was voorbij. Nu waren ze rustiger, ook al kookte het potje soms nog eens over.

'Vandaag zei iemand dat ik best fotomodel kon worden', zei Polly langs haar neus weg. Ze wilde haar zus een beetje jennen, maar ze besefte ook dat het als een boemerang terug in haar gezicht kon komen.

'Jij? Fotomodel? Wie zei dat? De een of andere geilaard?' Emelie keek zelfs niet op van haar tijdschrift.

'Een vrouw.' Polly merkte dat ook ma haar aankeek. Ze voelde het ongeloof.

'Echt. Anna en Zita hebben het ook gehoord.'

'Wat heb je gezegd?' vroeg ma terwijl haar aandacht terug naar de saus ging.

'Niets. Ik geloofde haar niet. Hoewel...' Polly bracht zich de vrouw voor de geest. 'Ze leek geen grapjes te maken.'

Nu liet Emelie het tijdschrift op haar buik vallen. 'En je hebt zo'n kans laten schieten?' Haar toon was echt verbaasd.

'Zou jij het gedaan hebben?' Het klonk nijdiger dan ze het bedoelde.

'Natuurlijk', zei Emelie. 'Een model heeft een fantastisch leven. Limousines, champagne, kaviaar en knappe kerels.' Haar grijns ging van oor tot oor. 'En zo moeilijk is het toch niet om voor een lens te lachen?'

Polly kneep haar ogen tot spleetjes omdat ze niet wist of haar zus haar voor de gek hield. Toch leek Emelie het op haar luchtige manier echt te menen.

'Fuck!' ontsnapte uit Polly's mond.

'Een fotomodel vloekt niet', grinnikte ma.

Ma had een tupperwarepotje volgeschept met spirelli, broccoli en saus en dat in de oven gezet.

'Breng jij dat naar Set, Polly?' vroeg ma toen het signaal van de oven klonk.

Set was hun oudere buurvrouw die slecht ter been was. Ze kwam bijna het huis niet meer uit en samen met haar poes Wampie vulde ze haar dagen in het gezelschap van witte wijn en sigaretten.

Het was ma's gewoonte om voor Set elke dag naar de winkel te gaan en de boodschappen met een praatje van een half uur naar haar te brengen. Omdat Set haar maaltijden verwaarloosde, bereidde ma sinds een jaar of wat een extra portie en liet ze het tupperwarepotje door Polly of Emelie aan de buurvrouw bezorgen.

Polly vond het altijd vreselijk ruiken in Sets huis, maar dat ze de vrouw kon helpen, gaf haar een goed gevoel én het was een vlucht voor Rob.

Ze nam de sleutel van Sets huis die in een potje op de kast lag.

'Ja!' riep een doorrookte stem toen Polly de deur achter zich sloot.

Polly blies opgelucht de adem tussen haar lippen uit. Ze was altijd bang dat ze Set op een dag dood zou aantreffen. Haar leven op goedkope wijn en sigaretten was niet echt wat artsen voorschreven, maar dat was iets waar Set zich niets van aantrok. Met haar levenswijze moest ze al jaren dood zijn, maar Set leek onverwoestbaar. Ze tartte alle gezondheidsstatistieken.

'Ha, meisje', zei ze toen Polly boven aan de trap verscheen.

Zoals gewoonlijk zat ze aan tafel met een sigaret tussen haar vingers. In een mand naast de tafel lag een harige poes.

'Dag, Wampie', zei Polly, maar de poes keek amper op en sliep meteen verder.

'Broccoli met spirelli', zei Polly terwijl ze het potje op tafel zette.

Met de rug van haar hand duwde Set het potje een eind van zich weg.

'Moet je niet eten?'

'Prrr...' Met getuite lippen maakte de vrouw een pruttelgeluid dat duidelijk moest maken dat ze geen zin had om te eten.

'Vertel eens, wat is er vandaag gebeurd?' Set had meer zin in gezelschap dan in broccoli.

'Iemand vroeg of ik fotomodel wil worden', zei Polly, opgelucht dat ze iets te vertellen had.

'Fotomodel?' Sets gezicht straalde van bewondering. 'Je zou vast een heel knap fotomodel zijn. Ik ook, toen ik jonger was.'

'Jij?' Polly keek haar vragend aan omdat ze niet wist of ze haar moest geloven.

'Waarom niet? Ik zie er toch nog best uit. Je zou niet geloven dat ik drieënzeventig ben.'

'Nee', zei Polly zomaar. Een complimentje kostte tenslotte niets.

'Wil je geen glaasje wijn?' vroeg Set. 'Je neemt maar een glas uit de kast, maar geen kristal. Dat is alleen voor als er bezoek is.'

Alsof ik geen bezoek ben, dacht Polly. Ze schudde haar hoofd. 'Je weet toch dat ik geen wijn drink.'

'Dom', zei Set terwijl ze met een bevende hand een glas volgoot. 'Ja, ja, fotomodel', zei ze omdat ze hoopte dat Polly nog wat bleef zitten. 'Hoe begin je daaraan?'

'Tja', zei Polly zuchtend omdat ze nu wel voor een heel lang gesprek vertrokken was.

2.

'Vanaf zeven uur mag ik de laptop hebben', zei Polly. Met haastige stappen liep ze Emelies kamer binnen en ze wierp een snelle blik op de e-mail die haar zus geboeid aan het lezen was.

'Hé! Laat dat!' riep Emelie. Met haar hand gebaarde ze dat Polly op een afstand moest blijven. Snel sloot ze Hotmail af en klapte ze de pc dicht. 'Waarom heb je de laptop zo dringend nodig?'

'Dat hoef ik niet aan jouw neus te hangen', zei Polly terwijl ze met beide handen de pc optilde.

'Een jongen?' gokte Emilie.

'Gekkin', zei Polly geërgerd. 'Ik moet voor mijn schooltaak wat opzoeken. Nou goed?'

'Moet je daarom zo dringend de laptop hebben? Heeft Lars er iets mee te maken?'

Polly bleef als versteend staan.

'Lars? Wie heeft je over Lars gesproken?'

Polly voelde dat ze rood werd. Lars zat een klas hoger en eigenlijk was ze gek op hem. Maar alleen Zita en Anna wisten dat.

'Niemand', zei Emelie kort. Ze draaide haar gezicht weg en zocht iets in haar rugtas, zodat Polly begreep dat ze niets meer zou zeggen.

'Lars', zei Polly alsof ze de naam wegblies en meteen voelde ze zich beschaamd omdat ze hem leek te verraden.

De deur van Emilies kamer sloeg harder dicht dan anders.

Het kon niet snel genoeg gaan. Zodra Polly in haar kamer was, zette ze de laptop op haar bureau. Voor haar neus hing een levensgrote poster van Lady Gaga die ze een half jaar geleden voor haar vijftiende verjaardag van haar zus had gekregen. Polly liet zich op haar bureaustoel zakken en klapte de pc open.

'Er is vast weer iets met de laptop', knorde ze ongeduldig omdat het weer een eeuwigheid leek te duren vooraleer die opgestart was.

'Eindelijk!' Toch leek de laptop niet echt gehaast om naar het internet te gaan.

Polly keek eerst naar haar e-mails, checkte Facebook en zakte teleurgesteld onderuit omdat ze niets van Lars vond. Hij was al een hele tijd een vriend op Facebook, maar Lars betekende veel meer dan de tweehonderd andere vrienden. Lars mocht best gezien worden met zijn halflange, zwarte haar, dat zo zacht leek alsof het altijd pas gewassen was.

'Nee, eerst naar Google, dan kan ik straks de start van mijn modellencarrière op Facebook zetten', dacht ze hardop.

Rob zou razend zijn. Regel tweeënnegentig werd vast 'verboden te poseren'. Terwijl ze 'fotomodel' intikte, dacht ze aan ma. Die zou een nieuwe ruzie met Rob willen vermijden. Maar moest ze dan altijd slaafs Rob volgen? Polly controleerde of ze het woord 'fotomodel' correct had geschreven en liet Google op zoek gaan. Duizenden sites!

'Waar moet ik beginnen?' mompelde ze. Bijna ontmoedigd streek ze met beide handen over haar gezicht. Ze klikte een paar sites aan, maar die leken heel professioneel en dat wilde ze liever vermijden. Foto's van meisjes die al veel opdrachten achter de rug hadden, die echt wel wisten hoe fotogeniek ze waren, die haar heel zelfverzekerd in allerlei houdingen en outfits aankeken. Vergeleken met die meisjes voelde ze zich maar een kneusje. Polly wenste dat ze het zelfvertrouwen van Emelie had. Ze liet de sites voorbijschuiven.

Ik ben een amateurfotograaf en zoek meisjes... Het trok meteen haar aandacht.

Een amateur, dacht ze, net zoals ik.

Benieuwd opende ze de site.

Ik ben een amateurfotograaf en zoek meisjes en vrouwen die voor mij willen poseren voor een fotoshoot. Alles gebeurt volgens jouw wensen en op de plaats die jij kiest. Leeftijd, uiterlijk en zo hebben geen belang. Ik ben geen professionele fotograaf, dus ben ik niet op zoek naar dure modellen. Je mag de betere foto's meenemen. Ook een kleine vergoeding voor jou.

Polly herlas de tekst. Het leek haar oké. Geld hoefde niet, hoewel dat natuurlijk welkom was. Maar die foto's kon ze misschien naar een modellenbureau sturen.

Toch aarzelde ze nog. Nu kabbelde haar leven gewoon verder, al was dat niet altijd zo leuk door het geruzie tussen pa en ma en door *Führer* Rob, maar ze had toch het gevoel dat ze alles onder controle had. En wie weet in wat voor een rollercoaster ze belandde als ze de foto's verstuurde? Maar de uitdaging was te groot. Op de Wapper had ze haar kans niet gegrepen en ze had achteraf spijt gehad.

Ze klikte het e-mailadres van de fotograaf aan.

Hey, Willem, ik ben Polly. Haar vingers bleven besluiteloos op het klavier liggen. Wat moest ze nu schrijven? *Ik ben zestien jaar, heb rood haar, groene ogen, ben 178 centimeter en weeg vierenvijftig kilogram. Ik zou graag een fotoshoot willen.*

Op de plaats die jij kiest? Tja, wat moest ze daar op antwoorden? Natuurlijk niet thuis. Met ma en Emilie die constant opmerkingen zouden maken, om over Rob maar te zwijgen. In een park? Waar wandelaars haar zouden aanstaren?

Het lijkt me prima om in jouw studio... Ze aarzelde. Werken? Dan leek het alsof ze een professioneel model was... *te poseren*. Haar wijsvinger aarzelde, maar klikte dan 'verzenden' aan. De tekst vloog weg en even had ze spijt dat ze hem had verstuurd.

Terwijl ze naar het scherm staarde, leunde ze achterover en blies. Opeens voelde ze zich heel nerveus. Ze streek met haar vingertoppen over haar voorhoofd.

'Ik kan nog altijd weigeren', zei ze hardop. 'Wie weet komen enkel mooie meisjes in aanmerking. Maar nu kan ik Anna en Zita toch vertellen dat ik een eerste stap heb gezet.'

Ze wilde Anna's e-mailadres opzoeken toen er een bericht verscheen.

De fotograaf, zag ze meteen. 'Nu al?'

Rood haar, groene ogen. Dat moet vast heel mooie foto's geven. Wanneer past het voor jou?

Wanneer? God, ja. Het kon beter zo snel mogelijk, anders zou ze zich toch maar zenuwachtig maken. Niet op een schooldag natuurlijk. Stond er niet op de kalender dat Rob ook volgende zaterdag moest werken...

Is zaterdagmiddag goed? Om drie uur?

Het antwoord volgde meteen.

Prima. Tot zaterdag.

Polly bleef nog even naar het scherm staren. Rob mocht het zeker niet weten.

Het was een heel gewoon rijhuis. Een huis zoals er in de straat zoveel stonden. Een raam en een bruinhouten deur in een gewone bakstenen gevel. Polly vond het een beetje vreemd dat er geen bordje aan de gevel hing waardoor je kon zien dat er een fotograaf woonde.

Ze bleef met de fiets in haar hand een tijdje naar het huis kijken, toch nog aarzelend of ze naar binnen zou gaan. Ze trok haar zomerjasje bij de zoom wat naar beneden.

Waarom zou hij een bordje hebben, vroeg ze zich af. Hij is tenslotte ook maar een amateur.

Toch ging haar hartslag een stuk sneller toen ze op de bel drukte. Het geluid weergalmde achter de deur. Alsof hij achter de deur op haar had gewacht, ging die bijna meteen open. Hij was een lange, smalle dertiger. Zijn bleke, dunne haar was naar achteren gekamd en hij droeg een bril met een opvallend rood montuur. Met een snelle blik nam hij haar op en zijn lippen vormden heel even een bewonderende glimlach.

'Polly?' vroeg hij voor de vorm. 'Kom binnen.'

Hij liep haar voor door de gang en opende een deur. 'Zal ik je jas nemen?'

Voor de fotosessie had ze een roze rok die halverwege haar dijen reikte en het topje dat ze in Zara had gekocht.

'Wil je wat drinken?' vroeg hij terwijl hij haar jas over de leuning van een stoel drapeerde. 'Koffie? Cola? Iets anders?'

'Cola graag.'

Tegen de muur hingen ingelijste foto's. Polly schrok toen ze enkele foto's met naakte vrouwen zag. Een van hen lag uitdagend op een bank met een satijnen laken om zich heen gedrapeerd. Een brunette met lang, zwart haar en fel roodgestifte lippen was enkel in een bontjas gekleed. De bontjas was opengevallen en Polly zag hoe een groot deel van haar borsten en haar buik zichtbaar waren.

Omdat ze dacht dat een schoolmeisje van zestien er het best naturel uitzag, had ze maar weinig mascara en gloss aangebracht. Trouwens, ze gebruikte uiterst zelden make-up. Alleen als ze naar een feestje ging, en dan nog... Ze keek om toen ze het sissende geluid van het blikje dat geopend werd hoorde.

'Vind je ze mooi?' vroeg Willem omdat hij zag dat ze naar de muur keek.

'Ja', zei ze automatisch en ze hoefde niet te liegen. Het waren echt mooie foto's. 'Maar ik wil niet naakt.'

'Hoeft ook niet', stelde hij haar meteen gerust. Er speelde een fijne glimlach op zijn lippen alsof hij niet anders had verwacht. 'Maar je moet toegeven dat het iets meer geeft. Een vrouwenlichaam is heel mooi.'

Polly knikte, maar ze vond dat het gesprek de verkeerde richting uitging.

Hij wees naar een stoel en ze ging zitten.

'Waarom wil je een fotoshoot?' vroeg hij. 'Gewoon om eens voor de camera te staan of heb je andere plannen?'

Ze nipte van haar cola.

'Iemand heeft me gezegd dat ik mijn kans kan wagen als fotomodel. En deze foto's zou ik naar een modellenbureau kunnen sturen.'

Hij knikte. 'Ik ben geen beroepsfotograaf, maar ik kan je toch aan mooie foto's helpen. Zullen we dan maar naar boven gaan?'

'Naar boven?'

Hij schudde zachtjes zijn hoofd toen hij het wantrouwen in

haar stem hoorde. 'Mijn werkruimte is boven. Daar heb ik een studio ingericht.'

Ze nam het colablikje en volgde hem op de trap. Drie deuren gaven uit op de trappenhal. 'Hier is het.' Hij duwde de middelste deur open. Het raam was verborgen achter een zwart doek. Een bank met een rode bekleding stond tussen twee grote zilverkleurige schermen. Polly herkende meteen de bank van de foto met de vrouw die in het satijnen laken gehuld was. Op een oud salontafeltje lagen een fototoestel en een paar lenzen.

'Dit is de kamer waar ik de meeste tijd doorbreng.' Zijn ogen gingen als liefkozend door de kamer. 'Wat vind je ervan?'

'Prima', zei Polly. Ze had geen idee hoe een professionele fotostudio eruitzag, maar dit oogde toch meer dan amateuristisch.

'Willen we dan maar? Je kunt misschien op de bank zitten?'

Ze hield haar hand op haar rokje en liet zich voorzichtig neerzakken.

'Draai je hoofd een beetje naar rechts', zei Willem. 'En op mijn teken kijk je naar de camera. En met een glimlach.'

Daarnet had hij het licht gecontroleerd en nu stond hij op twee meter afstand met het fototoestel in de aanslag.

'Ja!'

Meteen draaide Polly haar hoofd en keek in de lens. Willem had haar gewaarschuwd, maar toch schrok ze toen de schermen een felle flits uitbraakten.

'Graag een glimlach', zei Willem. 'Geen schoolfotogrijns. Probeer aan iets grappigs te denken zodat er een spontane glimlach op je mond verschijnt.'

Iets grappigs, dacht Polly. Ze kon niet meteen iets grappigs verzinnen. Wanneer had ze hardop moeten lachen?

Opeens zag ze hoe deze winter een buurvrouw uitgleed en ze herinnerde zich hoe beduusd de vrouw opkeek, snel overeind krabbelde en beschaamd rondloerde of iemand haar valpartij had gezien. Polly had toen achter het raam van haar kamer gezeten en hoewel de vrouw vast een blauwe plek op haar achterwerk moest hebben, had Polly het uitgeschaterd.

'Super!' zei Willem toen de herinnering haar in de lichtflits deed glimlachen.

Dertig? Vijftig? Hoeveel foto's er genomen waren, wist Polly niet. Telkens weer draaide ze haar hoofd en dacht aan het bedremmelde gezicht van de buurvrouw tot de herinnering was uitgemolken en ze alleen nog geforceerd kon grijnzen.

'Een pauze', stelde Willem voor toen hij merkte dat het niet meer werkte. 'Willen we de foto's bekijken?'

Benieuwd kwam ze overeind. De geur van Willems aftershave drong in haar neus toen ze naast hem stond. Ze was onbehaaglijk dicht bij hem, maar ze wilde elk detail op de foto zien. Op het schermpje van zijn camera liet Willem de foto's voorbijschuiven.

'Deze, deze...' wees hij telkens als hij eentje bijzonder goed gelukt vond.

Polly was zowel trots als verlegen toen ze de foto's bestudeerde. 'Deze is echt goed.' Alsof ze bijziend was, duwde hij het schermpje bijna tegen haar neus. Ze deed een stap achteruit en zag dat ze een tikkeltje ondeugend naar de camera keek. 'Heel naturel. Een schalks schoolmeisje.'

Hij liet met zijn tong zijn wang bollen. 'Weet je', zei hij zonder zijn ogen van het schermpje te nemen. 'Het zou een mooi effect geven als je de bandjes van je topje en je beha zou laten zakken. Een onschuldig schoolmeisje met een blote schouder. Het contrast! Wat denk je? Het wordt vast iets dat meteen in het oog springt. En dat is precies wat je nodig hebt.'

'Waarom is het nodig dat de bandjes naar beneden zijn? Zoveel verschil geeft dat toch niet?'

'Een wereld van verschil', deed Willem belerend. 'Het wordt een beetje sexy. Niet veel, maar toch dat ietsje meer. Je mag niet vergeten dat zo'n modellenbureau tientallen kandidaten over de vloer krijgt. Duizenden foto's en je moet ervoor zorgen dat ze jouw foto langer dan twee seconden bekijken.'

Polly slikte. Het was natuurlijk niets bijzonders om de bandjes over haar schouder te trekken en eigenlijk kon ze zich best indenken dat het een opwindend effect zou geven.

'Vooruit dan maar', zei ze.

'Het zal niet eenvoudig zijn om dezelfde oogopslag als daarnet te krijgen', zei Willem. 'Je mag dat ook niet forceren. Je blik moet als uit het niets komen.'

Het voelde alsof ze zich een beetje blootgaf toen ze eerst het lintje van haar topje over haar schouder liet vallen en daarna het behabandje naar beneden schoof.

'Misschien kun je de rand van je topje wat naar beneden trekken zodat de ronding van je borst te zien is. Het contrast, weet je nog. Onschuldig en toch uitdagend.' Met zijn handen toonde hij op zijn borst hoe ver ze haar topje moest laten zakken. 'Je hebt toevallig geen schooluniform?' vroeg hij. Dat zou het contrast nog groter maken.

Ze schudde haar hoofd. Ze duwde de rand van haar topje wat naar beneden. God ja, dacht ze, soms zie ik wel gewaagdere topjes. Ze trok haar topje nog een centimeter naar beneden.

'Oké. Net zoals daarnet.'

Weer leken de doeken te ontploffen.

Ze zaten naast elkaar op de bank zodat hun benen soms toevallig elkaar raakten. Maar Willem maakte een heel ontspannen indruk. Een sigaret hing tussen zijn wijs- en middelvinger en Polly vond het vervelend dat de rook soms in haar ogen prikte. Toch schoof ze niet van hem weg.

De mooiste foto's lagen uitgespreid op de tafel, naast de mok koffie en Polly's cola.

'Dit is fantastisch.' Willem wees met zijn wijsvinger twee foto's aan. 'Die onschuldige oogopslag, de vrolijke glimlach en dan je blote schouder.'

Polly vond het ook wel bijzonder. Willem had gelijk en ze hoefde zich helemaal niet te schamen.

Hij drukte de Marlboro uit in de asbak en Polly haalde haar neus op omdat de slecht gedoofde sigaret een vieze stank veroorzaakte. Maar het was Willems huis en hij had een paar opmerkelijke foto's van haar genomen. Dat maakte alles goed.

'Als je werkelijk een foto wilt die in het oog springt, dan zou je toch nog een tikkeltje meer bloot moeten geven. Dan is het contrast nog scherper. Alsof je een meisje uit twee verschillende werelden bent. Je kunt toevallig geen schooluniform van iemand lenen? Dan zou je wat knoopjes van je bloes kunnen losmaken...' Zijn stem klonk rustig, maar ook dringend alsof het een kans was die ze niet kon laten liggen. Het vocht in haar hoofd. Ze had maar te knikken, maar ze schudde haar hoofd.

'Nee, toch niet. Geen naakt, hadden we afgesproken.'

Automatisch leunde ze wat verder van hem vandaan.

'Nou, echt naakt zou ik het niet noemen', zei Willem. 'Hooguit een piepklein beetje erotisch, uitdagend.'

Zijn vingers gingen naar het pakje Marlboro en hij haalde weer een sigaret tevoorschijn. Hij stak ze tussen zijn lippen, maar bleef afwachtend met zijn aansteker spelen. 'Maar als je het niet wilt, dan hoeft het niet. Ik stel het enkel voor omdat het supermooie resultaten zou geven.'

Weer schudde Polly haar hoofd terwijl ze zich afvroeg of ze geen ongelijk had. De mevrouw op de Wapper had ze ook meteen afgewimpeld en daarna spijt gehad.

'Je moet echt opvallen. Je moet ervoor zorgen dat jouw foto's meer aandacht krijgen. Dan pas maak je een kans.'

Haar blik ontweek hem en bleef een tijdlang op de foto's gericht.

'Nee', zei ze. 'Toch niet. Als het niet zonder blote borst kan, dan hoeft het niet.'

'Zoals je wilt', zei Willem. Er zat wat teleurstelling in zijn stem. 'Misschien zie je het later anders en dan stuur je me maar een mailtje. Of zullen we de nummers van onze mobieltjes uitwisselen? Je weet nooit wanneer we elkaar nog eens nodig hebben. Willen we nu eens kijken welke foto's je mee naar huis neemt?'

Zijn antwoord stelde haar gerust en ze boog zich weer over de foto's.

'Cool', zei Emelie.

Steeds weer gluurde ma naar de deur. Hoewel Rob nog uren zou wegblijven, leek ze ongerust.

'Ik vraag me af hoe we dit voor Rob geheim kunnen houden', vroeg ma zich somber af.

Met zijn drieën stonden ze over de tafel gebogen. Polly was eerst niet van plan om de foto's te tonen, maar Emelie had het mapje uit haar hand genomen en ze op tafel uitgespreid. Tot Polly's verbazing had ze zelfs geen opmerkingen gemaakt.

'Wat voor iemand is die fotograaf?' vroeg ma. 'Ik vind het maar niks dat je zomaar een wildvreemde man opzoekt. Je weet toch dat het internet vergiftigd is met perverts die contact zoeken met meisjes zoals jij. Als ik het op voorhand had geweten...' Ze zuchtte.

'Als je het op voorhand had geweten...'

'Dan was ik met je meegeweest.'

'Hij is geen pervert, ma', zei Polly die zich erover vrolijk maakte dat ma dacht dat elke site zijn viespeuken had. 'Foto's nemen is gewoon een hobby voor Willem. Als het ooit lukt als model, straalt dat ook op hem af.'

'Als het ooit lukt...' Ma trok haar wenkbrauwen op. 'Je vergeet toch niet dat studeren belangrijker is? Maar het is wellicht beter dat je met zoiets bezig bent dan dat je op straat rondhangt.' Ze knikte even alsof ze haar dochter best vertrouwde. 'Trouwens, meer dan waarschijnlijk heb je het wel gehad. Hoeveel meisjes dromen er niet van om fotomodel te worden? Houd maar in je hoofd dat het niets wordt. En Rob, je weet wel wat ik bedoel.'

'Die foto's waar je schouderbandjes naar beneden hangen zijn toch opvallend', zei Emelie. Met de punt van haar wijsvinger trok ze de foto wat dichter naar zich toe. 'Vroeg die Willem dat te doen?'

'Het was om het contrast tussen onschuldig en verleidelijk te krijgen', verdedigde Polly zich feller dan nodig was. 'Poseren is echt meer dan zomaar in een lens kijken.'

'Je tieten vallen bijna uit je topje', plaagde Emilie. Het leverde haar een strenge blik van ma op.

'God, is dat zo erg? In de zomer is er meer te zien op het strand. Zelfs bij ma.' Polly wierp een slinkse blik naar ma en ze zag een glimlach die meteen verdween toen ze besefte dat Polly haar aankeek.

'Ik draag zoiets enkel in de tuin', zei ma. 'Dit is toch anders.'

'Nou ja, anders?' deed Polly luchtig. 'Het hoort nu eenmaal bij fotoshoots.'

'Als je echt modellenwerk wilt doen, zul je nog veel meer moeten laten zien', meende Emilie.

'No way', zei Poly beslist. 'Dat weet ik wel zeker.'

3.

Zoals elke middag bleven Zita, Anna en Polly bij de schoolpoort rondhangen. Thuis zijn betekende studeren, hier was het leuk kletsen met vriendinnen. Honderd meter verderop stond Silke met Arne. Ze waren al enkele maanden een paar en dat mocht gezien worden. Ze zat op de bagagedrager van zijn fiets en hij stond gebogen met zijn armen om haar heen en aan hun kus leek geen einde te komen. Omdat het beeld hen al zo vertrouwd was, keken de meisjes nog amper naar hen.

'O ja, Polly', zei Zita. 'Weet je dat Lars het nummer van je mobieltje heeft gevraagd?'

'Waarom?' reageerde Polly zonder nadenken en meteen begreep ze het. 'Bedoel je dat...' Ze kreeg het niet over haar lippen.

'Nou, wat dacht je... Ik wil het je maar vertellen.'

Zita en Anna giechelden toen Polly haar schouders ophaalde.

'Och', zei Polly hoewel zijn vraag haar van haar stuk had gebracht. Ze had hem op het schoolplein soms aangekeken, want hij was een leuke jongen die niet deed alsof meisjes uit een lagere klas niet bestonden.

'Heb je mijn nummer gegeven?'

'Ben je gek?' Zita keek haar aan alsof ze diep beledigd was.

'Jammer', zei Polly.

'Wanneer ga je iets met die foto's uitrichten?' vroeg Anna.

'Weet ik niet. Het is niet dringend.' Eigenlijk wilde ze niet bekennen dat ze bang was voor een teleurstelling.

'Toch jammer. Eerst krijg je een fotoshoot en dan doe je er niets mee. Zonde.'

'Weet je', zei Zita. 'In *Boeket* staat een annonce voor jonge modellen. Je kunt het gezicht van *Boeket* worden.'

'Prrrt...' blies Polly tussen haar lippen en onbewust imiteerde ze het pruttelgeluid van Set. 'Zo'n tijdschrift? Dat is niets voor mij.'

'Nonsens', zei Anna. 'Je hebt net zoveel kans als iemand anders. Waarom zou je niet...'

'Misschien', gaf Polly wat onwillig toe. Ze vroeg zich af of ze dat voor Rob geheim kon houden.

'Weet je wat', stelde Zita opeens voor. 'Vanavond komen Anna en ik naar je toe. We stellen samen een brief op, stoppen de foto's in een enveloppe en doen hem vanavond nog op de bus.'

Polly moest het even laten bezinken. Waarom niet, dacht ze. Dan is de knoop meteen doorgehakt. Op een keer moest ze het toch doen. En hoewel ze beducht was voor de afloop was ze toch benieuwd.

Ik ben een meter achtenzeventig, weeg vierenvijftig kilogram. De vingers van Polly bleven op het klavier van haar laptop liggen. Ze keek Zita en Anna vragend aan. De twee meisjes stonden gebogen naast haar. Allebei steunden ze met hun handen op hun dijen en volgden geboeid de woorden die op het scherm verschenen.

'Zou ik mijn gewicht wel vermelden?' vroeg Polly. 'Misschien is dat geen goed idee. Ik weet niet wat een ideaal gewicht is.'

'Dat van jou', zei Zita overtuigd en ze wreef met een zucht over haar jeans die om haar dijen spande.

Ze hadden op het internet gesurft en ontdekt dat ze voor de wedstrijd geen vakantiefoto's of gefotoshopte foto's mochten insturen, maar over gewicht hadden ze niets gevonden.

'Ik haal mijn gewicht weg', zei Polly terwijl ze al met de delete-toets de letters verwijderde.

Ik ben zestien jaar, wilde Polly schrijven. 'Zou dat niet wat jong zijn?' vroeg ze zich hardop af. 'Ik kan ook schrijven dat ik achttien ben.'

'Dan val je meteen door de mand als ze je identiteitskaart vragen', zei Zita.

Zestien jaar, verscheen er op het scherm. *Ik hoop dat ik het gezicht van Boeket mag worden.*

Met zijn drieën overliepen ze nog eens de tekst.

'Dat lijkt me prima', zei Zita. 'Nu nog printen.'

Met zijn drieën hadden ze vier foto's geselecteerd. Alsof ze wilde beletten dat Polly zich zou bedenken, stopte Zita de foto's en de brief in de grote enveloppe die Anna had meegebracht. Zorgvuldig likte ze de enveloppe dicht en stak die in haar tas.

'Straks gaat hij in de brievenbus.'

Polly zette haar fiets tussen de andere fietsen en draaide het sleuteltje van het slot om.

'Hoi, Polly.' Ze herkende de stem van Zita en ze draaide zich verrast om. Zita en Anna keken haar aan. Op de een of andere manier klopte hun blik niet. Er was iets aan de hand. De meisjes keken elkaar af en toe aan en dan lachten ze.

'Wat is er?' vroeg Polly.

'We hebben daarnet Lars gezien', zei Anna snel.

Polly haalde haar schouders op.

'En dan, je ziet Lars toch elke dag. Hij loopt hier school, weet je.' Het gekonkel van de meisjes zinde haar niet.

'Hij vroeg nog eens naar je nummer', zei Zita.

'Och, dat...' Polly deed alsof ze het niet belangrijk vond, maar vanbinnen zinderde het. Ze vond het wel fijn dat hij interesse had. Natuurlijk waren er vroeger nog wel jongens geweest die wat probeerden, maar enkel met Senne was er wat geweest. Drie maanden en zes dagen om precies te zijn. Maar haar verliefdheid was net zo vlug uitgedoofd als ze gekomen was.

Misschien vond ze hem uiteindelijk te kinderlijk, ze wist het niet, maar opeens was ze hem beu. Hij had zelfs gehuild toen ze het hem vertelde. Ze had medelijden met hem gehad, maar vooral spijt dat ze hem niet gewoon een sms'je had gestuurd in plaats van hem in zijn gezicht te zeggen dat het voor haar niet meer hoefde.

Niet dat ze wanhopig op zoek was naar een jongen, maar Lars had toch wel iets meer. Zelfs Zita vond hem een stuk en die was heel kieskeurig met jongens. Zo kieskeurig dat ze nog nooit een vriendje had gehad.

Van Lars zou ze best een sms'je willen ontvangen.

'Weet je wat, je moet hem mijn nummer maar geven', zei Polly.

'Echt?' vroeg Zita en haar ogen fonkelden van opwinding.

Het deed pijn aan haar voeten. Nog nooit had ze hoge hakken gedragen, maar het moest. Drie weken geleden was ze met een massa meisjes naar de selecties geweest. In het weekend ervoor had ze van ma stiekem geld gekregen om het witte topje te kopen dat ze in een etalage had gezien. Ze had het in haar tas binnengesmokkeld. Het witte topje contrasteerde mooi met haar gebruinde armen en schouders. Over de foto's die ze naar een modellenbureau had gestuurd, had ze niets meer gehoord. Tijdens de finale van Boeket waren hoge hakken een must. Zelfs ma was mee naar de winkel geweest om haar te helpen kiezen. En tot haar verbazing had ma geknikt toen ze uit tientallen andere paren de zwarte, open schoenen met de fijne gevlochten lintjes die kruiselings over haar wreef liepen had gekozen. De schoenen kwamen enkel uit de kast als Rob er niet was.

Ze had nog een week om sierlijk en losjes op de schoenen te leren lopen.

Eerst had ze geoefend door 's avonds telkens op haar tenen in huis rond te lopen. Als ze naar de koelkast liep voor een potje yoghurt, als ze de trap opliep of als ze 's morgens naar de badkamer ging. Soms maakte ze op haar tenen zomaar rondjes rond de tafel.

Je lijkt wel een ooievaar die haar ei niet kwijtraakt, had Evelien haar de eerste dag gejend. Nu keek ze benieuwd toe hoe Polly voorzichtig op hoge hakken naar de deur en terug liep.

'Pfff...' blies Polly.

'Het went wel', zei ma. 'Stop nu maar. Anders gaan je voeten pijn doen en dan loop je met een grimas voorbij de jury.'

Polly leunde met een hand op tafel en trok voorzichtig haar schoenen uit. Alsof ze van glas waren legde ze ze in de doos.

'Als je morgen een kwartiertje vroeger opstaat, kun je al even oefenen', zei ma. 'En 's middags weer.'

Met de doos in haar hand liep ze op haar tenen de trap op om de schoenen in haar kast te zetten.

Nog zes dagen, dacht Polly. Ze begreep niet waarom ze nerveus was. Tenslotte deed ze zomaar aan de wedstrijd mee, ze hoefde helemaal niet het gezicht van *Boeket* te worden. Ma zou zelfs liever hebben dat het niets werd en toch... toch had ma haar schoenen en een jurk helpen kiezen en vooral: ma had betaald. Ze was nerveus omdat ze wist dat Rob het ooit zou ontdekken, maar juist daarom vond Polly het heel lief van haar.

Polly trok de deur van de kast open toen ouderwets telefoongerinkel vertelde dat ze een sms'je had gekregen.

Zita die wil weten of mijn voeten het overleefd hebben, dacht Polly. Haar vriendin leek meer ambitie te hebben, maar zij hoefde natuurlijk niet in badpak en op hoge hakken te lopen.

Het was een onbekend nummer. Even hield Polly het mobieltje in haar hand en opende dan het bericht.

Wil je vrijdag na school met mij iets drinken? Lars.

Polly bleef naar het sms'je kijken. Vrijdag? Dan sloot ze met Zita en Anna de schoolweek af in het café. En zaterdag moest ze naar de selecties voor het gezicht van *Boeket*. Nou ja, waarom niet?

Haar *Super* ging de omgekeerde richting uit.

Catwalk verschijnt voorjaar 2011 bij Davidsfonds Infodok.